Código Penal y de Procedimiento Penal

Ley 599 de 2000
Ley 906 de 2004

ACCESO GRATIS *a la Lectura en la Nube*

Para visualizar el libro electrónico en la nube de lectura envíe junto a su nombre y apellidos una fotografía del código de barras situado en la contraportada del libro y otra del ticket de compra a la dirección:

ebooktirant@tirant.com

En un máximo de 72 horas laborales le enviaremos el código de acceso con sus instrucciones.

Código Penal y de Procedimiento Penal

Ley 599 de 2000
Ley 906 de 2004

Edición concordada

GEOVANA ANDREA VALLEJO JIMÉNEZ
Docente investigadora de Derecho Penal y Derecho Procesal Penal
(UNAULA-Medellín)

CÉSAR ALEJANDRO OSORIO MORENO
Docente investigador de Derecho Penal y Derecho Procesal Penal
(UNAULA-Medellín)

tirant lo blanch
Bogotá D.C., 2019

©   Geovana Andrea Vallejo Jiménez
     César Alejandro Osorio Moreno

©   TIRANT LO BLANCH
     EDITA: TIRANT LO BLANCH
     Calle 69A No. 4-88, Bogotá D.C.
     Telf.: 4660171
     Email:tlb@tirant.com
     www.tirant.com
     Librería virtual: www.tirant.es
     ISBN: 978-84-1313-405-5

Si tiene alguna queja o sugerencia, envíenos un mail a: atencioncliente@tirant.com. En caso de no ser atendida su sugerencia, por favor, lea en www.tirant.net/index.php/empresa/politicas-de-empresa nuestro Procedimiento de quejas.

Responsabilidad Social Corporativa: http://www.tirant.net/Docs/RSCTirant.pdf

ABREVIATURAS

ad.:	Adicionado
art.:	Artículo
arts.:	Artículos
C.C.:	Código civil
C.CO:	Código de Comercio
C.G.P.:	Código General del Proceso
C.N.:	Constitución Nacional
C.P.:	Código Penal
C.P.P.:	Código Procesal Penal
CDPD:	Convención sobre los derechos de las personas con discapacidad
CIDH:	Comisión Interamericana de Derechos Humanos
inc.:	Inciso
incs.:	Incisos
lit.:	Literal
M.P.:	Magistrado Ponente
mod.:	Modificado
num.:	Numeral
nums.:	Números
par.:	Parágrafo
pars.:	Parágrafos
SCC:	Sentencia Corte Constitucional
transs.:	Transitorias

ÍNDICE

CÓDIGO PENAL

LIBRO PRIMERO
PARTE GENERAL

TÍTULO I. DE LAS NORMAS RECTORAS DE LA LEY PENAL COLOMBIANA 53
  CAPÍTULO ÚNICO.. 53
    Artículo 1: Dignidad humana 53
    Artículo 2: Integración 53
    Artículo 3: Principios de las sanciones penales..................... 53
    Artículo 4: Funciones de la pena 54
    Artículo 5: Funciones de la medida de seguridad.................. 54
    Artículo 6: Legalidad.. 54
    Artículo 7: Igualdad... 54
    Artículo 8: Prohibición de doble incriminación 54
    Artículo 9: Conducta punible 55
    Artículo 10: Tipicidad... 55
    Artículo 11: Antijuridicidad 55
    Artículo 12: Culpabilidad 55
    Artículo 13: Normas rectoras y fuerza normativa.................. 55

TÍTULO II. DE LA APLICACIÓN DE LA LEY PENAL.............................. 56
  CAPÍTULO ÚNICO. Aplicación de la ley penal en el espacio 56
    Artículo 14: Territorialidad 56
    Artículo 15: Territorialidad por extensión 56
    Artículo 16: Extraterritorialidad 56
    Artículo 17: Sentencia extranjera 58
    Artículo 18: Extradición.. 58

TÍTULO III.. 59
  CAPÍTULO ÚNICO. De la conducta punible.. 59
    Artículo 19: Delitos y contravenciones 59
    Artículo 20: Servidores públicos... 59
    Artículo 21: Modalidades de la conducta punible 59
    Artículo 22: Dolo... 59
    Artículo 23: Culpa... 59
    Artículo 24: Preterintención 60
    Artículo 25: Acción y omisión.. 60

Artículo 26: Tiempo de la conducta punible 60
Artículo 27: Tentativa 61
Artículo 28: Concurso de personas en la conducta punible 61
Artículo 29: Autores.. 61
Artículo 30: Partícipes.. 61
Artículo 31: Concurso de conductas punibles 62
Artículo 32: Ausencia de responsabilidad....................................... 62
Artículo 33: Inimputabilidad 64

TÍTULO IV. DE LAS CONSECUENCIAS JURÍDICAS DE LA CONDUCTA PUNIBLE .   64
CAPÍTULO I. De las penas, sus clases y sus efectos 64
Artículo 34: De las penas.. 64
Artículo 35: Penas principales 65
Artículo 36: Penas sustitutivas 65
Artículo 37: La prisión.. 65
Artículo 38: La prisión domiciliaria como sustitutiva de la prisión 66
Artículo 38-A: Derogado 66
Artículo 38-B: Requisitos para conceder la prisión domiciliaria 66
Artículo 38-C: Control de la medida de prisión domiciliaria................... 67
Artículo 38-D: Ejecución de la medida de prisión domiciliaria 68
Artículo 38-E: Redención de pena durante la prisión domiciliaria............ 68
Artículo 38-F: Pago del mecanismo de vigilancia electrónica................. 68
Artículo 38-G: Lugar de cumplimiento de la ejecución de la pena privativa
de la libertad 68
Artículo 39: La multa 69
Artículo 40: Conversión de la multa en arrestos progresivos 72
Artículo 41: Ejecución coactiva... 72
Artículo 42: Destinación 73
Artículo 43: Las penas privativas de otros derechos 73
Artículo 44: La inhabilitación para el ejercicio de derechos y funciones
públicas 74
Artículo 45: La pérdida de empleo o cargo público............................ 74
Artículo 46: La inhabilitación para el ejercicio de profesión, arte, oficio,
industria o comercio 74
Artículo 47: La inhabilitación para el ejercicio de la patria potestad, tu-
tela y curaduría 75
Artículo 48: La privación del derecho a conducir vehículos automotores y
motocicletas.. 75
Artículo 49: La privación del derecho a la tenencia y porte de arma........ 75
Artículo 50: La privación del derecho a residir o de acudir a determinados
lugares.. 75

Artículo 51: Duración de las penas privativas de otros derechos 75
Artículo 52: Las penas accesorias 76
Artículo 53: Cumplimiento de las penas accesorias 76
CAPÍTULO II. De los criterios y reglas para la determinación de la punibili-
dad 77
Artículo 54: Mayor y menor punibilidad 77
Artículo 55: Circunstancias de menor punibilidad 77
Artículo 56: Circunstancias de marginalidad, ignorancia o pobreza extre-
mas 78
Artículo 57: Ira o Intenso dolor 78
Artículo 58: Circunstancias de mayor punibilidad 78
Artículo 59: Motivación del proceso de individualización de la pena 80
Artículo 60: Parámetros para la determinación de los mínimos y máximos
aplicables 80
Artículo 61: Fundamentos para la individualización de la pena 80
Artículo 62: Comunicabilidad de circunstancias 81
CAPÍTULO III. De los mecanismos sustitutivos de la pena privativa de la
libertad 81
Artículo 63: Suspensión de la ejecución de la pena 81
Artículo 64: Libertad condicional 82
Artículo 65: Obligaciones 83
Artículo 66: Revocación de la suspensión de la ejecución condicional de
la pena y de la libertad condicional 84
Artículo 67: Extinción y liberación 84
Artículo 68: Reclusión domiciliaria u hospitalaria por enfermedad muy
grave 84
Artículo 68-A: Exclusión de los beneficios y subrogados penales 85
CAPÍTULO IV. De las medidas de seguridad 86
Artículo 69: Medidas de seguridad 86
Artículo 70: Internación para inimputable por trastorno mental perma-
nente 87
Artículo 71: Internación para inimputable por trastorno mental transito-
rio con base patológica 87
Artículo 72: La internación en casa de estudio o de trabajo 88
Artículo 73: La reintegración al medio cultural propio 88
Artículo 74: Libertad vigilada 89
Artículo 75: Trastorno mental transitorio sin base patológica 89
Artículo 76: Medida de seguridad en casos especiales 89
Artículo 77: Control judicial de las medidas 90
Artículo 78: Revocación de la suspensión condicional 90
Artículo 79: Suspensión o cesación de las medidas de seguridad 90

Artículo 80: Cómputo de la internación preventiva.............................. 90
Artículo 81: Restricción de otros derechos a los inimputables............... 90
CAPÍTULO V. De la extinción de la acción y de la sanción penal 91
Artículo 82: Extinción de la acción penal 91
Artículo 83: Término de prescripción de la acción penal....................... 91
Artículo 84: Iniciación del término de prescripción de la acción............. 92
Artículo 85: Renuncia a la prescripción 93
Artículo 86: Interrupción y suspensión del término prescriptivo de la acción 93
Artículo 87: La oblación 93
Artículo 88: Extinción de la sanción penal.. 93
Artículo 89: Término de la prescripción de la sanción penal.................. 94
Artículo 90: Interrupción del término de prescripción de la sanción privativa de la libertad.. 94
Artículo 91: Interrupción del término de prescripción de la multa 94
Artículo 92: La rehabilitación 94
Artículo 93: Extensión de las anteriores disposiciones 95
CAPÍTULO VI. De la responsabilidad civil derivada de la conducta punible ... 96
Artículo 94: Reparación del daño 96
Artículo 95: Titulares de la acción civil 96
Artículo 96: Obligados a indemnizar 96
Artículo 97: Indemnización por daños... 96
Artículo 98: Prescripción 97
Artículo 99: Extinción de la acción civil....................................... 97
Artículo 100: Comiso.. 97

LIBRO SEGUNDO
PARTE ESPECIAL DE LOS DELITOS EN PARTICULAR

TÍTULO I. DELITOS CONTRA LA VIDA Y LA INTEGRIDAD PERSONAL.............. 99
CAPÍTULO I. Del genocidio.. 99
Artículo 101: Genocidio... 99
Artículo 102: Apología del genocidio 100
CAPÍTULO II. Del homicidio 100
Artículo 103: Homicidio... 100
Artículo 104: Circunstancias de agravación 100
Artículo 104-A: Feminicidio... 101
Artículo 104-B: Circunstancias de agravación punitiva del feminicidio 102
Artículo 105: Homicidio preterintencional 103
Artículo 106: Homicidio por piedad 103
Artículo 107: Inducción o ayuda al suicidio 103

Artículo 108: Muerte de hijo fruto de acceso carnal violento, abusivo, o de inseminación artificial o transferencia de óvulo fecundado no consentidas 104
Artículo 109: Homicidio culposo 104
Artículo 110: Circunstancias de agravación punitiva para el homicidio culposo 104
CAPÍTULO III. De las lesiones personales 105
Artículo 111: Lesiones.................... 105
Artículo 112: Incapacidad para trabajar o enfermedad 105
Artículo 113: Deformidad 106
Artículo 114: Perturbación funcional 106
Artículo 115: Perturbación psíquica 106
Artículo 116: Pérdida anatómica o funcional de un órgano o miembro 107
Artículo 116-A: Lesiones con agentes químicos, ácido y/o sustancias similares.............. 107
Artículo 117: Unidad punitiva 108
Artículo 118: Parto o aborto preterintencional 108
Artículo 119: Circunstancias de agravación punitiva................ 108
Artículo 120: Lesiones culposas 108
Artículo 121: Circunstancias de agravación punitiva por lesiones culposas 109
CAPÍTULO IV. Del aborto................ 109
Artículo 122: Aborto 109
Artículo 123: Aborto sin consentimiento 110
Artículo 124: Circunstancias de atenuación punitiva................ 110
CAPÍTULO V. De las lesiones al feto 110
Artículo 125: Lesiones al feto................ 110
Artículo 126: Lesiones culposas al feto 110
CAPÍTULO VI. Del abandono de menores y personas desvalidas 111
Artículo 127: Abandono................ 111
Artículo 128: Abandono de hijo fruto de acceso carnal violento, abusivo, o de inseminación artificial o transferencia de óvulo fecundado no consentidas 111
Artículo 129: Eximente de responsabilidad y atenuante punitivo 112
Artículo 130: Circunstancias de agravación 112
CAPÍTULO VII. De la omisión de socorro................ 112
Artículo 131: Omisión de socorro 112
Artículo 131-A: Omisión en la Atención Inicial de Urgencias................ 112
CAPÍTULO VIII. De la manipulación genética 113
Artículo 132: Manipulación genética................ 113
Artículo 133: Repetibilidad del ser humano................ 113

Artículo 134: Fecundación y tráfico de embriones humanos 113
CAPÍTULO IX. De los actos de discriminación 114
Artículo 134-A: Actos de discriminación.. 114
Artículo 134-B: Hostigamiento 114
Artículo 134-C: Circunstancias de agravación punitiva 115
Artículo 134-D: Circunstancias de atenuación punitiva 115

**TÍTULO II. DELITOS CONTRA PERSONAS Y BIENES PROTEGIDOS POR EL DERE-
CHO INTERNACIONAL HUMANITARIO** 115
CAPÍTULO ÚNICO... 115
Artículo 135: Homicidio en persona protegida.................................... 115
Artículo 136: Lesiones en persona protegida...................................... 116
Artículo 137: Tortura en persona protegida.. 117
Artículo 138: Acceso carnal violento en persona protegida................... 117
Artículo 138-A: Acceso carnal abusivo en persona protegida menor de
catorce años 117
Artículo 139: Actos sexuales violentos en persona protegida 118
Artículo 139-A: Actos sexuales con persona protegida menor de catorce
años.. 118
Artículo 139-B: Esterilización forzada en persona protegida 118
Artículo 139-C: Embarazo forzado en persona protegida...................... 118
Artículo 139-D: Desnudez forzada en persona protegida...................... 119
Artículo 139-E: Aborto forzado en persona protegida 119
Artículo 140: Circunstancias de agravación 119
Artículo 141: Prostitución forzada en persona protegida 119
Artículo 141-A: Esclavitud sexual en persona protegida 120
Artículo 141-B: Trata de personas en persona protegida con fines de ex-
plotación sexual 120
Artículo 142: Utilización de medios y métodos de guerra ilícitos............ 120
Artículo 143: Perfidia.. 121
Artículo 144: Actos de terrorismo.. 121
Artículo 145: Actos de barbarie 122
Artículo 146: Tratos inhumanos y degradantes y experimentos biológicos
en persona protegida 122
Artículo 147: Actos de discriminación racial 122
Artículo 148: Toma de rehenes.. 123
Artículo 149: Detención ilegal y privación del debido proceso............... 123
Artículo 150: Constreñimiento a apoyo bélico 123
Artículo 151: Despojo en el campo de batalla 124
Artículo 152: Omisión de medidas de socorro y asistencia humanitaria.... 124
Artículo 153: Obstaculización de tareas sanitarias y humanitarias 124

Artículo 154: Destrucción y apropiación de bienes protegidos 125
Artículo 155: Destrucción de bienes e instalaciones de carácter sanitario 125
Artículo 156: Destrucción o utilización ilícita de bienes culturales y de lugares de culto 126
Artículo 157: Ataque contra obras e instalaciones que contienen fuerzas peligrosas.............................. 126
Artículo 158: Represalias 127
Artículo 159: Deportación, expulsión, traslado o desplazamiento forzado de población civil 127
Artículo 160: Atentados a la subsistencia y devastación 127
Artículo 161: Omisión de medidas de protección a la población civil....... 128
Artículo 162: Reclutamiento ilícito.............................. 128
Artículo 163: Exacción o contribuciones arbitrarias 128
Artículo 164: Destrucción del medio ambiente.................................... 128

TÍTULO III. DELITOS CONTRA LA LIBERTAD INDIVIDUAL Y OTRAS GARANTÍAS 129
CAPÍTULO I. De la desaparición forzada 129
Artículo 165: Desaparición forzada 129
Artículo 166: Circunstancias de agravación punitiva............................ 129
Artículo 167: Circunstancias de atenuación punitiva............................ 131
CAPÍTULO II. Del secuestro.. 131
Artículo 168: Secuestro simple 131
Artículo 169: Secuestro extorsivo.............................. 132
Artículo 170: Circunstancias de agravación punitiva............................ 132
Artículo 171: Circunstancias de atenuación punitiva............................ 134
Artículo 172: Derogado.. 134
CAPÍTULO III. Apoderamiento y desvío de aeronaves, naves o medios de transporte colectivo.. 134
Artículo 173: Apoderamiento de aeronaves, naves, o medios de transporte colectivo.............................. 134
CAPÍTULO IV. De la detención arbitraria 135
Artículo 174: Privación ilegal de libertad 135
Artículo 175: Prolongación ilícita de privación de la libertad.............. 135
Artículo 176: Detención arbitraria especial 135
Artículo 177: Desconocimiento de habeas corpus................................ 135
CAPÍTULO V. De los delitos contra la autonomía personal.................... 136
Artículo 178: Tortura.. 136
Artículo 179: Circunstancias de agravación punitiva............................ 136
Artículo 180: Desplazamiento forzado 137
Artículo 181: Circunstancias de agravación punitiva............................ 138

Artículo 182: Constreñimiento ilegal... 138
Artículo 182A: Constreñimiento ilegal por parte de miembros de Grupos
Delictivos Organizados y Grupos Armados Organizados..................... 138
Artículo 183: Circunstancias de agravación punitiva............................ 139
Artículo 184: Constreñimiento para delinquir 139
Artículo 185: Circunstancias de agravación punitiva............................ 139
Artículo 186: Fraudulenta internación en asilo, clínica o establecimiento
similar.. 139
Artículo 187: Inseminación artificial o transferencia de óvulo fecundado
no consentidas 140
Artículo 188: Del tráfico de migrantes... 140
Artículo 188-A: Trata de personas 140
Artículo 188-B: Circunstancias de agravación punitiva......................... 141
Artículo 188-C: Tráfico de niñas, niños y adolescentes........................ 142
Artículo 188-D: Uso de menores de edad la comisión de delitos 142
Artículo 188-E: Amenazas contra defensores de Derechos Humanos y ser-
vidores públicos 143
CAPÍTULO VI. Delitos contra la inviolabilidad de habitación o sitio de traba-
jo 143
Artículo 189: Violación de habitación ajena...................................... 143
Artículo 190: Violación de habitación ajena por servidor público............. 144
Artículo 191: Violación en lugar de trabajo..................................... 144
CAPÍTULO VII. De la violación a la intimidad, reserva e interceptación de
comunicaciones... 144
Artículo 192: Violación ilícita de comunicaciones 144
Artículo 193: Ofrecimiento, venta o compra de instrumento apto para
interceptar la comunicación privada entre personas 144
Artículo 194: Divulgación y empleo de documentos reservados 144
Artículo 195: Derogado... 145
Artículo 196: Violación ilícita de comunicaciones o correspondencia de
carácter oficial 145
Artículo 197: Utilización ilícita de redes de comunicaciones 145
CAPÍTULO VIII. De los delitos contra la libertad de trabajo y asociación 145
Artículo 198: Violación de la libertad de trabajo................................ 145
Artículo 199: Sabotaje 146
Artículo 200: Violación de los derechos de reunión y asociación............. 146
CAPÍTULO IX. De los delitos contra el sentimiento religioso y el respeto a los
difuntos... 147
Artículo 201: Violación a la libertad religiosa................................... 147
Artículo 202: Impedimento y perturbación de ceremonia religiosa.......... 147
Artículo 203: Daños o agravios a personas o a cosas destinadas al culto . 147

Artículo 204: Irrespeto a cadáveres 148

TÍTULO IV. DELITOS CONTRA LA LIBERTAD, INTEGRIDAD Y FORMACIÓN SE-XUALES... 148

CAPÍTULO I. De la violación 148

Artículo 205: Acceso carnal violento... 148

Artículo 206: Acto sexual violento.. 148

Artículo 207: Acceso carnal o acto sexual en persona puesta en incapacidad de resistir.. 148

CAPÍTULO II. De los actos sexuales abusivos.. 149

Artículo 208: Acceso carnal abusivo con menor de catorce años............. 149

Artículo 209: Actos sexuales con menor de catorce años........................ 149

Artículo 210: Acceso carnal o acto sexual abusivos con incapaz de resistir 149

Artículo 210-A: Acoso sexual... 149

CAPÍTULO III. Disposiciones comunes a los capítulos anteriores 150

Artículo 211: Circunstancias de agravación punitiva............................... 150

Artículo 212: Acceso carnal... 150

Artículo 212-A: Violencia 151

CAPÍTULO IV. Del proxenetismo 151

Artículo 213: Inducción a la prostitución 151

Artículo 213-A: Proxenetismo con menor de edad 151

Artículo 214: Constreñimiento a la prostitución.................................... 151

Artículo 215: Derogado... 152

Artículo 216: Circunstancias de agravación punitiva.............................. 152

Artículo 217: Estímulo a la Prostitución de Menores 152

Artículo 217-A: Demanda de explotación sexual comercial de persona menor de 18 años de edad 153

Artículo 218: Pornografía con personas menores de 18 años.................. 153

Artículo 219: Turismo sexual 154

Artículo 219-A: Utilización o facilitación de medios de comunicación para ofrecer servicios sexuales de menores.. 154

Artículo 219-B: Omisión de denuncia... 154

Artículo 219C: Inhabilidades por delitos sexuales cometidos contra menores 155

TÍTULO V. DELITOS CONTRA LA INTEGRIDAD MORAL............................... 155

CAPÍTULO ÚNICO. De la injuria y la calumnia 155

Artículo 220: Injuria 155

Artículo 221: Calumnia... 155

Artículo 222: Injuria y calumnia indirectas... 156

Artículo 223: Circunstancias especiales de graduación de la pena........... 156

Artículo 224: Eximente de responsabilidad.. 156
Artículo 225: Retractación 157
Artículo 226: Injuria por vías de hecho 157
Artículo 227: Injurias o calumnias recíprocas..................................... 157
Artículo 228: Imputaciones de litigantes.. 157

TÍTULO VI. DELITOS CONTRA LA FAMILIA.. 158
CAPÍTULO I. De la violencia intrafamiliar.. 158
Artículo 229: Violencia intrafamiliar 158
Artículo 229-A: Maltratado por descuido, negligencia o abandono en persona mayor de 60 años.. 158
Artículo 230: Maltrato mediante restricción a la libertad física 158
Artículo 230-A: Ejercicio arbitrario de la custodia de hijo menor de edad 159
CAPÍTULO II 159
Artículo 231: 159
CAPÍTULO III. De la adopción irregular 159
Artículo 232: Adopción irregular 159
CAPÍTULO IV. De los delitos contra la asistencia alimentaria.................... 160
Artículo 233: Inasistencia alimentaria.. 160
Artículo 234: Circunstancias de agravación punitiva............................. 161
Artículo 235: Reiteración... 161
Artículo 236: Malversación y dilapidación de bienes de familiares 161
CAPÍTULO V. Del incesto.. 161
Artículo 237: Incesto.. 161
CAPÍTULO VI. De la supresión, alteración o suposición del estado civil........ 162
Artículo 238: Supresión, alteración o suposición del estado civil............ 162

TÍTULO VII. DELITOS CONTRA EL PATRIMONIO ECONÓMICO 162
CAPÍTULO I. Del hurto.. 162
Artículo 239: Hurto.. 162
Artículo 240: Hurto calificado 162
Artículo 241: Circunstancias de agravación punitiva............................. 163
Artículo 242: Circunstancias de atenuación punitiva............................. 164
Artículo 243: Abigeato 164
Artículo 243A: Circunstancias de agravación punitiva........................... 165
Artículo 243B: Circunstancias de atenuación punitiva........................... 165
CAPÍTULO II. De la extorsión.. 165
Artículo 244: Extorsión... 165
Artículo 245: Circunstancias de agravación 165
CAPÍTULO III. De la estafa... 167
Artículo 246: Estafa.. 167
Artículo 247: Circunstancias de agravación punitiva............................. 167

CAPÍTULO IV. Fraude mediante cheque 168
    Artículo 248: Emisión y transferencia ilegal de cheque 168
CAPÍTULO V. Del abuso de confianza 169
    Artículo 249: Abuso de confianza 169
    Artículo 250: Abuso de confianza calificado 169
    Artículo 250-A: Corrupción privada 170
    Artículo 250-B: Administración desleal 170
CAPÍTULO VI. De las defraudaciones 170
    Artículo 251: Abuso de condiciones de inferioridad 170
    Artículo 252: Aprovechamiento de error ajeno o caso fortuito 171
    Artículo 253: Alzamiento de bienes 171
    Artículo 254: Sustracción de bien propio 171
    Artículo 255: Disposición de bien propio gravado con prenda 171
    Artículo 256: Defraudación de fluidos 172
    Artículo 257: De la prestación, acceso o uso ilegales de los servicios de telecomunicaciones 172
    Artículo 258: Utilización indebida de información privilegiada 172
    Artículo 259: Malversación y dilapidación de bienes 173
    Artículo 260: Gestión indebida de recursos sociales 173
CAPÍTULO VII. De la usurpación 173
    Artículo 261: Usurpación de inmuebles 173
    Artículo 262: Usurpación de aguas 174
    Artículo 263: Invasión de tierras o edificaciones 174
    Artículo 264: Perturbación de la posesión sobre inmueble 175
CAPÍTULO VIII. Del daño 175
    Artículo 265: Daño en bien ajeno 175
    Artículo 266: Circunstancias de agravación punitiva 175
CAPÍTULO IX. Disposiciones comunes a los capítulos anteriores 176
    Artículo 267: Circunstancias de agravación 176
    Artículo 268: Circunstancia de atenuación punitiva 176
    Artículo 269: Reparación 176

TÍTULO VII-A. DE DELITOS CONTRA EL PATRIMONIO CULTURAL SUMERGIDO . 176
    Artículo 269-1: Delitos contra el Patrimonio Cultural Sumergido 176

TÍTULO VII BIS. DE LA PROTECCIÓN DE LA INFORMACIÓN Y DE LOS DATOS .. 177
    CAPÍTULO I. De los atentados contra la confidencialidad, la integridad y la disponibilidad de los datos y de los sistemas informáticos 177
    Artículo 269-A: Acceso abusivo a un sistema informático 177
    Artículo 269-B: Obstaculización ilegítima de sistema informático o red de telecomunicación 177
    Artículo 269-C: Interceptación de datos informáticos 178

Artículo 269-D: Daño Informático 178
Artículo 269-E: Uso de software malicioso 178
Artículo 269-F: Violación de datos personales 178
Artículo 269-G: Suplantación de sitios web para capturar datos persona-
   les 179
Artículo 269-H: Circunstancias de agravación punitiva......................... 179
CAPÍTULO II. De los atentados informáticos y otras infracciones............... 180
Artículo 269-I: Hurto por medios informáticos y semejantes.................. 180
Artículo 269-J: Transferencia no consentida de activos......................... 180

TÍTULO VIII. DE LOS DELITOS CONTRA LOS DERECHOS DE AUTOR 181
CAPÍTULO ÚNICO... 181
Artículo 270: Violación a los derechos morales de autor........................ 181
Artículo 271: Violación a los derechos patrimoniales de autor y derechos
   conexos 181
Artículo 272: Violación a los mecanismos de protección de derecho de
   autor y derechos conexos, y otras defraudaciones 182

TÍTULO IX. DELITOS CONTRA LA FE PÚBLICA 184
CAPÍTULO I. De la falsificación de moneda 184
Artículo 273: Falsificación de moneda nacional o extranjera 184
Artículo 274: Tráfico de moneda falsificada. Tráfico de moneda falsifica-
   da 184
Artículo 275: Tráfico, elaboración y tenencia de elementos destinados a la
   falsificación de moneda 184
Artículo 276: Emisiones ilegales 185
Artículo 277: Circulación ilegal de monedas... 185
Artículo 278: Valores equiparados a moneda 185
CAPÍTULO II. De la falsificación de sellos, efectos oficiales y marcas 185
Artículo 279: Falsificación o uso fraudulento de sello oficial................. 185
Artículo 280: Falsificación de efecto oficial timbrado 186
Artículo 281: Circulación y uso de efecto oficial o sello falsificado 186
Artículo 282: Emisión ilegal de efectos oficiales................................... 186
Artículo 283: Supresión de signo de anulación de efecto oficial 186
Artículo 284: Uso y circulación de efecto oficial anulado 186
Artículo 285: Falsedad marcaria 186
CAPÍTULO III. De la falsedad en documentos 187
Artículo 286: Falsedad ideológica en documento público 187
Artículo 287: Falsedad material en documento público 187
Artículo 288: Obtención de documento público falso............................ 187
Artículo 289: Falsedad en documento privado 188
Artículo 290: Circunstancia de agravación punitiva.............................. 188

Artículo 291: Uso de documento falso... 188
Artículo 292: Destrucción, supresión u ocultamiento de documento público... 188
Artículo 293: Destrucción, supresión y ocultamiento de documento privado... 189
Artículo 294: Documento... 189
Artículo 295: Falsedad para obtener prueba de hecho verdadero............. 189
Artículo 296: Falsedad personal.. 189

TÍTULO X. DELITOS CONTRA EL ORDEN ECONÓMICO SOCIAL...................... 189
CAPÍTULO I. Del acaparamiento, la especulación y otras infracciones.......... 189
Artículo 297: Acaparamiento... 189
Artículo 298: Especulación... 190
Artículo 298-A: Circunstancia de Agravación Punitiva........................... 190
Artículo 299: Alteración y modificación de calidad, cantidad, peso o medida... 190
Artículo 300: Ofrecimiento engañoso de productos y servicios............... 191
Artículo 301: Agiotaje... 191
Artículo 301-A: Circunstancia de Agravación Punitiva........................... 191
Artículo 302: Pánico económico... 192
Artículo 303: Ilícita explotación comercial 192
Artículo 304: Daño en materia prima, producto agropecuario o industrial 192
Artículo 305: Usura... 193
Artículo 306: Usurpación de derechos de propiedad industrial y derechos de obtentores de variedades vegetales 194
Artículo 307: Uso ilegítimo de patentes... 194
Artículo 308: Violación de reserva industrial o comercial....................... 195
Artículo 309: Sustracción de cosa propia al cumplimiento de deberes constitucionales y legales... 195
Artículo 310: Exportación o importación ficticia................................... 196
Artículo 311: Aplicación fraudulenta de crédito oficialmente regulado..... 196
Artículo 312: Ejercicio ilícito de actividad monopolística de arbitrio rentístico.. 196
Artículo 313: Evasión fiscal.. 196
CAPÍTULO II. De los delitos contra el sistema financiero.......................... 197
Artículo 314: Utilización indebida de fondos captados del público.......... 197
Artículo 315: Operaciones no autorizadas con accionistas o asociados 197
Artículo 316: Captación masiva y habitual de dinero 197
Artículo 316-A: Sanción por la captación 198
Artículo 317: Manipulación fraudulenta de especies inscritas en el Registro Nacional de Valores y Emisores.. 198

CAPÍTULO III. De la urbanización ilegal.. 198
  Artículo 318: Urbanización ilegal.. 198
CAPÍTULO IV. Del contrabando... 199
  Artículo 319: Contrabando 199
  Artículo 319-1: Contrabando de hidrocarburos y sus derivados.............. 200
  Artículo 319-2: Contrabando de Medicamento, Dispositivo, Suministro o
    Insumo Médico... 201
  Artículo 320: Favorecimiento y facilitación del contrabando.................. 202
  Artículo 320-1: Favorecimiento de contrabando de hidrocarburos o sus
    derivados 202
  Artículo 321: Fraude Aduanero... 203
  Artículo 322: Favorecimiento por servidor público............................... 204
  Artículo 322-1: Favorecimiento por servidor público de contrabando de
    hidrocarburos o sus derivados... 205
CAPÍTULO V. Del lavado de activos 206
  Artículo 323: Lavado de activos.. 206
  Artículo 324: Circunstancias específicas de agravación 207
  Artículo 325: Omisión de control... 207
  Artículo 325-A: Omisión de Reportes Sobre Transacciones en efectivo,
    Movilización o Almacenamiento de Dinero en Efectivo 208
  Artículo 325-B: Omisión de control en el sector de la salud................... 208
  Artículo 326: Testaferrato 208
  Artículo 327: Enriquecimiento ilícito de particulares 209
CAPÍTULO VI. Del apoderamiento de los hidrocarburos, sus derivados, bio-
  combustibles o mezclas que los contengan y otras disposiciones............. 209
  Artículo 327-A: Apoderamiento de hidrocarburos, sus derivados, biocom-
    bustibles o mezclas que los contengan... 209
  Artículo 327-B: Apoderamiento o alteración de sistemas de identifica-
    ción 210
  Artículo 327-C: Receptación... 210
  Artículo 327-D: Destinación ilegal de combustibles............................... 210
  Artículo 327-E: Circunstancia genérica de agravación 211
TÍTULO XI. DE LOS DELITOS CONTRA LOS RECURSOS NATURALES Y EL MEDIO
  AMBIENTE 211
CAPÍTULO ÚNICO. Delitos contra los recursos naturales y medio ambiente ... 211
  Artículo 328: Ilícito aprovechamiento de los recursos naturales renova-
    bles.. 211
  Artículo 329: Violación de fronteras para la explotación o aprovechamien-
    to de los recursos naturales.. 211

Artículo 330: Manejo y uso ilícito de organismos, microorganismos y elementos genéticamente modificados 212

Artículo 330-A: Manejo ilícito de especies exóticas 212

Artículo 331: Daños en los recursos naturales 212

Artículo 332: Contaminación ambiental 213

Artículo 332-A: Contaminación ambiental por residuos sólidos peligrosos 214

Artículo 333: Contaminación ambiental por explotación de yacimiento minero o hidrocarburo 214

Artículo 334: Experimentación ilegal con especies, agentes biológicos o bioquímicos 214

Artículo 335: Ilícita actividad de pesca 215

Artículo 336: Caza ilegal 215

Artículo 337: Invasión de áreas de especial importancia ecológica 216

Artículo 338: Explotación ilícita de yacimiento minero y otros materiales 216

Artículo 339: Modalidad culposa 217

TÍTULO XI-A. DE LOS DELITOS CONTRA LOS ANIMALES 217

CAPÍTULO ÚNICO. Delitos contra la vida, integridad física y emocional de los animales 217

Artículo 339-A: Delitos contra la vida, la integridad física y emocional de los animales 217

Artículo 339-B: Circunstancias de agravación punitiva 217

TÍTULO XII. DELITOS CONTRA LA SEGURIDAD PÚBLICA 218

CAPÍTULO I. Del concierto, el terrorismo, las amenazas y la instigación 218

Artículo 340: Concierto para delinquir 218

Artículo 340A: Asesoramiento a Grupos Delictivos Organizados y Grupos Armados Organizados 219

Artículo 341: Entrenamiento para actividades ilícitas 220

Artículo 342: Circunstancia de agravación 220

Artículo 343: Terrorismo 220

Artículo 344: Circunstancias de agravación punitiva 221

Artículo 345: Financiación del terrorismo y de grupos de delincuencia organizada y administración de recursos relacionados con actividades terroristas y de la delincuencia organizada 221

Artículo 346: Utilización ilegal de uniformes e insignias 222

Artículo 347: Amenazas 222

Artículo 348: Instigación a delinquir 222

Artículo 349: Incitación a la comisión de delitos militares 223

CAPÍTULO II. De los delitos de peligro común o que pueden ocasionar grave perjuicio para la comunidad y otras infracciones 223

Artículo 350: Incendio 223

Artículo 351: Daño en obras de utilidad social   224

Artículo 352: Provocación de inundación o derrumbe   224

Artículo 353: Perturbación en servicio de transporte público, colectivo u
oficial..   224

Artículo 353-A: Obstrucción a vías públicas que afecten el orden público   225

Artículo 354: Siniestro o daño de nave..   225

Artículo 355: Pánico   225

Artículo 356: Disparo de arma de fuego contra vehículo.......................   225

Artículo 356-A: Disparo de arma de fuego sin justificación....................   226

Artículo 357: Daño en obras o elementos de los servicios de comunicacio-
nes, energía y combustibles   226

Artículo 358: Tenencia, fabricación y tráfico de sustancias u objetos peli-
grosos..   226

Artículo 359: Empleo o lanzamiento de sustancias u objetos peligrosos ..   227

Artículo 360: Modalidad culposa   228

Artículo 361: Introducción de residuos nucleares y de desechos tóxicos...   228

Artículo 362: Perturbación de instalación nuclear o radiactiva   228

Artículo 363: Tráfico, transporte y posesión de materiales radiactivos o
sustancias nucleares..   228

Artículo 364: Obstrucción de obras de defensa o de asistencia...............   229

Artículo 365: Fabricación, tráfico, porte o tenencia de armas de fuego,
accesorios, partes o municiones...   229

Artículo 366: Fabricación, tráfico y porte de armas, municiones de uso
restringido, de uso privativo de las Fuerzas Armadas o explosivos.......   230

Artículo 367: Fabricación, importación, tráfico, posesión y uso de armas
químicas, biológicas y nucleares..   230

Artículo 367-A: Empleo, producción, comercialización y almacenamiento
de minas antipersonal   231

Artículo 367-B: Ayuda e inducción al empleo, producción y transferencia
de minas antipersonal   232

TÍTULO XIII. DE LOS DELITOS CONTRA LA SALUD PÚBLICA......................   232

CAPÍTULO I. De las afectaciones a la salud pública   232

Artículo 368: Violación de medidas sanitarias   232

Artículo 369: Propagación de epidemia   232

Artículo 370: Propagación del virus de inmunodeficiencia humana o de la
hepatitis B   232

Artículo 371: Contaminación de aguas..   233

Artículo 372: Corrupción de Alimentos, Productos Médicos o Material Pro-
filáctico   233

Artículo 373: Imitación o Simulación de Alimentos, Productos o Sustancias.. 234
Artículo 374: Fabricación y comercialización de sustancias nocivas para la salud.. 234
Artículo 374-A: Enajenación ilegal de medicamentos........................... 234
CAPÍTULO II. Del tráfico de estupefacientes y otras infracciones.............. 235
Artículo 375: Conservación o financiación de plantaciones.................... 235
Artículo 376: Tráfico, fabricación o porte de estupefacientes................. 235
Artículo 377: Destinación ilícita de muebles o inmuebles..................... 236
Artículo 377-A: Uso, construcción, comercialización y/o tenencia de semisumergibles o sumergibles.. 237
Artículo 377-B: Circunstancia de agravación punitiva......................... 237
Artículo 378: Estímulo al uso ilícito.. 238
Artículo 379: Suministro o formulación ilegal................................ 238
Artículo 380: Suministro o formulación ilegal a deportistas.................. 238
Artículo 381: Suministro a menor... 239
Artículo 382: Tráfico de sustancias para el procesamiento de narcóticos.. 239
Artículo 383: Porte de sustancias.. 239
Artículo 384: Circunstancias de agravación punitiva.......................... 240
Artículo 385: Existencia, construcción y utilización ilegal de pistas de aterrizaje.. 240

TÍTULO XIV. DELITOS CONTRA MECANISMOS DE PARTICIPACIÓN DEMOCRÁTICA.. 241
CAPÍTULO ÚNICO. De la violación al ejercicio de mecanismos de participación democrática... 241
Artículo 386: Perturbación de certamen democrático........................... 241
Artículo 387: Constreñimiento al sufragante.................................. 242
Artículo 388: Fraude al sufragante... 242
Artículo 389: Fraude en inscripción de cédulas............................... 243
Artículo 389-A: Elección ilícita de candidatos............................... 243
Artículo 390: Corrupción de sufragante....................................... 243
Artículo 390-A: Tráfico de votos... 244
Artículo 391: Voto fraudulento... 244
Artículo 392: Favorecimiento de voto fraudulento............................. 245
Artículo 393: Mora en la entrega de documentos relacionados con una votación.. 245
Artículo 394: Alteración de resultados electorales........................... 245
Artículo 395: Ocultamiento, retención y posesión ilícita de cédula......... 245
Artículo 396: Denegación de inscripción...................................... 246

Artículo 396-A: Financiación de campañas electorales con fuentes prohi-
bidas 246
Artículo 396-B: Violación de los topes o límites de gastos en las campa-
ñas electorales 247
Artículo 396-C: Omisión de información del aportante 247

TÍTULO XV. DELITOS CONTRA LA ADMINISTRACIÓN PÚBLICA 247
CAPÍTULO I. Del peculado 247
Artículo 397: Peculado por apropiación 247
Artículo 398: Peculado por uso 248
Artículo 399: Peculado por aplicación oficial diferente 248
Artículo 399-A: Peculado por aplicación oficial diferente frente a recursos
de la seguridad social 249
Artículo 400: Peculado culposo 249
Artículo 400-A: Peculado culposo frente a recursos de la seguridad social
integral 250
Artículo 401: Circunstancias de atenuación punitiva 250
Artículo 402: Omisión del agente retenedor o recaudador 250
Artículo 403: Destino de recursos del tesoro para el estimulo o beneficio
indebido de explotadores y comerciantes de metales preciosos 251
Artículo 403-A: Fraude de subvenciones 252
CAPÍTULO II. De la concusión 252
Artículo 404: Concusión 252
CAPÍTULO III. Del cohecho 252
Artículo 405: Cohecho propio 252
Artículo 406: Cohecho impropio 253
Artículo 407: Cohecho por dar u ofrecer 253
CAPÍTULO IV. De la celebración indebida de contratos 254
Artículo 408: Violación del régimen legal o constitucional de inhabilida-
des e incompatibilidades 254
Artículo 409: Interés indebido en la celebración de contratos 254
Artículo 410: Contrato sin cumplimiento de requisitos legales 254
Artículo 410-A: Acuerdos restrictivos de la competencia 255
CAPÍTULO V. Del tráfico de influencias 255
Artículo 411: Tráfico de influencias de servidor público 255
Artículo 411-A: Tráfico de influencias de particular 256
CAPÍTULO VI. Del Enriquecimiento ilícito 256
Art. 412: Enriquecimiento ilícito 256
CAPÍTULO VII. Del prevaricato 257
Art. 413: Prevaricato por acción 257
Art. 414: Prevaricato por omisión 257

Art. 415: Circunstancias de agravación punitiva 257
CAPÍTULO VIII. DE LOS ABUSOS DE AUTORIDAD Y OTRAS INFRACCIONES 258
Art. 416: Abuso de autoridad por acto arbitrario e injusto 258
Art. 417: Abuso de autoridad por omisión de denuncia 258
Artículo 418: Revelación de secreto 258
Artículo 418-B: Revelación de secreto culposa 258
Artículo 419: Utilización de asunto sometido a secreto o reserva 259
Artículo 420: Utilización indebida de información oficial privilegiada 259
Artículo 421: Asesoramiento y otras actuaciones ilegales 259
Artículo 422: Intervención en política 259
Artículo 423: Empleo ilegal de la fuerza pública 260
Artículo 424: Omisión de apoyo 260
CAPÍTULO IX. De la usurpación y abuso de funciones públicas 260
Artículo 425: Usurpación de funciones públicas 260
Artículo 426: Simulación de investidura o cargo 261
Artículo 427: Usurpación y abuso de funciones públicas con fines terroris-
tas 261
Artículo 428: Abuso de función pública 261
CAPÍTULO X. De los delitos contra los servidores públicos 261
Artículo 429: Violencia contra servidor público 261
Artículo 429-B: Inexequible 262
Artículo 430: Perturbación de actos oficiales 262
CAPÍTULO XI. De la utilización indebida de información y de influencias
derivadas del ejercicio de función pública 262
Artículo 431: Utilización indebida de información obtenida en el ejercicio
de función pública 262
Artículo 432: Utilización indebida de influencias derivadas del ejercicio de
función pública 262
Artículo 433: Soborno transnacional 263
Artículo 434: Asociación para la comisión de un delito contra la adminis-
tración pública 263
CAPÍTULO XII. Omisión de activos o inclusión de pasivos inexistentes 263
Artículo 434-A: Omisión de activos o inclusión de pasivos inexistentes ... 263

TÍTULO XVI. DELITOS CONTRA LA EFICAZ Y RECTA IMPARTICIÓN DE JUSTI-
CIA 264
CAPÍTULO I. De las falsas imputaciones ante las autoridades 264
Artículo 435: Falsa denuncia 264
Artículo 436: Falsa denuncia contra persona determinada 264
Artículo 437: Falsa autoacusación 265
Artículo 438: Circunstancias de agravación 265

Artículo 439: Reducción cualitativa de pena en caso de contravención.... 265
Artículo 440: Circunstancia de atenuación 265
CAPÍTULO II. De la omisión de denuncia de particular.............................. 265
Artículo 441: Omisión de denuncia de particular................................ 265
CAPÍTULO III. Del falso testimonio 266
Artículo 442: Falso testimonio... 266
Artículo 443: Circunstancia de atenuación 266
Artículo 444: Soborno 266
Artículo 444-A: Soborno en la actuación penal................................ 266
CAPÍTULO IV. De la infidelidad a los deberes profesionales....................... 267
Artículo 445: Infidelidad a los deberes profesionales........................... 267
CAPÍTULO VI. Del encubrimiento.. 267
Artículo 446: Favorecimiento... 267
Artículo 447: Receptación.. 267
Artículo 447-A: Derogado 268
CAPÍTULO VII. De la fuga de presos... 268
Artículo 448: Fuga de presos 268
Artículo 449: Favorecimiento de la fuga 268
Artículo 450: Modalidad culposa 269
Artículo 451: Circunstancias de atenuación..................................... 269
Artículo 452: Eximente de responsabilidad penal 270
CAPÍTULO VIII. Del fraude procesal y otras infracciones........................... 270
Artículo 453: Fraude procesal 270
Artículo 454: Fraude a resolución judicial o administrativa de policía...... 270
CAPÍTULO IX. Delitos contra medios de prueba y otras infracciones............ 270
Artículo 454-A: Amenazas a testigo 270
Artículo 454-B: Ocultamiento, alteración o destrucción de elemento material probatorio 271
Artículo 454-C: Impedimento o perturbación de la celebración de audiencias públicas.. 271

TÍTULO XVII. DELITOS CONTRA LA EXISTENCIA Y SEGURIDAD DEL ESTADO ... 272
CAPÍTULO I. De los delitos de traición a la patria 272
Artículo 455: Menoscabo de la integridad nacional 272
Artículo 456: Hostilidad militar 272
Artículo 457: Traición diplomática.. 272
Artículo 458: Instigación a la guerra 273
Artículo 459: Atentados contra hitos fronterizos................................ 273
Artículo 460: Actos contrarios a la defensa de la nación 273
Artículo 461: Ultraje a emblemas o símbolos patrios 273
Artículo 462: Aceptación indebida de honores................................... 273

CAPÍTULO II. De los delitos contra la seguridad del Estado 274
    Artículo 463: Espionaje 274
    Artículo 464: Violación de tregua o armisticio 274
    Artículo 465: Violación de inmunidad diplomática 274
    Artículo 466: Ofensa a diplomáticos 274

TÍTULO XVIII. DE LOS DELITOS CONTRA EL RÉGIMEN CONSTITUCIONAL Y LEGAL 274
    CAPÍTULO ÚNICO. De la rebelión, sedición y asonada 274
        Artículo 467: Rebelión 274
        Artículo 468: Sedición 275
        Artículo 469: Asonada 275
        Artículo 470: Circunstancias de agravación punitiva 275
        Artículo 471: Conspiración 276
        Artículo 472: Seducción, usurpación y retención ilegal de mando 276
        Artículo 473: Circunstancia de agravación punitiva 276

TÍTULO XIX. DISPOSICIONES GENERALES 276
    CAPÍTULO ÚNICO. De la derogatoria y vigencia 276
        Artículo 474: Derogatoria 276
        Artículo 475: Transitorio 276
        Artículo 476: Vigencia 277

CÓDIGO DE PROCEDIMIENTO PENAL

TÍTULO PRELIMINAR
PRINCIPIOS RECTORES Y GARANTÍAS PROCESALES

Artículo 1: Dignidad humana 281
Artículo 2: Libertad 281
Artículo 3: Prelación de los tratados internacionales 282
Artículo 4: Igualdad.. 282
Artículo 5: Imparcialidad 282
Artículo 6: Legalidad... 283
Artículo 7: Presunción de inocencia e in dubio pro reo 283
Artículo 8: Defensa... 283
Artículo 9: Oralidad.. 285
Artículo 10: Actuación procesal 285
Artículo 11: Derechos de las víctimas.. 286
Artículo 12: Lealtad 287
Artículo 13: Gratuidad... 287
Artículo 14: Intimidad.. 287
Artículo 15: Contradicción 288
Artículo 16: Inmediación 288
Artículo 17: Concentración... 289
Artículo 18: Publicidad... 289
Artículo 19: Juez natural 289
Artículo 20: Doble instancia... 289
Artículo 21: Cosa juzgada 290
Artículo 22: Restablecimiento del derecho.. 290
Artículo 23: Cláusula de exclusión 291
Artículo 24: Ámbito de la jurisdicción penal 291
Artículo 25: Integración 291
Artículo 26: Prevalencia.. 291
Artículo 27: Moduladores de la actividad procesal.............................. 291

LIBRO I
DISPOSICIONES GENERALES

TÍTULO I. JURISDICCIÓN Y COMPETENCIA 293
   CAPÍTULO I. Disposiciones generales 293
      Artículo 28: La jurisdicción penal ordinaria.............................. 293
      Artículo 29: Objeto de la jurisdicción penal ordinaria 293

Artículo 30: Excepciones a la jurisdicción penal ordinaria 293
Artículo 31: Órganos de la jurisdicción... 293
CAPÍTULO II. De la competencia.. 294
Artículo 32: De la Corte Suprema de Justicia...................................... 294
Artículo 33: De los tribunales superiores de distrito respecto de los jueces
    penales de circuito especializados... 295
Artículo 34: De los tribunales superiores de distrito............................. 296
Artículo 35: De los jueces penales de circuito especializados................. 297
Artículo 36: De los jueces penales del circuito.................................... 299
Artículo 37: De los jueces penales municipales................................... 299
Artículo 38: De los jueces de ejecución de penas y medidas de seguridad 300
Artículo 39: De la función de control de garantías 301
Artículo 40: Competencia para imponer las penas y las medidas de segu-
    ridad 302
Artículo 41: Competencia para ejecutar... 302
CAPÍTULO III. Competencia territorial 302
Artículo 42: División territorial para efecto del juzgamiento.................. 302
Artículo 43: Competencia... 303
Artículo 44: Competencia excepcional.. 303
Artículo 45: De la Fiscalía General de la Nación 304
CAPÍTULO IV. Cambio de radicación 304
Artículo 46: Finalidad y procedencia 304
Artículo 47: Solicitud de cambio 304
Artículo 48: Trámite... 305
Artículo 49: Fijación del sitio para continuar el proceso...................... 305
CAPÍTULO V. Competencia por razón de la conexidad y el factor subjetivo ... 305
Artículo 50: Unidad procesal 305
Artículo 51: Conexidad 306
Artículo 52: Competencia por conexidad.. 306
Artículo 53: Ruptura de la unidad procesal 307
CAPÍTULO VI. Definición de competencia 307
Artículo 54: Trámite... 307
Artículo 55: Prórroga.. 307
CAPÍTULO VII. Impedimentos y recusaciones 308
Artículo 56: Causales de impedimento 308
Artículo 57: Trámite para el impedimento... 310
Artículo 58: Impedimento del Fiscal General de la Nación 310
Artículo 58-A: Impedimento de magistrado.. 310
Artículo 59: Impedimento conjunto.. 311
Artículo 60: Requisitos y formas de recusación.................................... 311
Artículo 61: Improcedencia del impedimento y de la recusación............. 311

Artículo 62: Suspensión de la actuación procesal.............................. 311
Artículo 63: Impedimentos y recusación de otros funcionarios y emplea-
dos.. 312
Artículo 64: Desaparición de la causal................................. 312
Artículo 65: Improcedencia de la impugnación 312

TÍTULO II. ACCIÓN PENAL 313
CAPÍTULO I. Disposiciones generales 313
Artículo 66: Titularidad y obligatoriedad 313
Artículo 67: Deber de denunciar..................................... 313
Artículo 68: Exoneración del deber de denunciar.......................... 313
Artículo 69: Requisitos de la denuncia, de la querella o de la petición 314
Artículo 70: Condiciones de procesabilidad 315
Artículo 71: Querellante legítimo 315
Artículo 72: Extensión de la querella 316
Artículo 73: Caducidad de la querella 316
Artículo 74: Conductas punibles que requieren querella 316
Artículo 75: Delitos que requieren petición especial........................... 318
Artículo 76: Desistimiento de la querella.............................. 318
Artículo 77: Extinción 319
Artículo 78: Trámite de la extinción.................................. 319
Artículo 79: Archivo de las diligencias 319
Artículo 80: Efectos de la extinción.................................. 320
Artículo 81: Continuación de la persecución penal para los demás imputa-
dos o procesados 320
CAPÍTULO II. Comiso 320
Artículo 82: Procedencia... 320
Artículo 83: Medidas cautelares sobre bienes susceptibles de comiso 321
Artículo 83A: Suspensión de giros nacionales e internacionales del siste-
ma postal de pagos 321
Artículo 84: Trámite en la incautación u ocupación de bienes con fines de
comiso... 322
Artículo 85: Suspensión del poder dispositivo 322
Artículo 86: Administración de los bienes.............................. 322
Artículo 87: Destrucción del objeto material del delito 323
Artículo 88: Devolución de bienes 324
Artículo 89: Bienes o recursos no reclamados.......................... 324
Artículo 89A: Prescripción especial...................................... 325
Artículo 90: Omisión de pronunciamiento sobre los bienes 325
Artículo 91: Suspensión y cancelación de la personería jurídica 326
CAPÍTULO III. Medidas cautelares 326

Artículo 92: Medidas cautelares sobre bienes 326
Artículo 93: Criterios para decretar medidas cautelares 327
Artículo 94: Proporcionalidad 327
Artículo 95: Cumplimiento de las medidas 327
Artículo 96: Desembargo 328
Artículo 97: Prohibición de enajenar 328
Artículo 98: Autorizaciones especiales 329
Artículo 99: Medidas patrimoniales a favor de las víctimas 329
Artículo 100: Afectación de bienes en delitos culposos 329
Artículo 101: Suspensión y cancelación de registros obtenidos fraudulen-
    tamente 330
CAPÍTULO IV. Del ejercicio del incidente de reparación integral 331
Artículo 102: Procedencia y ejercicio del incidente de reparación integral   331
Artículo 103: Trámite del incidente de reparación integral 331
Artículo 104: Audiencia de pruebas y alegaciones 332
Artículo 105: Decisión de reparación integral 332
Artículo 106: Caducidad 332
Artículo 107: Tercero civilmente responsable 333
Artículo 108: Citación del asegurador 333

TÍTULO III. MINISTERIO PÚBLICO 333
Artículo 109: El Ministerio Público 333
Artículo 110: De la agencia especial 334
Artículo 111: Funciones del Ministerio Público 334
Artículo 112: Actividad probatoria 335

TÍTULO IV. PARTES E INTERVINIENTES 336
CAPÍTULO I. Fiscalía General de la Nación 336
Artículo 113: Composición 336
Artículo 114: Atribuciones 336
Artículo 115: Principio de objetividad 337
Artículo 116: Atribuciones especiales del Fiscal General de la Nación 338
Artículo 117: La policía judicial 338
CAPÍTULO II. Defensa 339
Artículo 118: Integración y designación 339
Artículo 119: Oportunidad 339
Artículo 120: Reconocimiento 339
Artículo 121: Dirección de la defensa 339
Artículo 122: Incompatibilidad de la defensa 339
Artículo 123: Sustitución del defensor 340
Artículo 124: Derechos y facultades 340
Artículo 125: Deberes y atribuciones especiales 340

CAPÍTULO III. Imputado... 341
    Artículo 126: Calificación.. 341
    Artículo 127: Ausencia del imputado 341
    Artículo 128: Identificación o individualización.................... 342
    Artículo 129: Registro de personas vinculadas..................... 343
    Artículo 130: Atribuciones 343
    Artículo 131: Renuncia.. 343
CAPÍTULO IV. Víctimas 344
    Artículo 132: Víctimas.. 344
    Artículo 133: Atención y protección inmediata a las víctimas 344
    Artículo 134: Medidas de atención y protección a las víctimas.............. 344
    Artículo 135: Garantía de comunicación a las víctimas...................... 344
    Artículo 136: Derecho a recibir información 345
    Artículo 137: Intervención de las víctimas en la actuación penal 346

TÍTULO V. DEBERES Y PODERES DE LOS INTERVINIENTES EN EL PROCESO
PENAL.. 347
CAPÍTULO I. De los deberes de los servidores judiciales 347
    Artículo 138: Deberes... 347
    Artículo 139: Deberes específicos de los jueces 348
CAPÍTULO II. De los deberes de las partes e intervinientes.................. 348
    Artículo 140: Deberes... 348
    Artículo 141: Temeridad o mala fe.................................. 349
CAPÍTULO III. Deberes de la Fiscalía General de la Nación........................ 349
    Artículo 142: Deberes específicos de la Fiscalía General de la Nación 349
CAPÍTULO IV. De los poderes y medidas correccionales 350
    Artículo 143: Poderes y medidas correccionales 350

TÍTULO VI. LA ACTUACIÓN 351
CAPÍTULO I. Oralidad en los procedimientos 351
    Artículo 144: Idioma.. 351
    Artículo 145: Oralidad en la actuación 352
    Artículo 146: Registro de la actuación 352
    Artículo 147: Celeridad y oralidad 354
    Artículo 148: Toga.. 354
CAPÍTULO II. Publicidad de los procedimientos 354
    Artículo 149: Principio de publicidad 354
    Artículo 150: Restricciones a la publicidad por motivos de orden público,
        seguridad nacional o moral pública................................ 355
    Artículo 151: Restricciones a la publicidad por motivos de seguridad o
        respeto a las víctimas menores de edad........................... 355

Artículo 152: Restricciones a la publicidad por motivos de interés de la justicia 355
Artículo 152A: 355
CAPÍTULO III. Audiencias preliminares............... 356
Artículo 153: Noción............... 356
Artículo 154: Modalidades............... 356
Artículo 155: Publicidad 356
CAPÍTULO IV. Términos............... 357
Artículo 156: Regla general............... 357
Artículo 157: Oportunidad............... 357
Artículo 158: Prórroga de términos............... 357
Artículo 159: Término judicial............... 358
Artículo 160: Término para adoptar decisiones 358
CAPÍTULO V. Providencias judiciales............... 358
Artículo 161: Clases............... 358
Artículo 162: Requisitos comunes 359
Artículo 163: Prohibición de transcripciones 359
Artículo 164: Providencias de jueces colegiados o plurales 359
Artículo 165: Expedición de copias............... 359
Artículo 166: Comunicación de la sentencia............... 360
Artículo 167: Información acerca de la ejecución de la sentencia 360
CAPÍTULO VI. Notificación de las providencias, citaciones, y comunicaciones entre los intervinientes en el proceso penal............... 360
Artículo 168: Criterio general 360
Artículo 169: Formas............... 360
Artículo 170: Registro de la notificación 361
Artículo 171: Citaciones. Procedencia 361
Artículo 172: Forma............... 361
Artículo 173: Contenido............... 361
Artículo 174: Comunicación de las peticiones escritas a las demás partes e intervinientes............... 362
CAPÍTULO VII. Duración de la actuación............... 362
Artículo 175: Duración de los procedimientos 362
CAPÍTULO VIII. Recursos ordinarios............... 363
Artículo 176: Recursos ordinarios............... 363
Artículo 177: Efectos............... 363
Artículo 178: Trámite del recurso de apelación contra autos 364
Artículo 179: Trámite del recurso de apelación contra sentencias 365
Artículo 179A: Recurso desierto............... 365
Artículo 179B: Procedencia del recurso de queja............... 365
Artículo 179C: Interposición............... 366

Artículo 179D: Trámite 366
Artículo 179E: Decisión del recurso 366
Artículo 179F: Desistimiento de los recursos 366
CAPÍTULO IX. Casación 367
Artículo 180: Finalidad 367
Artículo 181: Procedencia 367
Artículo 182: Legitimación 367
Artículo 183: Oportunidad 367
Artículo 184: Admisión 368
Artículo 185: Decisión 368
Artículo 186: Acumulación de fallos 369
Artículo 187: Aplicación extensiva 369
Artículo 188: Principio de no agravación 369
Artículo 189: Suspensión de la prescripción 369
Artículo 190: De la libertad 369
Artículo 191: Fallo anticipado 369
CAPÍTULO X. Acción de revisión 370
Artículo 192: Procedencia 370
Artículo 193: Legitimación 371
Artículo 194: Instauración 371
Artículo 195: Trámite 372
Artículo 196: Revisión de la sentencia 372
Artículo 197: Impedimento especial 373
Artículo 198: Consecuencias del fallo rescindente 373
CAPÍTULO XI. Disposición común a la casación y acción de revisión 373
Artículo 199: Desistimiento 373

LIBRO II
TÉCNICAS DE INDAGACIÓN E INVESTIGACIÓN DE LA PRUEBA Y SISTEMA PROBATORIO

TÍTULO I. LA INDAGACIÓN Y LA INVESTIGACIÓN 375
CAPÍTULO I. Órganos de indagación e investigación 375
Artículo 200: Órganos 375
Artículo 201: Órganos de policía judicial permanente 375
Artículo 202: Órganos que ejercen funciones permanentes de policía judicial de manera especial dentro de su competencia 376
Artículo 203: Órganos que ejercen transitoriamente funciones de policía judicial 376
Artículo 204: Órgano técnico-científico 377

Artículo 205: Actividad de policía judicial en la indagación e investigación 377
Artículo 206: Entrevista.. 378
Artículo 206A: Entrevista forense a niños, niñas y adolescentes víctimas de delitos tipificados en el Título IV del Código Penal, al igual que en los artículos 138, 139, 141, 188a, 188c, 188d, relacionados con violencia sexual.. 378
Artículo 207: Programa metodológico 380
Artículo 208: Actividad de policía 380
Artículo 209: Informe de investigador de campo.............................. 381
Artículo 210: Informe de investigador de laboratorio 381
Artículo 211: Grupos de tareas especiales....................................... 382
Artículo 212: Análisis de la actividad de policía judicial en la indagación e investigación 382
Artículo 212A: Protección de testigos en la etapa de indagación e investigación 383
Artículo 212B: Reserva de la actuación penal. La indagación será reservada.. 383
CAPÍTULO II. Actuaciones que no requieren autorización judicial previa para su realización 383
Artículo 213: Inspección del lugar del hecho 383
Artículo 214: Inspección de cadáver.. 384
Artículo 215: Inspecciones en lugares distintos al del hecho 384
Artículo 216: Aseguramiento y custodia 384
Artículo 217: Exhumación 385
Artículo 218: Aviso de ingreso de presuntas víctimas 385
Artículo 219: Procedencia de los registros y allanamientos................ 385
Artículo 220: Fundamento para la orden de registro y allanamiento 386
Artículo 221: Respaldo probatorio para los motivos fundados 386
Artículo 222: Alcance de la orden de registro y allanamiento.............. 387
Artículo 223: Objetos no susceptibles de registro 387
Artículo 224: Plazo de diligenciamiento de la orden de registro y allanamiento... 388
Artículo 224A: Término para la realización de actividades investigativas de Grupos Delictivos Organizados y Grupos Armados Organizados 388
Artículo 225: Reglas particulares para el diligenciamiento de la orden de registro y allanamiento.. 388
Artículo 226: Allanamientos especiales 389
Artículo 227: Acta de la diligencia 389
Artículo 228: Devolución de la orden y cadena de custodia 390
Artículo 229: Procedimiento en caso de flagrancia.............................. 390

Artículo 230: Excepciones al requisito de la orden escrita de la Fiscalía
General de la Nación para proceder al registro y allanamiento   390
Artículo 231: Interés para reclamar la violación de la expectativa razona-
ble de intimidad en relación con los registros y allanamientos   391
Artículo 232: Cláusula de exclusión en materia de registros y allanamien-
tos   391
Artículo 233: Retención de correspondencia...   392
Artículo 234: Examen y devolución de la correspondencia   392
Artículo 235: Interceptación de comunicaciones...................................   393
Artículo 236: Recuperación de información producto de la transmisión de
datos a través de las redes de comunicaciones   394
Artículo 237: Audiencia de control de legalidad posterior.....................   395
Artículo 238: Impugnabilidad de la decisión   395
Artículo 239: Vigilancia y seguimiento de personas..............................   395
Artículo 240: Vigilancia de cosas   396
Artículo 241: Análisis e infiltración de organización criminal.................   397
Artículo 242: Actuación de agentes encubiertos   397
Artículo 242A: Operaciones encubiertas contra la corrupción   399
Artículo 242B: Operaciones encubiertas en medios de comunicación vir-
tual..   399
Artículo 243: Entrega vigilada   400
Artículo 244: Búsqueda selectiva en bases de datos.............................   402
Artículo 245: Exámenes de ADN que involucren al indiciado o al imputa-
do..   403
CAPÍTULO III. Actuaciones que requieren autorización judicial previa para su
realización   404
Artículo 246: Regla general..   404
Artículo 247: Inspección corporal   404
Artículo 248: Registro personal...   405
Artículo 249: Obtención de muestras que involucren al imputado   405
Artículo 250: Procedimiento en caso de lesionados o de víctimas de agre-
siones sexuales   407
CAPÍTULO IV. Métodos de identificación...   408
Artículo 251: Métodos..   408
Artículo 252: Reconocimiento por medio de fotografías o vídeos...........   408
Artículo 253: Reconocimiento en fila de personas.................................   409
CAPÍTULO V. Cadena de custodia...   410
Artículo 254: Aplicación   410
Artículo 255: Responsabilidad   410
Artículo 256: Macroelementos materiales probatorios   411
Artículo 257: Inicio de la cadena de custodia.......................................   411

Artículo 258: Traslado de contenedor.. 411
Artículo 259: Traspaso de contenedor 412
Artículo 260: Actuación del perito.. 412
Artículo 261: Responsabilidad de cada custodio 412
Artículo 262: Remanentes... 412
Artículo 263: Examen previo al recibo.. 412
Artículo 264: Identificación 413
Artículo 265: Certificación 413
Artículo 266: Destino de macroelementos.. 413
CAPÍTULO VI. Facultades de la defensa en la investigación 413
Artículo 267: Facultades de quien no es imputado 413
Artículo 268: Facultades del imputado 414
Artículo 269: Contenido de la solicitud 414
Artículo 270: Actuación del perito.. 414
Artículo 271: Facultad de entrevistar.. 415
Artículo 272: Obtención de declaración jurada 415
Artículo 273: Criterios de valoración.. 415
Artículo 274: Solicitud de prueba anticipada....................................... 415

TÍTULO II. MEDIOS COGNOSCITIVOS EN LA INDAGACIÓN E INVESTIGACIÓN ..   416
CAPÍTULO ÚNICO. Elementos materiales probatorios, evidencia física e información 416
Artículo 275: Elementos materiales probatorios y evidencia física........... 416
Artículo 276: Legalidad 417
Artículo 277: Autenticidad 417
Artículo 278: Identificación técnico científica....................................... 417
Artículo 279: Elemento material probatorio y evidencia física recogidos por agente encubierto o por agente infiltrado 417
Artículo 280: Elemento material probatorio y evidencia física recogidos en desarrollo de entrega vigilada... 418
Artículo 281: Elemento material probatorio y evidencia física remitidos del extranjero 418
Artículo 282: Interrogatorio a indiciado.. 418
Artículo 283: Aceptación por el imputado 418
Artículo 284: Prueba anticipada.. 419
Artículo 285: Conservación de la prueba anticipada 420

TÍTULO III. FORMULACIÓN DE LA IMPUTACIÓN 420
CAPÍTULO ÚNICO. Disposiciones generales 420
Artículo 286: Concepto... 420
Artículo 287: Situaciones que determinan la formulación de la imputación 421

Artículo 288: Contenido... 421
Artículo 289: Formalidades... 421
Artículo 290: Derecho de defensa.. 423
Artículo 291: Contumacia... 423
Artículo 292: Interrupción de la prescripción 423
Artículo 293: Procedimiento en caso de aceptación de la imputación...... 424
Artículo 294: Vencimiento del término... 424

TÍTULO IV. RÉGIMEN DE LA LIBERTAD Y SU RESTRICCIÓN......................... 425
CAPÍTULO I. Disposiciones comunes 425
Artículo 295: Afirmación de la libertad 425
Artículo 296: Finalidad de la restricción de la libertad.................. 425
CAPÍTULO II. Captura.. 425
Artículo 297: Requisitos generales 425
Artículo 298: Contenido y vigencia.. 426
Artículo 299: Trámite de la orden de captura............................... 428
Artículo 300: Captura excepcional por orden de la Fiscalía 429
Artículo 301: Flagrancia.. 430
Artículo 302: Procedimiento en caso de flagrancia....................... 431
Artículo 303: Derechos del capturado.. 432
Artículo 304: Formalización de la reclusión.................................. 432
Artículo 305: Registro de personas capturadas y detenidas........... 433
Artículo 305A: Registro nacional de órdenes captura 434
CAPÍTULO III. Medidas de Aseguramiento.................................... 434
Artículo 306: Solicitud de imposición de medida de aseguramiento 434
Artículo 307: Medidas de aseguramiento 434
Artículo 307A: Término de la detención preventiva 436
Artículo 308: Requisitos 437
Artículo 309: Obstrucción de la justicia.. 438
Artículo 310: Peligro para la comunidad...................................... 438
Artículo 311: Peligro para la víctima.. 439
Artículo 312: No comparecencia.. 439
Artículo 313: Procedencia de la detención preventiva................... 439
Artículo 313A: Criterios para determinar el peligro para la comunidad y el riesgo de no comparecencia en las investigaciones contra miembros de Grupos Delictivos Organizados y Grupos Armados Organizados............ 440
Artículo 314: Sustitución de la detención preventiva..................... 441
Artículo 315: Medidas de aseguramiento no privativas de la libertad 443
Artículo 316: Incumplimiento.. 443
Artículo 317: Causales de libertad 444
Artículo 317A: Causales de libertad 445

Artículo 318: Solicitud de revocatoria 446
Artículo 319: De la caución 447
Artículo 320: Informe sobre medidas de aseguramiento 447

TÍTULO V. PRINCIPIO DE OPORTUNIDAD 447
Artículo 321: Principio de oportunidad y política criminal 447
Artículo 322: Legalidad 447
Artículo 323: Aplicación del Principio de Oportunidad 448
Artículo 324: Causales 448
Artículo 325: Suspensión del procedimiento a prueba 452
Artículo 326: Condiciones a cumplir durante el período de prueba 452
Artículo 327: Control judicial en la aplicación del principio de oportunidad 454
Artículo 328: La participación de las víctimas 454
Artículo 329: Efectos de la aplicación del principio de oportunidad 454
Artículo 330: Reglamentación 455

TÍTULO VI. DE LA PRECLUSIÓN 455
Artículo 331: Preclusión 455
Artículo 332: Causales 455
Artículo 333: Trámite 456
Artículo 334: Efectos de la decisión de preclusión 456
Artículo 335: Rechazo de la solicitud de preclusión 456

LIBRO III
EL JUICIO

TÍTULO I. DE LA ACUSACIÓN 457
CAPÍTULO I. Requisitos formales 457
Artículo 336: Presentación de la acusación 457
Artículo 337: Contenido de la acusación y documentos anexos 457
CAPÍTULO II. Audiencia de formulación de acusación 458
Artículo 338: Citación 458
Artículo 339: Trámite 458
Artículo 340: La víctima 459
Artículo 341: Trámite de impugnación de competencia 459
Artículo 342: Medidas de protección 459
Artículo 343: Fecha de la audiencia preparatoria 460
CAPÍTULO III. Descubrimiento de los elementos materiales probatorios y evidencia física 460
Artículo 344: Inicio del descubrimiento 460
Artículo 345: Restricciones al descubrimiento de prueba 461

Artículo 346: Sanciones por el incumplimiento del deber de revelación de información durante el procedimiento de descubrimiento 462

Artículo 347: Procedimiento para exposiciones 462

TÍTULO II. PREACUERDOS Y NEGOCIACIONES ENTRE LA FISCALÍA Y EL IMPU-TADO O ACUSADO 463

CAPÍTULO ÚNICO 463

Artículo 348: Finalidades 463

Artículo 349: Improcedencia de acuerdos o negociaciones con el imputa-do o acusado 463

Artículo 350: Preacuerdos desde la audiencia de formulación de imputa-ción 464

Artículo 351: Modalidades... 464

Artículo 352: Preacuerdos posteriores a la presentación de la acusación.. 465

Artículo 353: Aceptación total o parcial de los cargos 466

Artículo 354: Reglas comunes... 466

TÍTULO III. AUDIENCIA PREPARATORIA.. 466

CAPÍTULO I. Trámite 466

Artículo 355: Instalación de la audiencia preparatoria 466

Artículo 356: Desarrollo de la audiencia preparatoria........................... 466

Artículo 357: Solicitudes probatorias 467

Artículo 358: Exhibición de los elementos materiales de prueba............. 468

Artículo 359: Exclusión, rechazo e inadmisibilidad de los medios de prue-ba 468

Artículo 360: Prueba ilegal 469

Artículo 361: Prohibición de pruebas de oficio 469

Artículo 362: Decisión sobre el orden de la presentación de la prueba..... 469

CAPÍTULO II. Conclusión de la audiencia preparatoria 469

Artículo 363: Suspensión 469

Artículo 364: Reanudación de la audiencia.. 469

Artículo 365: Fijación de la fecha de inicio del juicio oral 470

TÍTULO IV. JUICIO ORAL 470

CAPÍTULO I. Instalación 470

Artículo 366: Inicio del juicio oral... 470

Artículo 367: Alegación inicial.. 470

Artículo 368: Condiciones de validez de la manifestación...................... 471

Artículo 369: Manifestaciones de culpabilidad preacordadas 471

Artículo 370: Decisión del juez 471

CAPÍTULO II. Presentación del caso... 472

Artículo 371: Declaración inicial 472

CAPÍTULO III. Práctica de la prueba 472
PARTE I. Disposiciones generales 472
  Artículo 372: Fines 472
  Artículo 373: Libertad 472
  Artículo 374: Oportunidad de pruebas.............................. 472
  Artículo 375: Pertinencia 473
  Artículo 376: Admisibilidad.. 473
  Artículo 377: Publicidad 473
  Artículo 378: Contradicción.. 473
  Artículo 379: Inmediación 473
  Artículo 380: Criterios de valoración................................ 474
  Artículo 381: Conocimiento para condenar........................ 474
  Artículo 382: Medios de conocimiento 474
PARTE II. Reglas generales para la prueba testimonial............. 474
  Artículo 383: Obligación de rendir testimonio 474
  Artículo 384: Medidas especiales para asegurar la comparecencia de testi-
    gos... 475
  Artículo 385: Excepciones constitucionales....................... 475
  Artículo 386: Impedimento del testigo para concurrir.......... 475
  Artículo 387: Testimonios especiales 476
  Artículo 388: Testimonio de agente diplomático 476
  Artículo 389: Juramento 476
  Artículo 390: Examen de los testigos 476
  Artículo 391: Interrogatorio cruzado del testigo 477
  Artículo 392: Reglas sobre el interrogatorio...................... 477
  Artículo 393: Reglas sobre el contrainterrogatorio 478
  Artículo 394: Acusado y coacusado como testigo.............. 478
  Artículo 395: Oposiciones durante el interrogatorio............ 479
  Artículo 396: Examen separado de testigos 479
  Artículo 397: Interrogatorio por el juez............................. 479
  Artículo 398: Testigo privado de libertad........................... 479
  Artículo 399: Testimonio de policía judicial 479
  Artículo 400: Testigo sordomudo 480
  Artículo 401: Testigo de lengua extranjera........................ 480
  Artículo 402: Conocimiento personal 480
  Artículo 403: Impugnación de la credibilidad del testigo 480
  Artículo 404: Apreciación del testimonio........................... 481
PARTE III. Prueba pericial.. 481
  Artículo 405: Procedencia 481
  Artículo 406: Prestación del servicio de peritos 481
  Artículo 407: Número de peritos 482

Artículo 408: Quiénes pueden ser peritos 482
Artículo 409: Quiénes no pueden ser nombrados........................ 482
Artículo 410: Obligatoriedad del cargo de perito....................... 482
Artículo 411: Impedimentos y recusaciones 483
Artículo 412: Comparecencia de los peritos a la audiencia.................... 483
Artículo 413: Presentación de informes................................ 483
Artículo 414: Admisibilidad del informe y citación del perito................ 483
Artículo 415: Base de la opinión pericial............................... 483
Artículo 416: Acceso a los elementos materiales........................ 484
Artículo 417: Instrucciones para interrogar al perito 484
Artículo 418: Instrucciones para contrainterrogar al perito.................. 484
Artículo 419: Perito impedido para concurrir........................... 485
Artículo 420: Apreciación de la prueba pericial......................... 485
Artículo 421: Limitación a las opiniones del perito sobre insanidad mental.. 485
Artículo 422: Admisibilidad de publicaciones científicas y de prueba novel.. 485
Artículo 423: Presentación de la evidencia demostrativa 486
PARTE IV. Prueba documental... 486
Artículo 424: Prueba documental 486
Artículo 425: Documento auténtico 487
Artículo 426: Métodos de autenticación e identificación 487
Artículo 427: Documentos procedentes del extranjero.................... 487
Artículo 428: Traducción de documentos 487
Artículo 429: Presentación de documentos 488
Artículo 429A: Cooperación interinstitucional en materia de investigación criminal 488
Artículo 430: Documentos anónimos.................................... 488
Artículo 431: Empleo de los documentos en el juicio.................... 488
Artículo 432: Apreciación de la prueba documental......................... 489
Artículo 433: Criterio general 489
Artículo 434: Excepciones a la regla de la mejor evidencia 489
PARTE V. Reglas relativas a la inspección................................. 489
Artículo 435: Procedencia 489
Artículo 436: Criterios para decretarla.................................. 490
PARTE VI. Reglas relativas a la prueba de referencia..................... 490
Artículo 437: Noción.. 490
Artículo 438: Admisión excepcional de la prueba de referencia.............. 491
Artículo 439: Prueba de referencia múltiple 491
Artículo 440: Utilización de la prueba de referencia para fines de impugnación 491

Artículo 441: Impugnación de la credibilidad de la prueba de referencia . 492
CAPÍTULO IV. Alegatos de las partes e intervinientes 492
Artículo 442: Petición de absolución perentoria................................. 492
Artículo 443: Turnos para alegar 492
Artículo 444: Extensión de los alegatos... 492
Artículo 445: Clausura del debate... 493
CAPÍTULO V. Decisión o sentido del fallo 493
Artículo 446: Contenido.. 493
Artículo 447: Individualización de la pena y sentencia 493
Artículo 448: Congruencia 494
Artículo 449: Libertad inmediata 494
Artículo 450: Acusado no privado de la libertad 494
Artículo 451: Acusado privado de la libertad...................................... 494
Artículo 452: Situación de los inimputables.. 495
Artículo 453: Requerimiento por otra autoridad.................................. 495

TÍTULO V. SUSPENSIONES DE LA AUDIENCIA DEL JUICIO ORAL.................. 495
Artículo 454: Principio de concentración 495

TÍTULO VI. INEFICACIA DE LOS ACTOS PROCESALES................................ 496
Artículo 455: Nulidad derivada de la prueba ilícita............................... 496
Artículo 456: Nulidad por incompetencia del juez 496
Artículo 457: Nulidad por violación a garantías fundamentales 496
Artículo 458: Principio de taxatividad.. 496

LIBRO IV
EJECUCIÓN DE SENTENCIAS

TÍTULO I. EJECUCIÓN DE PENAS Y MEDIDAS DE SEGURIDAD 497
CAPÍTULO I. Ejecución de penas 497
Artículo 459: Ejecución de penas y medidas de seguridad..................... 497
Artículo 460: Acumulación jurídica 497
Artículo 461: Sustitución de la ejecución de la pena 497
Artículo 462: Aplicación de las penas accesorias.................................. 498
Artículo 463: Informes 499
Artículo 464: Remisión 499
CAPÍTULO II. Ejecución de medidas de seguridad................................... 499
Artículo 465: Entidad competente 499
Artículo 466: Internación de inimputables... 499
Artículo 467: Libertad vigilada 500
Artículo 468: Suspensión, sustitución o cesación de la medida de seguri-
dad 500

Artículo 469: Revocatoria de la suspensión condicional 501
Artículo 470: Medidas de seguridad para indígenas 501
CAPÍTULO III. Libertad condicional.. 501
Artículo 471: Solicitud 501
Artículo 472: Decisión.. 502
Artículo 473: Condición para la revocatoria.. 502
CAPÍTULO IV. Suspensión condicional de la ejecución de la pena privativa de
la libertad 502
Artículo 474: Procedencia 502
Artículo 475: Ejecución de la pena por no reparación de los daños 503
Artículo 476: Extinción de la condena y devolución de la caución 503
CAPÍTULO V. Disposiciones comunes a los dos capítulos anteriores 503
Artículo 477: Negación o revocatoria de los mecanismos sustitutivos de la
pena privativa de la libertad.. 503
Artículo 478: Decisiones... 503
Artículo 479: Prórroga para el pago de perjuicios................................ 504
CAPÍTULO VI. De la rehabilitación... 504
Artículo 480: Concesión.. 504
Artículo 481: Anexos a la solicitud de rehabilitación 504
Artículo 482: Comunicaciones.. 505
Artículo 483: Ampliación de pruebas 505

LIBRO V
COOPERACIÓN INTERNACIONAL

CAPÍTULO I. En materia probatoria... 507
Artículo 484: Principio general 507
Artículo 485: Solicitudes de cooperación judicial a las autoridades extran-
jeras.. 507
Artículo 486: Traslado de testigos y peritos 508
Artículo 487: Delitos transnacionales.. 508
Artículo 488: Facultades para evitar dilaciones injustificadas 509
Artículo 489: Límite de la asistencia.. 509
CAPÍTULO II. La extradición.. 509
Artículo 490: La extradición 509
Artículo 491: Concesión u ofrecimiento de la extradición 510
Artículo 492: Extradición facultativa.. 510
Artículo 493: Requisitos para concederla u ofrecerla 510
Artículo 494: Condiciones para el ofrecimiento o concesión................... 510
Artículo 495: Documentos anexos para la solicitud u ofrecimiento.......... 511
Artículo 496: Concepto del Ministerio de Relaciones Exteriores 511

Artículo 497: Estudio de la documentación 511
Artículo 498: Perfeccionamiento de la documentación 512
Artículo 499: Envío del expediente a la Corte Suprema de Justicia 512
Artículo 500: Trámite 512
Artículo 501: Concepto de la Corte Suprema de Justicia 512
Artículo 502: Fundamentos de la resolución que concede o niega la extra-
    dición 513
Artículo 503: Resolución que niega o concede la extradición 513
Artículo 504: Entrega diferida 513
Artículo 505: Prelación en la concesión 513
Artículo 506: Entrega del extraditado 514
Artículo 507: Entrega de objetos 514
Artículo 508: Gastos 514
Artículo 509: Captura 514
Artículo 510: Derecho de defensa 514
Artículo 511: Causales de libertad 515
Artículo 512: Requisitos para solicitarla 515
Artículo 513: Examen de la documentación 515
Artículo 514: Gestiones diplomáticas para obtener la extradición 515
CAPÍTULO III. Sentencias extranjeras 516
Artículo 515: Ejecución en Colombia 516
Artículo 516: Requisitos 516
Artículo 517: Trámite 516

LIBRO VI
JUSTICIA RESTAURATIVA

CAPÍTULO I. Disposiciones generales 517
Artículo 518: Definiciones 517
Artículo 519: Reglas Generales 517
Artículo 520: Condiciones para la remisión a los programas de justicia
    Restaurativa 518
Artículo 521: Mecanismos 518
CAPÍTULO II. Conciliación preprocesal 518
Artículo 522: La conciliación en los delitos querellables 518
CAPÍTULO III. Mediación 519
Artículo 523: Concepto 519
Artículo 524: Procedencia 519
Artículo 525: Solicitud 520
Artículo 526: Efectos de la mediación 520
Artículo 527: Directrices 520

LIBRO VII
RÉGIMEN DE IMPLEMENTACIÓN

CAPÍTULO I. Disposiciones generales 521
    Artículo 528: Proceso de implementación 521
    Artículo 529: Criterios para la implementación 521
    Artículo 530: Selección de distritos judiciales 521
CAPÍTULO II. Régimen de transición 522
    Artículo 531: Proceso de descongestión, depuración y liquidación de procesos 522
    Artículo 532: Ajustes en plantas de personal en Fiscalía General de la Nación, Rama Judicial, Defensoría del Pueblo y entidades que cumplen funciones de Policía Judicial 523
CAPÍTULO III. Disposiciones finales 524
    Artículo 533: Derogatoria y vigencia 524

LIBRO VIII
PROCEDIMIENTO ESPECIAL ABREVIADO Y ACUSACIÓN PRIVADA

TÍTULO I. DEL PROCEDIMIENTO ESPECIAL ABREVIADO 525
    CAPÍTULO I. Definiciones y reglas generales 525
        Artículo 534: Ámbito de aplicación 525
        Artículo 535: Integración 526
    CAPÍTULO II. De la acusación 526
        Artículo 536: Traslado de la acusación 526
        Artículo 537: Traslado de la acusación en audiencia de solicitud de medida de aseguramiento 527
        Artículo 538: Contenido de la acusación y documentos anexos 527
        Artículo 539: Aceptación de cargos en el procedimiento abreviado 528
        Artículo 540: Presentación de la acusación 528
        Artículo 541: Término para la audiencia concentrada 529
        Artículo 542: Audiencia concentrada 529
        Artículo 543: Fijación de la audiencia de juicio oral 531
        Artículo 544: Trámite del juicio oral 531
        Artículo 545: Traslado de la sentencia e interposición de recursos 531
        Artículo 546: Notificaciones 531
        Artículo 547: Justicia restaurativa en el procedimiento especial abreviado 532
        Artículo 548: Causales de libertad en el procedimiento penal abreviado .. 532
TÍTULO II. DE LA ACCIÓN PENAL PRIVADA 533
    CAPÍTULO ÚNICO 533

Artículo 549: Acusador privado 533
Artículo 550: Conductas punibles susceptibles de conversión de la acción penal 533
Artículo 551: Titulares de la acción penal privada 534
Artículo 552: Procedencia de la conversión 534
Artículo 553: Solicitud de conversión 534
Artículo 554: Decisión sobre la conversión 535
Artículo 555: Representación del acusador privado 536
Artículo 556: Actos de investigación 536
Artículo 557: Apoyo investigativo 537
Artículo 558: Solicitud de medida de aseguramiento 538
Artículo 559: Traslado de la custodia de los elementos materiales probatorios, evidencia física e información legalmente obtenida 538
Artículo 560: Reversión 538
Artículo 561: Traslado y presentación de la acusación privada 539
Artículo 562: Preclusión por atipicidad absoluta 539
Artículo 563: Destrucción del objeto material del delito 539
Artículo 564: De la reparación integral al acusador privado 539

ÍNDICES ANALÍTICOS
Código Penal 541
Código de Procedimiento Penal 580

CÓDIGO PENAL

LEY 599 DE 2000
(julio 24)

por la cual se expide el Código Penal
El Congreso de Colombia

DECRETA:

LIBRO PRIMERO
PARTE GENERAL

TÍTULO I. DE LAS NORMAS RECTORAS DE LA LEY PENAL COLOMBIANA

CAPÍTULO ÚNICO

Artículo 1: Dignidad humana.

El derecho penal tendrá como fundamento el respeto a la dignidad humana.

Véase preámbulo y art. 1 C.N.; art. 1 C.P.P.

Artículo 2: Integración.

Las normas y postulados que sobre derechos humanos se encuentren consignados en la Constitución Política, en los tratados y convenios internacionales ratificados por Colombia, harán parte integral de este código.

Véase art. 93 C.N.

Artículo 3: Principios de las sanciones penales.

La imposición de la pena o de la medida de seguridad responderá a los principios de necesidad, proporcionalidad y razonabilidad.

El principio de necesidad se entenderá en el marco de la prevención y conforme a las instituciones que la desarrollan.

Véase arts. 459-470 C.P.P.

Artículo 4: Funciones de la pena.

La pena cumplirá las funciones de prevención general, retribución justa, prevención especial, reinserción social y protección al condenado.

La prevención especial y la reinserción social operan en el momento de la ejecución de la pena de prisión.

Artículo 5: Funciones de la medida de seguridad.

En el momento de la ejecución de la medida de seguridad operan las funciones de protección, curación, tutela y rehabilitación.

Véase arts. 69-81 C.P.; 465-470 C.P.P.

Artículo 6: Legalidad.

Nadie podrá ser juzgado sino conforme a las leyes preexistentes al acto que se le imputa, ante el juez o tribunal competente y con la observancia de la plenitud de las formas propias de cada juicio. La preexistencia de la norma también se aplica para el reenvío en materia de tipos penales en blanco.

La ley permisiva o favorable, aun cuando sea posterior se aplicará, sin excepción, de preferencia a la restrictiva o desfavorable. Ello también rige para los condenados.

La analogía sólo se aplicará en materias permisivas.

Véase arts. 6, 28, 29, 230 C.N.; art. 10 C.P.; art. 6 C.P.P.

Artículo 7: Igualdad.

La ley penal se aplicará a las personas sin tener en cuenta consideraciones diferentes a las establecidas en ella. El funcionario judicial tendrá especial consideración cuando se trate de valorar el injusto, la culpabilidad y las consecuencias jurídicas del delito, en relación con las personas que se encuentren en las situaciones descritas en el inciso final del artículo 13 de la Constitución Política.

Véase arts. 1, 13 C.N.

Artículo 8: Prohibición de doble incriminación.

A nadie se le podrá imputar más de una vez la misma conducta punible, cualquiera sea la denominación jurídica que se le dé o haya dado, <u>salvo</u>

lo establecido en los instrumentos internacionales. (Subrayado EXEQUIBLE SCC-554, 30-05-2001, M.P. Clara Inés Vargas Hernández).

Véase art. 17 C.P.

Artículo 9: Conducta punible.

Para que la conducta sea punible se requiere que sea típica, antijurídica y culpable. La causalidad por sí sola no basta para la imputación jurídica del resultado.

Para que la conducta del inimputable sea punible se requiere que sea típica, antijurídica y se constate la inexistencia de causales de ausencia de responsabilidad.

Véase arts. 10-12 C.P.

Artículo 10: Tipicidad.

La ley penal definirá de manera inequívoca, expresa y clara las características básicas estructurales del tipo penal.

En los tipos de omisión también el deber tendrá que estar consagrado y delimitado claramente en la Constitución Política o en la ley.

Véase art. 29 C.N.; art. 6 C.P.

Artículo 11: Antijuridicidad.

Para que una conducta típica sea punible se requiere que lesione o ponga efectivamente en peligro, sin justa causa, el bien jurídicamente tutelado por la ley penal.

Véase art. 32 C.P.

Artículo 12: Culpabilidad.

Sólo se podrá imponer penas por conductas realizadas con culpabilidad. Queda erradicada toda forma de responsabilidad objetiva.

Artículo 13: Normas rectoras y fuerza normativa.

Las normas rectoras contenidas en este Código constituyen la esencia y orientación del sistema penal. Prevalecen sobre las demás e informan su interpretación.

TÍTULO II. DE LA APLICACIÓN DE LA LEY PENAL

CAPÍTULO ÚNICO. APLICACIÓN DE LA LEY PENAL EN EL ESPACIO

Artículo 14: Territorialidad.

La ley penal colombiana se aplicará a toda persona que la infrinja en el territorio nacional, salvo las excepciones consagradas en el derecho internacional. (subrayado EXEQUIBLE SCC-1189, 13-09-2000, M.P. Carlos Gaviria Díaz).

La conducta punible se considera realizada:

1. En el lugar donde se desarrolló total o parcialmente la acción.
2. En el lugar donde debió realizarse la acción omitida.
3. En el lugar donde se produjo o debió producirse el resultado.

Véase arts. 16 C.P.; 43 C.P.P.; 101 C.N.

Artículo 15: Territorialidad por extensión.

La ley penal colombiana se aplicará a la persona que cometa la conducta punible a bordo de nave o aeronave del Estado o explotada por este, que se encuentre fuera del territorio nacional, salvo las excepciones consagradas en los tratados o convenios internacionales ratificados por Colombia. (Inc. mod. por el art. 21 de ley 1121 de 2006).

Se aplicará igualmente al que cometa la conducta a bordo de cualquier otra nave o aeronave nacional, que se halle en altamar, cuando no se hubiere iniciado la acción penal en el exterior.

Véase art. 102 C.N.

Artículo 16: Extraterritorialidad.

La ley penal colombiana se aplicará:

1. A la persona que cometa en el extranjero delito contra la existencia y seguridad del Estado, contra el régimen constitucional, contra el orden económico social excepto la conducta definida en el artículo 323 del presente Código, contra la administración pública, o falsifique moneda nacional o incurra en el delito de financiación de terrorismo y administración de recursos relacionados con actividades terroristas, aun cuando hubiere sido absuelta o condenada en el exterior a una pena menor que la prevista en

la ley colombiana (inc. 1° del num. 1° mod. por el art. 22 de ley 1121 de 2006; subrayado EXEQUIBLE SCC-551, 30-05-2001).

En todo caso se tendrá como parte cumplida de la pena el tiempo que hubiere estado privada de su libertad.

2. A la persona que esté al servicio del Estado colombiano, goce de inmunidad reconocida por el derecho internacional y cometa delito en el extranjero.

3. A la persona que esté al servicio del Estado colombiano, no goce de inmunidad reconocida por el derecho internacional y cometa en el extranjero delito distinto de los mencionados en el numeral 1°, cuando no hubiere sido juzgada en el exterior.

4. Al nacional que fuera de los casos previstos en los numerales anteriores, se encuentre en Colombia después de haber cometido un delito en territorio extranjero, cuando la ley penal colombiana lo reprima con pena privativa de la libertad cuyo mínimo no sea inferior a dos (2) años y no hubiere sido juzgado en el exterior.

Si se trata de pena inferior, no se procederá sino por querella de parte o petición del Procurador General de la Nación.

5. Al extranjero que fuera de los casos previstos en los numerales 1, 2 y 3, se encuentre en Colombia después de haber cometido en el exterior un delito en perjuicio del Estado o de un nacional colombiano, que la ley colombiana reprima con pena privativa de la libertad cuyo mínimo no sea inferior a dos años (2) y no hubiere sido juzgado en el exterior.

En este caso sólo se procederá por querella de parte o petición del Procurador General de la Nación.

6. Al extranjero que haya cometido en el exterior un delito en perjuicio de extranjero, siempre que se reúnan estas condiciones:

a) Que se halle en territorio colombiano;

b) Que el delito tenga señalada en Colombia pena privativa de la libertad cuyo mínimo no sea inferior a tres (3) años;

c) Que no se trate de delito político, y.

d) Que solicitada la extradición no hubiere sido concedida por el gobierno colombiano. Cuando la extradición no fuere aceptada habrá lugar a proceso penal.

En el caso a que se refiere el presente numeral no se procederá sino mediante querella o petición del Procurador General de la Nación y siempre que no hubiere sido juzgado en el exterior.

Véase arts. 18 C.P.; 490, 491, 492 C.P.P.

Artículo 17: Sentencia extranjera.

La sentencia absolutoria o condenatoria pronunciada en el extranjero tendrá valor de cosa juzgada para todos los efectos legales.

No tendrán el valor de cosa juzgada ante la ley colombiana las sentencias que se pronuncien en el extranjero respecto de los delitos señalados en los artículos 15 y 16, numerales 1 y 2 (subrayado EXEQUIBLE SCC-551, 30-05-2001, M.P. Álvaro Tafur Galvis).

La pena o parte de ella que el condenado hubiere cumplido en virtud de tales sentencias se descontará de la que se impusiere de acuerdo con la ley colombiana, si ambas son de igual naturaleza y si no, se harán las conversiones pertinentes, comparando las legislaciones correspondientes y observando los postulados orientadores de la tasación de la pena contemplados en este código.

Véase arts. 515-517 C.P.P.

Artículo 18: Extradición.

La extradición se podrá solicitar, conceder u ofrecer de acuerdo con los tratados públicos y, en su defecto, con la ley.

Además, la extradición de los colombianos por nacimiento se concederá por delitos cometidos en el exterior, considerados como tales en la legislación penal colombiana (subrayado EXEQUIBLE SCC-431, 02-05-2001, M.P. Alfredo Beltrán Sierra).

La extradición no procederá por delitos políticos.

No procederá la extradición cuando se trate de hechos cometidos con anterioridad a la promulgación del Acto Legislativo 01 de 1997.

Véase arts. 35 C.N.; 490-514 C.P.P.

TÍTULO III

CAPÍTULO ÚNICO. DE LA CONDUCTA PUNIBLE

Artículo 19: Delitos y contravenciones.
Las conductas punibles se dividen en delitos y contravenciones.
Véase art. 9 C.P.

Artículo 20: Servidores públicos.
Para todos los efectos de la ley penal, son servidores públicos los miembros de las corporaciones públicas, los empleados y trabajadores del Estado y de sus entidades descentralizadas territorialmente y por servicios.

Para los mismos efectos se consideran servidores públicos los miembros de la fuerza pública, los particulares que ejerzan funciones públicas en forma permanente o transitoria, los funcionarios y trabajadores del Banco de la República, los integrantes de la Comisión Nacional Ciudadana para la Lucha contra la Corrupción y las personas que administren los recursos de que trata el artículo 338 de la Constitución Política.
Véase arts. 123, 124, 338 C.N.

Artículo 21: Modalidades de la conducta punible.
La conducta es dolosa, culposa o preterintencional. La culpa y la preterintención sólo son punibles en los casos expresamente señalados por la ley.
Véase arts. 22, 23, 24, 105, 109, 118 120, 126, 339, 360, 400, 400-A, 450 C.P.

Artículo 22: Dolo.
La conducta es dolosa cuando el agente conoce los hechos constitutivos de la infracción penal y quiere su realización. También será dolosa la conducta cuando la realización de la infracción penal ha sido prevista como probable y su no producción se deja librada al azar.

Artículo 23: Culpa.
La conducta es culposa cuando el resultado típico es producto de la infracción al deber objetivo de cuidado y el agente debió haberlo previsto por ser previsible, o habiéndolo previsto, confió en poder evitarlo.

Véase inc. 2° art. 34 C.P.; arts. 109, 110, 120, 121, 126, 339, 360, 400, 400-A, 450 C.P.

Artículo 24: Preterintención.

La conducta es preterintencional cuando su resultado, siendo previsible, excede la intención del agente.

Véase arts. 105, 118 C.P.

Artículo 25: Acción y omisión.

La conducta punible puede ser realizada por acción o por omisión.

Quien tuviere el deber jurídico de impedir un resultado perteneciente a una descripción típica y no lo llevare a cabo, estando en posibilidad de hacerlo, quedará sujeto a la pena contemplada en la respectiva norma penal. A tal efecto, se requiere que el agente tenga a su cargo la protección en concreto del bien jurídico protegido, o que se le haya encomendado como garante la vigilancia de una determinada fuente de riesgo, conforme a la Constitución o a la ley.

Son constitutivas de posiciones de garantía las siguientes situaciones:

1. Cuando se asuma voluntariamente la protección real de una persona o de una fuente de riesgo, dentro del propio ámbito de dominio.

2. Cuando exista una estrecha comunidad de vida entre personas.

3. Cuando se emprenda la realización de una actividad riesgosa por varias personas.

4. Cuando se haya creado precedentemente una situación antijurídica de riesgo próximo para el bien jurídico correspondiente.

Parágrafo. Los numerales 1, 2, 3 y 4 sólo se tendrán en cuenta en relación con las conductas punibles delictuales que atenten contra la vida e integridad personal, la libertad individual, y la libertad y formación sexuales.

Véase art. 9 C.P.

Artículo 26: Tiempo de la conducta punible.

La conducta punible se considera realizada en el tiempo de la ejecución de la acción o en aquél en que debió tener lugar la acción omitida, aun cuando sea otro el del resultado.

Artículo 27: Tentativa.
El que iniciare la ejecución de una conducta punible mediante actos idóneos e inequívocamente dirigidos a su consumación, y ésta no se produjere por circunstancias ajenas a su voluntad, incurrirá en pena no menor de la mitad del mínimo ni mayor de las tres cuartas partes del máximo de la señalada para la conducta punible consumada.

Cuando la conducta punible no se consuma por circunstancias ajenas a la voluntad del autor o partícipe, incurrirá en pena no menor de la tercera parte del mínimo ni mayor de las dos terceras partes del máximo de la señalada para su consumación, si voluntariamente ha realizado todos los esfuerzos necesarios para impedirla.

Véase inc. 4 art. 61; inc. 2 art. 84 C.P.

Artículo 28: Concurso de personas en la conducta punible.
Concurren en la realización de la conducta punible los autores y los partícipes.

Véase arts. 29, 30, 62 C.P.

Artículo 29: Autores.
Es autor quien realice la conducta punible por sí mismo o utilizando a otro como instrumento.

Son coautores los que, mediando un acuerdo común, actúan con división del trabajo criminal atendiendo la importancia del aporte.

También es autor quien actúa como miembro u órgano de representación autorizado o de hecho de una persona jurídica, de un ente colectivo sin tal atributo, o de una persona natural cuya representación voluntaria se detente, y realiza la conducta punible, aunque los elementos especiales que fundamentan la penalidad de la figura punible respectiva no concurran en él, pero sí en la persona o ente colectivo representado.

El autor en sus diversas modalidades incurrirá en la pena prevista para la conducta punible.

Artículo 30: Partícipes.
Son partícipes el determinador y el cómplice.

Quien determine a otro a realizar la conducta antijurídica incurrirá en la pena prevista para la infracción.

Quien contribuya a la realización de la conducta antijurídica o preste una ayuda posterior, por concierto previo o concomitante a la misma, incurrirá en la pena prevista para la correspondiente infracción disminuida de una sexta parte a la mitad.

Al interviniente que no teniendo las calidades especiales exigidas en el tipo penal concurra en su realización, se le rebajará la pena en una cuarta parte (inc. 4° declarado EXEQUIBLE SCC-1122, 12-11-2008, M.P. Rodrigo Escobar Gil; SCC-015, 14-03-2018, M.P. Cristina Pardo Schlesinger).

Artículo 31: Concurso de conductas punibles.

El que con una sola acción u omisión o con varias acciones u omisiones infrinja varias disposiciones de la ley penal o varias veces la misma disposición, quedará sometido a la que establezca la pena más grave según su naturaleza, aumentada hasta en otro tanto, sin que fuere superior a la suma aritmética de las que correspondan a las respectivas conductas punibles debidamente dosificadas cada una de ellas.

En ningún caso, en los eventos de concurso, la pena privativa de la libertad podrá exceder de sesenta (60) años (inc. 2° mod. por el art. 1 de la ley 890/04).

Cuando cualquiera de las conductas punibles concurrentes con la que tenga señalada la pena más grave contemplare sanciones distintas a las establecidas en ésta, dichas consecuencias jurídicas se tendrán en cuenta a efectos de hacer la tasación de la pena correspondiente.

Parágrafo. En los eventos de los delitos continuados y masa se impondrá la pena correspondiente al tipo respectivo aumentada en una tercera parte (subrayado EXEQUIBLE SCC-551, 30-05-2001, M.P. Alvaro Tafur Galvis).

Artículo 32: Ausencia de responsabilidad.

No habrá lugar a responsabilidad penal cuando:

1. En los eventos de caso fortuito y fuerza mayor.

2. Se actúe con el consentimiento válidamente emitido por parte del titular del bien jurídico, en los casos en que se puede disponer del mismo.

3. Se obre en estricto cumplimiento de un deber legal.

4. Se obre en cumplimiento de orden legítima de autoridad competente emitida con las formalidades legales.

No se podrá reconocer la obediencia debida cuando se trate de delitos de genocidio, desaparición forzada y tortura (inc. 2° EXEQUIBLE SCC-551, 30-05-2001, M.P. Alvaro Tafur Galvis).

5. Se obre en legítimo ejercicio de un derecho, de una actividad lícita o de un cargo público.

6. Se obre por la necesidad de defender un derecho propio o ajeno contra injusta agresión actual o inminente, siempre que la defensa sea proporcionada a la agresión.

Se presume la legítima defensa en quien rechaza al extraño que, indebidamente, intente penetrar o haya penetrado a su habitación o dependencias inmediatas.

7. Se obre por la necesidad de proteger un derecho propio o ajeno de un peligro actual o inminente, inevitable de otra manera, que el agente no haya causado intencionalmente o por imprudencia y que no tenga el deber jurídico de afrontar.

El que exceda los límites propios de las causales consagradas en los numerales 3, 4, 5, 6 y 7 precedentes, incurrirá en una pena no menor de la sexta parte del mínimo ni mayor de la mitad del máximo de la señalada para la respectiva conducta punible (num. 7° EXEQUIBLE SCC-355, 10-05-2006, M.P. Jaime Araujo Renteria y Clara Inés Vargas Hernández).

8. Se obre bajo insuperable coacción ajena.

9. Se obre impulsado por miedo insuperable.

10. Se obre con error invencible de que no concurre en su conducta un hecho constitutivo de la descripción típica o de que concurren los presupuestos objetivos de una causal que excluya la responsabilidad. Si el error fuere vencible la conducta será punible cuando la ley la hubiere previsto como culposa.

Cuando el agente obre en un error sobre los elementos que posibilitarían un tipo penal más benigno, responderá por la realización del supuesto de hecho privilegiado.

11. Se obre con error invencible de la licitud de su conducta. Si el error fuere vencible la pena se rebajará en la mitad.

Para estimar cumplida la conciencia de la antijuridicidad basta que la persona haya tenido la oportunidad, en términos razonables, de actualizar el conocimiento de lo injusto de su conducta.

12. El error invencible sobre una circunstancia que diere lugar a la atenuación de la punibilidad dará lugar a la aplicación de la diminuente.

Véase arts. 21, 129, 224, 225, 227. 452 C.P.

Artículo 33: Inimputabilidad.

Es inimputable quien en el momento de ejecutar la conducta típica y antijurídica no tuviere la capacidad de comprender su ilicitud o de determinarse de acuerdo con esa comprensión, por inmadurez sicológica, trastorno mental, diversidad sociocultural o estados similares (subrayado CONDICIONALMENTE EXEQUIBLE SCC-370, 14-04-2002, M.P. Eduardo Montealegre Lynett "(...) bajo los siguientes dos entendidos: i) que, la inimputabilidad no se deriva de una incapacidad sino de una cosmovisión diferente, y ii) que en casos de error invencible de prohibición proveniente de esa diversidad cultural, la persona debe ser absuelta y no declarada inimputable, conforme a lo señalado en esta sentencia").

No será inimputable el agente que hubiere preordenado su trastorno mental.

Los menores de dieciocho (18) años estarán sometidos al Sistema de Responsabilidad Penal Juvenil.

Véase Ley 1098 de 2006; arts. 69-81 C.P.

TÍTULO IV. DE LAS CONSECUENCIAS JURÍDICAS DE LA CONDUCTA PUNIBLE

CAPÍTULO I. DE LAS PENAS, SUS CLASES Y SUS EFECTOS

Artículo 34: De las penas.

Las penas que se pueden imponer con arreglo a éste código son principales, sustitutivas y accesorias privativas de otros derechos cuando no obren como principales.

En los eventos de delitos culposos o con penas no privativas de la libertad, cuando las consecuencias de la conducta han alcanzado exclusivamente al autor o a sus ascendientes, descendientes, cónyuge, <u>compañero o compañera permanente</u>, hermano, adoptante o adoptivo, o pariente hasta el segundo grado de afinidad, se podrá prescindir de la imposición de la sanción penal cuando ella no resulte necesaria. (Subrayado CONDICIONALMENTE EXEQUIBLE SCC-029, 28-01-2009, M.P. Rodrigo Escobar Gil "(...) en el entendido de que la misma incluye, en igualdad de condiciones, a los integrantes de las parejas del mismo sexo").

Véase art. 3, 4, 59 C.P.

Artículo 35: Penas principales.

Son penas principales la privativa de la libertad de prisión, la pecuniaria de multa y las demás privativas de otros derechos que como tal se consagren en la parte especial.

Véase arts. 37, 39, 61 C.P.

Artículo 36: Penas sustitutivas.

La prisión domiciliaria es sustitutiva de la pena de prisión y el arresto de fin de semana convertible en arresto ininterrumpido es sustitutivo de la multa. (EXEQUIBLE SCC-581, 06-06-2001, M.P. Jaime Araujo Renteria; véase art. 40 C.P.).

Véase art. 38 C.P.

Artículo 37: La prisión.

La pena de prisión se sujetará a las siguientes reglas:

1. La pena de prisión para los tipos penales tendrá una duración máxima de cincuenta (50) años, excepto en los casos de concurso (num. 1° mod. por el art. 2 de la ley 890/04).

2. Su cumplimiento, así como los beneficios penitenciarios que supongan la reducción de la condena, se ajustarán a lo dispuesto en las leyes y en el presente código.

3. La detención preventiva no se reputa como pena. Sin embargo, en caso de condena, el tiempo cumplido bajo tal circunstancia se computará como parte cumplida de la pena.

Véase inc. 2° art. 31 C.P.; arts. 317 num. 1°, C.P.P.).

Artículo 38 (art. mod. por el art. 27 de la Ley 1142 de 2007)**: La prisión domiciliaria como sustitutiva de la prisión.**

La prisión domiciliaria como sustitutiva de la prisión consistirá en la privación de la libertad en el lugar de residencia o morada del condenado o en el lugar que el Juez determine.

El sustituto podrá ser solicitado por el condenado independientemente de que se encuentre con orden de captura o privado de su libertad, salvo cuando la persona haya evadido voluntariamente la acción de la justicia (mod. inc. 2° por el art. 31 de la ley 1142 y por el art. 1° de la ley 1453 de 2011).

Parágrafo. La detención preventiva puede ser sustituida por la detención en el lugar de residencia en los mismos casos en los que procede la prisión domiciliaria. En estos casos se aplicará el mismo régimen previsto para este mecanismo sustitutivo de la prisión (par. ad. por el art. 2 de la ley 1453 de 2011).

Véase arts. 314, 461, C.P.P.

Artículo 38-A:
Derogado por el artículo 107 de la Ley 1709 de 2014, de 20 de enero.

Artículo 38-B (ad. por el art. 23 de la ley 1709 de 2014)**: Requisitos para conceder la prisión domiciliaria.**

Son requisitos para conceder la prisión domiciliaria:

1. Que la sentencia se imponga por conducta punible cuya pena mínima prevista en la ley sea de ocho (8) años de prisión o menos.

2. Que no se trate de uno de los delitos incluidos en el inciso 2° del artículo 68A de la Ley 599 de 2000.

3. Que se demuestre el arraigo familiar y social del condenado.

En todo caso corresponde al juez de conocimiento, que imponga la medida, establecer con todos los elementos de prueba allegados a la actuación la existencia o inexistencia del arraigo.

4. Que se garantice mediante caución el cumplimiento de las siguientes obligaciones:

a) No cambiar de residencia sin autorización, previa del funcionario judicial;

b) Que dentro del término que fije el juez sean reparados los daños ocasionados con el delito. El pago de la indemnización debe asegurarse mediante garantía personal, real, bancaria o mediante acuerdo con la víctima, salvo que demuestre insolvencia;

c) Comparecer personalmente ante la autoridad judicial que vigile el cumplimiento de la pena cuando fuere requerido para ello;

d) Permitir la entrada a la residencia de los servidores públicos encargados de realizar la vigilancia del cumplimiento de la reclusión. Además deberá cumplir las condiciones de seguridad que le hayan sido impuestas en la sentencia, las contenidas en los reglamentos del Inpec para el cumplimiento de la prisión domiciliaria y las adicionales que impusiere el Juez de Ejecución de Penas y Medidas de Seguridad.

Artículo 38-C (ad. por el art. 24 de la Ley 1709 de 2014)**: Control de la medida de prisión domiciliaria.**

El control sobre esta medida sustitutiva será ejercido por el Juez de Ejecución de Penas y Medidas de Seguridad con apoyo del Instituto Nacional Penitenciario y Carcelario (Inpec).

El Inpec deberá realizar visitas periódicas a la residencia del condenado y le informará al Despacho Judicial respectivo sobre el cumplimiento de la pena.

Con el fin de contar con medios adicionales de control, el Inpec suministrará la información de las personas cobijadas con esta medida a la Policía Nacional, mediante el sistema de información que se acuerde entre estas entidades.

Parágrafo. La persona sometida a prisión domiciliaria será responsable de su propio traslado a las respectivas diligencias judiciales, pero en todos los casos requerirá de autorización del Inpec para llevar a cabo el desplazamiento.

Artículo 38-D (ad. por el art. 25 de la Ley 1709 de 2014): **Ejecución de la medida de prisión domiciliaria.**

La ejecución de esta medida sustitutiva de la pena privativa de la libertad se cumplirá en el lugar de residencia o morada del sentenciado, excepto en los casos en que este pertenezca al grupo familiar de la víctima.

El juez podrá ordenar, si así lo considera necesario, que la prisión domiciliaria se acompañe de un mecanismo de vigilancia electrónica.

El juez podrá autorizar al condenado a trabajar y estudiar fuera de su lugar de residencia o morada, pero en este caso se controlará el cumplimiento de la medida mediante un mecanismo de vigilancia electrónica.

Artículo 38-E (ad. por el art. 26 de la Ley 1709 de 2014): **Redención de pena durante la prisión domiciliaria.**

La persona sometida a prisión domiciliaria podrá solicitar la redención de pena por trabajo o educación ante el Juez de Ejecución de Penas y Medidas de Seguridad de acuerdo a lo señalado en este Código. Las personas sometidas a prisión domiciliaria tendrán las mismas garantías de trabajo y educación que las personas privadas de la libertad en centro de reclusión.

Parágrafo. El Ministerio de Trabajo generará en coordinación con el Ministerio de Justicia y el Inpec las condiciones necesarias para aplicar la normatividad vigente sobre teletrabajo a las personas sometidas a prisión domiciliaria.

Artículo 38-F (ad. por el art. 27 de la Ley 1709 de 2014): **Pago del mecanismo de vigilancia electrónica.**

El costo del brazalete electrónico, cuyo tarifa será determinada por el Gobierno Nacional, será sufragado por el beneficiario de acuerdo a su capacidad económica, salvo que se demuestre fundadamente que el beneficiario carece de los medios necesarios para costearla, en cuyo caso estará a cargo del Gobierno Nacional.

Artículo 38-G (ad. por el art. 28 de la Ley 1709 de 2014): **Lugar de cumplimiento de la ejecución de la pena privativa de la libertad.**

La ejecución de la pena privativa de la libertad se cumplirá en el lugar de residencia o morada del condenado cuando haya cumplido la mitad de la condena y concurran los presupuestos contemplados en los numerales 3 y 4 del artículo 38B del presente código, excepto en los casos en que el condenado pertenezca al grupo familiar de la víctima o en aquellos eventos en que fue sentenciado por alguno de los siguientes delitos: genocidio; contra el derecho internacional humanitario; desaparición forzada; secuestro extorsivo; tortura; desplazamiento forzado; tráfico de menores; uso de menores de edad para la comisión de delitos; tráfico de migrantes; trata de personas; delitos contra la libertad, integridad y formación sexuales; extorsión; concierto para delinquir agravado; lavado de activos; terrorismo; usurpación y abuso de funciones públicas con fines terroristas; financiación del terrorismo y de actividades de delincuencia organizada; administración de recursos con actividades terroristas y de delincuencia organizada; financiación del terrorismo y administración de recursos relacionados con actividades terroristas; fabricación, tráfico y porte de armas y municiones de uso restringido, uso privativo de las fuerzas armadas o explosivos; delitos relacionados con el tráfico de estupefacientes, salvo los contemplados en el artículo 375 y el inciso 2° del artículo 376 del presente código.

Artículo 39 (mod. por el art. 46 de la Ley 1453 de 2011)**: La multa.**
La pena de multa se sujetará a las siguientes reglas:
1. Clases de multa. La multa puede aparecer como acompañante de la pena de prisión, y en tal caso, cada tipo penal consagrará su monto, que nunca será superior a cincuenta mil (50.000) salarios mínimos legales mensuales vigentes. Igualmente puede aparecer en la modalidad progresiva de unidad multa, caso en el cual el respectivo tipo penal sólo hará mención a ella.
2. Unidad multa. La unidad multa será de:
1. Primer grado. Una unidad multa equivale a un (1) salario mínimo legal mensual. La multa oscilará entre una y diez (10) unidades multa.
En el primer grado estarán ubicados quienes hayan percibido ingresos promedio, en el último año, hasta diez (10) salarios mínimos legales mensuales vigentes.

2. Segundo grado. Una unidad multa equivale a diez (10) salarios mínimos legales mensuales. La multa oscilará entre una y diez (10) unidades multa.

En el segundo grado estarán ubicados quienes hayan percibido ingresos promedio, en el último año, superiores a diez (10) salarios mínimos legales mensuales vigentes y hasta cincuenta (50).

3. Tercer grado. Una unidad multa equivale a cien (100) salarios mínimos legales mensuales. La multa oscilará entre una y diez (10) unidades multa.

En el tercer grado estarán ubicados quienes hayan percibido ingresos promedio, en el último año, superiores a cincuenta (50) salarios mínimos legales mensuales vigentes.

<u>La unidad multa se duplicará en aquellos casos en que la persona haya sido condenada por delito doloso o preterintencional dentro de los diez (10) años anteriores</u> (subrayado EXEQUIBLE SCC-181, 13-04-2016, M.P. Gloria Stella Ortiz Delgado).

3. Determinación. La cuantía de la multa será fijada en forma motivada por el Juez teniendo en cuenta el daño causado con la infracción, la intensidad de la culpabilidad, el valor del objeto del delito o el beneficio reportado por el mismo, la situación económica del condenado deducida de su patrimonio, ingresos, obligaciones y cargas familiares, y las demás circunstancias que indiquen su posibilidad de pagar.

4. Acumulación. En caso de concurso de conductas punibles o acumulación de penas, las multas correspondientes a cada una de las infracciones se sumarán, pero el total no podrá exceder del máximo fijado en este artículo para cada clase de multa.

5. Pago. La unidad multa deberá pagarse de manera íntegra e inmediata una vez que la respectiva sentencia haya quedado en firme, a menos que se acuda a alguno de los mecanismos sustitutivos que a continuación se contemplan.

6. Amortización a plazos. Al imponer la multa, o posteriormente, podrá el Juez, previa demostración por parte del penado de su incapacidad material para sufragar la pena en un único e inmediato acto, señalar plazos

para el pago, o autorizarlo por cuotas dentro de un término no superior a dos (2) años.

La multa podrá fraccionarse en cuotas cuyo número no podrá exceder de veinticuatro (24), con períodos de pago no inferiores a un mes.

7. Amortización mediante trabajo. Acreditada la imposibilidad de pago podrá también el Juez autorizar, previa conformidad del penado, la amortización total o parcial de la multa mediante trabajos no remunerados en asunto de inequívoca naturaleza e interés estatal o social (EXEQUIBLE SCC-581, 06-06-2001, M.P. Jaime Araujo Renteria).

Una unidad multa equivale a quince (15) días de trabajo.

Los trabajos le obligan a prestar su contribución no remunerada en determinadas actividades de utilidad pública o social.

Estos trabajos no podrán imponerse sin el consentimiento del penado y su ejecución se ceñirá a las siguientes condiciones:

1. Su duración diaria no podrá exceder de ocho (8) horas.

2. Se preservará en su ejecución la dignidad del penado.

3. Se podrán prestar a la Administración, a entidades públicas, o asociaciones de interés social. Para facilitar su prestación la Administración podrá establecer convenios con entidades que desarrollen objetivos de claro interés social o comunitario. Se preferirá el trabajo a realizar en establecimientos penitenciarios.

4. Su ejecución se desarrollará bajo el control del juez o tribunal sentenciador, o del juez de ejecución de penas en su caso, despachos que para el efecto podrán requerir informes sobre el desempeño del trabajo a la administración o a la entidad o asociación en que se presten los servicios.

5. Gozará de la protección dispensada a los sentenciados por la legislación penitenciaria en materia de seguridad social.

6. Su prestación no se podrá supeditar al logro de intereses económicos.

Las disposiciones de la Ley Penitenciaria se aplicarán supletoriamente en lo no previsto en este Código.

En los eventos donde se admite la amortización de la multa por los sistemas de plazos o trabajo, el condenado suscribirá acta de compromiso donde se detallen las condiciones impuestas por el Juez.

Artículo 40: Conversión de la multa en arrestos progresivos.

Cuando el condenado no pagare o amortizare voluntariamente, o incumpliere el sistema de plazos concedido, en el evento de la unidad multa, se convertirá ésta en arresto de fin de semana. Cada unidad multa equivale a cinco (5) arresto de fin de semana.

La pena sustitutiva de arresto de fin de semana oscilará entre cinco (5) y cincuenta (50) arresto de fines de semana.

El arresto de fin de semana tendrá una duración equivalente a treinta y seis (36) horas y su ejecución se llevará a cabo durante los días viernes, sábados o domingos en el establecimiento carcelario del domicilio del arrestado.

El incumplimiento injustificado, en una sola oportunidad, por parte del arrestado, dará lugar a que el Juez que vigila la ejecución de la pena decida que el arresto se ejecute de manera ininterrumpida. Cada arresto de fin de semana equivale a tres (3) días de arresto ininterrumpido.

Las demás circunstancias de ejecución se establecerán conforme a las previsiones del Código Penitenciario, cuyas normas se aplicarán supletoriamente en lo no previsto en este Código.

El condenado sometido a responsabilidad personal subsidiaria derivada del impago de la multa, podrá hacer cesar la privación de la libertad, en cualquier momento en que satisfaga el total o la parte de la multa pendiente de pago.

Véase art. 36 C.P.

Artículo 41: Ejecución coactiva.

Cuando la pena de multa concurra con una privativa de la libertad y el penado se sustrajere a su cancelación integral o a plazos, se dará traslado del asunto a los Jueces de Ejecuciones Fiscales para efectos de que desarrollen el procedimiento de ejecución coactiva de la multa. Igual procedimiento se seguirá cuando en una misma sentencia se impongan las diferentes modalidades de multa.

Véase art. 91 C.P.

Artículo 42: Destinación.

Los recursos obtenidos por concepto del recaudo voluntario o coactivo de multas ingresarán al Tesoro Nacional con imputación a rubros destinados a la prevención del delito y al fortalecimiento de la estructura carcelaria. Se consignarán a nombre del Consejo Superior de la Judicatura en cuenta especial.

Artículo 43: Las penas privativas de otros derechos.

Son penas privativas de otros derechos:

1. La inhabilitación para el ejercicio de derechos y funciones públicas (EXEQUIBLE SCC-581, 06-06-2001, M.P. Jaime Araujo Renteria).

2. La pérdida del empleo o cargo público.

3. La inhabilitación para el ejercicio de profesión, arte, oficio, industria o comercio, bien sea de forma directa o indirecta en calidad de administrador de una sociedad, entidad sin ánimo de lucro o cualquier tipo de ente económico, nacional o extranjero (num. 3° mod. por el art. 2 de la Ley 1762 de 2015).

4. La inhabilitación para el ejercicio de la patria potestad, tutela y curaduría.

5. La privación del derecho a conducir vehículos automotores y motocicletas.

6. La privación del derecho a la tenencia y porte de arma.

7. La privación del derecho a residir en determinados lugares o de acudir a ellos (EXEQUIBLE SCC-042, 27-01-2004, M.P. Marco Gerardo Monroy Cabra).

8. La prohibición de consumir bebidas alcohólicas o sustancias estupefacientes o psicotrópicas.

9. La expulsión del territorio nacional para los extranjeros.

10. La prohibición de aproximarse a la víctima y/o a integrantes de su grupo familiar (ad. por el art. 24 de la Ley 1257 de 2008).

11. La prohibición de comunicarse con la víctima y/o con integrantes de su grupo familiar (ad. por el art. 24 de la Ley 1257 de 2008).

Parágrafo. Para efectos de este artículo integran el grupo familiar (ad. por el art. 24 de la Ley 1257 de 2008):

1. Los cónyuges o compañeros permanentes.

2. El padre y la madre de familia, aunque no convivan en un mismo lugar.

3. Los ascendientes o descendientes de los anteriores y los hijos adoptivos.

4. Todas las demás personas que de manera permanente se hallaren integradas a la unidad doméstica.

Para los efectos previstos en este artículo, la afinidad será derivada de cualquier forma de matrimonio, unión libre.

Artículo 44: La inhabilitación para el ejercicio de derechos y funciones públicas.

La pena de inhabilitación para el ejercicio de derechos y funciones públicas priva al penado de la facultad de elegir y ser elegido, del ejercicio de cualquier otro derecho político, función pública, dignidades y honores que confieren las entidades oficiales (EXEQUIBLE SCC-581, 06-06-2001, M.P. Jaime Araujo Renteria).

Artículo 45: La pérdida de empleo o cargo público.

La pérdida del empleo o cargo público, además, inhabilita al penado hasta por cinco (5) años para desempeñar cualquier cargo público u oficial.

Artículo 46 (mod. por el art. 3 de la Ley 1762 de 2015)**: La inhabilitación para el ejercicio de profesión, arte, oficio, industria o comercio.**

La pena de inhabilitación para el ejercicio de profesión, arte, oficio, industria o comercio, se impondrá por el mismo tiempo de la pena de prisión impuesta, sin exceder los límites que alude el artículo 51 de este Código, siempre que la infracción se cometa con abuso del ejercicio de cualquiera de las mencionadas actividades, medie relación de causalidad entre el delito y la profesión o contravenga las obligaciones que de su ejercicio se deriven.

En firme la sentencia que impusiere esta pena, el juez la comunicará a la respectiva Cámara de Comercio para su inclusión en el Registro Único Empresarial (RUES) o el que haga sus veces, a la Dirección de Impuestos y Aduanas Nacionales, y demás autoridades encargadas del registro de la profesión, comercio, arte u oficio del condenado, según corresponda. (EXEQUIBLE SCC-581, 06-06-2001, M.P. Jaime Araujo Renteria).

Artículo 47: La inhabilitación para el ejercicio de la patria potestad, tutela y curaduría.

La inhabilitación para el ejercicio de la patria potestad, tutela y curaduría, priva al penado de los derechos inherentes a la primera, y comporta la extinción de las demás, así como la incapacidad para obtener nombramiento de dichos cargos, durante el tiempo de la condena.

Artículo 48: La privación del derecho a conducir vehículos automotores y motocicletas.

La imposición de la pena de privación del derecho a conducir vehículos automotores y motocicletas inhabilitará al penado para el ejercicio de ambos derechos durante el tiempo fijado en la sentencia.

Artículo 49: La privación del derecho a la tenencia y porte de arma.

La imposición de la pena de privación del derecho a la tenencia y porte de arma inhabilitará al penado para el ejercicio de este derecho por el tiempo fijado en la sentencia.

Artículo 50: La privación del derecho a residir o de acudir a determinados lugares.

La privación del derecho a residir o de acudir a determinados lugares, impide al penado volver al lugar en que haya cometido la infracción, o a aquel en que resida la víctima o su familia, si fueren distintos.

Artículo 51: Duración de las penas privativas de otros derechos.

La inhabilitación para el ejercicio de derechos y funciones públicas tendrá una duración de cinco (5) a veinte (20) años, salvo en el caso del inciso 3° del artículo 52.

Se excluyen de esta regla las penas impuestas a servidores públicos condenados por delitos contra el patrimonio del Estado, en cuyo caso se aplicará el inciso 5 del artículo 122 de la Constitución Política.

La inhabilitación para el ejercicio de profesión, arte, oficio, industria o comercio de seis (6) meses a veinte (20) años.

La inhabilitación para el ejercicio de la patria potestad, tutela y curaduría de seis (6) meses a quince (15) años.

La privación del derecho a conducir vehículos automotores y motocicletas de seis (6) meses a diez (10) años.

La privación del derecho a la tenencia y porte de arma de uno (1) a quince (15) años.

La privación del derecho a residir o de acudir a determinados lugares de seis (6) meses a cinco (5) años.

La prohibición de acercarse a la víctima y/o a integrantes de su grupo familiar y la de comunicarse con ellos, en el caso de delitos relacionados con violencia intrafamiliar, estará vigente durante el tiempo de la pena principal y hasta doce (12) meses más (inc. ad. por el art. 25 de la Ley 1257 de 2008).

Artículo 52: Las penas accesorias.

Las penas privativas de otros derechos, que pueden imponerse como principales, serán accesorias y las impondrá el Juez cuando tengan relación directa con la realización de la conducta punible, por haber abusado de ellos o haber facilitado su comisión, o cuando la restricción del derecho contribuya a la prevención de conductas similares a la que fue objeto de condena.

En la imposición de las penas accesorias se observará estrictamente lo dispuesto en el artículo 59.

En todo caso, la pena de prisión conllevará la accesoria de inhabilitación para el ejercicio de derechos y funciones públicas, por un tiempo igual al de la pena a que accede y hasta por una tercera parte más, sin exceder el máximo fijado en la Ley, sin perjuicio de la excepción a que alude el inciso 2 del artículo 51 (EXEQUIBLE inc. 3° SCC-393, 22-05-2002, M.P. Jaime Araújo Rentería).

Artículo 53: Cumplimiento de las penas accesorias.

Las penas privativas de otros derechos concurrentes con una privativa de la libertad, se aplicarán y ejecutarán simultáneamente con ésta.

A su cumplimiento, el Juez oficiosamente dará la información respectiva a la autoridad correspondiente.

CAPÍTULO II. DE LOS CRITERIOS Y REGLAS PARA LA DETERMINACIÓN DE LA PUNIBILIDAD

Artículo 54: Mayor y menor punibilidad.
Además de las atenuantes y agravantes consagradas en otras disposiciones, regirán las siguientes.

Artículo 55: Circunstancias de menor punibilidad.
Son circunstancias de menor punibilidad, siempre que no hayan sido previstas de otra manera:

1. La carencia de antecedentes penales.

2. El obrar por motivos nobles o altruistas.

3. El obrar en estado de emoción, pasión excusables, o de temor intenso.

4. La influencia de apremiantes circunstancias personales o familiares en la ejecución de la conducta punible.

5. Procurar voluntariamente después de cometida la conducta, anular o disminuir sus consecuencias.

6. Reparar voluntariamente el daño ocasionado aunque no sea en forma total. Así mismo, si se ha procedido a indemnizar a las personas afectadas con el hecho punible.

7. Presentarse voluntariamente a las autoridades después de haber cometido la conducta punible o evitar la injusta sindicación de terceros.

8. La indigencia o la falta de ilustración, en cuanto hayan influido en la ejecución de la conducta punible.

9. Las condiciones de inferioridad psíquica determinadas por la edad o por circunstancias orgánicas, en cuanto hayan influido en la ejecución de la conducta punible.

10. Cualquier circunstancia de análoga significación a las anteriores.

Artículo 56: Circunstancias de marginalidad, ignorancia o pobreza extremas.

El que realice la conducta punible bajo la influencia de profundas situaciones de marginalidad, ignorancia o pobreza extremas, en cuanto hayan influido directamente en la ejecución de la conducta punible y no tengan la entidad suficiente para excluir la responsabilidad, incurrirá en pena no mayor de la mitad del máximo, ni menor de la sexta parte del mínimo de la señalada en la respectiva disposición.

Artículo 57: Ira o Intenso dolor.

El que realice la conducta punible en estado de ira o de intenso dolor, causados por comportamiento ajeno grave e injustificado, incurrirá en pena no menor de la sexta parte del mínimo ni mayor de la mitad del máximo de la señalada en la respectiva disposición.

Artículo 58: Circunstancias de mayor punibilidad.

Son circunstancias de mayor punibilidad, siempre que no hayan sido previstas de otra manera:

1. Ejecutar la conducta punible sobre bienes o recursos destinados a actividades de utilidad común o a la satisfacción de necesidades básicas de una colectividad.

2. Ejecutar la conducta punible por motivo abyecto, fútil o mediante precio, recompensa o promesa remuneratoria.

3. Que la ejecución de la conducta punible esté inspirada en móviles de intolerancia y discriminación referidos a la raza, la etnia, la ideología, la religión, o las creencias, sexo u orientación sexual, o alguna enfermedad o minusvalía de la víctima (EXEQUIBLE SCC-257, 18-05-2016, M.P. Luis Guillermo Guerrero Pérez con relación a dos cargos: "la falta de previsión de la categoría de identidad de género en el respectivo precepto legal" y "por no haberse previsto que la sanción penal se extiende a los delitos realizados en razón de la orientación sexual real y meramente percibida por el victimario".).

4. Emplear en la ejecución de la conducta punible medios de cuyo uso pueda resultar peligro común.

5. Ejecutar la conducta punible mediante ocultamiento, con abuso de la condición de superioridad sobre la víctima, o aprovechando circunstancias de tiempo, modo, lugar que dificulten la defensa del ofendido o la identificación del autor o partícipe.

6. Hacer más nocivas las consecuencias de la conducta punible.

7. Ejecutar la conducta punible con quebrantamiento de los deberes que las relaciones sociales o de parentesco impongan al sentenciado respecto de la víctima.

8. Aumentar deliberada e inhumanamente el sufrimiento de la víctima, causando a ésta padecimientos innecesarios para la ejecución del delito.

9. La posición distinguida que el sentenciado ocupe en la sociedad, por su cargo, posición económica, ilustración, poder, oficio o ministerio.

10. Obrar en coparticipación criminal.

11. Ejecutar la conducta punible valiéndose de un inimputable.

12. Cuando la conducta punible fuere cometida contra servidor público por razón del ejercicio de sus funciones o de su cargo, salvo que tal calidad haya sido prevista como elemento o circunstancia del tipo penal.

13. Cuando la conducta punible fuere dirigida o cometida total o parcialmente desde el interior de un lugar de reclusión por quien estuviere privado de su libertad, o total o parcialmente fuera del territorio nacional.

14. Cuando se produjere un daño grave o una irreversible modificación del equilibrio ecológico de los ecosistemas naturales.

15. Cuando para la realización de la conducta punible se hubieren utilizado explosivos, venenos u otros instrumentos o artes de similar eficacia destructiva.

16. Cuando la conducta punible se realice sobre áreas de especial importancia ecológica o en ecosistemas estratégicos definidos por la ley o los reglamentos.

17. Cuando para la realización de las conductas punibles se utilicen medios informáticos, electrónicos o telemáticos (num. ad. por el art. 2 de la Ley 1273 de 2009).

17 <sic>. Cuando la conducta punible fuere cometida total o parcialmente en el interior de un escenario deportivo, o en sus alrededores, o con

ocasión de un evento deportivo, antes, durante o con posterioridad a su celebración (num. ad. por el art. 3 de la Ley 1356 de 2009).

Artículo 59: Motivación del proceso de individualización de la pena.

Toda sentencia deberá contener una fundamentación explícita sobre los motivos de la determinación cualitativa y cuantitativa de la pena.

Artículo 60: Parámetros para la determinación de los mínimos y máximos aplicables.

Para efectuar el proceso de individualización de la pena el sentenciador deberá fijar, en primer término, los límites mínimos y máximos en los que se ha de mover. Para ello, y cuando hubiere circunstancias modificadoras de dichos límites, aplicará las siguientes reglas:

1. Si la pena se aumenta o disminuye en una proporción determinada, ésta se aplicará al mínimo y al máximo de la infracción básica.

2. Si la pena se aumenta hasta en una proporción, ésta se aplicará al máximo de la infracción básica.

3. Si la pena se disminuye hasta en una proporción, ésta se aplicará al mínimo de la infracción básica.

4. Si la pena se aumenta en dos proporciones, la menor se aplicará al mínimo y la mayor al máximo de la infracción básica.

5. Si la pena se disminuye en dos proporciones, la mayor se aplicará al mínimo y la menor al máximo de la infracción básica.

Artículo 61: Fundamentos para la individualización de la pena.

Efectuado el procedimiento anterior, el sentenciador dividirá el ámbito punitivo de movilidad previsto en la ley en cuartos: uno mínimo, dos medios y uno máximo.

El sentenciador sólo podrá moverse dentro del cuarto mínimo cuando no existan atenuantes ni agravantes o concurran únicamente circunstancias de atenuación punitiva, dentro de los cuartos medios cuando concurran circunstancias de atenuación y de agravación punitiva, y dentro del cuarto máximo cuando únicamente concurran circunstancias de agravación punitiva.

Establecido el cuarto o cuartos dentro del que deberá determinarse la pena, el sentenciador la impondrá ponderando los siguientes aspectos: la mayor o menor gravedad de la conducta, el daño real o potencial creado, la naturaleza de las causales que agraven o atenúen la punibilidad, la intensidad del dolo, la preterintención o la culpa concurrentes, la necesidad de pena y la función que ella ha de cumplir en el caso concreto.

Además de los fundamentos señalados en el inciso anterior, para efectos de la determinación de la pena, en la tentativa se tendrá en cuenta el mayor o menor grado de aproximación al momento consumativo y en la complicidad el mayor o menor grado de eficacia de la contribución o ayuda.

El sistema de cuartos no se aplicará en aquellos eventos en los cuales se han llevado a cabo preacuerdos o negociaciones entre la Fiscalía y la defensa (inc. 5° ad. por el art. 3 de la Ley 890 de 2004).

(EXEQUIBLE SCC-1068, 10-10-2001, M.P. Rodrigo Escobar Gil).

Véase art. 3 C.P.

Artículo 62: Comunicabilidad de circunstancias.

Las circunstancias agravantes o atenuantes de carácter personal que concurran en el autor de la conducta no se comunican a los partícipes, y sólo serán tenidas en cuenta para agravar o atenuar la responsabilidad de aquellos que las hayan conocido.

Las circunstancias agravantes o atenuantes de índole material que concurran en el autor, se comunicarán a los partícipes que las hubiesen conocido en el momento de la planeación o ejecución de la conducta punible.

Véase art. 30 C.P.

CAPÍTULO III. DE LOS MECANISMOS SUSTITUTIVOS DE LA PENA PRIVATIVA DE LA LIBERTAD

Artículo 63 (mod. por el art. 29 de la Ley 1709 de 2014)**: Suspensión de la ejecución de la pena.**

La ejecución de la pena privativa de la libertad impuesta en sentencia de primera, segunda o única instancia, se suspenderá por un período de dos (2) a cinco (5) años, de oficio o a petición del interesado, siempre que concurran los siguientes requisitos:

1. Que la pena impuesta sea de prisión que no exceda de cuatro (4) años.

2. Si la persona condenada carece de antecedentes penales y no se trata de uno de los delitos contenidos el inciso 2° del artículo 68A de la Ley 599 de 2000, el juez de conocimiento concederá la medida con base solamente en el requisito objetivo señalado en el numeral 1 de este artículo.

3. Si la persona condenada tiene antecedentes penales por delito doloso dentro de los cinco (5) años anteriores, el juez podrá conceder la medida cuando los antecedentes personales, sociales y familiares del sentenciado sean indicativos de que no existe necesidad de ejecución de la pena.

La suspensión de la ejecución de la pena privativa de la libertad no será extensiva a la responsabilidad civil derivada de la conducta punible.

El juez podrá exigir el cumplimiento de las penas no privativas de la libertad accesorias a esta. En todo caso cuando se trate de lo dispuesto en el inciso final del artículo 122 de la Constitución Política se exigirá su cumplimiento (EXEQUIBLE SCC-194, 03-03-2005, M.P. Alvaro Tafur Galvis).

(Inc. penúltimo ad. por el 4 de la Ley 890 de 2004 en el siguiente tenor: "Su concesión estará supeditada al pago total de la multa").

Véase art. 33 C.P.; num. 4 art. 199 de la Ley 1098 de 2006.

Artículo 64 (mod. por el art. 30 de la Ley 1709 de 2014)**: Libertad condicional.**

El juez, <u>previa valoración de la conducta punible</u>, concederá la libertad condicional a la persona condenada a pena privativa de la libertad cuando haya cumplido con los siguientes requisitos (subrayado CONDICIONALMENTE EXEQUIBLE SCC-757, 15-10-2014, M.P. Gloria Stella Ortiz Delgado "(...) en el entendido de que las valoraciones de la conducta punible hechas por los jueces de ejecución de penas y medidas de seguridad para decidir sobre la libertad condicional de los condenados tengan en cuenta las circunstancias, elementos y consideraciones hechas por el juez penal en la sentencia condenatoria, sean éstas favorables o desfavorables al otorgamiento de la libertad condicional").

1. Que la persona haya cumplido las tres quintas (3/5) partes de la pena.

2. Que su adecuado desempeño y comportamiento durante el tratamiento penitenciario en el centro de reclusión permita suponer fundadamente que no existe necesidad de continuar la ejecución de la pena.

3. Que demuestre arraigo familiar y social.

Corresponde al juez competente para conceder la libertad condicional establecer, con todos los elementos de prueba allegados a la actuación, la existencia o inexistencia del arraigo.

En todo caso su concesión estará supeditada a la reparación a la víctima o al aseguramiento del pago de la indemnización mediante garantía personal, real, bancaria o acuerdo de pago, salvo que se demuestre insolvencia del condenado.

El tiempo que falte para el cumplimiento de la pena se tendrá como periodo de prueba. Cuando este sea inferior a tres años, el juez podrá aumentarlo hasta en otro tanto igual, de considerarlo necesario.

Véase art. 474 C.P.P.; art. 199 num. 5° ley 1098 de 2006.

Artículo 65: Obligaciones.

El reconocimiento de la suspensión condicional de la ejecución de la pena y de la libertad condicional comporta las siguientes obligaciones para el beneficiario:

1. Informar todo cambio de residencia.

2. Observar buena conducta (num. 2° CONDICIONALMENTE EXEQUIBLE SCC-371, 14-05-2002, M.P. Rodrigo Escobar Gil en el sentido de "siempre que se entienda que, en este contexto, la obligación de observar buena conducta solo es relevante en función del efecto que las eventuales infracciones de los específicos deberes jurídicos que la misma comporta, pueda tener en la valoración acerca de la necesidad de la pena en cada caso concreto, de conformidad con lo previsto en el apartado 3.2.2. de esta providencia").

3. Reparar los daños ocasionados con el delito, a menos que se demuestre que está en imposibilidad económica de hacerlo.

4. Comparecer personalmente ante la autoridad judicial que vigile el cumplimiento de la sentencia, cuando fuere requerido para ello.

5. No salir del país sin previa autorización del funcionario que vigile la ejecución de la pena.

Estas obligaciones se garantizarán mediante caución.

Véase arts. 475, 479 C.P.P.

Artículo 66: Revocación de la suspensión de la ejecución condicional de la pena y de la libertad condicional.

Si durante el período de prueba el condenado violare cualquiera de las obligaciones impuestas, se ejecutará inmediatamente la sentencia en lo que hubiere sido motivo de suspensión y se hará efectiva la caución prestada.

Igualmente, si transcurridos noventa días contados a partir del momento de la ejecutoria de la sentencia en la cual se reconozca el beneficio de la suspensión condicional de la condena, el amparado no compareciere ante la autoridad judicial respectiva, se procederá a ejecutar inmediatamente la sentencia.

Véase art. 475 C.P.P.

Artículo 67: Extinción y liberación.

Transcurrido el período de prueba sin que el condenado incurra en las conductas de que trata el artículo anterior, la condena queda extinguida, y la liberación se tendrá como definitiva, previa resolución judicial que así lo determine.

Véase art. 476 C.P.P.

Artículo 68: Reclusión domiciliaria u hospitalaria por enfermedad muy grave.

El juez podrá autorizar la ejecución de la pena privativa de la libertad en la residencia del penado o centro hospitalario determinado por el IN-PEC, en caso que se encuentre aquejado por una enfermedad muy grave incompatible con la vida en reclusión formal, salvo que en el momento de la comisión de la conducta tuviese ya otra pena suspendida por el mismo motivo. Cuando el condenado sea quien escoja el centro hospitalario, los gastos correrán por su cuenta.

Para la concesión de este beneficio debe mediar concepto de médico legista especializado.

Se aplicará lo dispuesto en el inciso 3 del artículo 38.

El Juez ordenará exámenes periódicos al sentenciado a fin de determinar si la situación que dio lugar a la concesión de la medida persiste.

En el evento de que la prueba médica arroje evidencia de que la patología que padece el sentenciado ha evolucionado al punto que su tratamiento sea compatible con la reclusión formal, revocará la medida.

Si cumplido el tiempo impuesto como pena privativa de la libertad, la condición de salud del sentenciado continúa presentando las características que justificaron su suspensión, se declarará extinguida la sanción.

Artículo 68-A (mod. por el art. 32 de la Ley 1709 de 2014)**: Exclusión de los beneficios y subrogados penales.**

No se concederán la suspensión condicional de la ejecución de la pena; la prisión domiciliaria como sustitutiva de la prisión; ni habrá lugar a ningún otro beneficio, judicial o administrativo, salvo los beneficios por colaboración regulados por la ley, siempre que esta sea efectiva, cuando la persona haya sido condenada por delito doloso dentro de los cinco (5) años anteriores.

Tampoco quienes hayan sido condenados por delitos dolosos contra la Administración Pública; delitos contra las personas y bienes protegidos por el Derecho Internacional Humanitario; delitos contra la libertad, integridad y formación sexual; estafa y abuso de confianza que recaigan sobre los bienes del Estado; captación masiva y habitual de dineros; utilización indebida de información privilegiada; concierto para delinquir agravado; lavado de activos; soborno transnacional; violencia intrafamiliar; hurto calificado; extorsión; abigeato enunciado en el inciso tercero del artículo 243; homicidio agravado contemplado en el numeral 6 del artículo 104; lesiones causadas con agentes químicos, ácido y/o sustancias similares; violación ilícita de comunicaciones; violación ilícita de comunicaciones o correspondencia de carácter oficial; trata de personas; apología al genocidio; lesiones personales por pérdida anatómica o funcional de un órgano o miembro; desplazamiento forzado; tráfico de migrantes; testaferrato; enriquecimiento ilícito de particulares; apoderamiento de hidrocarburos, sus derivados, biocombustibles o mezclas que los contengan; receptación; instigación a delinquir; empleo o lanzamiento de sustancias u objetos peligrosos; fabricación, importación, tráfico, posesión o uso de armas químicas, biológicas y nucleares; delitos relacionados con el tráfico de estupefacientes y otras infracciones; espionaje; rebelión; y desplazamiento forzado; usurpación de inmuebles, falsificación de moneda nacional o extranjera; exportación o importación ficticia; evasión fiscal; negativa de reintegro; contrabando agravado; contrabando de hidrocarburos y sus derivados; ayuda e instigación al empleo, producción y transferencia de minas antipersonal (inc. 2° mod. por el art. 4 de la Ley 1773 de 2016 y por el art. 6 de la Ley 1944 de 2018).

Lo dispuesto en el presente artículo no se aplicará respecto de la sustitución de la detención preventiva y de la sustitución de la ejecución de la pena en los eventos contemplados en los numerales 2, 3, 4 y 5 del artículo 314 de la Ley 906 de 2004.

Parágrafo 1°. Lo dispuesto en el presente artículo no se aplicará a la libertad condicional contemplada en el artículo 64 de este Código, ni tampoco para lo dispuesto en el artículo 38G del presente Código.

Parágrafo 2°. Lo dispuesto en el primer inciso del presente artículo no se aplicará respecto de la suspensión de la ejecución de la pena, cuando los antecedentes personales, sociales y familiares sean indicativos de que no existe la posibilidad de la ejecución de la pena...).

Véase art. 199 la ley 1098 de 2006.

CAPÍTULO IV. DE LAS MEDIDAS DE SEGURIDAD

Artículo 69: Medidas de seguridad.

Son medidas de seguridad:

1. La internación en establecimiento psiquiátrico o clínica adecuada.
2. La internación en casa de estudio o trabajo.
3. La libertad vigilada.
4. ~~La reintegración al medio cultural propio.~~ (Tacha INEXEQUIBLE SCC-370, 14-05-2002, M.P. Eduardo Montealegre Lynett).

Artículo 70: Internación para inimputable por trastorno mental permanente.

Al inimputable por trastorno mental permanente, se le impondrá medida de internación en establecimiento psiquiátrico, clínica o institución adecuada de carácter oficial o privado, en donde se le prestará la atención especializada que requiera.

Esta medida tendrá un máximo de duración de veinte (20) años y el mínimo aplicable dependerá de las necesidades de tratamiento en cada caso concreto. Cuando se establezca que la persona se encuentra mentalmente rehabilitada cesará la medida.

Habrá lugar a la suspensión condicional de la medida cuando se establezca que la persona se encuentra en condiciones de adaptarse al medio social en donde se desenvolverá su vida.

Igualmente procederá la suspensión cuando la persona sea susceptible de ser tratada ambulatoriamente.

En ningún caso el término señalado para el cumplimiento de la medida podrá exceder el máximo fijado para la pena privativa de la libertad del respectivo delito.

Véase arts. 466, 468 C.P.P.

Artículo 71: Internación para inimputable por trastorno mental transitorio con base patológica.

Al inimputable por trastorno mental transitorio con base patológica, se le impondrá la medida de internación en establecimiento psiquiátrico, clínica o institución adecuada de carácter oficial o privado, en donde se le prestará la atención especializada que requiera.

Esta medida tendrá una duración máxima de diez (10) años y un mínimo que dependerá de las necesidades de tratamiento en cada caso concreto. La medida cesará cuando se establezca la rehabilitación mental del sentenciado.

Habrá lugar a la suspensión condicional de la medida cuando se establezca que la persona se encuentra en condiciones de adaptarse al medio social en donde se desenvolverá su vida.

Igualmente procederá la suspensión cuando la persona sea susceptible de ser tratada ambulatoriamente.

En ningún caso el término señalado para el cumplimiento de la medida podrá exceder el máximo fijado para la pena privativa de la libertad del respectivo delito.

Véase art. 466, 468 C.P.P.

Artículo 72: La internación en casa de estudio o de trabajo.

A los inimputables que no padezcan trastorno mental, se les impondrá medida de internación en establecimiento público o particular, aprobado oficialmente, que pueda suministrar educación, adiestramiento industrial, artesanal, agrícola o similares.

Esta medida tendrá un máximo de diez (10) años y un mínimo que dependerá de las necesidades de asistencia en cada caso concreto.

Habrá lugar a la suspensión condicional de la medida cuando se establezca que la persona se encuentra en condiciones de adaptarse al medio social en donde se desenvolverá su vida.

Igualmente procederá la suspensión cuando la persona sea susceptible de ser tratada ambulatoriamente.

En ningún caso el término señalado para el cumplimiento de la medida podrá exceder el máximo fijado para la pena privativa de la libertad del respectivo delito.

Véase art. 466, 468 C.P.P.

Artículo 73: La reintegración al medio cultural propio.

Cuando el sujeto activo de la conducta típica y antijurídica sea inimputable por diversidad sociocultural, la medida consistirá en la reintegración a su medio cultural, previa coordinación con la respectiva autoridad de la cultura a la que pertenezca.

Esta medida tendrá un máximo de diez (10) años y un mínimo que dependerá de las necesidades de protección tanto del agente como de la comunidad. La cesación de la medida dependerá de tales factores.

Se suspenderá condicionalmente cuando se establezca razonablemente que no persisten las necesidades de protección.

~~En ningún caso el término señalado para el cumplimiento de la medida~~ ~~podrá exceder el máximo fijado para la pena privativa de la libertad del~~ ~~respectivo delito.~~

(INEXEQUIBLE SCC-370, 14-05-2002, M.P. Eduardo Montealegre Lynett).

Artículo 74: Libertad vigilada.

La libertad vigilada podrá imponerse como accesoria de la medida de internación, una vez que ésta se haya cumplido y consiste en:

1. La obligación de residir en determinado lugar por un término no mayor de tres (3) años.

2. La prohibición de concurrir a determinados lugares hasta por un término de tres (3) años.

3. La obligación de presentarse periódicamente ante las autoridades encargadas de su control hasta por tres (3) años.

Las anteriores obligaciones, sin sujeción a los términos allí señalados, podrán exigirse cuando se suspenda condicionalmente la ejecución de las medidas de seguridad.

Véase art. 468 C.P.P.

Artículo 75: Trastorno mental transitorio sin base patológica.

Si la inimputabilidad proviene exclusivamente de trastorno mental transitorio sin base patológica no habrá lugar a la imposición de medidas de seguridad.

Igual medida procederá en el evento del trastorno mental transitorio con base patológica cuando esta desaparezca antes de proferirse la sentencia.

En los casos anteriores, antes de pronunciarse la sentencia, el funcionario judicial podrá terminar el procedimiento si las víctimas del delito son indemnizadas.

Artículo 76: Medida de seguridad en casos especiales.

Cuando la conducta punible tenga señalada pena diferente a la privativa de la libertad, la medida de seguridad no podrá superar el término de dos (2) años.

(EXEQUIBLE SCC-297, 24-04-2002, M.P. Eduardo Montealegre Lynett).

Artículo 77: Control judicial de las medidas.

El Juez está en la obligación de solicitar trimestralmente informaciones tendientes a establecer si la medida debe continuar, suspenderse o modificarse.

Artículo 78: Revocación de la suspensión condicional.

Podrá revocarse la suspensión condicional de la medida de seguridad cuando oído el concepto del perito, se haga necesaria su continuación.

Transcurrido el tiempo máximo de duración de la medida, el Juez declarará su extinción.

Véase arts. 469, 473 C.P.P.

Artículo 79: Suspensión o cesación de las medidas de seguridad.

La suspensión o cesación de las medidas de seguridad se hará por decisión del Juez, previo dictamen de experto oficial.

Si se tratare de la medida prevista en el Artículo 72, el dictamen se sustituirá por concepto escrito y motivado de la Junta o Consejo Directivo del establecimiento en donde hubiere cumplido la internación, o de su Director a falta de tales organismos.

Véase arts. 468, 471 C.P.P.

Artículo 80: Cómputo de la internación preventiva.

El tiempo que el sentenciado hubiese permanecido bajo detención preventiva se computará como parte cumplida de la medida de seguridad impuesta.

Artículo 81: Restricción de otros derechos a los inimputables.

La restricción de otros derechos consagrados en este código se aplicarán a los inimputables en cuanto no se opongan a la ejecución de la medida de seguridad impuesta y sean compatibles con sus funciones.

CAPÍTULO V. DE LA EXTINCIÓN DE LA ACCIÓN Y DE LA SANCIÓN PENAL

Artículo 82: Extinción de la acción penal.

Son causales de extinción de la acción penal:

1. La muerte del procesado (CONDICIONALMENTE EXEQUIBLE SCC-828, 20-10-2010, M.P. Humberto Antonio Sierra Porto "(...) en el entendido que el juez de conocimiento debe decidir oficiosamente, o a petición de interesado, independientemente de que exista reserva judicial, poner a disposición u ordenar el traslado de todas las pruebas o elementos probatorios que se hayan recaudado hasta el momento en que se produzca la muerte, para que adelanten otros mecanismos judiciales o administrativos que permitan garantizar los derechos de las víctimas".

2. El desistimiento.

3. La amnistía propia.

4. La prescripción.

5. La oblación.

6. El pago en los casos previstos en la ley.

7. La indemnización integral en los casos previstos en la ley.

8. La retractación en los casos previstos en la ley (EXEQUIBLE SCC-489, 26-06-2002, M.P. Rodrigo Escobar Gil).

9. Las demás que consagre la ley.

Véase arts. 77-80 C.P.P.

Artículo 83: Término de prescripción de la acción penal.

La acción penal prescribirá en un tiempo igual al máximo de la pena fijada en la ley, si fuere privativa de la libertad, pero en ningún caso será inferior a cinco (5) años, ni excederá de veinte (20), salvo lo dispuesto en el inciso siguiente de este artículo.

El término de prescripción para las conductas punibles de desaparición forzada, tortura, homicidio de miembro de una organización sindical, homicidio de defensor de Derechos Humanos, homicidio de periodista y desplazamiento forzado será de treinta (30) años. En las conductas punibles de ejecución permanente el término de prescripción comenzará a correr desde la perpetración del último acto. La acción penal para los delitos de genocidio, lesa humanidad y crímenes de guerra será imprescriptible (inc. 2° mod. por el art. 16 de la ley 1719 de 2014; art. 1 de la Ley 1426 de 2010; art. 1 de la Ley 1309 de 2009).

Cuando se trate de delitos contra la libertad, integridad y formación sexuales, o el delito consagrado en el artículo 237, cometidos en menores de edad, la acción penal prescribirá en veinte (20) años contados a partir del momento en que la víctima alcance la mayoría de edad (inc. 3° mod. por el art. 1 de la Ley 1154 de 2007).

En las conductas punibles que tengan señalada pena no privativa de la libertad, la acción penal prescribirá en cinco (5) años.

Para este efecto se tendrán en cuenta las causales sustanciales modificadoras de la punibilidad.

Al servidor público que en ejercicio de las funciones de su cargo o con ocasión de ellas realice una conducta punible o participe en ella, el término de prescripción se aumentará en la mitad. Lo anterior se aplicará también en relación con los particulares que ejerzan funciones públicas en forma permanente o transitoria y de quienes obren como agentes retenedores o recaudadores (inc. 6° mod. por el art. 14 de la Ley 1474 de 2011; EXEQUIBLE SCC-229, 05-03-2008, M.P. Jaime Araujo Rentería).

También se aumentará el término de prescripción, en la mitad, cuando la conducta punible se hubiere iniciado o consumado en el exterior.

En todo caso, cuando se aumente el término de prescripción, no se excederá el límite máximo fijado.

Artículo 84: Iniciación del término de prescripción de la acción.

En las conductas punibles de ejecución instantánea el término de prescripción de la acción comenzará a correr desde el día de su consumación.

En las conductas punibles de ejecución permanente o en las que solo alcancen el grado de tentativa, el término comenzará a correr desde la perpetración del último acto.

En las conductas punibles omisivas el término comenzará a correr cuando haya cesado el deber de actuar.

Cuando fueren varias las conductas punibles investigadas y juzgadas en un mismo proceso, el término de prescripción correrá independientemente para cada una de ellas.

Artículo 85: Renuncia a la prescripción.

El procesado podrá renunciar a la prescripción de la acción penal. En todo caso, si transcurridos dos (2) años contados a partir de la prescripción no se ha proferido decisión definitiva, se decretará la prescripción.

Véase el par. del art. 78 C.P.P.

Artículo 86: Interrupción y suspensión del término prescriptivo de la acción.

La prescripción de la acción penal se interrumpe con la formulación de la imputación.

Producida la interrupción del término prescriptivo, éste comenzará a correr de nuevo por un tiempo igual a la mitad del señalado en el artículo 83. En este evento el término no podrá ser inferior a cinco (5) años, ni superior a diez (10).

Véase arts. 62, 189, 292, C.P.P.

Artículo 87: La oblación.

El procesado por conducta punible que sólo tenga pena de unidad multa, previa tasación de la indemnización cuando a ello haya lugar, podrá poner fin al proceso pagando la suma que el Juez le señale, dentro de los límites fijados por el artículo 39.

Artículo 88: Extinción de la sanción penal.

Son causas de extinción de la sanción penal:

1. La muerte del condenado.
2. El indulto.
3. La amnistía impropia.
4. La prescripción.
5. La rehabilitación para las sanciones privativas de derechos cuando operen como accesorias.

6. La exención de punibilidad en los casos previstos en la ley.

7. Las demás que señale la ley.

Artículo 89 (mod. por el art. 99 de la Ley 1709 de 2014)**: Término de la prescripción de la sanción penal.**

La pena privativa de la libertad, salvo lo previsto en tratados internacionales debidamente incorporados al ordenamiento jurídico, prescribe en el término fijado para ella en la sentencia o en el que falte por ejecutar, pero en ningún caso podrá ser inferior a cinco años contados a partir de la ejecutoria de la correspondiente sentencia.

La pena no privativa de la libertad prescribe en cinco (5) años.

Artículo 90: Interrupción del término de prescripción de la sanción privativa de la libertad.

El término de prescripción de la sanción privativa de la libertad se interrumpirá cuando el sentenciado fuere aprehendido en virtud de la sentencia, o fuere puesto a disposición de la autoridad competente para el cumplimiento de la misma.

Artículo 91: Interrupción del término de prescripción de la multa.

El término prescriptivo de la pena de multa se interrumpirá con la decisión mediante la cual se inicia el procedimiento de ejecución coactiva de la multa o su conversión en arresto.

Producida la interrupción el término comenzará a correr de nuevo por un lapso de cinco (5) años.

Artículo 92: La rehabilitación.

La rehabilitación de derechos afectados por una pena privativa de los mismos, cuando se imponga como accesoria, operará conforme a las siguientes reglas:

1. Una vez transcurrido el término impuesto en la sentencia, la rehabilitación operará de derecho. Para ello bastará que el interesado formule la solicitud pertinente, acompañada de los respectivos documentos ante la autoridad correspondiente.

2. Antes del vencimiento del término previsto en la sentencia podrá solicitarse la rehabilitación cuando la persona haya observado intachable conducta personal, familiar, social y no haya evadido la ejecución de la pena; allegando copia de la cartilla biográfica, dos declaraciones, por lo menos, de personas de reconocida honorabilidad que den cuenta de la conducta observada después de la condena, certificado de la entidad bajo cuya vigilancia hubiere estado el peticionario en el período de prueba de la libertad condicional o vigilada y comprobación del pago de los perjuicios civiles.

En este evento, si la pena privativa de derechos no concurriere con una privativa de la libertad, la rehabilitación podrá pedirse dos (2) años después de la ejecutoria de la sentencia que la impuso, si hubiere transcurrido la mitad del término impuesto.

Si la pena privativa de derechos concurriere con una privativa de la libertad, solo podrá pedirse la rehabilitación después de dos (2) años contados a partir del día en que el condenado haya cumplido la pena privativa de la libertad, si hubiere transcurrido la mitad del término impuesto.

3. Cuando en la sentencia se otorgue la suspensión condicional de la ejecución de la pena privativa de la libertad, y no se exceptúa de ella la pena accesoria, ésta se extinguirá con el cumplimiento del período de prueba fijado en el respectivo fallo.

Cuando, por el contrario, concedido el beneficio en mención, se exceptúa de éste la pena accesoria, su rehabilitación sólo podrá solicitarse dos (2) años después de ejecutoriada la sentencia en que fue impuesta, si hubiere transcurrido la mitad del término impuesto.

No procede la rehabilitación en el evento contemplado en el inciso 5 del artículo 122 de la Constitución Política.

Artículo 93: Extensión de las anteriores disposiciones.

Las reglas anteriormente enunciadas se aplicarán a las medidas de seguridad, en cuanto no se opongan a la naturaleza de las mismas.

Véase art. 69 C.P.

CAPÍTULO VI. DE LA RESPONSABILIDAD CIVIL DERIVADA DE LA CONDUCTA PUNIBLE

Artículo 94: Reparación del daño.

La conducta punible origina obligación de reparar los daños <u>materiales</u> <u>y morales</u> causados con ocasión de aquella (subrayado CONDICIONALMENTE EXEQUIBLE SCC-344, 24-05-2017, M.P. Alejandro Linares Cantillo).

Véase art. 2340 C.C.

Artículo 95: Titulares de la acción civil.

Las personas naturales, o sus sucesores, las jurídicas perjudicadas directamente por la conducta punible tienen derecho a la acción indemnizatoria correspondiente, la cual se ejercerá en la forma señalada por el Código de Procedimiento Penal.

El actor popular tendrá la titularidad de la acción civil cuando se trate de lesión directa de bienes jurídicos colectivos.

Artículo 96: Obligados a indemnizar.

Los daños causados con la infracción deben ser reparados por los penalmente responsables, en forma solidaria, y por los que, conforme a la ley sustancial, están obligados a responder.

Artículo 97: Indemnización por daños.

En relación con el daño derivado de la conducta punible el juez podrá señalar como indemnización, una suma equivalente, en moneda nacional, hasta mil (1000) salarios mínimos legales mensuales.

Esta tasación se hará teniendo en cuenta factores como la naturaleza de la conducta y la magnitud del daño causado (incs. 1° y 2° CONDICIONALMENTE EXEQUIBLE SCC-916, 29-10-2002, M.P. Manuel José Cepeda Espinosa "(...) en el entendido de que el límite de mil salarios mínimos legales mensuales se aplica exclusivamente a la parte de la indemnización de daños morales cuyo valor pecuniario no fue objetivamente determinado en el proceso penal. Este límite se aplicará a la indemnización de dichos daños cuando la fuente de la obligación sea únicamente la conducta punible").

Los daños materiales deben probarse en el proceso.

Artículo 98: Prescripción.

La acción civil proveniente de la conducta punible, cuando se ejercita dentro del proceso penal, prescribe, en relación con los penalmente responsables, en tiempo igual al de la prescripción de la respectiva acción penal. En los demás casos, se aplicarán las normas pertinentes de la legislación civil.

(EXEQUIBLE SCC-570, 03-07-2003, M.P. Marco Gerardo Monroy Cabra).

Artículo 99: Extinción de la acción civil.

La acción civil derivada de la conducta punible se extingue por cualquiera de los modos consagrados en el Código Civil. La muerte del procesado, el indulto, la amnistía impropia, y, en general las causales de extinción de la punibilidad que no impliquen disposición del contenido económico de la obligación, no extinguen la acción civil.

Artículo 100: Comiso.

Los instrumentos y efectos con los que se haya cometido la conducta punible o que provengan de su ejecución, y que no tengan libre comercio, pasarán a poder de la Fiscalía General de la Nación o a la entidad que ésta designe, a menos que la ley disponga su destrucción.

Igual medida se aplicará en los delitos dolosos, cuando los bienes, que tengan libre comercio y pertenezcan al responsable penalmente, sean utilizados para la realización de la conducta punible, o provengan de su ejecución.

En las conductas culposas, los vehículos automotores, naves o aeronaves, cualquier unidad montada sobre ruedas y los demás objetos que tengan libre comercio, se someterán a los experticios técnicos y se entregarán provisionalmente al propietario, legítimo tenedor salvo que se haya solicitado y decretado su embargo y secuestro. En tal caso, no procederá la entrega, hasta tanto no se tome decisión definitiva respecto de ellos.

La entrega será definitiva cuando se garantice el pago de los perjuicios, se hayan embargado bienes del sindicado en cuantía suficiente para atender al pago de aquellos, o hayan transcurrido diez y ocho (18) meses desde la realización de la conducta, sin que se haya producido la afectación del bien.

Véase arts. 82-91 C.P.P.

LIBRO SEGUNDO
PARTE ESPECIAL DE LOS DELITOS EN PARTICULAR

TÍTULO I. DELITOS CONTRA LA VIDA Y LA INTEGRIDAD PERSONAL

CAPÍTULO I. DEL GENOCIDIO

Artículo 101: Genocidio.

El que con el propósito de destruir total o parcialmente un grupo nacional, étnico, racial, religioso o político ~~que actúe dentro del marco de la ley~~, por razón de su pertenencia al mismo, ocasionare la muerte de sus miembros, incurrirá en prisión de cuatrocientos ochenta meses (480) a seiscientos meses (600); en multa de dos mil seiscientos sesenta y seis mil punto sesenta y seis (2.666,66) a quince mil (15.000) salarios mínimos mensuales legales vigentes y en interdicción de derechos y funciones públicas de doscientos cuarenta (240) a trescientos sesenta (360) meses (subrayado EXEQUIBLE SCC-488, 22-07-2009, M.P. Jorge Iván Palacio Palacio; subrayado con tacha INEXEQUIBLE C-177, 14-02-2001, M.P. Fabio Morón Díaz).

La pena será de prisión de ciento sesenta (160) a cuatrocientos cincuenta (450) meses, la multa de mil trescientos treinta y tres punto treinta tres (1.333.33) a quince mil (15.000) salarios mínimos legales vigentes y la interdicción de derechos y funciones públicas de ochenta (80) a doscientos setenta (270) meses cuando con el mismo propósito se cometiere cualquiera de los siguientes actos: (subrayado EXEQUIBLE SCC-488, 22-07-2009, M.P. Jorge Iván Palacio Palacio).

1. Lesión grave a la integridad física o mental de miembros del grupo (subrayado EXEQUIBLE SCC-148, 22-02-2005, M.P. Álvaro Tafur Galvis).

2. Embarazo forzado.

3. Sometimiento de miembros del grupo a condiciones de existencia que hayan de acarrear su destrucción física, total o parcial.

4. Tomar medidas destinadas a impedir nacimientos en el seno del grupo.

5. Traslado por la fuerza de niños del grupo a otro grupo.

(Se aumentan las penas por el art. 14 de la Ley 890 de 2004).

Artículo 102 (mod. por el art. 7 de la Ley 1482 de 2011): **Apología del genocidio.**

El que por cualquier medio difunda ideas o doctrinas que propicien, promuevan, el genocidio o el antisemitismo o de alguna forma lo justifiquen o pretendan la rehabilitación de regímenes o instituciones que amparen prácticas generadoras de las mismas, incurrirá en prisión de noventa y seis (96) a ciento ochenta (180) meses, multa de seiscientos sesenta y seis punto sesenta y seis (666.66) a mil quinientos (1.500) salarios mínimos legales mensuales vigentes, e inhabilitación para el ejercicio de derechos y funciones públicas de ochenta (80) a ciento ochenta (180) meses.

(Se aumentan las penas por el art. 14 de la Ley 890 de 2004).

CAPÍTULO II. DEL HOMICIDIO

Artículo 103: Homicidio.

El que matare a otro, incurrirá en prisión de doscientos ocho (208) a cuatrocientos cincuenta (450) meses.

(Se aumentan las penas por el art. 14 de la Ley 890 de 2004).

Véase arts. 104, 104-A C.P.

Artículo 104: Circunstancias de agravación.

La pena será de cuatrocientos (400) a seiscientos (600) meses de prisión, si la conducta descrita en el artículo anterior se cometiere:

1. En los cónyuges o compañeros permanentes; en el padre y la madre de familia, aunque no convivan en un mismo hogar, en los ascendientes o descendientes de los anteriores y los hijos adoptivos; y en todas las demás personas que de manera permanente se hallaren integradas a la unidad doméstica (num. 1 mod. por el art. 26 de la Ley 1257 de 2008; CONDICIONALMENTE EXEQUIBLE SCC-029, 28-01-2009, M.P. Rodrigo Escobar Gil "(...) en el entendido de que sus previsiones también comprenden a los integrantes de las parejas del mismo sexo".

2. Para preparar, facilitar o consumar otra conducta punible; para ocultarla, asegurar su producto o la impunidad, para sí o para los copartícipes.

3. Por medio de cualquiera de las conductas previstas en el Capítulo II del Título XII y en el Capítulo I del Título XIII, del libro segundo de este código.

4. Por precio, promesa remuneratoria, ánimo de lucro o por otro motivo abyecto o fútil.

5. Valiéndose de la actividad de inimputable.

6. Con sevicia.

7. Colocando a la víctima en situación de indefensión o inferioridad o aprovechándose de esta situación.

8. Con fines terroristas o en desarrollo de actividades terroristas.

9. En persona internacionalmente protegida diferente a las contempladas en el Título II de éste Libro y agentes diplomáticos, de conformidad con los Tratados y Convenios Internacionales ratificados por Colombia.

10. Si se comete en persona que sea o haya sido servidor público, periodista, juez de paz, Defensor de Derechos Humanos, miembro de una organización sindical ~~legalmente reconocida~~, político o religioso en razón de ello (mod. por el art. 2 de la Ley 1426 de 2010; subrayado con tacha INEXEQUIBLE SCC-472, 23-07-2013, M.P. Mauricio González Cuervo).

11. Derogado por el artículo 13 de la Ley 1761 de 2015, de 6 de julio.

(Se aumentan las penas por el art. 14 de la Ley 890 de 2004).

Artículo 104-A (ad. por el art. 2 de la Ley 1761 de 2015)**: Feminicidio.**

Quien causare la muerte a una mujer, <u>por su condición de ser mujer</u> o por motivos de su identidad de género o en donde haya concurrido o antecedido cualquiera de las siguientes circunstancias, incurrirá en prisión de doscientos cincuenta (250) meses a quinientos (500) meses (subrayado EXEQUIBLE SCC-539, 05-10-2016, M.P. Luis Ernesto Vargas Silva).

a) Tener o haber tenido una relación familiar, íntima o, de convivencia con la víctima, de amistad, de compañerismo o de trabajo y ser perpetrador de un ciclo de violencia física, sexual, psicológica o patrimonial que antecedió el crimen contra ella.

b) Ejercer sobre el cuerpo y la vida de la mujer actos de instrumentalización de género o sexual o acciones de opresión y dominio sobre sus decisiones vitales y su sexualidad.

c) Cometer el delito en aprovechamiento de las relaciones de poder ejercidas sobre la mujer, expresado en la jerarquización personal, económica, sexual, militar, política o sociocultural.

d) Cometer el delito para generar terror o humillación a quien se considere enemigo.

e) Que existan antecedentes o indicios de cualquier tipo de violencia o amenaza en el ámbito doméstico, familiar, laboral o escolar por parte del sujeto activo en contra de la víctima o de violencia de género cometida por el autor contra la víctima, independientemente de que el hecho haya sido denunciado o no (literal e CONDICIONALMENTE EXEQUIBLE SCC-297, 08-06-2016, M.P. Gloria Stella Ortiz Delgado "(...) en el entendido de que la violencia a la que se refiere el literal es violencia de género como una circunstancia contextual para determinar el elemento subjetivo del tipo: la intención de matar por el hecho de ser mujer o por motivos de identidad de género").

f) Que la víctima haya sido incomunicada o privada de su libertad de locomoción, cualquiera que sea el tiempo previo a la muerte de aquella.

Véase art. 104-B.

Artículo 104-B (ad. por el art. 3 de la Ley 1761 de 2015)**: Circunstancias de agravación punitiva del feminicidio.**

La pena será de quinientos (500) meses a seiscientos (600) meses de prisión, si el feminicidio se cometiere:

a) Cuando el autor tenga la calidad de servidor público y desarrolle la conducta punible aprovechándose de esta calidad (literal a EXEQUIBLE SCC-539, 05-10-2016, M.P. Luis Ernesto Vargas Silva).

b) Cuando la conducta punible se cometiere en mujer menor de dieciocho (18) años o mayor de sesenta (60) o mujer en estado de embarazo.

c) Cuando la conducta se cometiere con el concurso de otra u otras personas.

d) Cuando se cometiere en una mujer en situación de discapacidad física, psíquica o sensorial o desplazamiento forzado, condición socioeconómica o por prejuicios relacionados con la condición étnica o la orientación sexual.

e) Cuando la conducta punible fuere cometida en presencia de cualquier persona que integre la unidad doméstica de la víctima.

f) Cuando se cometa el delito con posterioridad a una agresión sexual, a la realización de rituales, actos de mutilación genital o cualquier otro tipo de agresión o sufrimiento físico o psicológico.

g) Por medio de las circunstancias de agravación punitiva descritas en los numerales 1, 3, 5, 6, 7 y 8 del artículo 104 de este Código (num. 7 subrayado EXEQUIBLE SCC-539, 05-10-2016, M.P. Luis Ernesto Vargas Silva).

Artículo 105: Homicidio preterintencional.

El que preterintencionalmente matare a otro, incurrirá en la pena imponible de acuerdo con los dos artículos anteriores disminuida de una tercera parte a la mitad.

Véase art. 24 C.P.

Artículo 106: Homicidio por piedad.

El que matare a otro por piedad, para poner fin a intensos sufrimientos provenientes de lesión corporal o enfermedad grave e incurable, incurrirá en prisión de dieciséis (16) a cincuenta y cuatro (54) meses.

(Se aumentan las penas por el art. 14 de la Ley 890 de 2004).

Artículo 107: Inducción o ayuda al suicidio.

El que eficazmente induzca a otro al suicidio, o le preste una ayuda efectiva para su realización, incurrirá en prisión de treinta y dos (32) a ciento ocho (108) meses.

Cuando la inducción o ayuda esté dirigida a poner fin a intensos sufrimientos provenientes de lesión corporal o enfermedad grave e incurable, se incurrirá en prisión de dieciséis (16) a treinta y seis (36) meses.

(Se aumentan las penas por el art. 14 de la Ley 890 de 2004).

Artículo 108: Muerte de hijo fruto de acceso carnal violento, abusivo, o de inseminación artificial o transferencia de óvulo fecundado no consentidas.

La madre que durante el nacimiento o dentro de los ocho (8) días siguientes matare a su hijo, fruto de acceso carnal o acto sexual sin consentimiento, o abusivo, o de inseminación artificial o transferencia de óvulo fecundado no consentidas, incurrirá en prisión de sesenta y cuatro (64) a ciento ocho (108) meses.

(Se aumentan las penas por el art. 14 de la Ley 890 de 2004; art. EXEQUIBLE SCC-829, 05-11-2014, M.P. Martha Victoria Sáchica Méndez).

Artículo 109: Homicidio culposo.

El que por culpa matare a otro, incurrirá en prisión de treinta y dos (32) a ciento ocho (108) meses y multa de veinte y seis punto sesenta y seis (26.66) a ciento cincuenta (150) salarios mínimos legales mensuales vigentes.

Cuando la conducta culposa sea cometida utilizando medios motorizados o arma de fuego, se impondrá igualmente la privación del derecho a conducir vehículos automotores y motocicletas y la de privación del derecho a la tenencia y porte de arma, respectivamente, de cuarenta y ocho (48) a noventa (90) meses.

(Se aumentan las penas por el art. 14 de la Ley 890 de 2004).

Véase arts. 23, 110 C.P.

Artículo 110 (mod. por el art. 1 de la Ley 1326 de 2009)**: Circunstancias de agravación punitiva para el homicidio culposo.**

La pena prevista en el artículo anterior se aumentará:

1. Si al momento de cometer la conducta el agente se encontraba bajo el influjo de bebida embriagante o droga o sustancia que produzca dependencia física o síquica y ello haya sido determinante para su ocurrencia, la pena se aumentará de la mitad al doble de la pena.

2. Si el agente abandona sin justa causa el lugar de la comisión de la conducta, la pena se aumentará de la mitad al doble de la pena.

3. Si al momento de cometer la conducta el agente no tiene licencia de conducción o le ha sido suspendida por autoridad de tránsito, la pena se aumentará de una sexta parte a la mitad.

4. Si al momento de los hechos el agente se encontraba transportando pasajeros o carga pesada sin el lleno de los requisitos legales, la pena se aumentará de una cuarta parte a tres cuartas partes.

5. Si al momento de los hechos el agente se encontraba transportando niños o ancianos sin el cumplimiento de los requisitos legales, la pena se aumentará de una cuarta parte a tres cuartas partes.

6. Si al momento de cometer la conducta el agente estuviese conduciendo vehículo automotor bajo el grado de alcoholemia igual o superior al grado 1° o bajo el efecto de droga o sustancia que produzca dependencia física o síquica, y ello haya sido determinante para su ocurrencia, la pena se aumentará de las dos terceras partes al doble, en la pena principal y accesoria (num. 6 ad. por el art. 2 de la Ley 1696 de 2013).

(EXEQUIBLE SCC-115, 13-02-2008, M.P. Nilson Pinilla Pinilla).

CAPÍTULO III. DE LAS LESIONES PERSONALES

Artículo 111: Lesiones.

El que cause a otro daño en el cuerpo o en la salud, incurrirá en las sanciones establecidas en los artículos siguientes.

Artículo 112: Incapacidad para trabajar o enfermedad.

Si el daño consistiere en incapacidad para trabajar o en enfermedad que no pase de treinta (30) días, la pena será de prisión de dieciséis (16) a treinta y seis (36) meses.

Si el daño consistiere en incapacidad para trabajar o enfermedad superior a treinta (30) días sin exceder de noventa (90), la pena será de dieciséis (16) a cincuenta y cuatro (54) meses de prisión y multa de seis punto sesenta y seis (6.66) a quince (15) salarios mínimos legales mensuales vigentes.

Si pasare de noventa (90) días, la pena será de treinta y dos (32) a noventa (90) meses de prisión y multa de trece punto treinta y tres (13.33) a treinta (30) salarios mínimos legales mensuales vigentes.

(Se aumentan las penas por el art. 14 de la Ley 890 de 2004; véase art. 111 C.P.).

Artículo 113: Deformidad.

Si el daño consistiere en deformidad física transitoria, la pena será de prisión de dieciséis (16) a ciento ocho (108) meses y multa de veinte (20) a treinta y siete punto cinco (37.5) salarios mínimos legales mensuales vigentes.

Si fuere permanente, la pena será de prisión de treinta y dos (32) a ciento veintiséis (126) meses y multa de treinta y cuatro punto sesenta y seis (34.66) a cincuenta y cuatro (54) salarios mínimos legales mensuales vigentes.

Inciso 3. Eliminado por el artículo 2 de la Ley 1773 de 2016, de 6 de enero.

Si la deformidad afectare el rostro, la pena se aumentará desde una tercera parte hasta la mitad.

(Se aumentan las penas por el art. 14 de la Ley 890 de 2004; véase art. 111 C.P.).

Artículo 114: Perturbación funcional.

Si el daño consistiere en perturbación funcional transitoria de un órgano o miembro, la pena será de prisión de treinta y dos (32) a ciento veintiséis (126) meses y multa de veinte (20) a treinta y siete punto cinco (37.5) salarios mínimos legales mensuales vigentes.

Si fuere permanente, la pena será de cuarenta y ocho (48) a ciento cuarenta y cuatro (144) meses de prisión y multa de treinta y cuatro punto sesenta y seis (34.66) a cincuenta y cuatro (54) salarios mínimos legales mensuales vigentes.

(Se aumentan las penas por el art. 14 de la Ley 890 de 2004; véase art. 111 C.P.).

Artículo 115: Perturbación psíquica.

Si el daño consistiere en perturbación psíquica transitoria, la pena será de prisión de treinta y dos (32) a ciento veintiséis (126) meses y multa de treinta y cuatro punto sesenta y seis (34.66) a sesenta (60) salarios mínimos legales mensuales vigentes.

Si fuere permanente, la pena será de cuarenta y ocho (48) a ciento sesenta y dos (162) meses de prisión y multa de treinta y seis (36) a setenta y cinco (75) salarios mínimos legales mensuales vigentes.

(Se aumentan las penas por el art. 14 de la Ley 890 de 2004; véase art. 111 C.P.).

Artículo 116: Pérdida anatómica o funcional de un órgano o miembro.

Si el daño consistiere en la pérdida de la función de un órgano o miembro, la pena será de noventa y seis (96) a ciento ochenta (180) meses de prisión y multa de treinta y tres punto treinta y tres (33.33) a ciento cincuenta (150) salarios mínimos legales mensuales vigentes.

La pena anterior se aumentará hasta en una tercera parte en caso de pérdida anatómica del órgano o miembro.

(Se aumentan las penas por el art. 14 de la Ley 890 de 2004; véase art. 111 C.P.).

Artículo 116-A (ad. por el art. 1 de la Ley 1773 de 2016): Lesiones con agentes químicos, ácido y/o sustancias similares.

El que cause a otro daño en el cuerpo o en la salud, usando para ello cualquier tipo de agente químico, álcalis, sustancias similares o corrosivas que generen destrucción al entrar en contacto con el tejido humano, incurrirá en pena de prisión de ciento cincuenta (150) meses a doscientos cuarenta (240) meses y multa de ciento veinte (120) a doscientos cincuenta (250) salarios mínimos legales mensuales vigentes.

Cuando la conducta cause deformidad o daño permanente, pérdida parcial o total, funcional o anatómica, la pena será de doscientos cincuenta y un (251) meses a trescientos sesenta (360) meses de prisión y multa de mil (1.000) a tres mil (3.000) salarios mínimos legales mensuales vigentes.

Si la deformidad afectare el rostro, la pena se aumentará hasta en una tercera parte.

Parágrafo. INEXEQUIBLE SCC-107, 31-10-2018, M.P. Luis Guillermo Guerrero Pérez.

La tentativa en este delito se regirá por el artículo 27 de este código.

Véase arts. 27 y 111 C.P.

Artículo 117: Unidad punitiva.

Si como consecuencia de la conducta se produjeren varios de los resultados previstos en los artículos anteriores, sólo se aplicará la pena correspondiente al de mayor gravedad.

Artículo 118: Parto o aborto preterintencional.

Si a causa de la lesión inferida a una mujer, sobreviniere parto prematuro que tenga consecuencias nocivas para la salud de la agredida o de la criatura, o sobreviniere el aborto, las penas imponibles según los artículos precedentes, se aumentarán de una tercera parte a la mitad.

(EXEQUIBLE SCC-551, 30-05-2001, M.P. Alvaro Tafur Galvis).

Véase art. 24 C.P.

Artículo 119 (mod. por el art. 200 de la Ley 1098 de 2006): Circunstancias de agravación punitiva.

Cuando con las conductas descritas en los artículos anteriores, concurra alguna de las circunstancias señaladas en el artículo 104 las respectivas penas se aumentarán de una tercera parte a la mitad.

Cuando las conductas señaladas en los artículos anteriores se cometan en niños y niñas menores de catorce (14) años o en mujer por el hecho de ser mujer, las respectivas penas se aumentarán en el doble (inc. 2° mod. por el art. 4 de la Ley 1761 de 2015).

Véase arts. 104 C.P.

Artículo 120: Lesiones culposas.

El que por culpa cause a otro alguna de las lesiones a que se refieren los artículos anteriores, incurrirá en la respectiva pena disminuida de las cuatro quintas a las tres cuartas partes.

Cuando la conducta culposa sea cometida utilizando medios motorizados o arma de fuego se impondrá igualmente la pena de privación del derecho de conducir vehículos automotores y motocicletas y de privación del derecho a la tenencia y porte de arma, respectivamente, de dieciséis (16) a cincuenta y cuatro (54) meses.

(Se aumentan las penas por el art. 14 de la Ley 890 de 2004).

Véase arts. 23 y 111 C.P.

Artículo 121: Circunstancias de agravación punitiva por lesiones culposas.

Las circunstancias de agravación previstas en el Artículo 110, lo serán también de las lesiones culposas y las penas previstas para este delito se aumentarán en la proporción indicada en ese artículo.

(EXEQUIBLE SCC-115, 13-02-2008, M.P. Nilson Pinilla Pinilla).

Véase art. 110 C.P.

CAPÍTULO IV. DEL ABORTO

Artículo 122: Aborto.

La mujer que causare su aborto o permitiere que otro se lo cause, incurrirá en prisión de dieciséis (16) a cincuenta y cuatro (54) meses.

A la misma sanción estará sujeto quien, con el consentimiento de la mujer, realice la conducta prevista en el inciso anterior.

(Se aumentan las penas por el art. 14 de la Ley 890 de 2004).

(CONDICIONALMENTE EXEQUIBLE SCC-355, 10-05-2006, M.P. Jaime Araujo Renteria y Clara Inés Vargas Hernández "(...) en el entendido que no se incurre en delito de aborto, cuando con la voluntad de la mujer, la interrupción del embarazo se produzca en los siguientes casos: (i) Cuando la continuación del embarazo constituya peligro para la vida o la salud de la mujer, certificada por un médico; (ii) Cuando exista grave malformación del feto que haga inviable su vida, certificada por un médico; y, (iii) Cuando el embarazo sea el resultado de una conducta, debidamente denunciada, constitutiva de acceso carnal o acto sexual sin consentimiento, abusivo o de inseminación artificial o transferencia de óvulo fecundado no consentidas, o de incesto").

Artículo 123: Aborto sin consentimiento.

El que causare el aborto sin consentimiento de la mujer ~~o en mujer menor de catorce años~~, incurrirá en prisión de sesenta y cuatro (64) a ciento ochenta (180) meses (tacha INEXEQUIBLE SCC-355, 10-05-2006, M.P. Jaime Araujo Renteria y Clara Inés Vargas Hernández).

(Se aumentan las penas por el art. 14 de la Ley 890 de 2004).

Artículo 124: ~~Circunstancias de atenuación punitiva.~~

~~La pena señalada para el delito de aborto se disminuirá en las tres cuartas partes cuando el embarazo sea resultado de una conducta constitutiva de acceso carnal o acto sexual sin consentimiento, abusivo, de inseminación artificial o transferencia de óvulo fecundado no consentidas.~~

~~**Parágrafo.** En los eventos del inciso anterior, cuando se realice el aborto en extraordinarias condiciones anormales de motivación, el funcionario judicial podrá prescindir de la pena cuando ella no resulte necesaria en el caso concreto.~~

(INEXEQUIBLE SCC-355, 10-05-2006, M.P. Jaime Araujo Renteria).

CAPÍTULO V. DE LAS LESIONES AL FETO

Artículo 125: Lesiones al feto.

El que por cualquier medio causare a un feto daño en el cuerpo o en la salud que perjudique su normal desarrollo, incurrirá en prisión de treinta y dos (32) a setenta y dos (72) meses.

Si la conducta fuere realizada por un profesional de la salud, se le impondrá también la inhabilitación para el ejercicio de la profesión por el mismo término.

(Se aumentan las penas por el art. 14 de la Ley 890 de 2004).

Artículo 126: Lesiones culposas al feto.

Si la conducta descrita en el artículo anterior se realizare por culpa, la pena será de prisión de dieciséis (16) a treinta y seis (36) meses.

Si fuere realizada por un profesional de la salud, se le impondrá también la inhabilitación para el ejercicio de la profesión por el mismo término.

(Se aumentan las penas por el art. 14 de la Ley 890 de 2004).

Véase art. 23 C.P.

CAPÍTULO VI. DEL ABANDONO DE MENORES Y PERSONAS DESVALIDAS

Artículo 127: Abandono.

El que abandone a un menor ~~de doce (12) años~~ o a persona que se encuentre en incapacidad de valerse por sí misma, teniendo deber legal de velar por ellos, incurrirá en prisión de treinta y dos (32) a ciento ocho (108) meses (tacha INEXEQUIBLE SCC-468, 15-07-2009, M.P. Gabriel Eduardo Mendoza Martelo; subrayado EXEQUIBLE SCC-034, 25-01-2005, M.P. Alvaro Tafur Galvis).

Si la conducta descrita en el inciso anterior se cometiere en lugar despoblado o solitario, la pena imponible se aumentará hasta en una tercera parte.

(Se aumentan las penas por el art. 14 de la Ley 890 de 2004).

Véase art. 44 C.N.; art. 130 C.P.

Artículo 128: Abandono de hijo fruto de acceso carnal violento, abusivo, o de inseminación artificial o transferencia de óvulo fecundado no consentidas.

La madre que dentro de los ocho (8) días siguientes al nacimiento abandone a su hijo fruto de acceso o acto sexual sin consentimiento, abusivo, o de inseminación artificial o transferencia de óvulo fecundado no consentidas, incurrirá en prisión de dieciséis (16) a cincuenta y cuatro (54) meses.

(Se aumentan las penas por el art. 14 de la Ley 890 de 2004, véase art. 23 C.P.).

(EXEQUIBLE SCC-829, 05-11-2014, M.P. Martha Victoria Sáchica Méndez).

Véase art. 130 C.P.

Artículo 129: Eximente de responsabilidad y atenuante punitivo.
No habrá lugar a responsabilidad penal en las conductas descritas en los artículos anteriores, cuando el agente o la madre recoja voluntariamente al abandonado antes de que fuere auxiliado por otra persona, siempre que éste no hubiere sufrido lesión alguna.

Si hubiere sufrido lesión no habrá lugar a la agravante contemplada en el inciso 1 del artículo siguiente.

Artículo 130 (mod. por el art. 41 de la Ley 1453 de 2011)**: Circunstancias de agravación.**
Si de las conductas descritas en los artículos anteriores se siguiere para el abandonado alguna lesión personal, la pena respectiva se aumentará hasta en una cuarta parte.

Si el abandono se produce en sitios o circunstancias donde la supervivencia del recién nacido esté en peligro se constituirá la tentativa de homicidio y si sobreviniere la muerte la pena que se aplica será la misma contemplada para homicidio en el artículo 103 de la presente ley.

Véase arts. 27, 103 C.P.

CAPÍTULO VII. DE LA OMISIÓN DE SOCORRO

Artículo 131: Omisión de socorro.
El que omitiere, sin justa causa, auxiliar a una persona cuya vida o salud se encontrare en grave peligro, incurrirá en prisión de treinta y dos (32) a setenta y dos (72) meses.

(Se aumentan las penas por el art. 14 de la Ley 890 de 2004).

Artículo 131-A: ~~Omisión en la Atención Inicial de Urgencias.~~
~~El que teniendo la capacidad institucional y administrativa para prestar el servicio de atención inicial de urgencias y sin justa causa niegue la atención inicial de urgencias a otra persona que se encuentre en grave peligro, incurrirá en pena de prisión de treinta y seis (36) a setenta y dos (72) meses.~~

~~La pena se agravará de una tercera parte a la mitad si el paciente que requiere la atención es menor de doce (12) o mayor de sesenta y cinco (65) años.~~

~~Si como consecuencia de la negativa a prestar la atención de urgencias deviene la muerte del paciente, la pena será de prisión de setenta (70) a ciento veinte (120) meses, siempre que la conducta no constituya delito sancionado con pena mayor.~~
(Decreto 126 de enero 21 de 2010 que adicionó este art. INEXEQUIBLE SCC-302, 28-04-2010, M.P. Juan Carlos Henao Pérez).

CAPÍTULO VIII. DE LA MANIPULACIÓN GENÉTICA

Artículo 132: Manipulación genética.

El que manipule genes humanos alterando el genotipo con finalidad diferente al tratamiento, el diagnóstico, o la investigación científica relacionada con ellos en el campo de la biología, la genética y la medicina, orientados a aliviar el sufrimiento o mejorar la salud de la persona y de la humanidad, incurrirá en prisión de dieciséis (16) a noventa (90) meses.

Se entiende por tratamiento, diagnóstico, o investigación científica relacionada con ellos en el campo de la biología, la genética y la medicina, cualquiera que se realice con el consentimiento, libre e informado, de la persona de la cual proceden los genes, para el descubrimiento, identificación, prevención y tratamiento de enfermedades o discapacidades genéticas o de influencia genética, así como las taras y endémicas que afecten a una parte considerable de la población.

(Se aumentan las penas por el art. 14 de la Ley 890 de 2004).

Artículo 133: Repetibilidad del ser humano.

El que genere seres humanos idénticos por clonación o por cualquier otro procedimiento, incurrirá en prisión de treinta y dos (32) a ciento ocho (108) meses.

(Se aumentan las penas por el art. 14 de la Ley 890 de 2004).

Artículo 134: Fecundación y tráfico de embriones humanos.

El que fecunde óvulos humanos con finalidad diferente a la procreación humana, sin perjuicio de la investigación científica, tratamiento o diagnóstico que tengan una finalidad terapéutica con respecto al ser humano objeto de la investigación, incurrirá en prisión de dieciséis (16) a cincuenta y cuatro (54) meses.

En la misma pena incurrirá el que trafique con gametos, cigotos o embriones humanos, obtenidos de cualquier manera o a cualquier título.

(Se aumentan las penas por el art. 14 de la Ley 890 de 2004).

CAPÍTULO IX (Capítulo ad. por el art. 2 de la Ley 1482 de 2011; EXEQUIBLE SCC-194, 10-04-2013, M.P. Luis Ernesto Vargas Silva). **DE LOS ACTOS DE DISCRIMINACIÓN**

Artículo 134-A (mod. por el art. 2 de la Ley 1752 de 2015): **Actos de discriminación.**

El que arbitrariamente impida, obstruya o restrinja el pleno ejercicio de los derechos de las personas por razón de su raza, nacionalidad, sexo u orientación sexual, discapacidad y demás razones de discriminación, incurrirá en prisión de doce (12) a treinta y seis (36) meses y multa de diez (10) a quince (15) salarios mínimos legales mensuales vigentes.

(EXEQUIBLE SCC-257, 18-05-2016, M.P. Luis Guillermo Guerrero Pérez).

Véase art. 13 C.N.; arts. 134-C, 134-D C.P.

Artículo 134-B: Hostigamiento.

El que promueva o instigue actos, conductas o comportamientos ~~constitutivos de hostigamiento~~, orientados a causarle daño físico o moral a una persona, grupo de personas, comunidad o pueblo, por razón de su raza, etnia, religión, nacionalidad, ideología política o filosófica, sexo u orientación sexual o discapacidad y demás razones de discriminación, incurrirá en prisión de doce (12) a treinta y seis (36) meses y multa de diez (10) a quince (15) salarios mínimos legales mensuales vigentes, salvo que la conducta constituya delito sancionable con pena mayor.

Parágrafo. Entiéndase por discapacidad aquellas limitaciones o deficiencias que debe realizar cotidianamente una persona, debido a una condición de salud física, mental o sensorial, que al interactuar con diversas barreras puedan impedir su participación plena y efectiva en la sociedad, en igualdad de condiciones con las demás.

(Art. declarado EXEQUIBLE, salvo tacha INEXEQUIBLE SCC-091, 15-02-2017, M.P. María Victoria Calle Correa).

Véase art. 1 de la CDPD.

Artículo 134-C (ad. por el art. 5 de la Ley 1482 de 2011)**: Circunstancias de agravación punitiva.**

Las penas previstas en los artículos anteriores, se aumentarán de una tercera parte a la mitad cuando:

1. La conducta se ejecute en espacio público, establecimiento público o lugar abierto al público.

2. La conducta se ejecute a través de la utilización de medios de comunicación de difusión masiva.

3. La conducta se realice por servidor público.

4. La conducta se efectúe por causa o con ocasión de la prestación de un servicio público.

5. La conducta se dirija contra niño, niña, adolescente, persona de la tercera edad o adulto mayor.

6. La conducta esté orientada a negar o restringir derechos laborales.

Artículo 134-D (ad. por el art. 6 de la Ley 1482 de 2011)**: Circunstancias de atenuación punitiva.**

Las penas previstas en los artículos anteriores, se reducirán en una tercera parte cuando:

1. El sindicado o imputado se retracte públicamente de manera verbal y escrita de la conducta por la cual se le investiga.

2. Se dé cumplimiento a la prestación del servicio que se denegaba.

TÍTULO II. DELITOS CONTRA PERSONAS Y BIENES PROTEGIDOS POR EL DERECHO INTERNACIONAL HUMANITARIO

CAPÍTULO ÚNICO

Artículo 135: Homicidio en persona protegida.

El que, con ocasión y en desarrollo de conflicto armado, ocasione la muerte de persona protegida conforme a los convenios internacionales sobre derecho humanitario ratificados por Colombia, incurrirá en prisión de cuatrocientos ochenta (480) a seiscientos (600) meses, multa dos mil seiscientos sesenta y seis punto sesenta y seis (2.666,66) a siete mil quinientos (7.500) salarios mínimos legales mensuales vigentes, e inhabilitación para el ejercicio de derechos y funciones públicas de doscientos cuarenta (240) a trescientos sesenta (360) meses.

La pena prevista en este artículo se aumentará de la tercera parte a la mitad cuando se cometiere contra una mujer por el hecho de ser mujer (inc. 2° ad. por el art. 27 de la Ley 1257 de 2008).

Parágrafo. Para los efectos de este artículo y las demás normas del presente título se entiende por personas protegidas conforme al derecho internacional humanitario:

1. Los integrantes de la población civil.

2. Las personas que no participan en hostilidades y los civiles en poder de la parte adversa.

3. Los heridos, enfermos o náufragos puestos fuera de combate.

4. El personal sanitario o religioso.

5. Los periodistas en misión o corresponsales de guerra acreditados.

6. Los <u>combatientes</u> que hayan depuesto las armas por captura, rendición u otra causa análoga (subrayado EXEQUIBLE SCC-291, 25-04-2007, M.P. Manuel José Cepeda Espinosa).

7. Quienes antes del comienzo de las hostilidades fueren considerados como apátridas o refugiados.

8. Cualquier otra persona que tenga aquella condición en virtud de los convenios I, II, III y IV de ginebra de 1949 y los protocolos adicionales I y II de 1977 y otros que llegaren a ratificarse.

(Se aumentan las penas por el art. 14 de la Ley 890 de 2004).

Artículo 136: Lesiones en persona protegida.

El que, con ocasión y en desarrollo de conflicto armado, cause daño a la integridad física o a la salud de persona protegida conforme al Derecho Internacional Humanitario, incurrirá en las sanciones previstas para el delito de lesiones personales, incrementada hasta en una tercera parte.

Artículo 137: Tortura en persona protegida.

El que, con ocasión y en desarrollo de conflicto armado, inflija a una persona dolores o sufrimientos ~~graves~~, físicos o síquicos, con el fin de obtener de ella o de un tercero información o confesión, de castigarla por un acto por ella cometido o que se sospeche que ha cometido, o de intimidarla o coaccionarla por cualquier razón que comporte algún tipo de discriminación, incurrirá en prisión de ciento sesenta (160) a trescientos sesenta (360) meses, multa de seiscientos sesenta y seis punto sesenta y seis (666.66) a mil quinientos (1500) salarios mínimos legales mensuales vigentes, e inhabilitación para el ejercicio de derechos y funciones públicas de ciento sesenta (160) a trescientos sesenta (360) meses (tacha INEXEQUIBLE SCC-148, 22-02-2005, M.P. Álvaro Tafur Galvis).

(Se aumentan las penas por el art. 14 de la Ley 890 de 2004).

Artículo 138: Acceso carnal violento en persona protegida.

El que, con ocasión y en desarrollo de conflicto armado, realice acceso carnal por medio de violencia en persona protegida incurrirá en prisión de ciento sesenta (160) a trescientos veinticuatro (324) meses y multa de seiscientos sesenta y seis punto sesenta y seis (666.66) a mil quinientos (1500) salarios mínimos legales mensuales vigentes.

Para los efectos de este artículo se entenderá por acceso carnal lo dispuesto en el artículo 212 de este código.

(Se aumentan las penas por el art. 14 de la Ley 890 de 2004).

Véase arts. 212; 212A C.P.

Artículo 138-A (ad. por el art. 2 de la Ley 1719 de 2014)**: Acceso carnal abusivo en persona protegida menor de catorce años.**

El que, con ocasión y en desarrollo de conflicto armado, acceda carnalmente a persona protegida menor de catorce (14) años, incurrirá en prisión de ciento sesenta (160) a trescientos veinticuatro (324) meses y multa de seiscientos sesenta y seis punto sesenta y seis (666.66) a mil quinientos (1.500) salarios mínimos legales mensuales vigentes.

Véase art. 208 C.P.

Artículo 139: Actos sexuales violentos en persona protegida.

El que, con ocasión y en desarrollo de conflicto armado, realice acto sexual diverso al acceso carnal, por medio de violencia en persona protegida incurrirá en prisión de sesenta y cuatro (64) a ciento sesenta y dos (162) meses y multa de ciento treinta y tres punto treinta y tres (133.33) a setecientos cincuenta (750) salarios mínimos legales mensuales vigentes.

(Se aumentan las penas por el art. 14 de la Ley 890 de 2004).

Véase art. 212-A C.P.

Artículo 139-A (ad. por el art. 3 de la Ley 1719 de 2014)**: Actos sexuales con persona protegida menor de catorce años.**

El que con ocasión y en desarrollo de conflicto armado realizare actos sexuales diversos del acceso carnal con persona protegida menor de catorce (14) años o en su presencia, o la induzca a prácticas sexuales, incurrirá en prisión de sesenta y cuatro (64) a ciento sesenta y dos (162) meses y multa de ciento treinta y tres punto treinta y tres (133.33) a setecientos cincuenta (750) salarios mínimos legales mensuales vigentes.

Artículo 139-B (ad. por el art. 7 de la Ley 1719 de 2014)**: Esterilización forzada en persona protegida.**

El que con ocasión y en desarrollo del conflicto armado, por medio de la violencia, prive a persona protegida de la capacidad de reproducción biológica, incurrirá en prisión de sesenta y cuatro (64) a ciento sesenta y dos (162) meses y multa de ciento treinta y tres punto treinta y tres (133.33) a setecientos cincuenta (750) salarios mínimos legales mensuales vigentes.

Parágrafo. No se entenderá como esterilización forzada la privación de la capacidad de reproducción biológica que corresponda a las necesidades de tratamiento consentido por la víctima.

Artículo 139-C (ad. por el art. 8 de la Ley 1719 de 2014)**: Embarazo forzado en persona protegida.**

El que con ocasión del conflicto armado, habiendo dejado en embarazo a persona protegida como resultado de una conducta constitutiva de acceso carnal violento, abusivo o en persona puesta en incapacidad de resistir, obligue a quien ha quedado en embarazo a continuar con la gestación, incurrirá en prisión de ciento sesenta (160) meses a trescientos veinticuatro (324) meses y multa de seiscientos sesenta y seis punto sesenta y seis (666.66) a mil quinientos (1.500) salarios mínimos legales mensuales vigentes.

Artículo 139-D (ad. por el art. 9 de la Ley 1719 de 2014)**: Desnudez forzada en persona protegida.**

El que, con ocasión y en desarrollo del conflicto armado, por medio de la violencia, obligue a persona protegida a desnudarse total o parcialmente o a permanecer desnuda, incurrirá en prisión de sesenta y cuatro (64) a ciento sesenta y dos (162) meses y multa de ciento treinta y tres punto treinta y tres (133.33) a setecientos cincuenta (750) salarios mínimos legales mensuales vigentes.

Artículo 139-E (ad. por el art. 10 de la Ley 1719 de 2014)**: Aborto forzado en persona protegida.**

El que con ocasión y en desarrollo del conflicto armado, a través de la violencia interrumpa u obligue a interrumpir el embarazo de persona protegida sin su consentimiento, incurrirá en prisión de ciento sesenta (160) meses a trescientos veinticuatro (324) meses y multa de seiscientos sesenta y seis punto sesenta y seis (666.66) a mil quinientos (1.500) salarios mínimos legales mensuales vigentes.

Artículo 140: Circunstancias de agravación.

La pena prevista en los dos artículos anteriores se agravará en los mismos casos y en la misma proporción señalada en el artículo 211 de este código.

Véase por el art. 211 C.P.

Artículo 141 (mod. por el art. 4 de la ley 1719 de 2014)**: Prostitución forzada en persona protegida.**

El que, con ocasión y en desarrollo del conflicto armado, obligue a persona protegida a prestar servicios sexuales, incurrirá en prisión de ciento sesenta (160) a trescientos veinticuatro (324) meses y multa de seiscientos sesenta y seis punto sesenta y seis (666.66) a mil quinientos (1.500) salarios mínimos legales mensuales vigentes.

Artículo 141-A (ad. por el art. 5 de la Ley 1719 de 2014)**: Esclavitud sexual en persona protegida.**

El que, con ocasión y en desarrollo del conflicto armado, ejerza uno de los atributos del derecho de propiedad por medio de la violencia sobre persona protegida para que realice uno o más actos de naturaleza sexual, incurrirá en prisión de ciento sesenta (160) a trescientos veinticuatro (324) meses y multa de seiscientos sesenta y seis punto sesenta y seis (666.66) a mil quinientos (1.500) salarios mínimos legales mensuales vigentes.

Artículo 141-B (ad. por el art. 6 de la Ley 1719 de 2014)**: Trata de personas en persona protegida con fines de explotación sexual.**

El que, con ocasión y en desarrollo del conflicto armado, capte, traslade, acoja o reciba a una persona protegida dentro del territorio nacional o hacia el exterior, con fines de explotación sexual, incurrirá en prisión de ciento cincuenta y seis (156) a doscientos setenta y seis (276) meses y una multa de ochocientos (800) a mil quinientos (1.500) salarios mínimos legales mensuales vigentes.

Para efectos de este artículo se entenderá por explotación de carácter sexual el obtener provecho económico o cualquier otro beneficio para sí o para otra persona, mediante la explotación de la prostitución ajena, la esclavitud sexual, el matrimonio servil, el turismo sexual o cualquier otra forma de explotación sexual.

Artículo 142: Utilización de medios y métodos de guerra ilícitos.

El que, con ocasión y en desarrollo de conflicto armado, utilice medios o métodos de guerra prohibidos o destinados a causar sufrimientos o pérdidas innecesarios o males superfluos incurrirá, por esa sola conducta, en prisión de noventa y seis (96) a ciento ochenta (180) meses, multa de ciento treinta y tres punto treinta y tres (133.33) a trescientos (300) salarios mínimos legales mensuales vigentes, e inhabilitación para el ejer-

cicio de derechos y funciones públicas de ochenta (80) a ciento ochenta (180) meses.
(Se aumentan las penas por el art. 14 de la Ley 890 de 2004).

Artículo 143: Perfidia.
El que, con ocasión y en desarrollo de conflicto armado y con el propósito de dañar o atacar al adversario, simule la condición de persona protegida o utilice indebidamente signos de protección como la cruz roja o la media luna roja, la bandera de las naciones unidas o de otros organismos intergubernamentales, la bandera blanca de parlamento o de rendición, banderas o uniformes de países neutrales o de destacamentos militares o policiales de las naciones unidas u otros signos de protección contemplados en tratados internacionales ratificados por Colombia, incurrirá por esa sola conducta en prisión de cuarenta y ocho (48) a ciento cuarenta y cuatro (144) meses y multa de sesenta y seis punto sesenta y seis (66.66) a ciento cincuenta (150) salarios mínimos legales mensuales vigentes.
En igual pena incurrirá quien, con la misma finalidad, utilice uniformes del adversario.
(Se aumentan las penas por el art. 14 de la Ley 890 de 2004).

Artículo 144: Actos de terrorismo.
El que, con ocasión y en desarrollo de conflicto armado, realice u ordene llevar a cabo ataques indiscriminados o excesivos o haga objeto a la población civil de ataques, represalias, actos o amenazas de violencia cuya finalidad principal sea aterrorizarla, incurrirá por esa sola conducta en prisión de doscientos cuarenta (240) a cuatrocientos cincuenta (450) meses, multa de dos mil seiscientos sesenta y seis punto sesenta y seis (2666.66) a cincuenta mil (50,000) salarios mínimos legales mensuales vigentes, e inhabilitación para el ejercicio de derechos y funciones públicas de doscientos cuarenta (240) a trescientos sesenta (360) meses.
(Se aumentan las penas por el art. 14 de la Ley 890 de 2004; véase art. 212A C.P.).

Artículo 145: Actos de barbarie.

El que, con ocasión y en desarrollo de conflicto armado y fuera de los casos especialmente previstos como delitos y sancionados con pena mayor, realice actos de no dar cuartel, atacar a persona fuera de combate, de abandonar a heridos o enfermos, o realice actos dirigidos a no dejar sobrevivientes o a rematar a los heridos y enfermos u otro tipo de actos de barbarie prohibidos en tratados internacionales ratificados por Colombia incurrirá, por esa sola conducta, en prisión de ciento sesenta (160) a doscientos setenta (270) meses, multa de doscientos sesenta y seis punto sesenta y seis (266.66) a setecientos cincuenta (750) salarios mínimos legales mensuales vigentes, e inhabilitación para el ejercicio de derechos y funciones públicas de ciento sesenta (160) a doscientos setenta (270) meses.

(Se aumentan las penas por el art. 14 de la Ley 890 de 2004).

Artículo 146: Tratos inhumanos y degradantes y experimentos biológicos en persona protegida.

El que, fuera de los casos previstos expresamente como conducta punible, con ocasión y en desarrollo de conflicto armado, inflija a persona protegida tratos o le realice prácticas inhumanas o degradantes o le cause grandes sufrimientos o practique con ella experimentos biológicos, o la someta a cualquier acto médico que no esté indicado ni conforme a las normas médicas generalmente reconocidas incurrirá, por esa sola conducta, en prisión de ochenta (80) a ciento ochenta (180) meses, multa de doscientos sesenta y seis punto sesenta y seis (266.66) a mil quinientos (1500) salarios mínimos legales mensuales vigentes, e inhabilitación para el ejercicio de derechos y funciones públicas de ochenta (80) a ciento ochenta (180) meses.

(Se aumentan las penas por el art. 14 de la Ley 890 de 2004).

Artículo 147: Actos de discriminación racial.

El que, con ocasión y en desarrollo de conflicto armado, realice prácticas de segregación racial o ejerza tratos inhumanos o degradantes basados en otras distinciones de carácter desfavorable que entrañen ultraje contra la dignidad personal, respecto de cualquier persona protegida, incurrirá en prisión de ochenta (80) a ciento ochenta (180) meses, multa de doscientos sesenta y seis punto sesenta y seis (266.66) a mil quinientos (1500) salarios mínimos legales mensuales vigentes, e inhabilitación para el ejercicio de derechos y funciones públicas de ochenta (80) a ciento ochenta (180) meses.

(Se aumentan las penas por el art. 14 de la Ley 890 de 2004).

Artículo 148: Toma de rehenes.

El que, con ocasión y en desarrollo de conflicto armado, prive a una persona de su libertad condicionando ésta o su seguridad a la satisfacción de exigencias formuladas a la otra parte, o la utilice como defensa, incurrirá en prisión de trescientos veinte (320) a quinientos cuarenta (540) meses, multa de dos mil seiscientos sesenta y seis punto sesenta y seis (2.666.66) a seis mil (6000) salarios mínimos legales mensuales vigentes, e inhabilitación para el ejercicio de derechos y funciones públicas de doscientos cuarenta (240) a trescientos sesenta (360) meses (tacha INEXEQUIBLE SCC-291, 25-04-2007, M.P. Manuel José Cepeda Espinosa).

(Se aumentan las penas por el art. 14 de la Ley 890 de 2004).

Artículo 149: Detención ilegal y privación del debido proceso.

El que, con ocasión y en desarrollo de conflicto armado, prive ilegalmente de su libertad a una persona y la sustraiga de su derecho a ser juzgada de manera legítima e imparcial, incurrirá en prisión de ciento sesenta (160) a doscientos setenta (270) meses y multa de mil trescientos treinta y tres (1333.33) a tres mil (3000) salarios mínimos legales mensuales vigentes.

(Se aumentan las penas por el art. 14 de la Ley 890 de 2004).

Véase art. 2 C.P.P.; 29 C.N.

Artículo 150: Constreñimiento a apoyo bélico.

El que, con ocasión y en desarrollo de conflicto armado, constriña a persona protegida a servir de cualquier forma en las fuerzas armadas de la parte adversa incurrirá en prisión de cuarenta y ocho (48) a ciento ocho

(108) meses y multa de ciento treinta y tres punto treinta y tres (133.33) a cuatrocientos cincuenta (450) salarios mínimos legales mensuales vigentes.

(Se aumentan las penas por el art. 14 de la Ley 890 de 2004).

Artículo 151: Despojo en el campo de batalla.

El que, con ocasión y en desarrollo de conflicto armado, despoje de sus efectos a un cadáver o a persona protegida, incurrirá en prisión de cuarenta y ocho (48) a ciento ochenta (180) meses y multa de ciento treinta y tres punto treinta y tres (133.33) a cuatrocientos cincuenta (450) salarios mínimos legales mensuales vigentes.

(Se aumentan las penas por el art. 14 de la Ley 890 de 2004).

Artículo 152: Omisión de medidas de socorro y asistencia humanitaria.

El que, con ocasión y en desarrollo de conflicto armado y estando obligado a prestarlas, omita las medidas de socorro y asistencia humanitarias a favor de las personas protegidas, incurrirá en prisión de cuarenta y ocho (48) a noventa (90) meses y multa de sesenta y seis punto sesenta y seis (66.66) a ciento cincuenta (150) salarios mínimos legales mensuales vigentes.

(Se aumentan las penas por el art. 14 de la Ley 890 de 2004).

Artículo 153: Obstaculización de tareas sanitarias y humanitarias.

El que, con ocasión y en desarrollo de conflicto armado, obstaculice o impida al personal médico, sanitario o de socorro o a la población civil la realización de las tareas sanitarias y humanitarias que de acuerdo con las normas del derecho internacional humanitario pueden y deben realizarse, incurrirá en prisión de cuarenta y ocho (48) a ciento ocho (108) meses y multa de ciento treinta y tres punto treinta y tres (133.33) a cuatrocientos cincuenta (450) salarios mínimos legales mensuales vigentes.

Si para impedirlas u obstaculizarlas se emplea violencia contra los dispositivos, los medios o las personas que las ejecutan, la pena prevista en el artículo anterior se incrementará hasta en la mitad, siempre que la conducta no constituya delito sancionado con pena mayor.

(Se aumentan las penas por el art. 14 de la Ley 890 de 2004; véase art. 212A).

Artículo 154: Destrucción y apropiación de bienes protegidos.

El que, con ocasión y en desarrollo de conflicto armado y fuera de los casos especialmente previstos como conductas punibles sancionadas con pena mayor, destruya o se apropie por medios ilegales o excesivos en relación con la ventaja militar concreta prevista, de los bienes protegidos por el derecho internacional humanitario, incurrirá en prisión de ochenta (80) a ciento ochenta (180) meses y multa de seiscientos sesenta y seis punto sesenta y seis (666.66) a mil quinientos (1500) salarios mínimos legales mensuales vigentes.

Parágrafo. Para los efectos de este artículo y los demás del título se entenderán como bienes protegidos conforme al derecho internacional humanitario:

1. Los de carácter civil que no sean objetivos militares.
2. Los culturales y los lugares destinados al culto.
3. Los indispensables para la supervivencia de la población civil.
4. Los elementos que integran el medio ambiente natural.
5. Las obras e instalaciones que contienen fuerzas peligrosas.

(Se aumentan las penas por el art. 14 de la Ley 890 de 2004).

Artículo 155: Destrucción de bienes e instalaciones de carácter sanitario.

El que, con ocasión y en desarrollo de conflicto armado, sin justificación alguna basada en imperiosas necesidades militares, y sin que haya tomado previamente las medidas de protección adecuadas y oportunas, ataque o destruya ambulancias o medios de transporte sanitarios, hospitales de campaña o fijos, depósitos de elementos de socorro, convoyes sanitarios, bienes destinados a la asistencia y socorro de las personas protegidas, zonas sanitarias y desmilitarizadas, o bienes e instalaciones de carácter sanitario debidamente señalados con los signos convencionales de la cruz roja o de la media luna roja, incurrirá en prisión de ochenta (80) a ciento ochenta (180) meses y multa de seiscientos sesenta y seis punto sesenta y seis (666.66) a mil quinientos (1500) salarios mínimos legales mensuales vigentes.

(Se aumentan las penas por el art. 14 de la Ley 890 de 2004).

Artículo 156: Destrucción o utilización ilícita de bienes culturales y de lugares de culto.

El que, con ocasión y en desarrollo de conflicto armado, sin justificación alguna basada en imperiosas necesidades militares y sin que previamente haya tomado las medidas de protección adecuadas y oportunas, ataque y destruya monumentos históricos, obras de arte, instalaciones educativas o lugares de culto, que constituyan el patrimonio cultural o espiritual de los pueblos, ~~debidamente señalados con los signos convencionales~~, o utilice tales bienes en apoyo del esfuerzo militar, incurrirá en prisión de cuarenta y ocho (48) a ciento ochenta (180) meses y multa de doscientos sesenta y seis punto sesenta y seis (266.66) a mil quinientos (1500) salarios mínimos legales mensuales vigentes (tacha INEXEQUIBLE SCC-291, 25-04-2007, M.P. Manuel José Cepeda Espinosa).

(Se aumentan las penas por el art. 14 de la Ley 890 de 2004).

Artículo 157: Ataque contra obras e instalaciones que contienen fuerzas peligrosas.

El que, con ocasión y en desarrollo de conflicto armado, sin justificación alguna basada en imperiosas necesidades militares, ataque presas, diques, centrales de energía eléctrica, nucleares u otras obras o instalaciones que contengan fuerzas peligrosas, ~~debidamente señalados con los signos convencionales~~, incurrirá en prisión de ciento sesenta (160) a doscientos setenta (270) meses, multa de mil trescientos treinta y tres punto treinta y tres (1.333.33) a cuatro mil quinientos (4500) salarios mínimos legales mensuales vigentes, e inhabilitación para el ejercicio de derechos y funciones públicas de ciento sesenta (160) a doscientos setenta (270) meses (tacha INEXEQUIBLE SCC-291, 25-04-2007, M.P. Manuel José Cepeda Espinosa).

Si del ataque se deriva la liberación de fuerzas con pérdidas o daños en bienes o elementos importantes para la subsistencia de la población civil, la pena será de doscientos cuarenta (240) a trescientos sesenta (360) meses de prisión, multa de dos mil seiscientos sesenta y seis punto sesenta y seis (2.666.66) a seis mil (6000) salarios mínimos legales mensuales vigentes, e inhabilitación para el ejercicio de derechos y funciones públicas de doscientos cuarenta (240) a trescientos sesenta (360) meses.

(Se aumentan las penas por el art. 14 de la Ley 890 de 2004).

Artículo 158: Represalias.

El que, con ocasión y en desarrollo de conflicto armado, haga objeto de represalias o de actos de hostilidades a personas o bienes protegidos, incurrirá en prisión de treinta y dos (32) a noventa (90) meses y multa de sesenta y seis punto sesenta y seis (66.66) a trescientos (300) salarios mínimos legales mensuales vigentes.

(Se aumentan las penas por el art. 14 de la Ley 890 de 2004).

Artículo 159: Deportación, expulsión, traslado o desplazamiento forzado de población civil.

El que, con ocasión y en desarrollo de conflicto armado y sin que medie justificación militar, deporte, expulse, traslade o desplace forzadamente de su sitio de asentamiento a la población civil, incurrirá en prisión de ciento sesenta (160) a trescientos sesenta (360) meses, multa de mil trescientos treinta y tres punto treinta y tres (1.333.33) a tres mil (3000) salarios mínimos legales mensuales vigentes, e inhabilitación para el ejercicio de derechos y funciones públicas de ciento sesenta (160) a trescientos sesenta (360) meses.

(Se aumentan las penas por el art. 14 de la Ley 890 de 2004).

Artículo 160: Atentados a la subsistencia y devastación.

El que, con ocasión y en desarrollo de conflicto armado, ataque, inutilice, dañe, retenga o se apodere de bienes o elementos indispensables para la subsistencia de la población civil, incurrirá en prisión ochenta (80) a ciento ochenta (180) meses y multa de seiscientos sesenta y seis punto sesenta y seis (666.66) a mil quinientos (1500) salarios mínimos legales mensuales vigentes.

(Se aumentan las penas por el art. 14 de la Ley 890 de 2004).

Artículo 161: Omisión de medidas de protección a la población civil.

El que con ocasión y en desarrollo de conflicto armado, estando obligado a hacerlo, omita la adopción de medidas para la protección de la población civil, incurrirá en prisión de sesenta y cuatro (64) a ciento cuarenta y cuatro (144) meses y multa de doscientos sesenta y seis punto sesenta y seis (266.66) a mil quinientos (1500) salarios mínimos legales mensuales vigentes.

(Se aumentan las penas por el art. 14 de la Ley 890 de 2004).

Artículo 162: Reclutamiento ilícito.

El que, con ocasión y en desarrollo de conflicto armado, reclute menores de dieciocho (18) años o los obligue a participar directa o indirectamente en las hostilidades o en acciones armadas, incurrirá en prisión de noventa y seis (96) a ciento ochenta (180) meses y multa de ochocientos (800) a mil quinientos (1500) salarios mínimos legales mensuales vigentes.

(Se aumentan las penas por el art. 14 de la Ley 890 de 2004).

(EXEQUIBLE SCC-240, 01-04-2009, M.P. Mauricio González Cuervo).

Artículo 163: Exacción o contribuciones arbitrarias.

El que, con ocasión y en desarrollo de un conflicto armado, imponga contribuciones arbitrarias incurrirá en prisión de noventa y seis (96) a doscientos setenta (270) meses y multa de seiscientos sesenta y seis punto sesenta y seis (666.66) a cuatro mil quinientos (4500) salarios mínimos legales mensuales vigentes.

(Se aumentan las penas por el art. 14 de la Ley 890 de 2004).

Artículo 164: Destrucción del medio ambiente.

El que, con ocasión y en desarrollo de conflicto armado, emplee métodos o medios concebidos para causar daños extensos, duraderos y graves al medio ambiente natural, incurrirá en prisión de ciento sesenta (160) a doscientos setenta (270) meses, multa de seis mil seiscientos sesenta y seis punto sesenta y seis (6.666.66) a cuarenta y cinco mil (45000) salarios mínimos legales mensuales vigentes, e inhabilitación para el ejercicio de derechos y funciones públicas de ciento sesenta (160) a doscientos setenta (270) meses.

(Se aumentan las penas por el art. 14 de la Ley 890 de 2004).

TÍTULO III. DELITOS CONTRA LA LIBERTAD INDIVIDUAL Y OTRAS GARANTÍAS

CAPÍTULO I. DE LA DESAPARICIÓN FORZADA

Artículo 165: Desaparición forzada.

El particular que ~~perteneciendo a un grupo armado~~ al margen de la ley someta a otra persona a privación de su libertad cualquiera que sea la forma, seguida de su ocultamiento y de la negativa a reconocer dicha privación o de dar información sobre su paradero, sustrayéndola del amparo de la ley, incurrirá en prisión de trescientos veinte (320) a quinientos cuarenta (540) meses, multa de mil trescientos treinta y tres punto treinta y tres (1333.33) a cuatro mil quinientos (4500) salarios mínimos legales mensuales vigentes y en interdicción de derechos y funciones públicas de ciento sesenta (160) a trescientos sesenta (360) meses (inc. declarado EXEQUIBLE, salvo tacha INEXEQUIBLE por SCC-317, 02-05-2002, M.P. Clara Inés Vargas Hernández).

A la misma pena quedará sometido, el servidor público, o el particular que actúe bajo la determinación o la aquiescencia de aquél, y realice la conducta descrita en el inciso anterior.

(Se aumentan las penas por el art. 14 de la Ley 890 de 2004).

Véase Ley 1418 de 2010; arts. 166, 167 C.P.; 12 C.N.

Artículo 166: Circunstancias de agravación punitiva.

La pena prevista en el artículo anterior será de cuatrocientos ochenta (480) a seiscientos (600) meses de prisión, multa de dos mil seiscientos sesenta y seis punto sesenta y seis (2666.66) a siete mil quinientos (7500) salarios mínimos legales mensuales vigentes, e inhabilitación para el ejercicio de derechos y funciones públicas de doscientos cuarenta (240) a trescientos sesenta (360) meses, siempre que concurra alguna de las siguientes circunstancias:

1. Cuando la conducta se cometa por quien ejerza autoridad o jurisdicción.

2. Cuando la conducta se cometa en persona con discapacidad que le impida valerse por sí misma.

3. Cuando la conducta se ejecute en menor de dieciocho (18) años, mayor de sesenta (60) o mujer embarazada.

4. Cuando la conducta se cometa, por razón de sus calidades, contra las siguientes personas: servidores públicos, comunicadores, defensores de derechos humanos, candidatos o aspirantes a cargos de elección popular, dirigentes o miembros de una organización sindical ~~legalmente reconocida~~, políticos o religiosos, contra quienes hayan sido testigos de conductas punibles o disciplinarias, juez de paz, o contra cualquier otra persona por sus creencias u opiniones políticas o por motivo que implique alguna forma de discriminación o intolerancia (num. 4 mod. por el art. 3 de la Ley 1309 de 2009; tacha INEXEQUIBLE SCC-472, 23-07-2013, M.P. Mauricio González Cuervo).

5. Cuando la conducta se cometa por razón y contra los parientes de las personas mencionadas en el numeral anterior, hasta el segundo grado de consanguinidad, segundo de afinidad o primero civil (num. 5 CONDICIONALMENTE EXEQUIBLE SCC-100, 23-02-2011, M.P. María Victoria Calle Correa).

6. Cuando se cometa utilizando bienes del estado.

7. Si se somete a la víctima a tratos crueles, inhumanos o degradantes durante el tiempo en que permanezca desaparecida, siempre y cuando la conducta no configure otro delito.

8. Cuando por causa o con ocasión de la desaparición forzada le sobrevenga a la víctima la muerte o sufra lesiones físicas o psíquicas.

9. Cuando se cometa cualquier acción sobre el cadáver de la víctima para evitar su identificación posterior, o para causar daño a terceros.

(Se aumentan las penas por el art. 14 de la Ley 890 de 2004).

Véase ley 1418 de 2010.

Artículo 167: Circunstancias de atenuación punitiva.
Las penas previstas en el artículo 160 se atenuarán en los siguientes casos:

1. La pena se reducirá de la mitad (1/2) a las cinco sextas (5/6) partes cuando en un término no superior a quince (15) días, los autores o partícipes liberen a la víctima voluntariamente en similares condiciones físicas y psíquicas a las que se encontraba en el momento de ser privada de la libertad, o suministren información que conduzca a su recuperación inmediata, en similares condiciones físicas y psíquicas.

2. La pena se reducirá de una tercera parte (1/3) a la mitad (1/2) cuando en un término mayor a quince (15) días y no superior a treinta (30) días, los autores o partícipes liberen a la víctima en las mismas condiciones previstas en el numeral anterior.

3. Si los autores o partícipes suministran información que conduzca a la recuperación del cadáver de la persona desaparecida, la pena se reducirá hasta en una octava (1/8) parte.

Parágrafo. Las reducciones de penas previstas en este artículo se aplicarán únicamente al autor o partícipe que libere voluntariamente a la víctima o suministre la información.

> Nota aclaratoria: De la redacción del art. se entiende que el legislador se está refiriendo es al art. 165 C.P. y no al art. 160 C.P.

CAPÍTULO II. DEL SECUESTRO

Artículo 168 (mod. por el art. 1 de la Ley 733 de 2002)**: Secuestro simple.**
El que con propósitos distintos a los previstos en el artículo siguiente, arrebate, sustraiga, retenga u oculte a una persona, incurrirá en prisión de ciento noventa y dos (192) a trescientos sesenta (360) meses y multa de ochocientos (800) a mil quinientos (1500) salarios mínimos legales mensuales vigentes.

(Se aumentan las penas por el art. 14 de la Ley 890 de 2004).

Artículo 169 (mod. por el art. 1 de la Ley 1200 de 2008): **Secuestro extorsivo.**

El que arrebate, sustraiga, retenga u oculte a una persona, con el propósito de exigir por su libertad un provecho o cualquier utilidad, o para que se haga u omita algo, o con fines publicitarios o de carácter político, incurrirá en prisión de trescientos veinte (320) a quinientos cuatro (504) meses y multa de dos mil seiscientos sesenta y seis punto sesenta y seis (2.666.66) a seis mil (6.000) salarios mínimos legales mensuales vigentes.

Igual pena se aplicará cuando la conducta se realice temporalmente en medio de transporte con el propósito de obtener provecho económico bajo amenaza.

(Se aumentan las penas por el art. 14 de la Ley 890 de 2004).

Véase art. 170 C.P.

Artículo 170 (mod. por el art. 3 de la Ley 733 de 2002): **Circunstancias de agravación punitiva.**

La pena señalada para el secuestro extorsivo será de cuatrocientos cuarenta y ocho (448) a seiscientos (600) meses y la multa será de seis mil seiscientos sesenta y seis punto sesenta y seis (6666.66) a cincuenta mil (50000) salarios mínimos legales mensuales vigentes, sin superar el límite máximo de la pena privativa de la libertad establecida en el código penal, si concurriere alguna de las siguientes circunstancias.

1. Si la conducta se comete en persona discapacitada que no pueda valerse por sí misma o que padezca enfermedad grave, o en menor de dieciocho (18) años, o en mayor de sesenta y cinco (65) años, o que no tenga la plena capacidad de autodeterminación o que sea mujer embarazada.

2. Si se somete a la víctima a tortura física o moral o a violencia sexual durante el tiempo que permanezca secuestrada.

3. Si la privación de la libertad del secuestrado se prolonga por más de quince (15) días.

4. Si se ejecuta la conducta respecto de pariente hasta cuarto grado de consanguinidad, cuarto de afinidad o primero civil, sobre cónyuge o compañera o compañero permanente, o contra cualquier persona que de manera permanente se hallare integrada a la unidad doméstica, o aprove-

chando la confianza depositada por la víctima en el autor o en alguno o algunos de los partícipes. Para los efectos previstos en este artículo, la afinidad será derivada de cualquier forma de matrimonio o de unión libre (mod. por el art. 28 de la Ley 1257 de 2008; num. 4 CONDICIONALMENTE EXEQUIBLE SCC-029, 28-01-2009, M.P. Rodrigo Escobar Gil "(...) en el entendido de que sus previsiones también comprenden a los integrantes de las parejas del mismo sexo").

5. Cuando la conducta se realice por persona que sea servidor público o que sea o haya sido miembro de las fuerzas de seguridad del estado.

6. Cuando se presione la entrega o verificación de lo exigido con amenaza de muerte o lesión o con ejecutar acto que implique grave peligro común o grave perjuicio a la comunidad o a la salud pública.

7. Cuando se cometa con fines terroristas.

8. Cuando se obtenga la utilidad, provecho o la finalidad perseguidos por los autores o partícipes.

9. Cuando se afecten gravemente los bienes o la actividad profesional o económica de la víctima.

10. Cuando por causa o con ocasión del secuestro le sobrevengan a la víctima la muerte o lesiones personales.

11. Si se comete en persona que sea o haya sido periodista, dirigente comunitario, Defensor de Derechos Humanos, miembro de una organización sindical ~~legalmente reconocida~~, política, étnica o religiosa o en razón de ello (num. 11 mod. por el art. 3 de la Ley 1426 de 2010; tacha INEXEQUIBLE SCC-472, 23-07-2013, M.P. Mauricio González Cuervo).

12. Si la conducta se comete utilizando orden de captura o detención falsificada o simulando tenerla.

13. Cuando la conducta se comete total o parcialmente desde un lugar de privación de la libertad.

14. Si la conducta se comete parcialmente en el extranjero.

15. Cuando se trafique con la persona secuestrada durante el tiempo de privación de la libertad.

16. En persona internacionalmente protegida diferente o no en.

El derecho internacional humanitario y agentes diplomáticos, de las señaladas en los tratados y convenios internacionales ratificados por Colombia.

Parágrafo. Las penas señaladas para el secuestro simple, se aumentarán de una tercera parte a la mitad cuando concurriere alguna de las circunstancias anteriores, excepto la enunciada en el numeral 11.

(Se aumentan las penas por el art. 14 de la Ley 890 de 2004).

Artículo 171 (mod. por el art. 4 de la Ley 733 de 2002)**: Circunstancias de atenuación punitiva.**

Si dentro de los quince (15) días siguientes al secuestro, se dejare voluntariamente en libertad a la víctima, sin que se hubiere obtenido alguno de los fines previstos para el secuestro extorsivo, la pena se disminuirá hasta en la mitad.

En los eventos del secuestro simple habrá lugar a igual disminución de la pena si el secuestrado, dentro del mismo término fuere dejado voluntariamente en libertad.

Artículo 172:
Derogado por el artículo 15 de la Ley 733 de 2002, de 29 de enero.

CAPÍTULO III. APODERAMIENTO Y DESVÍO DE AERONAVES, NAVES O MEDIOS DE TRANSPORTE COLECTIVO

Artículo 173: Apoderamiento de aeronaves, naves, o medios de transporte colectivo.

El que mediante violencia, amenazas o maniobras engañosas, se apodere de nave, aeronave, o de cualquier otro medio de transporte colectivo, o altere su itinerario, o ejerza su control, incurrirá, por esa sola conducta, en prisión de ciento sesenta (160) a doscientos setenta (270) meses y multa de mil trescientos treinta y tres punto treinta y tres (1333.33) a cuatro mil quinientos (4.500) salarios mínimos legales mensuales vigentes.

La pena se aumentará de la mitad a las tres cuartas partes, cuando no se permita la salida de los pasajeros en la primera oportunidad.

(Se aumentan las penas por el art. 14 de la Ley 890 de 2004).

Véase arts. 353, 354 C.P.

CAPÍTULO IV. DE LA DETENCIÓN ARBITRARIA

Artículo 174: Privación ilegal de libertad.

El servidor público que abusando de sus funciones, prive a otro de su libertad, incurrirá en prisión de cuarenta y ocho (48) a noventa (90) meses.

(Se aumentan las penas por el art. 14 de la Ley 890 de 2004).

Véase arts. 2 C.P.P.; 30 C.N.

Artículo 175: Prolongación ilícita de privación de la libertad.

El servidor público que prolongue ilícitamente la privación de libertad de una persona, incurrirá en prisión de cuarenta y ocho (48) a noventa (90) meses y pérdida del empleo o cargo público.

(Se aumentan las penas por el art. 14 de la Ley 890 de 2004).

Véase arts. 2 C.P.P.; 30 C.N.

Artículo 176: Detención arbitraria especial.

El servidor público que sin el cumplimiento de los requisitos legales reciba a una persona para privarla de libertad o mantenerla bajo medida de seguridad, incurrirá en prisión de cuarenta y ocho (48) a noventa (90) meses y pérdida del empleo o cargo público.

(Se aumentan las penas por el art. 14 de la Ley 890 de 2004).

Véase arts. 2 C.P.P.; 30 C.N.

Artículo 177: Desconocimiento de habeas corpus.

El juez que no tramite o decida dentro de los términos legales una petición de habeas corpus o por cualquier medio obstaculice su tramitación, incurrirá en prisión de treinta y dos (32) meses a noventa (90) meses y pérdida del empleo o cargo público.

(Se aumentan las penas por el art. 14 de la Ley 890 de 2004).

Véase art. 30 C.N.; Ley 1095 de 2006.

CAPÍTULO V. DE LOS DELITOS CONTRA LA AUTONOMÍA PERSONAL

Artículo 178: Tortura.

El que inflija a una persona dolores o sufrimientos ~~graves~~, físicos o psíquicos, con el fin de obtener de ella o de un tercero información o confesión, de castigarla por un acto por ella cometido o que se sospeche que ha cometido o de intimidarla o coaccionarla por cualquier razón que comporte algún tipo de discriminación incurrirá en prisión de ciento veintiocho (128) a doscientos setenta (270) meses, multa de mil sesenta y seis punto sesenta y seis (1066.66) a tres mil (3000) salarios mínimos legales vigentes, e inhabilitación para el ejercicio de derechos y funciones públicas por el mismo término de la pena privativa de la libertad (tacha INEXEQUIBLE SCC-148, 22-02-2005, M.P. Álvaro Tafur Galvis).

En la misma pena incurrirá el que cometa la conducta con fines distintos a los descritos en el inciso anterior.

No se entenderá por tortura el dolor o los sufrimientos que se deriven únicamente de sanciones lícitas o que sean consecuencia normal o inherente a ellas (inc. 3 EXEQUIBLE SCC-143, 06-04-2015, M.P. Luis Ernesto Vargas Silva).

(Se aumentan las penas por el art. 14 de la Ley 890 de 2004).

Véase arts. 179 C.P.; 12 C.N.

Artículo 179: Circunstancias de agravación punitiva.

Las penas previstas en el artículo anterior se aumentarán hasta en una tercera parte en los siguientes eventos:

1. Cuando el agente sea integrante del grupo familiar de la víctima (subrayado CONDICIONALMENTE EXEQUIBLE SCC-029, 28-01-2009, M.P. Rodrigo Escobar Gil "(...) en el entendido de que sus previsiones también comprenden a los integrantes de las parejas del mismo sexo".

2. Cuando el agente sea un servidor público o un particular que actúe bajo la determinación o con la aquiescencia de aquel.

3. Cuando se cometa en persona discapacitada, o en menor de dieciocho (18) años, o mayor de sesenta (60) o mujer embarazada.

4. Cuando se cometa por razón de sus calidades, contra las siguientes personas: servidores públicos, periodistas, comunicadores sociales, defensores de los derechos humanos, candidatos o aspirantes a cargos de elección popular, dirigentes cívicos, comunitarios, étnicos, sindicales, políticos o religiosos, contra quienes hayan sido testigos o víctimas de hechos punibles o faltas disciplinarias; o contra el cónyuge, o compañero o compañera permanente de las personas antes mencionadas, o contra sus parientes hasta el tercer grado de consanguinidad, segundo de afinidad o primero civil (num. CONDICIONALMENTE EXEQUIBLE SCC-029, 28-01-2009, M.P. Rodrigo Escobar Gil "(...) en el entendido de que sus previsiones también comprenden a los integrantes de las parejas del mismo sexo").

5. Cuando se cometa utilizando bienes del Estado.

6. Cuando se cometa para preparar, facilitar, ocultar o asegurar el producto o la impunidad de otro delito; o para impedir que la persona intervenga en actuaciones judiciales o disciplinarias.

Artículo 180 (corregido por el art. 1 del Decreto 2667 de 2001)**: Desplazamiento forzado.**

El que de manera arbitraria, mediante violencia u otros actos coactivos dirigidos contra un sector de la población, ocasione que uno o varios de sus miembros cambie el lugar de su residencia, incurrirá en prisión de noventa y seis (96) a doscientos dieciséis (216) meses, multa de ochocientos (800) a dos mil doscientos cincuenta (2.250) salarios mínimos legales mensuales vigentes y en interdicción de derechos y funciones públicas de noventa y seis (96) a doscientos dieciséis (216) meses.

No se entenderá por desplazamiento forzado, el movimiento de población que realice la fuerza pública cuando tenga por objeto la seguridad de la población, o en desarrollo de imperiosas razones militares, de acuerdo con el derecho internacional.

(Se aumentan las penas por el art. 14 de la Ley 890 de 2004).

Véase arts. 181; 212-A C.P.

Artículo 181: Circunstancias de agravación punitiva.
La pena prevista en el artículo anterior se aumentará hasta en una tercera parte:
1. Cuando el agente tuviere la condición de servidor público.
2. Cuando se cometa en persona discapacitada, o en menor de dieciocho (18) años, o mayor de sesenta (60) o mujer embarazada.
3. Cuando se cometa por razón de sus calidades, contra las siguientes personas: periodistas, comunicadores sociales, defensores de los derechos humanos, candidatos o aspirantes a cargos de elección popular, dirigentes cívicos, comunitarios, étnicos, sindicales, políticos o religiosos, contra quienes hayan sido testigos o víctimas de hechos punibles o faltas disciplinarias.
4. Cuando se cometa utilizando bienes del Estado.
5. Cuando se sometiere a la víctima a tratos crueles, inhumanos o degradantes.

Artículo 182: Constreñimiento ilegal.
El que, fuera de los casos especialmente previstos como delito, constriña a otro a hacer, tolerar u omitir alguna cosa, incurrirá en prisión de dieciséis (16) a treinta y seis (36) meses.
(Se aumentan las penas por el art. 14 de la Ley 890 de 2004).
Véase art. 183 C.P.

Artículo 182A (ad. por el art. 3 de la Ley 1908 de 2018)**: Constreñimiento ilegal por parte de miembros de Grupos Delictivos Organizados y Grupos Armados Organizados.**
Los miembros, testaferros o colaboradores de Grupos Delictivos Organizados y Grupos Armados Organizados, que mediante constreñimiento impidan u obstaculicen el avance de los Programas de Desarrollo con Enfoque Territorial (PDET), establecidos en el Acuerdo Final para la Terminación del Conflicto y la Construcción de una Paz Estable y Duradera, así como cualquier otra actividad para la implementación del Acuerdo Final, incurrirán en prisión de cuatro (4) a seis (6) años.

Artículo 183: Circunstancias de agravación punitiva.

La pena se aumentará de una tercera parte a la mitad cuando:

1. El propósito o fin perseguido por el agente sea de carácter terrorista.

2. Cuando el agente sea integrante de la familia de la víctima.

3. Cuando el agente abuse de superioridad docente, laboral o similar.

Artículo 184: Constreñimiento para delinquir.

El que constriña a otro a cometer una conducta punible, siempre que ésta no constituya delito sancionado con pena mayor, incurrirá en prisión de dieciséis (16) a cincuenta y cuatro (54) meses.

(Se aumentan las penas por el art. 14 de la Ley 890 de 2004).

Véase art. 185 C.P.

Artículo 185: Circunstancias de agravación punitiva.

La pena se aumentará de una tercera parte a la mitad cuando:

1. La conducta tenga como finalidad obtener el ingreso de personas a grupos terroristas, grupos de sicarios, escuadrones de la muerte o grupos de justicia privada.

2. Cuando la conducta se realice respecto de menores de dieciocho (18) años, de miembros activos o retirados de la fuerza pública u organismos de seguridad del Estado.

3. En los eventos señalados en el artículo 183.

Artículo 186: Fraudulenta internación en asilo, clínica o establecimiento similar.

El que mediante maniobra engañosa obtenga la internación de una persona en asilo, clínica o establecimiento similar, simulándola enferma o desamparada, incurrirá en prisión de dieciséis (16) a treinta y seis (36) meses y multa de trece punto treinta y tres (13.33) a ciento cincuenta (150) salarios mínimos legales mensuales vigentes.

La pena será de treinta y dos (32) a cincuenta y cuatro (54) meses de prisión, y multa de veinte (20) a doscientos veinte y cinco (225) salarios mínimos legales mensuales vigentes cuando el responsable sea integrante de la familia de la víctima.

La pena se aumentará de una tercera parte a la mitad cuando tenga un propósito lucrativo.

(Se aumentan las penas por el art. 14 de la Ley 890 de 2004).

Artículo 187: Inseminación artificial o transferencia de óvulo fecundado no consentidas.

Quien insemine artificialmente o transfiera óvulo fecundado a una mujer sin su consentimiento, incurrirá en prisión de treinta y dos (32) a ciento ocho (108) meses.

Si la conducta fuere realizada por un profesional de la salud, se le impondrá también la inhabilitación para el ejercicio de la profesión hasta por el mismo término.

La pena anterior se aumentará hasta en la mitad si se realizare en menor de catorce (14) años.

(Se aumentan las penas por el art. 14 de la Ley 890 de 2004).

Artículo 188 (mod. por el art. 1 de la Ley 747 de 2002)**: Del tráfico de migrantes.**

El que promueva, induzca, constriña, facilite, financie, colabore o de cualquier otra forma participe en la entrada o salida de personas del país, sin el cumplimiento de los requisitos legales, con el ánimo de lucrarse o cualquier otro provecho para si o otra persona, incurrirá en prisión de noventa y seis (96) a ciento cuarenta y cuatro (144) meses y una multa de sesenta y seis punto sesenta y seis (66.66) a ciento cincuenta (150) salarios mínimos legales mensuales vigentes al momento de la sentencia condenatoria (subrayado EXEQUIBLE SCC-820, 10-08-2005, M.P. Clara Inés Vargas Hernández).

(Se aumentan las penas por el art. 14 de la Ley 890 de 2004).

Véase arts. 188-B C.P.

Artículo 188-A (mod. por el art. 3 de la Ley 985 de 2005): Trata de personas.

El que capte, traslade, acoja o reciba a una persona, dentro del territorio nacional o hacia el exterior, con fines de explotación, incurrirá en prisión de trece (13) a veintitrés (23) años y una multa de ochocientos (800) a mil quinientos (1.500) salarios mínimos legales mensuales vigentes al momento de la sentencia condenatoria (subrayado EXEQUIBLE SCC-820, 10-08-2005, M.P. Clara Inés Vargas Hernández).

Para efectos de este artículo se entenderá por explotación el obtener provecho económico o cualquier otro beneficio para sí o para otra persona, mediante la explotación de la prostitución ajena u otras formas de explotación sexual, los trabajos o servicios forzados, la esclavitud o las prácticas análogas a la esclavitud, la servidumbre, la explotación de la mendicidad ajena, el matrimonio servil, la extracción de órganos, el turismo sexual u otras formas de explotación.

El consentimiento dado por la víctima a cualquier forma de explotación definida en este artículo no constituirá causal de exoneración de la responsabilidad penal.

(Se aumentan las penas por el art. 14 de la Ley 890 de 2004).

Véase arts. 17 C.N.; 188-B.

Artículo 188-B (ad. por el art. 3 de la Ley 747 de 2002)**: Circunstancias de agravación punitiva.**

Las penas para los delitos descritos en el artículo 188 y 188 A, se aumentará de una tercera parte a la mitad, cuando:

1. Cuando se realice en persona que padezca, inmadurez psicológica, trastorno mental, enajenación mental y trastorno psíquico, temporal o permanentemente o sea menor de 18 años.

2. Como consecuencia, la víctima resulte afectada en daño físico permanente y/o lesión psíquica, inmadurez mental, trastorno mental en forma temporal o permanente o daño en la salud de forma permanente.

3. El responsable sea cónyuge o compañero permanente o pariente hasta el tercer grado de consanguinidad, segundo de afinidad y primero civil (num. 3 CONDICIONALMENTE EXEQUIBLE SCC-029, 28-01-2009, M.P. Rodrigo Escobar Gil "(...) en el entendido de que sus previsiones también comprenden a los integrantes de las parejas del mismo sexo).

4. El autor o partícipe sea servidor público.

Parágrafo. Cuando las conductas descritas en los artículos 188 y 188 A se realice sobre menor de doce (12) años se aumentará en la mitad de la misma pena.

Véase arts. 188 y 188-A C.P.; Ley 1098 de 2006.

Artículo 188-C (ad. por el art. 6 de la Ley 1453 de 2011)**: Tráfico de niñas, niños y adolescentes.**

El que intervenga en cualquier acto o transacción en virtud de la cual un niño, niña o adolescente sea vendido, entregado o traficado por precio en efectivo o cualquier otra retribución a una persona o grupo de personas, incurrirá en prisión de treinta (30) a sesenta (60) años y una multa de mil (1.000) a dos mil (2.000) salarios mínimos legales mensuales vigentes. El consentimiento dado por la víctima o sus padres, o representantes o cuidadores no constituirá causal de exoneración ni será una circunstancia de atenuación punitiva de la responsabilidad penal. La pena descrita en el primer inciso se aumentará de una tercera parte a la mitad, cuando:

1. Cuando la víctima resulte afectada física o síquicamente, o con inmadurez mental, o trastorno mental, en forma temporal o permanente.

2. El responsable sea pariente hasta el tercer grado de consanguinidad, segundo de afinidad y primero civil del niño, niña o adolescente.

3. El autor o partícipe sea un funcionario que preste servicios de salud o profesionales de la salud, servicio doméstico y guarderías.

4. El autor o partícipe sea una persona que tenga como función la protección y atención integral del niño, la niña o adolescente.

Artículo 188-D (ad. por el art. 7 de la Ley 1453 de 2011)**: Uso de menores de edad la comisión de delitos.**

El que induzca, facilite, utilice, constriña, promueva o instrumentalice a un menor de 18 años a cometer delitos o promueva dicha utilización, constreñimiento, inducción, o participe de cualquier modo en las conductas descritas, incurrirá por este solo hecho, en prisión de diez (10) a diez y veinte (20) años.

El consentimiento dado por el menor de 18 años no constituirá causal de exoneración de la responsabilidad penal.

La pena se aumentará de una tercera parte a la mitad si se trata de menor de 14 años de edad.

La pena se aumentará de una tercera parte a la mitad en los mismos eventos agravación del artículo 188 C.

(EXEQUIBLE SCC-121, 22-02-2012, M.P. Luis Ernesto Vargas Silva).

Véase art. 188-C.

Artículo 188-E (ad. por el art. 9 de la Ley 1908 de 2018)**: Amenazas contra defensores de Derechos Humanos y servidores públicos.**

El que por cualquier medio atemorice o amenace a una persona que ejerza actividades de promoción y protección de los derechos humanos, o a sus familiares, o a cualquier organización dedicada a la defensa de los mismos, o dirigentes políticos, o sindicales comunicándole la intención de causarle un daño constitutivo de uno o más delitos, en razón o con ocasión de la función que desempeñe, incurrirá en prisión de setenta y dos (72) a ciento veintiocho (128) meses y multa diecisiete punto setenta y siete (17,77) a doscientos salarios mínimos legales mensuales vigentes.

En la misma pena se incurrirá cuando las conductas a las que se refiere el inciso anterior recaigan sobre un servidor público o sus familiares.

Parágrafo. Se entenderá por familiares a los parientes dentro del cuarto grado de consanguinidad o civil, segundo de afinidad o sobre cónyuge o compañera o compañero permanente o cualquier otra persona que se halle integrada a la unidad doméstica del destinatario de la amenaza.

CAPÍTULO VI. DELITOS CONTRA LA INVIOLABILIDAD DE HABITACIÓN O SITIO DE TRABAJO

Artículo 189: Violación de habitación ajena.

El que se introduzca arbitraria, engañosa o clandestinamente en habitación ajena o en sus dependencias inmediatas, o que por cualquier medio indebido, escuche, observe, grabe, fotografíe o filme, aspectos de la vida domiciliaria de sus ocupantes, incurrirá en multa.

Véase art. 15 C.N.

Artículo 190: Violación de habitación ajena por servidor público.

El servidor público que abusando de sus funciones se introduzca en habitación ajena, incurrirá en multa y pérdida del empleo o cargo público.

Artículo 191: Violación en lugar de trabajo.

Cuando las conductas descritas en este capítulo se realizaren en un lugar de trabajo, las respectivas penas se disminuirá hasta en la mitad, sin que puedan ser inferior a una unidad multa.

CAPÍTULO VII. DE LA VIOLACIÓN A LA INTIMIDAD, RESERVA E INTERCEPTACIÓN DE COMUNICACIONES

Artículo 192: Violación ilícita de comunicaciones.

El que ilícitamente sustraiga, oculte, extravíe, destruya, intercepte, controle o impida una comunicación privada dirigida a otra persona, o se entere indebidamente de su contenido, incurrirá en prisión de dieciséis (16) a cincuenta y cuatro (54) meses, siempre que la conducta no constituya delito sancionado con pena mayor.

Si el autor de la conducta revela el contenido de la comunicación, o la emplea en provecho propio o ajeno o con perjuicio de otro, la pena será prisión de treinta y dos (32) a setenta y dos (72) meses.

(Se aumentan las penas por el art. 14 de la Ley 890 de 2004).

Véase art. 15 C.N.

Artículo 193: Ofrecimiento, venta o compra de instrumento apto para interceptar la comunicación privada entre personas.

El que sin permiso de autoridad competente, ofrezca, venda o compre instrumentos aptos para interceptar la comunicación privada entre personas, incurrirá en multa, siempre que la conducta no constituya delito sancionado con pena mayor.

Artículo 194: Divulgación y empleo de documentos reservados.

El que en provecho propio o ajeno o con perjuicio de otro divulgue o emplee el contenido de un documento que deba permanecer en reserva, incurrirá en multa, siempre que la conducta no constituya delito sancionado con pena mayor.

Véase art. 294 C.P.

Artículo 195:
Derogado por el artículo 4 de la Ley 1273 de 2009, de 5 de enero.

Artículo 196: Violación ilícita de comunicaciones o correspondencia de carácter oficial.

El que ilícitamente sustraiga, oculte, extravíe, destruya, intercepte, controle o impida comunicación o correspondencia de carácter oficial, incurrirá en prisión de cuarenta y ocho (48) a ciento ocho (108) meses.

La pena descrita en el inciso anterior se aumentará hasta en una tercera parte cuando la comunicación o la correspondencia esté destinada o remitida a la rama judicial o a los organismos de control o de seguridad del estado.

(Se aumentan las penas por el art. 14 de la Ley 890 de 2004).

Artículo 197 (mod. por el art. 8 de la Ley 1453 de 2011)**: Utilización ilícita de redes de comunicaciones.**

El que con fines ilícitos posea o haga uso de equipos terminales de redes de comunicaciones o de cualquier medio electrónico diseñado o adaptado para emitir o recibir señales, incurrirá, por esta sola conducta, en prisión de cuatro (4) a ocho (8) años.

La pena se duplicará cuando la conducta descrita en el inciso anterior se realice con fines terroristas.

(Se aumentan las penas por el art. 14 de la Ley 890 de 2004).

CAPÍTULO VIII. DE LOS DELITOS CONTRA LA LIBERTAD DE TRABAJO Y ASOCIACIÓN

Artículo 198: Violación de la libertad de trabajo.

El que mediante violencia o maniobra engañosa logre el retiro de operarios o trabajadores de los establecimientos donde laboran, o por los mismos medios perturbe o impida el libre ejercicio de la actividad de cualquier persona, incurrirá en multa.

Si como consecuencia de la conducta descrita en el inciso anterior sobreviniere la suspensión o cesación colectiva del trabajo, la pena se aumentará hasta en una tercera parte, sin sobrepasar las diez (10) unidades multa.

Véase art. 218-A C.P.; 25 C.N.

Artículo 199: Sabotaje.

El que con el fin de suspender o paralizar el trabajo destruya, inutilice, haga desaparecer o de cualquier otro modo dañe herramientas, bases de datos, soportes lógicos, instalaciones, equipos o materias primas, incurrirá en prisión de dieciséis (16) a ciento ocho (108) meses y multa de seis punto sesenta y seis (6.66) a treinta (30) salarios mínimos legales mensuales vigentes, siempre que la conducta no constituya delito sancionado con pena mayor.

Si como consecuencia de la conducta descrita en el inciso anterior sobreviniere la suspensión o cesación colectiva del trabajo, la pena se aumentará hasta en una tercera parte.

(Se aumentan las penas por el art. 14 de la Ley 890 de 2004).

Véase art. 25 C.N.

Artículo 200 (mod. por el art. 26 de la Ley 1453 de 2011): Violación de los derechos de reunión y asociación.

El que impida o perturbe una reunión lícita o el ejercicio de los derechos que conceden las leyes laborales o tome represalias con motivo de huelga, reunión o asociación legítimas, incurrirá en pena de prisión de uno (1) a dos (2) años y multa de cien (100) a trescientos (300) salarios mínimos legales mensuales vigentes.

En la misma pena incurrirá el que celebre pactos colectivos en los que, en su conjunto, se otorguen mejores condiciones a los trabajadores no sindicalizados, respecto de aquellas condiciones convenidas en convenciones colectivas con los trabajadores sindicalizados de una misma empresa.

La pena de prisión será de tres (3) a cinco (5) años y multa de trescientos (300) a quinientos (500) salarios mínimos legales mensuales vigentes si la conducta descrita en el inciso primero se cometiere:

1. Colocando al empleado en situación de indefensión o que ponga en peligro su integridad personal.

2. La conducta se cometa en persona discapacitada, que padezca enfermedad grave o sobre mujer embarazada.

3. Mediante la amenaza de causar la muerte, lesiones personales, daño en bien ajeno o al trabajador o a sus ascendientes, descendientes, cónyuge, compañero o compañera permanente, hermano, adoptante o adoptivo, o pariente hasta el segundo grado de afinidad.

4. Mediante engaño sobre el trabajador.

(EXEQUIBLE SCC-571, 18-07-2012, M.P. María Victoria Calle Correa).

Véase arts. 38, 39 C.N.

CAPÍTULO IX. DE LOS DELITOS CONTRA EL SENTIMIENTO RELIGIOSO Y EL RESPETO A LOS DIFUNTOS

Artículo 201: Violación a la libertad religiosa.

El que por medio de violencia obligue a otro a cumplir acto religioso, o le impida participar en ceremonia de la misma índole, incurrirá en prisión de dieciséis (16) a treinta y seis (36) meses.

(Se aumentan las penas por el art. 14 de la Ley 890 de 2004).

Véase arts. 212-A C.P.; 19 C.N.

Artículo 202: Impedimento y perturbación de ceremonia religiosa.

El que perturbe o impida la celebración de ceremonia o función religiosa de cualquier culto permitido, incurrirá en multa.

Artículo 203: Daños o agravios a personas o a cosas destinadas al culto.

El que cause daño a los objetos destinados a un culto, o a los símbolos de cualquier religión legalmente permitida, o públicamente agravie a tales cultos o a sus miembros en razón de su investidura, incurrirá en multa.

Artículo 204: Irrespeto a cadáveres.

El que sustraiga el cadáver de una persona o sus restos o ejecute sobre ellos acto de irrespeto, incurrirá en multa.

Si el agente persigue finalidad de lucro, la pena se aumentará hasta en una tercera parte, sin sobrepasar las diez (10) unidades multa.

TÍTULO IV. DELITOS CONTRA LA LIBERTAD, INTEGRIDAD Y FORMACIÓN SEXUALES

CAPÍTULO I. DE LA VIOLACIÓN

Artículo 205 (mod. por el art. 1 de la Ley 1236 de 2008)**: Acceso carnal violento.**

El que realice acceso carnal con otra persona mediante violencia, incurrirá en prisión de doce (12) a veinte (20) años.

Véase arts. 212, 212A C.P.

Artículo 206 (mod. por el art. 2 de la Ley 1236 de 2008)**: Acto sexual violento.**

El que realice en otra persona acto sexual diverso al acceso carnal mediante violencia, incurrirá en prisión de ocho (8) a dieciséis (16) años.

Véase art. 212-A.

Artículo 207 (mod. por el art. 3 de la Ley 1236 de 2008)**: Acceso carnal o acto sexual en persona puesta en incapacidad de resistir.**

El que realice acceso carnal con persona a la cual haya puesto en incapacidad de resistir o en estado de inconsciencia, o en condiciones de inferioridad síquica que le impidan comprender la relación sexual o dar su consentimiento, incurrirá en prisión de doce (12) a veinte (20) años.

Si se ejecuta acto sexual diverso del acceso carnal, la pena será de ocho (8) a dieciséis (16) años.

Véase art. 212 C.P.

CAPÍTULO II. DE LOS ACTOS SEXUALES ABUSIVOS

Artículo 208 (mod. por el art. 4 de la Ley 1236 de 2008): **Acceso carnal abusivo con menor de catorce años.**

El que acceda carnalmente a persona menor <u>de catorce (14) años</u>, incurrirá en prisión de doce (12) a veinte (20) años (subrayado EXEQUIBLE SCC-876, 22-11-2011, M.P. Mauricio González Cuervo).

(EXEQUIBLE SCC-1095, 19-11-2003, M.P. Marco Gerardo Monroy Cabra; véase art. 212 C.P.).

Artículo 209 (mod. por el art. 5 de la Ley 1236 de 2008): **Actos sexuales con menor de catorce años.**

El que realizare actos sexuales diversos del acceso carnal con persona menor <u>de catorce (14) años</u> o en su presencia, o la induzca a prácticas sexuales, incurrirá en prisión de nueve (9) a trece (13) años (subrayado EXEQUIBLE SCC-876, 22-11-2011, M.P. Mauricio González Cuervo).

(EXEQUIBLE SCC-1095, 19-11-2003, M.P. Marco Gerardo Monroy Cabra; véase art. 212 C.P.).

Artículo 210 (mod. por el art. 6 de la Ley 1236 de 2008): **Acceso carnal o acto sexual abusivos con incapaz de resistir.**

El que acceda carnalmente a persona en estado de inconsciencia, o que padezca trastorno mental o que esté en incapacidad de resistir, incurrirá en prisión de doce (12) a veinte (20) años.

Si no se realizare el acceso, sino actos sexuales diversos de él, la pena será de ocho (8) a dieciséis (16) años.

Véase art. 212 C.P.

Artículo 210-A (ad. por el art. 29 de la Ley 1257 de 2008): **Acoso sexual.**

El que en beneficio suyo o de un tercero y valiéndose de su superioridad manifiesta o relaciones de autoridad o de poder, edad, sexo, posición laboral, social, familiar o económica, acose, persiga, hostigue o asedie física o verbalmente, con fines sexuales no consentidos, a otra persona, incurrirá en prisión de uno (1) a tres (3) años.

CAPÍTULO III. DISPOSICIONES COMUNES A LOS CAPÍTULOS ANTERIORES

Artículo 211 (mod. por el art. 7 de la Ley 1236 de 2008): **Circunstancias de agravación punitiva.**

Las penas para los delitos descritos en los artículos anteriores, se aumentarán de una tercera parte a la mitad, cuando:

1. La conducta se cometiere con el concurso de otra u otras personas.

2. El responsable tuviere cualquier carácter, posición o cargo que le dé particular autoridad sobre la víctima o la impulse a depositar en él su confianza.

3. Se produjere contaminación de enfermedad de transmisión sexual.

4. Se realizare sobre persona menor de catorce (14) años (num. 4 CONDICIONALMENTE EXEQUIBLE SCC-521, 04-08-2009, M.P. María Victoria Calle Correa "(...) en el entendido de que dicha causal no se aplica a los artículos 208 y 209 del mismo estatuto".

5. La conducta se realizare sobre pariente hasta cuarto grado de consanguinidad, cuarto de afinidad o primero civil, sobre cónyuge o compañera o compañero permanente, o contra cualquier persona que de manera permanente se hallare integrada a la unidad doméstica, o aprovechando la confianza depositada por la víctima en el autor o en alguno o algunos de los partícipes. Para los efectos previstos en este artículo, la afinidad será derivada de cualquier forma de matrimonio o de unión libre (num. 5 mod. por el art. 30 de la Ley 1257 de 2008).

6. Se produjere embarazo.

7. Si se cometiere sobre personas en situación de vulnerabilidad en razón de su edad, etnia, discapacidad física, psíquica o sensorial, ocupación u oficio (num. 7 mod. por el art. 30 de la Ley 1257 de 2008).

8. Si el hecho se cometiere con la intención de generar control social, temor u obediencia en la comunidad (num. 8 mod. por el art. 30 de la Ley 1257 de 2008).

Artículo 212: Acceso carnal.

Para los efectos de las conductas descritas en los capítulos anteriores, se entenderá por acceso carnal la penetración del miembro viril por vía anal, vaginal u oral, así como la penetración vaginal o anal de cualquier otra parte del cuerpo humano u otro objeto.

Artículo 212-A (ad. por el art. 11 de la Ley 1719 de 2014)**: Violencia.**

Para los efectos de las conductas descritas en los capítulos anteriores, se entenderá por violencia: el uso de la fuerza; la amenaza del uso de la fuerza; la coacción física o psicológica, como la causada por el temor a la violencia, la intimidación; la detención ilegal; la opresión psicológica; el abuso de poder; la utilización de entornos de coacción y circunstancias similares que impidan a la víctima dar su libre consentimiento.

CAPÍTULO IV. DEL PROXENETISMO

Artículo 213 (mod. por el art. 8 de la Ley 1236 de 2008)**: Inducción a la prostitución.**

El que con ánimo de lucrarse o para satisfacer los deseos de otro, induzca al comercio carnal o a la prostitución a otra persona, incurrirá en prisión de diez (10) a veintidós (22) años y multa de sesenta y seis (66) a setecientos cincuenta (750) salarios mínimos legales mensuales vigentes.

(EXEQUIBLE SCC-636, 16-11-2009, M.P. Mauricio González Cuervo).

Artículo 213-A (ad. por el art. 2 de la Ley 1329 de 2009)**: Proxenetismo con menor de edad.**

El que con ánimo de lucro para sí o para un tercero o para satisfacer los deseos sexuales de otro, organice, facilite o participe de cualquier forma en el comercio carnal o la explotación sexual de otra persona menor de 18 años, incurrirá en prisión de catorce (14) a veinticinco (25) años y multa de sesenta y siete (67) a setecientos cincuenta (750) salarios mínimos legales mensuales vigentes.

Artículo 214 (mod. por el art. 9 de la Ley 1236 de 2008)**: Constreñimiento a la prostitución.**

El que con ánimo de lucrarse o para satisfacer los deseos de otro, constriña a cualquier persona al comercio carnal o a la prostitución, incurrirá en prisión de nueve (9) a trece (13) años y multa de sesenta y seis (66) a setecientos cincuenta (750) salarios mínimos legales mensuales vigentes.

Artículo 215:
Derogado por el artículo 4 de la Ley 747 de 2002, de 19 de julio.

Artículo 216 (mod. por el art. 10 de la Ley 1236 de 2008)**: Circunstancias de agravación punitiva.**
Las penas para los delitos descritos en los artículos anteriores, se aumentarán de una tercera parte a la mitad, cuando la conducta:

1. Se realizare en persona menor de catorce (14) años.
2. Se realizare con el fin de llevar la víctima al extranjero.
3. Se realizare respecto de pariente hasta cuarto grado de consanguinidad, cuarto de afinidad o primero civil, sobre cónyuge o compañera o compañero permanente, o contra cualquier persona que de manera permanente se hallare integrada a la unidad doméstica, o aprovechando la confianza depositada por la víctima en el autor o en alguno o algunos de los partícipes. Para los efectos previstos en este artículo, la afinidad será derivada de cualquier forma de matrimonio o de unión libre (num. 3 mod. por el art. 31 de la Ley 1257 de 2008).
4. Se cometiere sobre personas en situación de vulnerabilidad en razón de su edad, etnia, discapacidad física, psíquica o sensorial, ocupación u oficio (num. 4 mod. por el art. 31 de la Ley 1257 de 2008).
5. La conducta se cometiere como forma de retaliación, represión o silenciamiento de personas que forman parte de organizaciones sociales, comunitarias o políticas o que se desempeñan como líderes o defensoras de Derechos Humanos (ad. por el art. 12 de la Ley 1719 de 2014).

Artículo 217: Estímulo a la Prostitución de Menores.
El que destine, arriende, mantenga, administre o financie casa o establecimiento para la práctica de actos sexuales en que participen menores de edad, incurrirá en prisión de diez (10) a catorce (14) años y multa de sesenta y seis (66) a setecientos cincuenta (750) salarios mínimos legales mensuales vigentes.

La pena se aumentará de una tercera parte a la mitad cuando el responsable sea integrante de la familia de la víctima.

Artículo 217-A (ad. por el art. 3 de la Ley 1329 de 2009)**: Demanda de explotación sexual comercial de persona menor de 18 años de edad.**

El que directamente o a través de tercera persona, solicite o demande realizar acceso carnal o actos sexuales con persona menor de 18 años, mediante pago o promesa de pago en dinero, especie o retribución de cualquier naturaleza, incurrirá por este sólo hecho, en pena de prisión de catorce (14) a veinticinco (25) años.

Parágrafo. El consentimiento dado por la víctima menor de 18 años, no constituirá causal de exoneración de la responsabilidad penal.

La pena se agravará de una tercera parte a la mitad:

1. Si la conducta se ejecuta por un turista o viajero nacional o extranjero.

2. Si la conducta constituyere matrimonio o convivencia, servil o forzado.

3. Si la conducta es cometida por un miembro de un grupo armado organizado al margen de la ley.

4. Si la conducta se comete sobre persona menor de catorce (14) años de edad.

5. El responsable sea integrante de la familia de la víctima.

Artículo 218 (mod. por el art. 24 de la Ley 1336 de 2009)**: Pornografía con personas menores de 18 años.**

El que fotografíe, filme, grabe, produzca, divulgue, ofrezca, venda, compre, posea, porte, almacene, trasmita o exhiba, por cualquier medio, para uso personal o intercambio, representaciones reales de actividad sexual que involucre persona menor de 18 años de edad, incurrirá en prisión de 10 a 20 años y multa de 150 a 1.500 salarios mínimos legales mensuales vigentes.

Igual pena se aplicará a quien alimente con pornografía infantil bases de datos de Internet, con o sin fines de lucro.

La pena se aumentará de una tercera parte a la mitad cuando el responsable sea integrante de la familia de la víctima.

Artículo 219 (mod. por el art. 23 de la Ley 1336 de 2009)**: Turismo sexual.**

El que dirija, organice o promueva actividades turísticas que incluyan la utilización sexual de menores de edad incurrirá en prisión de cuatro (4) a ocho (8) años.

La pena se aumentará en la mitad cuando la conducta se realizare con menor de doce (12) años.

Artículo 219-A (mod. por el art. 4 de la Ley 1329 de 2009)**: Utilización o facilitación de medios de comunicación para ofrecer servicios sexuales de menores.**

El que utilice o facilite el correo tradicional, las redes globales de información, o cualquier otro medio de comunicación para obtener contacto sexual con menores de dieciocho (18) años, o para ofrecer servicios sexuales con estos, incurrirá en pena de prisión de diez (10) a catorce (14) años, y multa de sesenta y seis (66) a setecientos cincuenta (750) salarios mínimos legales mensuales vigentes.

Las penas señaladas en el inciso anterior se aumentarán hasta en la mitad (1/2) cuando las conductas se realizaren con menores de catorce (14) años.

Artículo 219-B (ad. por el parágrafo transitorio del art. 35 de la Ley 679 de 2001)**: Omisión de denuncia.**

El que, por razón de su oficio, cargo, o actividad, tuviere conocimiento de la utilización de menores para la realización de cualquiera de las conductas previstas en el presente capítulo y omitiere informar a las autoridades administrativas o judiciales competentes sobre tales hechos, teniendo el deber legal de hacerlo, incurrirá en multa de trece punto treinta y tres (13.33) a setenta y cinco (75) salarios mínimos legales mensuales vigentes.

Si la conducta se realizare por servidor público, se impondrá, además, la pérdida del empleo.

(Se aumentan las penas por el art. 14 de la Ley 890 de 2004).

Artículo 219C (ad. por el art. 1 de Ley 1918 de 2018)**: Inhabilidades por delitos sexuales cometidos contra menores.**

Las personas que hayan sido condenados por la comisión de delitos contra la libertad, integridad y formación sexuales de persona menor de 18 años de acuerdo con el Título IV de la presente ley; serán inhabilitadas para el desempeño de cargos, oficios o profesiones que involucren una relación directa y habitual con menores de edad en los términos que establezca el Instituto Colombiano de Bienestar Familiar, o quien haga sus veces.

TÍTULO V. DELITOS CONTRA LA INTEGRIDAD MORAL

CAPÍTULO ÚNICO. DE LA INJURIA Y LA CALUMNIA

Artículo 220: Injuria.

El que haga a otra persona imputaciones deshonrosas, incurrirá en prisión de dieciséis (16) a cincuenta y cuatro (54) meses y multa de trece punto treinta y tres (13.33) a mil quinientos (1.500) salarios mínimos legales mensuales vigentes.

(Se aumentan las penas por el art. 14 de la Ley 890 de 2004).

(EXEQUIBLE SCC-442, 25-05-2011, M.P. Humberto Antonio Sierra Porto).

Véase art. 21 C.N.

Artículo 221: Calumnia.

El que impute falsamente a otro una conducta típica, incurrirá en prisión de dieciséis (16) a setenta y dos (72) meses y multa de trece punto treinta y tres (13.33) a mil quinientos (1.500) salarios mínimos legales mensuales vigentes.

(Se aumentan las penas por el art. 14 de la Ley 890 de 2004).

(EXEQUIBLE SCC-442, 25-05-2011, M.P. Humberto Antonio Sierra Porto).

Véase art. 21 C.N.

Artículo 222: Injuria y calumnia indirectas.

A las penas previstas en los artículos anteriores quedará sometido quien publicare, reprodujere, repitiere injuria o calumnia imputada por otro, o quien haga la imputación de modo impersonal o con las expresiones se dice, se asegura u otra semejante.

(EXEQUIBLE SCC-442, 25-05-2011, M.P. Humberto Antonio Sierra Porto).

Artículo 223: Circunstancias especiales de graduación de la pena.

Cuando alguna de las conductas previstas en este título se cometiere utilizando cualquier medio de comunicación social u otro de divulgación colectiva o en reunión pública, las penas respectivas se aumentarán de una sexta parte a la mitad.

Si se cometiere por medio de escrito dirigido exclusivamente al ofendido o en su sola presencia, la pena imponible se reducirá hasta en la mitad (inc. 2° EXEQUIBLE SCC-635, 03-09-2014, M.P. Gabriel Eduardo Mendoza Martelo).

(EXEQUIBLE SCC-442, 25-05-2011, M.P. Humberto Antonio Sierra Porto).

Artículo 224: Eximente de responsabilidad.

No será responsable de las conductas descritas en los artículos anteriores quien probare la veracidad de las imputaciones.

Sin embargo, en ningún caso se admitirá prueba:

1. Sobre la imputación de cualquier conducta punible que hubiere sido objeto de sentencia absolutoria, preclusión de la investigación o cesación de procedimiento o sus equivalentes, excepto si se tratare de prescripción de la acción, y (tacha INEXEQUIBLE SCC-417, 26-06-2009, M.P. Juan Carlos Henao Pérez).

2. Sobre la imputación de conductas que se refieran a la vida sexual, conyugal, marital o de familia, o al sujeto pasivo de un delito contra la libertad y la formación sexuales.

(EXEQUIBLE SCC-442, 25-05-2011, M.P. Humberto Antonio Sierra Porto).

Artículo 225: Retractación.

No habrá lugar a responsabilidad si el autor o partícipe de cualquiera de las conductas previstas en este título, se retractare voluntariamente antes de proferirse sentencia de primera o única instancia, siempre que la publicación de la retractación se haga a costa del responsable, se cumpla en el mismo medio y con las mismas características en que se difundió la imputación o en el que señale el funcionario judicial, en los demás casos.

No se podrá iniciar acción penal, si la retractación o rectificación se hace pública antes de que el ofendido formule la respectiva denuncia.

(EXEQUIBLE SCC-635, 03-09-2014, M.P. Gabriel Eduardo Mendoza Martelo; SCC-442, 25-05-2011, M.P. Humberto Antonio Sierra Porto; SCC-489, 26-06-2002, M.P. Rodrigo Escobar Gil).

Artículo 226: Injuria por vías de hecho.

En la misma pena prevista en el artículo 220 incurrirá el que por vías de hecho agravie a otra persona.

(EXEQUIBLE SCC-442, 25-05-2011, M.P. Humberto Antonio Sierra Porto; véase art. 220 C.P.).

Artículo 227: Injurias o calumnias recíprocas.

Si las imputaciones o agravios a que se refieren los artículos 220, 221 y 226 fueren recíprocas, se podrán declarar exentos de responsabilidad a los injuriantes o calumniantes o a cualquiera de ellos.

(EXEQUIBLE SCC-442, 25-05-2011, M.P. Humberto Antonio Sierra Porto; véase arts. 220, 221, 226 C.P.).

Artículo 228: Imputaciones de litigantes.

Las injurias expresadas por los litigantes, apoderados o defensores en los escritos, discursos o informes producidos ante los tribunales y no dados por sus autores a la publicidad, quedarán sujetas únicamente a las correcciones y acciones disciplinarias correspondientes.

(EXEQUIBLE SCC-442, 25-05-2011, M.P. Humberto Antonio Sierra Porto; SCC-392, 22-05-2002, M.P. Alvaro Tafur Galvis).

TÍTULO VI. DELITOS CONTRA LA FAMILIA

CAPÍTULO I. DE LA VIOLENCIA INTRAFAMILIAR

Artículo 229 (mod. por el art. 3 de la Ley 1850 de 2017)**: Violencia intrafamiliar.**

El que maltrate física o sicológicamente a cualquier miembro de su núcleo familiar, incurrirá, siempre que la conducta no constituya delito sancionado con pena mayor, en prisión de cuatro (4) a ocho (8) años.

La pena se aumentará de la mitad a las tres cuartas partes cuando la conducta recaiga sobre un menor, una mujer, una persona mayor de sesenta (60) años o que se encuentre en incapacidad o disminución física, sensorial y psicológica o quien se encuentre en estado de indefensión.

Parágrafo. A la misma pena quedará sometido quien, no siendo miembro del núcleo familiar, sea encargado del cuidado de uno o varios miembros de una familia y realice alguna de las conductas descritas en el presente artículo.

(EXEQUIBLE SCC-368, 11-06-2014, M.P. Alberto Rojas Ríos).

Artículo 229-A (ad. por el art. 5 de la Ley 1850 de 2017)**: Maltratado por descuido, negligencia o abandono en persona mayor de 60 años.**

El que someta a condición de abandono y descuido a persona mayor, con 60 años de edad o más, genere afectación en sus necesidades de higiene, vestuario, alimentación y salud, incurrirá en prisión de cuatro (4) a ocho (8) años y en multa de 1 a 5 salarios mínimos legales mensuales vigentes.

Parágrafo. El abandono de la persona mayor por parte de la institución a la que le corresponde su cuidado por haberlo asumido, será causal de la cancelación de los permisos o conceptos favorables de funcionamiento y multa de 20 salarios mínimos legales mensuales vigentes.

Artículo 230 (mod. por el art. 4 de la Ley 1850 de 2017)**: Maltrato mediante restricción a la libertad física.**

El que mediante fuerza restrinja la libertad de locomoción a otra persona mayor de edad perteneciente a su grupo familiar o puesta bajo su cuidado, o en menor de edad sobre el cual no se ejerza patria potestad, incurrirá en prisión de dieciséis (16) a treinta y seis (36) meses y en multa de uno punto treinta y tres (1.33) a veinticuatro (24) salarios mínimos legales mensuales vigentes, siempre que la conducta no constituya delito sancionado con pena mayor.

Parágrafo. Para efectos de lo establecido en el presente artículo se entenderá que el grupo familiar comprende los cónyuges o compañeros permanentes; el padre y la madre de familia, aunque no convivan en un mismo lugar; los ascendientes o descendientes de los anteriores y los hijos adoptivos; todas las demás personas que de manera permanente se hallaren integradas a la unidad doméstica, las personas que no siendo miembros del núcleo familiar, sean encargados del cuidado de uno o varios miembros de una familia. La afinidad será derivada de cualquier forma de matrimonio, unión libre.

Artículo 230-A (ad. por el art. 7 de la Ley 890 de 2004)**: Ejercicio arbitrario de la custodia de hijo menor de edad.**

El padre que arrebate, sustraiga, retenga u oculte a uno de sus hijos menores sobre quienes ejerce la patria potestad con el fin de privar al otro padre del derecho de custodia y cuidado personal, incurrirá, por ese solo hecho, en prisión de uno (1) a tres (3) años y en multa de uno (1) a dieciséis (16) salarios mínimos legales mensuales vigentes.

(EXEQUIBLE SCC-239, 09-04-2014).

CAPÍTULO II

Artículo 231:
Derogado por el artículo 6 de la Ley 747 de 2002, de 19 de julio.

CAPÍTULO III. DE LA ADOPCIÓN IRREGULAR

Artículo 232: Adopción irregular.

Al que promueva o realice la adopción del menor sin cumplir los requisitos legales correspondientes, o sin la respectiva licencia del instituto colombiano de bienestar familiar para adelantar programas de adopción, o utilizando prácticas irregulares lesivas para el menor, incurrirá en prisión de dieciséis (16) a noventa (90) meses.

La pena se aumentará de la mitad a las tres cuartas partes cuando:

1. La conducta se realice con ánimo de lucro.

2. El copartícipe se aproveche de su investidura oficial o de su profesión para realizarla, caso en el cual se le impondrá, además, como pena, la pérdida del empleo o cargo público.

(Se aumentan las penas por el art. 14 de la Ley 890 de 2004).

Véase Ley 1098 de 2006.

CAPÍTULO IV. DE LOS DELITOS CONTRA LA ASISTENCIA ALIMENTARIA

Artículo 233 (mod. por el art. 1 de la Ley 1181 de 2007)**: Inasistencia alimentaria.**

El que se sustraiga sin justa causa a la prestación de alimentos legalmente debidos a sus ascendientes, descendientes, adoptante, adoptivo, cónyuge o compañero o compañera permanente, incurrirá en prisión de dieciséis (16) a cincuenta y cuatro (54) meses y multa de trece punto treinta y tres (13.33) a treinta (30) salarios mínimos legales mensuales vigentes.

La pena será de prisión de treinta y dos (32) a setenta y dos (72) meses y multa de veinte (20) a treinta y siete punto cinco (37.5) salarios mínimos legales mensuales vigentes cuando la inasistencia alimentaria se cometa contra un menor.

Parágrafo 1°. Para efectos del presente artículo, se tendrá por compañero y compañera permanente ~~únicamente~~ al hombre y la mujer que forman parte de la Unión Marital de Hecho durante un lapso no inferior a dos años en los términos de la Ley 54 de 1990 (subrayado EXEQUIBLE SCC-029, 28-01-2009, M.P. Rodrigo Escobar Gil; tacha INEXEQUIBLE SCC-798, 20-08-2008, M.P. Jaime Córdoba Triviño; cursiva CONDICIONALMENTE EXEQUIBLE SCC-798, 20-08-2008, M.P. Jaime Córdoba Triviño "(...) en el entendido que las expresiones "compañero" y compañera permanente" comprende también a los integrantes de parejas del mismo sexo").

Parágrafo 2°. En los eventos tipificados en la presente ley se podrá aplicar el principio de oportunidad.

Véase arts. 234 C.P.; 77, 323, 324 C.P.P.; 411 C.C.

Artículo 234: Circunstancias de agravación punitiva.

La pena señalada en el artículo anterior se aumentará hasta en una tercera parte si el obligado, con el propósito de sustraerse a la prestación alimentaria, fraudulentamente oculta, disminuye o grava su renta o patrimonio.

Artículo 235: Reiteración.

La sentencia condenatoria ejecutoriada no impide la iniciación de otro proceso si el responsable incurre nuevamente en inasistencia alimentaria.

Artículo 236: Malversación y dilapidación de bienes de familiares.

El que malverse o dilapide los bienes que administre en ejercicio de la patria potestad, tutela o curatela en ascendiente, adoptante, cónyuge o compañero permanente, incurrirá en prisión de dieciséis (16) a treinta y seis (36) meses y multa de uno punto treinta y tres (1.33) a quince (15) salarios mínimos legales mensuales vigentes, siempre que la conducta no constituya otro delito.

(Se aumentan las penas por el art. 14 de la Ley 890 de 2004).

(CONDICIONALMENTE EXEQUIBLE SCC-029, 28-01-2009, M.P. Rodrigo Escobar Gil "(...) en el entendido de que este tipo penal comprende también a los integrantes de las parejas del mismo sexo").

CAPÍTULO V. DEL INCESTO

Artículo 237: Incesto.

El que realice acceso carnal u otro acto sexual con un ascendiente, descendiente, adoptante o adoptivo, o con un hermano o hermana, incurrirá en prisión de dieciséis (16) a setenta y dos (72) meses.

(Se aumentan las penas por el art. 14 de la Ley 890 de 2004).

(EXEQUIBLE SCC-241, 22-03-2012, M.P. Luis Ernesto Vargas Silva).

CAPÍTULO VI. DE LA SUPRESIÓN, ALTERACIÓN O SUPOSICIÓN DEL ESTADO CIVIL

Artículo 238: Supresión, alteración o suposición del estado civil.

El que suprima o altere el estado civil de una persona, o haga inscribir en el registro civil a una persona que no es su hijo o que no existe, incurrirá en prisión de dieciséis (16) a noventa (90) meses.

(Se aumentan las penas por el art. 14 de la Ley 890 de 2004).

TÍTULO VII. DELITOS CONTRA EL PATRIMONIO ECONÓMICO

CAPÍTULO I. DEL HURTO

Artículo 239: Hurto.

El que se apodere de una cosa mueble ajena, con el propósito de obtener provecho para sí o para otro, incurrirá en prisión de treinta y dos (32) a ciento ocho (108) meses.

La pena será de prisión de dieciséis (16) a treinta y seis (36) meses cuando la cuantía no exceda de diez (10) salarios mínimos legales mensuales vigentes.

(Se aumentan las penas por el art. 14 de la Ley 890 de 2004).

Véase arts. 240, 241, 242 C.P.

Artículo 240 (mod. por el art. 37 de la Ley 1142 de 2007)**: Hurto calificado.**

La pena será de prisión de seis (6) a catorce (14) años, si el hurto se cometiere:

1. Con violencia sobre las cosas.

2. Colocando a la víctima en condiciones de indefensión o inferioridad o aprovechándose de tales condiciones.

3. Mediante penetración o permanencia arbitraria, engañosa o clandestina en lugar habitado o en sus dependencias inmediatas, aunque allí no se encuentren sus moradores.

4. Con escalonamiento, o con llave sustraída o falsa, ganzúa o cualquier otro instrumento similar, o violando o superando seguridades electrónicas u otras semejantes.

La pena será de prisión de ocho (8) a dieciséis (16) años cuando se cometiere con violencia sobre las personas.

Las mismas penas se aplicarán cuando la violencia tenga lugar inmediatamente después del apoderamiento de la cosa y haya sido empleada por el autor o partícipe con el fin de asegurar su producto o la impunidad.

La pena será de siete (7) a quince (15) años de prisión cuando el hurto se cometiere sobre medio motorizado, o sus partes esenciales, o sobre mercancía o combustible que se lleve en ellos. Si la conducta fuere realizada por el encargado de la custodia material de estos bienes, la pena se incrementará de la sexta parte a la mitad.

La pena será de cinco (5) a doce (12) años de prisión cuando el hurto se cometiere sobre elementos destinados a comunicaciones telefónicas, telegráficas, informáticas, telemáticas y satelitales, o a la generación, transmisión o distribución de energía eléctrica y gas domiciliario, o a la prestación de los servicios de acueducto y alcantarillado.

Artículo 241 (mod. por el art. 51 de la Ley 1142 de 2007)**: Circunstancias de agravación punitiva.**

La pena imponible de acuerdo con los artículos anteriores se aumentará de la mitad a las tres cuartas partes, si la conducta se cometiere:

1. Aprovechando calamidad, infortunio o peligro común.

2. Aprovechando la confianza depositada por el dueño, poseedor o tenedor de la cosa en el agente.

3. Valiéndose de la actividad de inimputable.

4. Por persona disfrazada, o aduciendo calidad supuesta, o simulando autoridad o invocando falsa orden de la misma.

5. Sobre equipaje de viajeros en el transcurso del viaje o en hoteles, aeropuertos, muelles, terminales de transporte terrestre u otros lugares similares.

6. Numeral derogado por el artículo 1° de la Ley 813 de 2003.

7. Sobre objeto expuesto a la confianza pública por necesidad, costumbre o destinación.

8. Sobre cerca de predio rural, sementera, productos separados del suelo, máquina o instrumento de trabajo dejado en el campo, o sobre cabeza de ganado mayor o menor.

9. En lugar despoblado o solitario.

10. Con destreza, o arrebatando cosas u objetos que las personas lleven consigo; o por dos o más personas que se hubieren reunido o acordado para cometer el hurto.

11. En establecimiento público o abierto al público, o en medio de transporte público.

12. Sobre efectos y armas destinados a la seguridad y defensa nacionales.

13. Sobre los bienes que conforman el patrimonio cultural de la Nación.

14. Sobre petróleo o sus derivados cuando se sustraigan de un oleoducto, gasoducto, poliducto o fuentes inmediatas de abastecimiento.

15. Sobre materiales nucleares o elementos radiactivos.

Artículo 242: Circunstancias de atenuación punitiva.

La pena será de multa cuando:

1. El apoderamiento se cometiere con el fin de hacer uso de la cosa y se restituyere en término no mayor de veinticuatro (24) horas.

Cuando la cosa se restituyere con daño o deterioro grave, la pena sólo se reducirá hasta en una tercera parte, sin que pueda ser inferior a una (1) unidad multa.

2. La conducta se cometiere por socio, copropietario, comunero o heredero, o sobre cosa común indivisible o común divisible, excediendo su cuota parte (num. 2 CONDICIONALMENTE EXEQUIBLE SCC-553, 31-05-2001, M.P. Jaime Araujo Renteria "(...) bajo el entendimiento de que la expresión "socio" no incluye a los socios de las sociedades legalmente constituidas").

Artículo 243 (mod. por el art. 1 de la Ley 1944 de 2018): Abigeato.

Quien se apropie para sí o para otro de especies bovinas mayor o menor, equinas, o porcinas plenamente identificadas, incurrirá en prisión de sesenta (60) a ciento veinte (120) meses y multa de veinticinco (25) a cincuenta (50) salarios mínimos legales mensuales vigentes.

Si el valor de lo apropiado excede los diez (10) salarios mínimos legales mensuales vigentes, la pena será de setenta y dos (72) a ciento treinta y dos (132) meses de prisión y de cincuenta (50) a cien (100) salarios mínimos legales vigentes.

La pena será de prisión de ochenta y cuatro (84) a ciento cuarenta y cuatro (144) meses cuando el hurto de semovientes enunciados en el inciso primero se cometa con violencia sobre las personas.

PARÁGRAFO. Quien, para llevar a cabo la conducta de abigeato, use vehículo automotor, bienes muebles e inmuebles, estos serán sometidos a extinción de dominio en los términos de la Ley 1708 de 2014.

Artículo 243A. (ad. por el art. 1 de la Ley 1944 de 2018): **Circunstancias de agravación punitiva.**

Las penas imponibles de acuerdo con el artículo anterior se aumentarán de una tercera parte a la mitad si concurre alguna de las siguientes circunstancias:

1. Se inserte, altere, suprima o falsifiquen fierros, marcas, señales u otros instrumentos o dispositivos utilizados para la identificación de las especies.

2. Se presente sacrificio de las especies.

3. El autor sea servidor público y ejecute la conducta aprovechándose de esta calidad.

4. Las descritas en los numerales 1, 2, 3 y 4 del artículo 241.

Artículo 243B. (ad. por el art. 1 de la Ley 1944 de 2018): **Circunstancias de atenuación punitiva.**

La pena será de multa cuando las especies se restituyeren en término no mayor de veinticuatro (24) horas sin daño sobre las mismas.

CAPÍTULO II. DE LA EXTORSIÓN

Artículo 244 (mod. por el art. 5 de la Ley 733 de 2002): **Extorsión.**

El que constriña a otro a hacer, tolerar u omitir alguna cosa, con el propósito de obtener provecho ilícito o cualquier utilidad ilícita o beneficio ilícito, para sí o para un tercero, incurrirá en prisión de ciento noventa y dos (192) a doscientos ochenta y ocho (288) meses y multa de ochocientos (800) a mil ochocientos (1.800) salarios mínimos legales mensuales vigentes.

(Se aumentan las penas por el art. 14 de la Ley 890 de 2004).

Véase 245 C.P.

Artículo 245 (mod. por el art. 6 de la Ley 733 de 2002)**: Circunstancias de agravación.**

La pena señalada en el artículo anterior se aumentará hasta en una tercera (1/3) parte y la multa será de cuatro mil (4.000) a nueve mil (9.000) salarios mínimos legales mensuales vigentes, si concurriere alguna de las siguientes circunstancias:

1. Si se ejecuta la conducta respecto de pariente hasta el cuarto grado de consanguinidad, cuarto de afinidad o primero civil, sobre cónyuge o compañera o compañero permanente, o aprovechando la confianza depositada por la víctima en el autor o en alguno o algunos de los partícipes. Para los efectos previstos en este artículo, la afinidad será derivada de cualquier forma de matrimonio o de unión libre (num. 1 CONDICIONALMENTE EXEQUIBLE SCC-029, 28-01-2009, M.P. Rodrigo Escobar Gil "(...) en el entendido de que este tipo penal comprende también a los integrantes de las parejas del mismo sexo").

2. Cuando la conducta se comete por persona que sea servidor público o que sea o haya sido miembro de las fuerzas, de seguridad del estado.

3. Si el constreñimiento se hace consistir en amenaza de ejecutar muerte, lesión o secuestro, o acto del cual pueda derivarse calamidad, infortunio o peligro común.

4. Cuando se cometa con fines publicitarios o políticos constriñendo a otro mediante amenazas a hacer, suministrar, tolerar u omitir alguna cosa.

5. Si el propósito o fin perseguido por el agente es facilitar actos terroristas constriñendo a otro mediante amenazas a hacer, suministrar, tolerar u omitir alguna cosa.

6. Cuando se afecten gravemente los bienes o la actividad profesional o económica de la víctima.

7. Si se comete en persona que sea o haya sido periodista, dirigente comunitario, sindical, político, étnico o religioso, o candidato a cargo de elección popular, en razón de ello, o que sea o hubiere sido servidor público y por razón de sus funciones.

8. Si se comete utilizando orden de captura o detención falsificada o simulando tenerla, o simulando investidura o cargo público o fingiere pertenecer a la fuerza pública.

9. Cuando la conducta se comete total o parcialmente desde un lugar de privación de la libertad.

10. Si la conducta se comete parcialmente en el extranjero.

11. En persona internacionalmente protegida diferente o no en el derecho internacional humanitario y agentes diplomáticos, de las señaladas en los tratados y convenios internacionales ratificados por Colombia.

(Se aumentan las penas por el art. 14 de la Ley 890 de 2004).

CAPÍTULO III. DE LA ESTAFA

Artículo 246: Estafa.

El que obtenga provecho ilícito para sí o para un tercero, con perjuicio ajeno, induciendo o manteniendo a otro en error por medio de artificios o engaños, incurrirá en prisión de treinta y dos (32) a ciento cuarenta y cuatro (144) meses y multa de sesenta y seis punto sesenta y seis (66.66) a mil quinientos (1.500) salarios mínimos legales mensuales vigentes.

En la misma pena incurrirá el que en lotería, rifa o juego, obtenga provecho para sí o para otros, valiéndose de cualquier medio fraudulento para asegurar un determinado resultado.

La pena será de prisión de dieciséis (16) a treinta y seis (36) meses y multa hasta de quince (15) salarios mínimos legales mensuales vigentes, cuando la cuantía no exceda de diez (10) salarios mínimos legales mensuales vigentes.

(Se aumentan las penas por el art. 14 de la Ley 890 de 2004; véase art. 33 Ley 1474 de 2011).

Véase art. 247 C.P.

Artículo 247: Circunstancias de agravación punitiva.

La pena prevista en el artículo anterior será de sesenta y cuatro (64) a ciento cuarenta y cuatro (144) meses cuando:

1. El medio fraudulento utilizado tenga relación con vivienda de interés social.

2. El provecho ilícito se obtenga por quien sin ser partícipe de un delito de secuestro o extorsión, con ocasión del mismo, induzca o mantenga a otro en error.

3. Se invoquen influencias reales o simuladas con el pretexto o con el fin de obtener de un servidor público un beneficio en asunto que éste se encuentre conociendo o haya de conocer.

4. La conducta esté relacionada con contratos de seguros o con transacciones sobre vehículos automotores (num. 4 ad. por el art. 52 de la Ley 1142 de 2007).

5. La conducta relacionada con bienes pertenecientes a empresas o instituciones en que el Estado tenga la totalidad o la mayor parte, o recibidos a cualquier título de este (num. 5 ad. por el art. 15 de la Ley 1474 de 2011).

6. La conducta tenga relación con el Sistema General de Seguridad Social Integral (num. 5 ad. por el art. 15 de la Ley 1474 de 2011).

(Se aumentan las penas por el art. 14 de la Ley 890 de 2004).

CAPÍTULO IV. FRAUDE MEDIANTE CHEQUE

Artículo 248: Emisión y transferencia ilegal de cheque.

El que emita o transfiera cheques sin tener suficiente provisión de fondos, o quien luego de emitirlo diere orden injustificada de no pago, incurrirá en prisión de dieciséis (16) a cincuenta y cuatro (54) meses, siempre que la conducta no constituya delito sancionado con pena mayor.

La acción penal cesará por pago del cheque antes de la sentencia de primera instancia.

La emisión o transferencia de cheque posdatado o entregado en garantía no da lugar a acción penal.

No podrá iniciarse la acción penal proveniente del giro o transferencia del cheque, si hubieren transcurrido seis meses, contados a partir de la fecha de la creación del mismo, sin haber sido presentado para su pago.

La pena será de multa cuando la cuantía no exceda de diez (10) salarios mínimos legales mensuales vigentes.

(Se aumentan las penas por el art. 14 de la Ley 890 de 2004).

Véase arts. 77, 78 C.P.P.; 712, 714 C.CO.

CAPÍTULO V. DEL ABUSO DE CONFIANZA

Artículo 249: Abuso de confianza.

El que se apropie en provecho suyo o de un tercero, de cosa mueble ajena, que se le haya confiado o entregado por un título no traslativo de dominio, incurrirá en prisión de dieciséis (16) a setenta y dos (72) meses y multa de trece punto treinta y tres (13.33) a trescientos (300) salarios mínimos legales mensuales vigentes.

La pena será de prisión de dieciséis (16) a treinta y seis (36) meses y multa hasta de quince (15) salarios mínimos legales mensuales vigentes, cuando la cuantía no exceda de diez (10) salarios mínimos legales mensuales vigentes.

Si no hubiere apropiación sino uso indebido de la cosa con perjuicio de tercero, la pena se reducirá en la mitad.

(Se aumentan las penas por el art. 14 de la Ley 890 de 2004.

Véase art. 250 C.P.

Artículo 250: Abuso de confianza calificado.

Las pena será prisión de cuarenta y ocho (48) a ciento ocho (108) meses, y multa de cuarenta (40) a setecientos cincuenta (750) salarios mínimos legales mensuales vigentes si la conducta se cometiere:

1. Abusando de funciones discernidas, reconocidas o confiadas por autoridad pública.

2. En caso de depósito necesario.

3. Sobre bienes pertenecientes a empresas o instituciones en que el estado tenga la totalidad o la mayor parte, o recibidos a cualquier título de éste (véase art. 33 de la Ley 1474 de 2011).

4. Sobre bienes pertenecientes a asociaciones profesionales, cívicas, sindicales, comunitarias, juveniles, benéficas o de utilidad común no gubernamentales.

(Se aumentan las penas por el art. 14 de la Ley 890 de 2004).

Artículo 250-A (ad. por el art. 16 de la Ley 1474 de 2011)**: Corrupción privada.**

El que directamente o por interpuesta persona prometa, ofrezca o conceda a directivos, administradores, empleados o asesores de una sociedad, asociación o fundación una dádiva o cualquier beneficio no justificado para que le favorezca a él o a un tercero, en perjuicio de aquella, incurrirá en prisión de cuatro (4) a ocho (8) años y multa de diez (10) hasta de mil (1.000) salarios mínimos legales mensuales vigentes.

Con las mismas penas será castigado el directivo, administrador, empleado o asesor de una sociedad, asociación o fundación que, por sí o por persona interpuesta, reciba, solicite o acepte una dádiva o cualquier beneficio no justificado, en perjuicio de aquella.

Cuando la conducta realizada produzca un perjuicio económico en detrimento de la sociedad, asociación o fundación, la pena será de seis (6) a diez (10) años.

Artículo 250-B (ad. por el art. 17 de la Ley 1474 de 2011)**: Administración desleal.**

El administrador de hecho o de derecho, o socio de cualquier sociedad constituida o en formación, directivo, empleado o asesor, que en beneficio propio o de un tercero, con abuso de las funciones propias de su cargo, disponga fraudulentamente de los bienes de la sociedad o contraiga obligaciones a cargo de esta causando directamente un perjuicio económicamente evaluable a sus socios, incurrirá en prisión de cuatro (4) a ocho (8) años y multa de diez (10) hasta mil (1.000) salarios mínimos legales mensuales vigentes.

Véase art. 196 C.CO.

CAPÍTULO VI. DE LAS DEFRAUDACIONES

Artículo 251: Abuso de condiciones de inferioridad.

El que con el fin de obtener para sí o para otro un provecho ilícito y abusando de la necesidad, de la pasión o del trastorno mental de una persona, o de su inexperiencia, la induzca a realizar un acto capaz de producir efectos jurídicos que la perjudique, incurrirá en prisión de dieciséis (16) a setenta y dos (72) meses y multa de seis punto sesenta y seis (6.66) a setenta y cinco (75) salarios mínimos legales mensuales vigentes.

Si se ocasionare el perjuicio, la pena será de treinta y dos (32) a noventa (90) meses de prisión y multa de trece punto treinta y tres (13.33) a trescientos (300) salarios mínimos legales mensuales vigentes.

(Se aumentan las penas por el art. 14 de la Ley 890 de 2004).

Artículo 252: Aprovechamiento de error ajeno o caso fortuito.

El que se apropie de bien que pertenezca a otro y en cuya posesión hubiere entrado por error ajeno o caso fortuito, incurrirá en prisión de dieciséis (16) a cincuenta y cuatro (54) meses.

La pena será de prisión de dieciséis (16) a treinta y treinta y seis (36) meses cuando la cuantía no exceda de diez (10) salarios mínimos legales mensuales vigentes.

(Se aumentan las penas por el art. 14 de la Ley 890 de 2004).

Artículo 253: Alzamiento de bienes.

El que alzare con sus bienes o los ocultare o cometiere cualquier otro fraude para perjudicar a su acreedor, incurrirá en prisión de dieciséis (16) a cincuenta y cuatro (54) meses y multa de trece punto treinta y tres (13.33) a trescientos (300) salarios mínimos legales mensuales vigentes.

(Se aumentan las penas por el art. 14 de la Ley 890 de 2004).

Artículo 254: Sustracción de bien propio.

El dueño de bien mueble que lo sustraiga de quien lo tenga legítimamente en su poder, con perjuicio de éste o de tercero, incurrirá en multa.

Artículo 255: Disposición de bien propio gravado con prenda.

El deudor que con perjuicio del acreedor, abandone, oculte, transforme, enajene o por cualquier otro medio disponga de bien que hubiere gravado con prenda* y cuya tenencia conservare, incurrirá en prisión de dieciséis (16) a setenta y dos (72) meses y multa de trece punto treinta y tres (13.33) a ciento cincuenta (150) salarios mínimos legales mensuales vigentes.

(Se aumentan las penas por el art. 14 de la Ley 890 de 2004).

Artículo 256: Defraudación de fluidos.

El que mediante cualquier mecanismo clandestino o alterando los sistemas de control o aparatos contadores, se apropie de energía eléctrica, agua, gas natural. O señas de telecomunicaciones, en perjuicio ajeno, incurrirá en prisión de dieciséis (16) a setenta y dos (72) meses y en multa de uno punto treinta y tres (1.33) a ciento cincuenta (150) salarios mínimos legales mensuales vigentes.

(Se aumentan las penas por el art. 14 de la Ley 890 de 2004).

Artículo 257 (mod. por el art. 1 de la Ley 1032 de 2006)**: De la prestación, acceso o uso ilegales de los servicios de telecomunicaciones.**

El que, sin la correspondiente autorización de la autoridad competente, preste, acceda o use servicio de telefonía móvil, con ánimo de lucro, mediante copia o reproducción de señales de identificación de equipos terminales de estos servicios, o sus derivaciones, incurrirá en prisión de cuatro (4) a diez (10) años y en multa de quinientos (500) a mil (1.000) salarios mínimos legales mensuales vigentes.

En las mismas penas incurrirá el que, sin la correspondiente autorización, preste, comercialice, acceda o use el servicio de telefonía pública básica local, local extendida, o de larga distancia, con ánimo de lucro.

Iguales penas se impondrán a quien, sin la correspondiente autorización, acceda, preste, comercialice, acceda o use red, o cualquiera de los servicios de telecomunicaciones definidos en las normas vigentes.

Parágrafo 1º. No incurrirán en las conductas tipificadas en el presente artículo quienes en virtud de un contrato con un operador autorizado comercialicen servicios de telecomunicaciones.

Parágrafo 2º. Las conductas señaladas en el presente artículo, serán investigables de oficio.

Artículo 258 (mod. por el art. 18 de la Ley 1474 de 2011)**: Utilización indebida de información privilegiada.**

El que como empleado, asesor, directivo o miembro de una junta u órgano de administración de cualquier entidad privada, con el fin de obtener provecho para sí o para un tercero, haga uso indebido de información que haya conocido por razón o con ocasión de su cargo o función y que no sea objeto de conocimiento público, incurrirá en pena de prisión de uno (1) a tres (3) años y multa de cinco (5) a cincuenta (50) salarios mínimos legales mensuales vigentes.

En la misma pena incurrirá el que utilice información conocida por razón de su profesión u oficio, para obtener para sí o para un tercero, provecho mediante la negociación de determinada acción, valor o instrumento registrado en el Registro Nacional de Valores, siempre que dicha información no sea de conocimiento público.

> Véase art. 75 par. 2 de la Ley 964 de 2005 que sustituye el término Registro Nacional de Valores por Registro Nacional de Valores y Emisores.

Artículo 259: Malversación y dilapidación de bienes.

El que malverse o dilapide los bienes que administre en ejercicio de tutela o curatela, incurrirá en prisión de dieciséis (16) a treinta y seis (36) meses, siempre que la conducta no constituya otro delito.

(Se aumentan las penas por el art. 14 de la Ley 890 de 2004).

> Véase arts. 428, 481 C.C.

Artículo 260: Gestión indebida de recursos sociales.

El que con el propósito de adelantar o gestionar proyectos de interés cívico, sindical, comunitario, juvenil, benéfico o de utilidad común no gubernamental, capte dineros sin el lleno de los requisitos señalados en la ley para tal efecto, o no ejecute los recursos recaudados conforme a lo señalado previamente en el respectivo proyecto, incurrirá en prisión de cuarenta y ocho (48) a ciento ocho (108) meses.

(Se aumentan las penas por el art. 14 de la Ley 890 de 2004).

CAPÍTULO VII. DE LA USURPACIÓN

Artículo 261 (mod. por el art. 9 de la Ley 1453 de 2011): Usurpación de inmuebles.

El que para apropiarse en todo o en parte de bien inmueble, o para derivar provecho de él destruya, altere, o suprima los mojones o señales que fijan sus linderos, o los cambie de sitio, incurrirá en prisión de cuarenta y ocho (48) a cincuenta y cuatro (54) meses y multa de trece punto treinta y tres (13.33) a setenta y cinco (75) salarios mínimos legales mensuales vigentes.

Si con el mismo propósito se desarrollan acciones jurídicas induciendo a error o con la complicidad, favorecimiento o coautoría de la autoridad notarial o de registro de instrumentos públicos, la pena será de prisión entre cuatro y diez años.

La pena se duplicará, si la usurpación se desarrolla mediante el uso de la violencia o valiéndose de cualquiera de las conductas establecidas en el Título XII de este libro.

Artículo 262: Usurpación de aguas.

El que con el fin de conseguir para sí o para otro un provecho ilícito y en perjuicio de tercero, desvíe el curso de las aguas públicas o privadas, o impida que corran por su cauce, o las utilice en mayor cantidad de la debida, o se apropie de terrenos de lagunas, ojos de agua, aguas subterráneas y demás fuentes hídricas, incurrirá en prisión de dieciséis (16) a cincuenta y cuatro (54) meses y multa de trece punto treinta y tres (13.33) a setenta y cinco (75) salarios mínimos legales mensuales vigentes.

(Se aumentan las penas por el art. 14 de la Ley 890 de 2004).

Artículo 263: Invasión de tierras o edificaciones.

El que con el propósito de obtener para sí o para un tercero provecho ilícito, invada terreno o edificación ajenos, incurrirá en prisión de treinta y dos (32) a noventa (90) meses y multa de sesenta y seis punto sesenta y seis (66.66) a trescientos (300) salarios mínimos legales mensuales vigentes.

La pena establecida en el inciso anterior será de cuatro (4) a ocho (8) años de prisión para el promotor, organizador o director de la invasión (inc. 2 mod. por el art. 23 de la Ley 1453 de 2011).

El mismo incremento de la pena se aplicará cuando la invasión se produzca sobre terrenos ubicados en zona rural.

Parágrafo. Las penas señaladas en los incisos precedentes se rebajarán hasta en las dos terceras partes, cuando antes de pronunciarse sentencia de primera o única instancia, cesen los actos de invasión y se produzca el desalojo total de los terrenos y edificaciones que hubieren sido invadidos.

(Se aumentan las penas por el art. 14 de la Ley 890 de 2004).

Artículo 264: Perturbación de la posesión sobre inmueble.

El que fuera de los casos previstos en el artículo anterior y por medio de violencia sobre las personas o las cosas, perturbe la pacífica posesión que otro tenga de bienes inmuebles, incurrirá en prisión de dieciséis (16) a treinta y seis (36) meses, y multa de seis punto sesenta y seis (6.66) a treinta (30) salarios mínimos legales mensuales vigentes.

(Se aumentan las penas por el art. 14 de la Ley 890 de 2004).

CAPÍTULO VIII. DEL DAÑO

Artículo 265: Daño en bien ajeno.

El que destruya, inutilice, haga desaparecer o de cualquier otro modo dañe bien ajeno, mueble o inmueble incurrirá en prisión de dieciséis (16) a noventa (90) meses y multa de seis punto sesenta y seis (6.66) a treinta y siete punto cinco (37.5) salarios mínimos legales mensuales vigentes, siempre que la conducta no constituya delito sancionado con pena mayor.

La pena será de dieciséis (16) a treinta y seis (36) meses de prisión y multa hasta de quince (15) salarios mínimos legales mensuales vigentes, cuando el monto del daño no exceda de diez (10) salarios mínimos legales mensuales vigentes.

Si se resarciere el daño ocasionado al ofendido o perjudicado antes de proferirse sentencia de primera o única instancia, habrá lugar al proferimiento de resolución inhibitoria, preclusión de la investigación o cesación de procedimiento.

(Se aumentan las penas por el art. 14 de la Ley 890 de 2004).

Véase art. 266 C.P.

Artículo 266: Circunstancias de agravación punitiva.

La pena se aumentará hasta en una tercera parte, si la conducta descrita en el artículo anterior se cometiere:

1. Produciendo infección o contagio en plantas o animales.

2. Empleando sustancias venenosas o corrosivas.

3. En despoblado o lugar solitario.

4. Sobre objetos de interés científico, histórico, asistencial, educativo, cultural, artístico, sobre bien de uso público, de utilidad social, o sobre bienes que conforman el patrimonio cultural de la Nación.

CAPÍTULO IX. DISPOSICIONES COMUNES A LOS CAPÍTULOS ANTERIORES

Artículo 267: Circunstancias de agravación.

Las penas para los delitos descritos en los capítulos anteriores, se aumentarán de una tercera parte a la mitad, cuando la conducta se cometa:

1. Sobre una cosa cuyo valor fuere superior a cien (100) salarios mínimos legales mensuales vigentes, o que siendo inferior, haya ocasionado grave daño a la víctima, atendida su situación económica.

2. Sobre bienes del Estado.

Artículo 268: Circunstancia de atenuación punitiva.

Las penas señaladas en los capítulos anteriores, se disminuirán de una tercera parte a la mitad, cuando la conducta se cometa sobre cosa cuyo valor sea inferior a un (1) salario mínimo legal mensual, siempre que el agente no tenga antecedentes penales y que no haya ocasionado grave daño a la víctima, atendida su situación económica.

Artículo 269: Reparación.

El juez disminuirá las penas señaladas en los capítulos anteriores de la mitad a las tres cuartas partes, si antes de dictarse sentencia de primera o única instancia, el responsable restituyere el objeto material del delito o su valor, e indemnizare los perjuicios ocasionados al ofendido o perjudicado (subrayado EXEQUIBLE SCC-1116, 25-11-2003, M.P. Alvaro Tafur Galvis).

TÍTULO VII-A (Título ad. por el 22 de la Ley 1675 de 2013). DE DELITOS CONTRA EL PATRIMONIO CULTURAL SUMERGIDO

Artículo 269-1 (ad. por el art. 21 de la Ley 1675 de 2013): Delitos contra el Patrimonio Cultural Sumergido.

El que por cualquier medio o procedimiento, sin autorización de la autoridad competente, explore, intervenga, aproveche económicamente, destruya total o parcialmente bienes pertenecientes al Patrimonio Cultural Sumergido, incurrirá en prisión de uno (1) a seis (6) años y multa de hasta mil doscientos (1.200) salarios mínimos legales mensuales vigentes.

En iguales penas incurrirá quien por cualquier medio compre o venda los bienes que conforman el Patrimonio Cultural Sumergido.

Parágrafo. Cuando se incurra sucesivamente en cualquiera de los verbos rectores de este delito, la pena prevista se aumentará hasta en las tres cuartas partes".

Véase arts. 63, 70, 72 C.N.

TÍTULO VII BIS (Título ad. por el art. 1 de la Ley 1273 de 2009). DE LA PROTECCIÓN DE LA INFORMACIÓN Y DE LOS DATOS

CAPÍTULO I. DE LOS ATENTADOS CONTRA LA CONFIDENCIALIDAD, LA INTEGRIDAD Y LA DISPONIBILIDAD DE LOS DATOS Y DE LOS SISTEMAS INFORMÁTICOS

Artículo 269-A (ad. por el art. 1 de la Ley 1273 de 2009): **Acceso abusivo a un sistema informático.**

El que, sin autorización o por fuera de lo acordado, acceda en todo o en parte a un sistema informático protegido o no con una medida de seguridad, o se mantenga dentro del mismo en contra de la voluntad de quien tenga el legítimo derecho a excluirlo, incurrirá en pena de prisión de cuarenta y ocho (48) a noventa y seis (96) meses y en multa de 100 a 1.000 salarios mínimos legales mensuales vigentes.

Artículo 269-B (ad. por el art. 1 de la Ley 1273 de 2009): **Obstaculización ilegítima de sistema informático o red de telecomunicación.**

El que, sin estar facultado para ello, impida u obstaculice el funcionamiento o el acceso normal a un sistema informático, a los datos informáticos allí contenidos, o a una red de telecomunicaciones, incurrirá en pena de prisión de cuarenta y ocho (48) a noventa y seis (96) meses y en multa de 100 a 1000 salarios mínimos legales mensuales vigentes, siempre que la conducta no constituya delito sancionado con una pena mayor.

Artículo 269-C (ad. por el art. 1 de la Ley 1273 de 2009)**: Interceptación de datos informáticos.**

El que, sin orden judicial previa intercepte datos informáticos en su origen, destino o en el interior de un sistema informático, o las emisiones electromagnéticas provenientes de un sistema informático que los transporte incurrirá en pena de prisión de treinta y seis (36) a setenta y dos (72) meses.

Artículo 269-D (ad. por el art. 1 de la Ley 1273 de 2009)**: Daño Informático.**

El que, sin estar facultado para ello, destruya, dañe, borre, deteriore, altere o suprima datos informáticos, o un sistema de tratamiento de información o sus partes o componentes lógicos, incurrirá en pena de prisión de cuarenta y ocho (48) a noventa y seis (96) meses y en multa de 100 a 1.000 salarios mínimos legales mensuales vigentes.

Artículo 269-E (ad. por el art. 1 de la Ley 1273 de 2009)**: Uso de software malicioso.**

El que, sin estar facultado para ello, produzca, trafique, adquiera, distribuya, venda, envíe, introduzca o extraiga del territorio nacional software malicioso u otros programas de computación de efectos dañinos, incurrirá en pena de prisión de cuarenta y ocho (48) a noventa y seis (96) meses y en multa de 100 a 1.000 salarios mínimos legales mensuales vigentes.

Artículo 269-F (ad. por el art. 1 de la Ley 1273 de 2009)**: Violación de datos personales.**

El que, sin estar facultado para ello, con provecho propio o de un tercero, obtenga, compile, sustraiga, ofrezca, venda, intercambie, envíe, compre, intercepte, divulgue, modifique o emplee códigos personales, datos personales contenidos en ficheros, archivos, bases de datos o medios semejantes, incurrirá en pena de prisión de cuarenta y ocho (48) a noventa y seis (96) meses y en multa de 100 a 1000 salarios mínimos legales mensuales vigentes.

Artículo 269-G (ad. por el art. 1 de la Ley 1273 de 2009)**: Suplantación de sitios web para capturar datos personales.**

El que con objeto ilícito y sin estar facultado para ello, diseñe, desarrolle, trafique, venda, ejecute, programe o envíe páginas electrónicas, enlaces o ventanas emergentes, incurrirá en pena de prisión de cuarenta y ocho (48) a noventa y seis (96) meses y en multa de 100 a 1.000 salarios mínimos legales mensuales vigentes, siempre que la conducta no constituya delito sancionado con pena más grave.

En la misma sanción incurrirá el que modifique el sistema de resolución de nombres de dominio, de tal manera que haga entrar al usuario a una IP diferente en la creencia de que acceda a su banco o a otro sitio personal o de confianza, siempre que la conducta no constituya delito sancionado con pena más grave.

La pena señalada en los dos incisos anteriores se agravará de una tercera parte a la mitad, si para consumarlo el agente ha reclutado víctimas en la cadena del delito.

Artículo 269-H (ad. por el art. 1 de la Ley 1273 de 2009)**: Circunstancias de agravación punitiva.**

Las penas imponibles de acuerdo con los artículos descritos en este título, se aumentarán de la mitad a las tres cuartas partes si la conducta se cometiere:

1. Sobre redes o sistemas informáticos o de comunicaciones estatales u oficiales o del sector financiero, nacionales o extranjeros.

2. Por servidor público en ejercicio de sus funciones.

3. Aprovechando la confianza depositada por el poseedor de la información o por quien tuviere un vínculo contractual con este.

4. Revelando o dando a conocer el contenido de la información en perjuicio de otro.

5. Obteniendo provecho para sí o para un tercero.

6. Con fines terroristas o generando riesgo para la seguridad o defensa nacional.

7. Utilizando como instrumento a un tercero de buena fe.

8. Si quien incurre en estas conductas es el responsable de la administración, manejo o control de dicha información, además se le impondrá hasta por tres años, la pena de inhabilitación para el ejercicio de profesión relacionada con sistemas de información procesada con equipos computacionales.

CAPÍTULO II. DE LOS ATENTADOS INFORMÁTICOS Y OTRAS INFRACCIONES

Artículo 269-I (ad. por el art. 1 de la Ley 1273 de 2009)**: Hurto por medios informáticos y semejantes.**

El que, superando medidas de seguridad informáticas, realice la conducta señalada en el artículo 239 manipulando un sistema informático, una red de sistema electrónico, telemático u otro medio semejante, o suplantando a un usuario ante los sistemas de autenticación y de autorización establecidos, incurrirá en las penas señaladas en el artículo 240 de este Código.

Artículo 269-J (ad. por el art. 1 de la Ley 1273 de 2009)**: Transferencia no consentida de activos.**

El que, con ánimo de lucro y valiéndose de alguna manipulación informática o artificio semejante, consiga la transferencia no consentida de cualquier activo en perjuicio de un tercero, siempre que la conducta no constituya delito sancionado con pena más grave, incurrirá en pena de prisión de cuarenta y ocho (48) a ciento veinte (120) meses y en multa de 200 a 1.500 salarios mínimos legales mensuales vigentes. La misma sanción se le impondrá a quien fabrique, introduzca, posea o facilite programa de computador destinado a la comisión del delito descrito en el inciso anterior, o de una estafa.

Si la conducta descrita en los dos incisos anteriores tuviere una cuantía superior a 200 salarios mínimos legales mensuales, la sanción allí señalada se incrementará en la mitad.

TÍTULO VIII. DE LOS DELITOS CONTRA LOS DERECHOS DE AUTOR

CAPÍTULO ÚNICO

Artículo 270: Violación a los derechos morales de autor.

Incurrirá en prisión de treinta y dos (32) a noventa (90) meses y multa de veinte seis punto sesenta y seis (26.66) a trescientos (300) salarios mínimos legales mensuales vigentes quien:

1. Publique, total o parcialmente, sin autorización previa y expresa del titular del derecho, una obra inédita de carácter literario, artístico, científico, cinematográfico, audiovisual o fonograma, programa de ordenador o soporte lógico.

2. Inscriba en el registro de autor con nombre de persona distinta del autor verdadero, o con título cambiado o suprimido, o con el texto alterado, deformado, modificado o mutilado, o mencionando falsamente el nombre del editor o productor de una obra de carácter literario, artístico, científico, audiovisual o fonograma, programa de ordenador o soporte lógico.

3. Por cualquier medio o procedimiento compendie, mutile o transforme, sin autorización previa o expresa de su titular, una obra de carácter literario, artístico, científico, audiovisual o fonograma, programa de ordenador o soporte lógico.

Parágrafo. Si en el soporte material, carátula o presentación de una obra de carácter literario, artístico, científico, fonograma, videograma, programa de ordenador o soporte lógico, u obra cinematográfica se emplea el nombre, razón social, logotipo o distintivo del titular legítimo del derecho, en los casos de cambio, supresión, alteración, modificación o mutilación del título o del texto de la obra, las penas anteriores se aumentarán hasta en la mitad.

(Se aumentan las penas por el art. 14 de la Ley 890 de 2004).

Artículo 271 (mod. por el art. 2 de la Ley 1032 de 2006)**: Violación a los derechos patrimoniales de autor y derechos conexos.**

Incurrirá en prisión de cuatro (4) a ocho (8) años y multa de veintiséis punto sesenta y seis (26.66) a mil (1.000) salarios mínimos legales mensuales vigentes quien, salvo las excepciones previstas en la ley, sin autorización previa y expresa del titular de los derechos correspondientes:

1. Por cualquier medio o procedimiento, reproduzca una obra de carácter literario, científico, artístico o cinematográfico, fonograma, videograma, soporte lógico o programa de ordenador, o, quien transporte, almacene, conserve, distribuya, importe, venda, ofrezca, adquiera para la venta o distribución, o suministre a cualquier título dichas reproducciones.

2. Represente, ejecute o exhiba públicamente obras teatrales, musicales, fonogramas, videogramas, obras cinematográficas, o cualquier otra obra de carácter literario o artístico.

3. Alquile o, de cualquier otro modo, comercialice fonogramas, videogramas, programas de ordenador o soportes lógicos u obras cinematográficas.

4. Fije, reproduzca o comercialice las representaciones públicas de obras teatrales o musicales.

5. Disponga, realice o utilice, por cualquier medio o procedimiento, la comunicación, fijación, ejecución, exhibición, comercialización, difusión o distribución y representación de una obra de las protegidas en este título.

6. Retransmita, fije, reproduzca o, por cualquier medio sonoro o audiovisual, divulgue las emisiones de los organismos de radiodifusión.

7. Recepcione, difunda o distribuya por cualquier medio las emisiones de la televisión por suscripción.

Parágrafo. Si como consecuencia de las conductas contempladas en los numerales 1, 3 y 4 de este artículo resulta un número no mayor de cien (100) unidades, la pena se rebajará hasta en la mitad.

Parágrafo 2 (ad. por el art. 36 de la Ley 1915 de 2018). La reproducción por medios informáticos de las obras contenidas en el presente artículo será punible cuando el autor lo realice con el ánimo de obtener un beneficio económico directo o indirecto, o lo haga a escala comercial.

Artículo 272 (ad. por el art. 33 de la Ley 1915 de 2018)**: Violación a los mecanismos de protección de derecho de autor y derechos conexos, y otras defraudaciones.**

Incurrirá en prisión de cuatro (4) a ocho (8) años y multa de veintiséis punto sesenta y seis (26.66) a mil (1.000) salarios mínimos legales mensuales vigentes, quien con el fin de lograr una ventaja comercial o ganancia económica privada y salvo las excepciones previstas en la ley:

1. Eluda sin autorización las medidas tecnológicas efectivas impuestas para controlar el acceso a una obra, interpretación o ejecución o fonograma protegidos, o que protege cualquier derecho de autor o cualquier derecho conexo al derecho de autor frente a usos no autorizados.

2. Fabrique, importe, distribuya, ofrezca al público, suministre o de otra manera comercialice dispositivos, productos o componentes, u ofrezca al público o suministre servicios que, respecto de cualquier medida tecnológica efectiva:

a) Sean promocionados, publicitados o comercializados con el propósito de eludir dicha medida; o.

b) Tengan un limitado propósito o uso comercialmente significativo diferente al de eludir dicha medida; o.

c) Sean diseñados, producidos, ejecutados principalmente con el fin de permitir o facilitar la elusión de dicha medida.

3. Suprima o altere sin autorización cualquier información sobre la gestión de derechos.

4. Distribuya o importe para su distribución información sobre gestión de derechos sabiendo que dicha información ha sido suprimida o alterada sin autorización.

5. Distribuya, importe para su distribución, emita, comunique o ponga a disposición del público copias de las obras, interpretaciones o ejecuciones o fonogramas, sabiendo que la información sobre gestión de derechos ha sido suprimida o alterada sin autorización.

6. Fabrique, ensamble, modifique, importe, exporte, venda, arriende o distribuya por otro medio un dispositivo o sistema tangible o intangible, a sabiendas o con razones para saber que la función principal del dispositivo o sistema es asistir en la descodificación de una señal codificada de satélite portadora de programas codificados sin la autorización del distribuidor legítimo de dicha señal.

7. Recepcione o posteriormente distribuya una señal de satélite portadora de un programa que se originó como señal por satélite codificada a sabiendas que ha sido descodificada sin la autorización del distribuidor legítimo de la señal.

8. Presente declaraciones o informaciones destinadas directa o indirectamente al pago, recaudación, liquidación o distribución de derechos económicos de autor o derechos conexos, alterando o falseando, por cualquier medio o procedimiento, los datos necesarios para estos efectos.

9. Fabrique, importe, distribuya, ofrezca al público, suministre o de otra manera comercialice etiquetas falsificadas adheridas o diseñadas para ser adheridas a un fonograma, a una copia de un programa de computación, a la documentación o empaque de un programa de computación, a la copia de una película u otra obra audiovisual.

10. Fabrique, importe, distribuya, ofrezca al público, suministre o de otra manera comercialice documentos o empaques falsificados para un programa de computación.

TÍTULO IX. DELITOS CONTRA LA FE PÚBLICA

CAPÍTULO I. DE LA FALSIFICACIÓN DE MONEDA

Artículo 273: Falsificación de moneda nacional o extranjera.

El que falsifique moneda nacional o extranjera, incurrirá en prisión de noventa y seis (96) a ciento ochenta (180) meses.

(Se aumentan las penas por el art. 14 de la Ley 890 de 2004).

Artículo 274 (mod. por el art. 1 de la Ley 777 de 2002)**: Tráfico de moneda falsificada. Tráfico de moneda falsificada.**

El que introduzca al país o saque de él, adquiera, comercialice, reciba o haga circular moneda nacional o extranjera falsa incurrirá en prisión de cuarenta y ocho (48) a ciento cuarenta y cuatro (144) meses.

La pena se duplicará ~~y no habrá lugar a libertad provisional~~ cuando la cuantía supere cien (100) salarios mínimos legales mensuales vigentes (tacha INEXEQUIBLE SCC-622, 29-07-2003, M.P. Alvaro Tafur Galvis).

(Se aumentan las penas por el art. 14 de la Ley 890 de 2004).

Artículo 275: Tráfico, elaboración y tenencia de elementos destinados a la falsificación de moneda.

El que adquiera, elabore, suministre, tenga en su poder, introduzca al país o saque de él, elementos destinados a la falsificación de moneda nacional o extranjera, incurrirá en prisión de cuarenta y ocho (48) a ciento ocho (108) meses.

(Se aumentan las penas por el art. 14 de la Ley 890 de 2004).

Véase art. 278 C.P.

Artículo 276: Emisiones ilegales.

El servidor público o la persona facultada para emitir moneda que ordene, realice o permita emisión en cantidad mayor de la autorizada, haga o deje circular el excedente, incurrirá en prisión de cuarenta y ocho (48) a ciento ochenta (180) meses, e inhabilitación para el ejercicio de derechos y funciones públicas por el mismo término.

(Se aumentan las penas por el art. 14 de la Ley 890 de 2004).

Véase art. 278 C.P.

Artículo 277: Circulación ilegal de monedas.

El que ponga en circulación moneda nacional o extranjera que no se haya autorizado o que haya sido excluida de la misma por la autoridad competente, incurrirá en prisión de treinta y dos (32) a setenta y dos (72) meses.

La pena se aumentará de una tercera parte a la mitad cuando la conducta sea realizada por un servidor público en ejercicio de sus funciones o con ocasión del cargo.

(Se aumentan las penas por el art. 14 de la Ley 890 de 2004).

Véase art. 278 C.P.

Artículo 278: Valores equiparados a moneda.

Para los efectos de los artículos anteriores, se equiparan a moneda los títulos de deuda pública, los bonos, pagarés, cédulas, cupones, acciones o valores emitidos por el Estado o por instituciones o entidades en que éste tenga parte.

CAPÍTULO II. DE LA FALSIFICACIÓN DE SELLOS, EFECTOS OFICIALES Y MARCAS

Artículo 279: Falsificación o uso fraudulento de sello oficial.

El que falsifique sello oficial o use fraudulentamente el legítimo, en los casos que legalmente se requieran, incurrirá en multa.

Artículo 280: Falsificación de efecto oficial timbrado.

El que falsifique estampilla oficial, incurrirá en prisión de dieciséis (16) a ciento ocho (108) meses.

(Se aumentan las penas por el art. 14 de la Ley 890 de 2004).

Artículo 281: Circulación y uso de efecto oficial o sello falsificado.

El que sin haber concurrido a la falsificación use o haga circular sello oficial o estampilla oficial, incurrirá en multa.

(Se aumentan las penas por el art. 14 de la Ley 890 de 2004).

Artículo 282: Emisión ilegal de efectos oficiales.

El servidor público o la persona facultada para emitir efectos oficiales que ordene, realice o permita emisión en cantidad mayor a la autorizada, haga o deje circular el excedente, incurrirá en prisión de dieciséis (16) a noventa (90) meses e inhabilitación para el ejercicio de derechos y funciones públicas por el mismo término.

(Se aumentan las penas por el art. 14 de la Ley 890 de 2004).

Artículo 283: Supresión de signo de anulación de efecto oficial.

El que suprima leyenda, sello o signo de anulación de estampilla oficial, incurrirá en multa.

Artículo 284: Uso y circulación de efecto oficial anulado.

El que use o ponga en circulación efecto oficial a que se refiere el artículo anterior, incurrirá en multa.

Artículo 285: Falsedad marcaria.

El que falsifique marca, contraseña, signo, firma o rúbrica usados oficialmente para contrastar, identificar o certificar peso, medida, calidad, cantidad, valor o contenido, o los aplique a objeto distinto de aquel a que estaba destinado, incurrirá en prisión de dieciséis (16) a noventa (90) meses y multa de uno punto treinta y tres (1.33) a treinta (30) salarios mínimos legales mensuales vigentes.

Si la conducta se realiza sobre sistema de identificación de medio motorizado, la pena será de sesenta y cuatro (64) a ciento cuarenta y cuatro

(144) meses de prisión y multa de uno punto treinta y tres (1.33) a treinta (30) salarios mínimos legales mensuales vigentes.

(Se aumentan las penas por el art. 14 de la Ley 890 de 2004).

CAPÍTULO III. DE LA FALSEDAD EN DOCUMENTOS

Artículo 286: Falsedad ideológica en documento público.

El servidor público que en ejercicio de sus funciones, al extender documento público que pueda servir de prueba, consigne una falsedad o calle total o parcialmente la verdad, incurrirá en prisión de sesenta y cuatro (64) a ciento cuarenta y cuatro (144) meses e inhabilitación para el ejercicio de derechos y funciones públicas de ochenta (80) a ciento ochenta (180) meses.

(Se aumentan las penas por el art. 14 de la Ley 890 de 2004).

Véase arts. 290, 294 C.P.

Artículo 287: Falsedad material en documento público.

El que falsifique documento público que pueda servir de prueba, incurrirá en prisión de cuarenta y ocho (48) a ciento ocho (108) meses.

Si la conducta fuere realizada por un servidor público en ejercicio de sus funciones, la pena será de sesenta y cuatro (64) a ciento cuarenta y cuatro (144) meses e inhabilitación para el ejercicio de derechos y funciones públicas de ochenta (80) a ciento ochenta (180) meses.

(Se aumentan las penas por el art. 14 de la Ley 890 de 2004).

Véase art. 290 C.P.

Artículo 288: Obtención de documento público falso.

El que para obtener documento público que pueda servir de prueba, induzca en error a un servidor público, en ejercicio de sus funciones, haciéndole consignar una manifestación falsa o callar total o parcialmente la verdad, incurrirá en prisión de cuarenta y ocho (48) a ciento ocho (108) meses.

(Se aumentan las penas por el art. 14 de la Ley 890 de 2004).

Véase art. 290 C.P.

Artículo 289: Falsedad en documento privado.

El que falsifique documento privado que pueda servir de prueba, incurrirá, si lo usa, en prisión de dieciséis (16) a ciento ocho (108) meses.
(Se aumentan las penas por el art. 14 de la Ley 890 de 2004).
(EXEQUIBLE SCC-637-09 16-09-2009, M.P. Mauricio González Cuervo).

Véase art. 294 C.P.

Artículo 290 (mod. por el art. 53 de la Ley 1142 de 2007)**: Circunstancia de agravación punitiva.**

La pena se aumentará hasta en la mitad para el copartícipe en la realización de cualesquiera de las conductas descritas en los artículos anteriores que usare el documento, salvo en el evento del artículo 289 de este Código.

Si la conducta recae sobre documentos relacionados con medios motorizados, la pena se incrementará en las tres cuartas partes.

Artículo 291 (mod. por el art. 54 de la Ley 1142 de 2007)**: Uso de documento falso.**

El que sin haber concurrido a la falsificación hiciere uso de documento público falso que pueda servir de prueba, incurrirá en prisión de cuatro (4) a doce (12) años.

Si la conducta recae sobre documentos relacionados con medios motorizados, el mínimo de la pena se incrementará en la mitad.

Artículo 292: Destrucción, supresión u ocultamiento de documento público.

El que destruya, suprima u oculte total o parcialmente documento público que pueda servir de prueba, incurrirá en prisión de treinta y dos (32) a ciento cuarenta y cuatro (144) meses.

Si la conducta fuere realizada por un servidor público en ejercicio de sus funciones, se impondrá prisión de cuarenta y ocho (48) a ciento ochenta (180) meses e inhabilitación para el ejercicio de derechos y funciones públicas por el mismo término.

Si se tratare de documento constitutivo de pieza procesal de carácter judicial, la pena se aumentará de una tercera parte a la mitad.

(Se aumentan las penas por el art. 14 de la Ley 890 de 2004).

Artículo 293: Destrucción, supresión y ocultamiento de documento privado.

El que destruya, suprima u oculte, total o parcialmente un documento privado que pueda servir de prueba, incurrirá en prisión de dieciséis (16) a ciento ocho (108) meses.

(Se aumentan las penas por el art. 14 de la Ley 890 de 2004).

Artículo 294: Documento.

Para los efectos de la ley penal es documento toda expresión de persona conocida o conocible recogida por escrito o por cualquier medio mecánico o técnicamente impreso, soporte material que exprese o incorpore datos o hechos, que tengan capacidad probatoria.

(EXEQUIBLE SCC-356, 06-05-2003, M.P. Jaime Araújo Rentería).

Artículo 295: Falsedad para obtener prueba de hecho verdadero.

El que realice una de las conductas descritas en este capítulo, con el fin de obtener para sí o para otro medio de prueba de hecho verdadero, incurrirá en multa.

Artículo 296: Falsedad personal.

El que con el fin de obtener un provecho para sí o para otro, o causar daño, sustituya o suplante a una persona o se atribuya nombre, edad, estado civil, o calidad que pueda tener efectos jurídicos, incurrirá en multa, siempre que la conducta no constituya otro delito.

TÍTULO X. DELITOS CONTRA EL ORDEN ECONÓMICO SOCIAL

CAPÍTULO I. DEL ACAPARAMIENTO, LA ESPECULACIÓN Y OTRAS INFRACCIONES

Artículo 297: Acaparamiento.

El que en cuantía superior a cincuenta (50) salarios mínimos legales mensuales vigentes acapare o, de cualquier manera, sustraiga del comercio artículo o producto oficialmente considerado de primera necesidad, incurrirá en prisión de cuarenta y ocho (48) a ciento ocho (108) meses y multa de veintiséis punto sesenta y seis (26.66) a trescientos (300) salarios mínimos legales mensuales vigentes.

(Se aumentan las penas por el art. 14 de la Ley 890 de 2004).

Véase art. 333 C.N.

Artículo 298: Especulación.

El productor, fabricante o distribuidor mayorista que ponga en venta artículo o género oficialmente considerado como de primera necesidad a precios superiores a los fijados por autoridad competente, incurrirá en prisión de cuarenta y ocho (48) a ciento ocho (108) meses y multa de veintiséis punto sesenta y seis (26.66) a trescientos (300) salarios mínimos legales mensuales vigentes.

La pena será de cinco (5) años a diez (10) años de prisión y multa de cuarenta (40) a mil (1.000) salarios mínimos legales mensuales vigentes, cuando se trate de medicamento o dispositivo médico (inc. 2 ad. por el art. 19 de la Ley 1474 de 2011).

(Se aumentan las penas por el art. 14 de la Ley 890 de 2004).

Véase art. 333 C.N.

Artículo 298-A: ~~Circunstancia de Agravación Punitiva.~~

~~El que ponga en venta medicamento o dispositivo médico a precios superiores a los fijados por autoridad competente, incurrirá en pena de cuarenta y ocho (48) a noventa y seis (96) meses de prisión y multa de veinte (20) a doscientos (200) salarios mínimos legales mensuales vigentes.~~

(INEXEQUIBLE SCC-302, 28-04-2010, M.P. Juan Carlos Henao Pérez).

Artículo 299: Alteración y modificación de calidad, cantidad, peso o medida.

El que altere o modifique en perjuicio del consumidor, la calidad, cantidad, peso, volumen o medida de artículo o producto destinado a su distribución, suministro, venta o comercialización, incurrirá en prisión de dieciséis (16) a cincuenta y cuatro (54) meses y multa de sesenta y seis punto sesenta y seis (66.66) a mil quinientos (1.500) salarios mínimos legales mensuales vigentes.

(Se aumentan las penas por el art. 14 de la Ley 890 de 2004).

Artículo 300: Ofrecimiento engañoso de productos y servicios.

El productor, distribuidor, proveedor, comerciante, importador, expendedor o intermediario que ofrezca al público bienes o servicios en forma masiva, sin que los mismos correspondan a la calidad, cantidad, componente, peso, volumen, medida e idoneidad anunciada en marcas, leyendas, propaganda, registro, licencia o en la disposición que haya oficializado la norma técnica correspondiente, incurrirá en multa.

Artículo 301: Agiotaje.

El que realice maniobra fraudulenta con el fin de procurar alteración en el precio de los artículos o productos oficialmente considerados de primera necesidad, salarios, materias primas o cualesquiera bienes muebles o inmuebles o servicios que sean objeto de contratación incurrirá en prisión de treinta y dos (32) a ciento cuarenta y cuatro (144) meses y multa de sesenta y seis punto sesenta y seis (66.66) a setecientos cincuenta (750) salarios mínimos legales mensuales vigentes.

La pena se aumentará hasta en la mitad, si como consecuencia de las conductas anteriores se produjere alguno de los resultados previstos.

La pena será de cinco (5) años a diez (10) años de prisión y multa de cuarenta (40) a mil (1.000) salarios mínimos legales mensuales vigentes, cuando se trate de medicamento o dispositivo médico (inc. 3 ad. por el art. 20 de la Ley 1474 de 2011).

(Se aumentan las penas por el art. 14 de la Ley 890 de 2004).

Artículo 301-A: Circunstancia de Agravación Punitiva.

Cuando la conducta punible señalada en el artículo anterior se cometa sobre medicamentos o dispositivos médicos, la pena será de cuarenta y ocho (48) a noventa y seis (96) meses de prisión y multa de veinte (20) a doscientos (200) salarios mínimos legales mensuales vigentes.

(INEXEQUIBLE SCC-302, 28-04-2010, M.P. Juan Carlos Henao Pérez),

Artículo 302: Pánico económico.

El que divulgue al público o reproduzca en un medio o en un sistema de comunicación público información falsa o inexacta que pueda afectar la confianza de los clientes, usuarios, inversionistas o accionistas de una institución vigilada o controlada por la superintendencia bancaria o por la superintendencia de valores o en un fondo de valores, o cualquier otro esquema de inversión colectiva legalmente constituido incurrirá, por ese solo hecho, en prisión de treinta y dos (32) a ciento cuarenta y cuatro (144) meses y multa de sesenta y seis punto sesenta y seis (66.66) a setecientos cincuenta (750) salarios mínimos legales mensuales vigentes.

En las mismas penas incurrirá el que utilice iguales medios con el fin de provocar o estimular el retiro del país de capitales nacionales o extranjeros o la desvinculación colectiva de personal que labore en empresa industrial, agropecuaria o de servicios.

La pena se aumentará hasta en la mitad, si como consecuencia de las conductas anteriores se produjere alguno de los resultados previstos.

(Se aumentan las penas por el art. 14 de la Ley 890 de 2004).

Artículo 303: Ilícita explotación comercial.

El que comercialice bienes recibidos para su distribución gratuita, incurrirá en prisión de dieciséis (16) a setenta y dos (72) meses y multa de sesenta y seis punto sesenta y seis (66.66) a trescientos (300) salarios mínimos legales mensuales vigentes.

En la misma pena incurrirá el que comercialice artículos o productos obtenidos de entidades públicas o privadas, a precio superior al convenido con éstas.

(Se aumentan las penas por el art. 14 de la Ley 890 de 2004).

Artículo 304: Daño en materia prima, producto agropecuario o industrial.

El que con el fin de alterar las condiciones del mercado destruya, inutilice, haga desaparecer o deteriore materia prima, producto agropecuario o industrial, o instrumento o maquinaria necesaria para su producción o distribución, incurrirá en prisión de treinta y dos (32) a ciento cuarenta y cuatro (144) meses y multa de sesenta y seis punto sesenta y seis (66.66) a setecientos cincuenta (750) salarios mínimos legales mensuales vigentes.

En la misma pena incurrirá, el que impida la distribución de materia prima o producto elaborado.

(Se aumentan las penas por el art. 14 de la Ley 890 de 2004).

Artículo 305: Usura.

El que reciba o cobre, directa o indirectamente, a cambio de préstamo de dinero o por concepto de venta de bienes o servicios a plazo, utilidad o ventaja que exceda en la mitad del interés bancario corriente que para el período correspondiente estén cobrando los bancos, según certificación de la superintendencia bancaria, cualquiera sea la forma utilizada para hacer constar la operación, ocultarla o disimularla, incurrirá en prisión de treinta y dos (32) a noventa (90) meses y multa de sesenta y seis punto sesenta y seis (66.66) a trescientos (300) salarios mínimos legales mensuales vigentes.

El que compre cheque, sueldo, salario o prestación social en los términos y condiciones previstos en este artículo, incurrirá en prisión de cuarenta y ocho (48) a ciento veintiséis (126) meses y multa de ciento treinta y tres punto treinta y tres (133.33) a seiscientos (600) salarios mínimos legales mensuales vigentes.

Cuando la utilidad o ventaja triplique el interés bancario corriente que para el período correspondiente estén cobrando los bancos, según certificación de la Superintendencia Financiera o quien haga sus veces, la pena se aumentará de la mitad a las tres cuartas partes (inc. 3 ad. por el art. 34 de la Ley 1142 de 2007).

~~En caso de que cualquiera de las conductas a que se refiere el inciso 1º de este artículo se efectúe utilizando la figura de la venta con Pacto de Retroventa o del mecanismo de Cobros Periódicos que se defina en el reglamento, se aumentará la pena de cuarenta y ocho (48) a ciento veintiséis meses (126) y multa de ciento treinta y tres punto treinta y tres (133.33) a seiscientos (600) salarios mínimos legales mensuales vigentes.~~

(Tacha INEXEQUIBLE SCC-226, 30-03-2009, M.P. Gabriel Eduardo Mendoza Martelo).

(Se aumentan las penas por el art. 14 de la Ley 890 de 2004).

Artículo 306 (mod. por el art. 4 de la Ley 1032 de 2006)**: Usurpación de derechos de propiedad industrial y derechos de obtentores de variedades vegetales.**

El que, fraudulentamente, utilice nombre comercial, enseña, marca, patente de invención, modelo de utilidad, diseño industrial, o usurpe derechos de obtentor de variedad vegetal, protegidos legalmente o similarmente confundibles con uno protegido legalmente, incurrirá en prisión de cuatro (4) a ocho (8) años y multa de veintiséis punto sesenta y seis (26.66) a mil quinientos (1.500) salarios mínimos legales mensuales vigentes.

En las mismas penas incurrirá quien financie, suministre, distribuya, ponga en venta, comercialice, transporte o adquiera con fines comerciales o de intermediación, bienes o materia vegetal, producidos, cultivados o distribuidos en las circunstancias previstas en el inciso anterior.

(SCC-501, 16-07-2014, M.P. Luis Guillermo Guerrero Pérez. Se declaran EXEQUIBLES las expresiones "y derechos de obtentores de variedades vegetales", "o usurpe derechos de obtentor de variedad vegetal", "o materia vegetal" y "cultivados" únicamente por los cargos analizados en esta sentencia y se declara CONDICIONALMENTE EXEQUIBLE la expresión "o similarmente confundibles con uno protegido legalmente" en el entendido de que "dicha expresión no es aplicable al delito de usurpación de los derechos de obtentores de variedades vegetales").

Artículo 307: Uso ilegítimo de patentes.

El que fabrique producto sin autorización de quien tiene el derecho protegido legalmente, o use sin la debida autorización medio o proceso patentado, incurrirá en prisión de dieciséis (16) a setenta y dos (72) meses y multa de veintiséis punto sesenta y seis (26.66) a mil quinientos (1.500) salarios mínimos legales mensuales vigentes.

En la misma pena incurrirá el que introduzca al país o saque de él, exponga, ofrezca en venta, enajene, financie, distribuya, suministre, almacene, transporte o adquiera con fines comerciales o de intermediación producto fabricado con violación de patente.

(Se aumentan las penas por el art. 14 de la Ley 890 de 2004).

Artículo 308: Violación de reserva industrial o comercial.

El que emplee, revele o divulgue descubrimiento, invención científica, proceso o aplicación industrial o comercial, llegados a su conocimiento por razón de su cargo, oficio o profesión y que deban permanecer en reserva, incurrirá en prisión de treinta y dos (32) a noventa (90) meses y multa de veintiséis punto sesenta y seis (26.66) a tres mil (3.000) salarios mínimos legales mensuales vigentes.

En la misma pena incurrirá el que indebidamente conozca, copie u obtenga secreto relacionado con descubrimiento, invención científica, proceso o aplicación industrial o comercial.

La pena será de cuarenta y ocho (48) a ciento veintiséis (126) meses de prisión y multa de ciento treinta y tres punto treinta y tres (133.33) a cuatro mil quinientos (4500) salarios mínimos legales mensuales vigentes, si se obtiene provecho propio o de tercero.

(Se aumentan las penas por el art. 14 de la Ley 890 de 2004).

Artículo 309: Sustracción de cosa propia al cumplimiento de deberes constitucionales o legales.

El que sustraiga cosa propia, mueble o inmueble, de utilidad social, al cumplimiento de los deberes constitucionales o legales establecidos en beneficio de la economía nacional, incurrirá en prisión dieciséis (16) a cincuenta y cuatro (54) meses y multa de veintiséis punto sesenta y seis (26.66) a ciento cincuenta (150) salarios mínimos legales mensuales vigentes.

La pena será de treinta y dos (32) a setenta y dos (72) meses de prisión y multa de sesenta y seis punto sesenta y seis (66.66) a trescientos (300) salarios mínimos legales mensuales vigentes, si la cosa fuere destruida, inutilizada o dañada.

(Se aumentan las penas por el art. 14 de la Ley 890 de 2004).

Artículo 310: Exportación o importación ficticia.

El que con el fin de obtener un provecho ilícito de origen oficial simule exportación o importación, total o parcialmente, incurrirá en prisión de treinta y dos (32) a ciento cuarenta y cuatro (144) meses y multa de sesenta y seis punto sesenta y seis (66.66) a setecientos cincuenta (750) salarios mínimos legales mensuales vigentes.

(Se aumentan las penas por el art. 14 de la Ley 890 de 2004).

Artículo 311: Aplicación fraudulenta de crédito oficialmente regulado.

El que con destino a actividades fomentadas por el estado obtenga crédito oficialmente regulado y no le dé la aplicación a que está destinado, incurrirá en prisión de dieciséis (16) a cincuenta y cuatro (54) meses.

(Se aumentan las penas por el art. 14 de la Ley 890 de 2004).

Artículo 312 (mod. por el art. 18 de la Ley 1393 de 2010)**: Ejercicio ilícito de actividad monopolística de arbitrio rentístico.**

El que de cualquier manera o valiéndose de cualquier medio ejerza una actividad establecida como monopolio de arbitrio rentístico, sin la respectiva autorización, permiso o contrato, o utilice elementos o modalidades de juego no oficiales, incurrirá en prisión de seis (6) a ocho (8) años y multa de quinientos (500) a mil (1.000) salarios mínimos legales mensuales vigentes.

La pena se aumentará en una tercera parte cuando la conducta fuere cometida por el particular que sea concesionario representante legal o empresario legalmente autorizado para la explotación de un monopolio rentístico y hasta la mitad, cuando lo fuere por un servidor público de cualquier entidad titular de un monopolio de arbitrio rentístico o cuyo objeto sea la explotación o administración de este.

Artículo 313 (mod. por el art. 21 de la Ley 1474 de 2011)**: Evasión fiscal.**

El concesionario, representante legal, administrador o empresario legalmente autorizado para la explotación de un monopolio rentístico, que incumpla total o parcialmente con la entrega de las rentas monopolísticas que legalmente les correspondan a los servicios de salud y educación, incurrirá en prisión de cinco (5) años a diez (10) años y multa de hasta 1.020.000 UVT.

En la misma pena incurrirá el concesionario, representante legal, administrador o empresario legalmente autorizado para la explotación de un monopolio rentístico que no declare total o parcialmente los ingresos percibidos en el ejercicio del mismo, ante la autoridad competente.

CAPÍTULO II. DE LOS DELITOS CONTRA EL SISTEMA FINANCIERO

Artículo 314: Utilización indebida de fondos captados del público.

El director, administrador, representante legal o funcionario de las entidades sometidas a la inspección y vigilancia de las superintendencias bancaria, de valores o de economía solidaria, que utilizando fondos captados del público, los destine sin autorización legal a operaciones dirigidas a adquirir el control de entidades sujetas a la vigilancia de las mencionadas superintendencias, o de otras sociedades, incurrirá en prisión de treinta y dos (32) a ciento ocho (108) meses y multa hasta de cincuenta mil (50.000) salarios mínimos legales mensuales vigentes.

(Se aumentan las penas por el art. 14 de la Ley 890 de 2004).

Artículo 315: Operaciones no autorizadas con accionistas o asociados.

El director, administrador, representante legal o funcionarios de las entidades sometidas al control y vigilancia de las superintendencias bancaria o de economía solidaria, que otorgue créditos o efectúe descuentos en forma directa o por interpuesta persona, a los accionistas o asociados de la propia entidad, por encima de las autorizaciones legales, incurrirá en prisión de treinta y dos (32) a ciento ocho (108) meses y multa hasta de cincuenta mil (50.000) salarios mínimos legales mensuales vigentes.

La misma pena se aplicará a los accionistas o asociados beneficiarios de la operación respectiva.

(Se aumentan las penas por el art. 14 de la Ley 890 de 2004).

Artículo 316 (mod. por el art. 1 de la Ley 1357 de 2009): Captación masiva y habitual de dinero.

El que desarrolle, promueva, patrocine, induzca, financie, colabore, o realice cualquier otro acto para captar dinero del público en forma masiva y habitual sin contar con la previa autorización de la autoridad competente, incurrirá en prisión de ciento veinte (120) a doscientos cuarenta (240) meses y multa hasta de cincuenta mil (50.000) salarios mínimos legales mensuales vigentes.

Si para dichos fines el agente hace uso de los medios de comunicación social u otros de divulgación colectiva, la pena se aumentará hasta en una cuarta parte.

Artículo 316-A (mod. por el art. 2 de la Ley 1357 de 2009)**: Sanción por la captación.**

Independientemente de la sanción a que se haga acreedor el sujeto activo de la conducta por el hecho de la captación masiva y habitual, quien habiendo captado recursos del publico, no los reintegre, por esta sola conducta incurrirá en prisión de noventa y seis (96) a ciento ochenta (180) meses y multa de ciento treinta y tres punto treinta y tres (133.33) a quince mil (15.000) salarios mínimos legales mensuales vigentes.

Artículo 317: Manipulación fraudulenta de especies inscritas en el Registro Nacional de Valores y Emisores.

El que realice transacciones, con la intención de producir una apariencia de mayor liquidez respecto de determinada acción, valor o instrumento inscritos en el Registro Nacional de Valores y Emisores o efectúe maniobras fraudulentas con la intención de alterar la cotización de los mismos incurrirá en prisión de treinta y dos (32) a ciento ocho (108) meses y multa hasta de cincuenta mil (50.000) salarios mínimos legales mensuales vigentes.

La pena se aumentará hasta en la mitad si, como consecuencia de la conducta anterior, se produjere el resultado previsto.

(Se aumentan las penas por el art. 14 de la Ley 890 de 2004).

CAPÍTULO III. DE LA URBANIZACIÓN ILEGAL

Artículo 318: Urbanización ilegal.

El que adelante, desarrolle, promueva, patrocine, induzca, financie, facilite, tolere, colabore o permita la división, parcelación, urbanización de inmuebles, o su construcción, sin el lleno de los requisitos de ley incurrirá, por esta sola conducta, en prisión de cuarenta y ocho (48) a ciento veintiséis (126) meses y multa de hasta cincuenta mil (50.000) salarios mínimos legales mensuales vigentes.

Cuando se trate de personas jurídicas incurrirán en las sanciones previstas en los incisos anteriores sus representantes legales y los miembros de la junta directiva cuando hayan participado en la decisión que traiga como consecuencia la conducta infractora descrita.

La pena privativa de la libertad señalada anteriormente se aumentará hasta en la mitad cuando la parcelación, urbanización o construcción de viviendas se efectúen en terrenos o zonas de preservación ambiental y ecológica, de reserva para la construcción de obras públicas, en zonas de contaminación ambiental, de alto riesgo o en zonas rurales.

Parágrafo. El servidor público que dentro del territorio de su jurisdicción y en razón de su competencia, con acción u omisión diere lugar a la ejecución de los hechos señalados en los incisos 1 y 2 del presente artículo, incurrirá en inhabilitación para el ejercicio de derechos y funciones públicas de cuarenta y ocho (48) a noventa (90) meses, sin perjuicio de las demás sanciones penales a que hubiere lugar por el desarrollo de su conducta.

(Se aumentan las penas por el art. 14 de la Ley 890 de 2004).

CAPÍTULO IV. DEL CONTRABANDO

Artículo 319 (mod. por el art. 4 de la Ley 1762 de 2015)**: Contrabando.**

El que introduzca o extraiga mercancías en cuantía superior a cincuenta (50) salarios mínimos legales mensuales, al o desde el territorio colombiano por lugares no habilitados de acuerdo con la normativa aduanera vigente, incurrirá en prisión de cuatro (4) a ocho (8) años y multa del doscientos (200%) al trescientos (300%) por ciento del valor aduanero de los bienes objeto del delito.

En que oculte, disimule o sustraiga de la intervención y control aduanero mercancías en cuantía superior a cincuenta (50) salarios mínimos legales mensuales, o las ingrese a zona primaria definida en la normativa aduanera vigente sin el cumplimiento de las formalidades exigidas en la regulación aduanera, incurrirá en la misma pena de prisión y multa descrita en el inciso anterior.

Si las conductas descritas en los incisos anteriores recaen sobre mercancías en cuantía superior a doscientos (200) salarios mínimos legales mensuales, se impondrá una pena de nueve (9) a doce (12) años de prisión y multa del doscientos (200%) al trescientos (300%) por ciento del valor aduanero de los bienes objeto del delito.

Se tomará como circunstancias de agravación punitiva, que el sujeto activo tenga la calidad de Usuario Altamente Exportador (Altex), de un Usuario Aduanero Permanente (UAP), o de un Usuario u Operador de Confianza, de un Operador Económico Autorizado (OEA) o de cualquier operador con un régimen especial de acuerdo con la normativa aduanera vigente. Asimismo será causal de mayor punibilidad la reincidencia del sujeto activo de la conducta.

Parágrafo. La legalización de las mercancías no extingue la acción penal.

(EXEQUIBLE SCC-191, 20-04-2016, M.P. Alejandro Linares Cantillo; SCC-203, 27-04-2016, M.P. Alberto Rojas Ríos).

Artículo 319-1 (mod. por el art. 5 de la Ley 1762 de 2015)**: Contrabando de hidrocarburos y sus derivados.**

El que en cantidad superior a veinte (20) galones e inferior a cincuenta (50) introduzca hidrocarburos o sus derivados al territorio colombiano, o los extraiga desde él, por lugares no habilitados de acuerdo con la normativa aduanera vigente, incurrirá en prisión de tres (3) a cinco (5) años y multa de ciento cincuenta (150) a setecientos cincuenta (750) salarios mínimos mensuales legales vigentes.

El que descargue en lugar de arribo hidrocarburos o sus derivados en cantidad superior a veinte (20) galones e inferior a cincuenta (50), sin el cumplimiento de las formalidades exigidas en la regulación aduanera, incurrirá en la misma pena de prisión y multa descrita en el inciso anterior.

El que oculte, disimule o sustraiga de la intervención y control aduanero hidrocarburos o sus derivados en cantidad superior a veinte (20) galones e inferior a cincuenta (50), incurrirá en la misma pena de prisión y multa descrita en el inciso 1° de este artículo.

Si las conductas descritas en el incisos anteriores recaen sobre hidrocarburos o sus derivados cuya cantidad supere los cincuenta (50) galones, se impondrá una pena de cuatro (4) a ocho (8) años y multa de trescientos (300) a mil quinientos (1.500) salarios mínimos mensuales legales vigentes, sin que en ningún caso sea inferior al doscientos por ciento (200%) del valor aduanero de los hidrocarburos o sus derivados objeto del delito.

Si las conductas descritas en los incisos anteriores recaen sobre hidrocarburos o sus derivados cuya cantidad supere los ochenta (80) galones, se impondrá una pena de diez (10) a catorce (14) años de prisión y multa de mil quinientos (1.500) a cincuenta mil (50.000) salarios mínimos legales mensuales vigentes, sin que en ningún caso sea inferior al doscientos por ciento (200%) del valor aduanero de los hidrocarburos o sus derivados objeto del delito. El monto de la multa no podrá superar el máximo de la pena de multa establecido en este código.

Si las conductas descritas en los incisos anteriores recaen sobre hidrocarburos o sus derivados cuya cantidad supere los mil (1.000) galones, se impondrá una pena de doce (12) a dieciséis (16) años de prisión y multa de mil quinientos (1.500) a cincuenta mil (50.000) salarios mínimos legales mensuales vigentes, sin que en ningún caso sea inferior al doscientos por ciento (200%) del valor aduanero de los hidrocarburos o sus derivados objeto del delito. El monto de la multa no podrá superar el máximo de la pena de multa establecido en este Código.

Parágrafo. La legalización de las mercancías no extingue la acción penal.

(EXEQUIBLE SCC-1114, 25-11-2003, M.P. Jaime Córdoba Triviño).

Artículo 319-2: ~~Contrabando de Medicamento, Dispositivo, Suministro o Insumo Médico.~~

~~La pena será de prisión de cuarenta y ocho (48) a noventa y seis (96) meses y multa de cincuenta (50) a doscientos (200) salarios mínimos~~

~~legales mensuales vigentes si el delito descrito en el artículo anterior se cometiere sobre medicamento, dispositivo, suministro o insumo médico.~~
(INEXEQUIBLE SCC-302, 28-04-2010, M.P. Juan Carlos Henao Pérez).

Artículo 320 (mod. por el art. 6 de la Ley 1762 de 2015)**: Favorecimiento y facilitación del contrabando.**

El que posea, tenga, transporte, embarque, desembarque, almacene, oculte, distribuya, enajene mercancías que hayan sido introducidas al país ilegalmente, o que se hayan ocultado, disimulado o sustraído de la intervención y control aduanero o que se hayan ingresado a zona primaria sin el cumplimiento de las formalidades exigidas en la regulación aduanera, cuyo valor supere los cincuenta (50) salarios mínimos legales mensuales vigentes, sin superar los doscientos (200) salarios mínimos legales mensuales vigentes, incurrirá en pena de prisión de tres (3) a seis (6) años y multa del doscientos por ciento (200%) al trescientos por ciento (300%) del valor aduanero de la mercancía objeto del delito.

Si la conducta descrita en el inciso anterior recae sobre mercancías cuyo valor supere los doscientos (200) salarios mínimos legales mensuales vigentes, incurrirá en pena de prisión de seis (6) a diez (10) años, y multa del doscientos por ciento (200%) al trescientos por ciento (300%) del valor aduanero de la mercancía objeto del delito.

No se aplicará lo dispuesto en el presente artículo al consumidor final cuando los bienes que se encuentren en su poder, estén soportados con factura o documento equivalente, con el lleno de los requisitos legales contemplados en el artículo 771-2 del Estatuto Tributario.

Véase art. 771-2 Decreto 624 de 1989.

Artículo 320-1 (mod. por el art. 7 de la Ley 1762 de 2015)**: Favorecimiento de contrabando de hidrocarburos o sus derivados.**

El que posea, tenga, transporte, embarque, desembarque, almacene, oculte, distribuya, enajene hidrocarburos o sus derivados que hayan ingresado al país ilegalmente, o que se hayan descargado en lugar de arribo sin cumplimiento de la normativa aduanera vigente, o que se hayan ocultado, disimulado o sustraído de la intervención y control aduanero cuya cantidad sea superior a veinte (20) galones e inferior a cincuenta (50), se impondrá una pena de prisión de tres (3) a cinco (5) años y multa de ciento cincuenta (150) a setecientos cincuenta (750) salarios mínimos mensuales legales vigentes, sin que en ningún caso sea inferior al doscientos por ciento (200%) del valor aduanero de los hidrocarburos o sus derivados objeto del delito.

Si la conducta descrita en el inciso anterior recae sobre hidrocarburos o sus derivados cuya cantidad supere los cincuenta (50) galones, incurrirá en pena de prisión de cuatro (4) a ocho (8) años y multa de trescientos (300) a mil quinientos (1.500) salarios mínimos legales mensuales vigentes, sin que en ningún caso sea inferior al doscientos por ciento (200%) del valor aduanero de los hidrocarburos o sus derivados objeto del delito.

Si la conducta descrita en el inciso 1° recae sobre hidrocarburos o sus derivados cuya cantidad supere los ochenta (80) galones, incurrirá en pena de prisión de diez (10) a catorce (14) años, y multa de trescientos (300) a mil quinientos (1.500) salarios mínimos legales mensuales vigentes, sin que en ningún caso sea inferior al doscientos por ciento (200%) del valor aduanero de las mercancías.

Si la conducta descrita en el inciso primero, recae sobre hidrocarburos o sus derivados cuya cantidad supere los mil (1.000) galones, incurrirá en pena de doce (12) a dieciséis (16) años, y multa de trescientos (300) a mil quinientos (1.500) salarios mínimos legales mensuales vigentes, sin que en ningún caso sea inferior al doscientos por ciento (200%) del valor aduanero de las mercancías.

No se aplicará lo dispuesto en el presente artículo al consumidor final cuando los bienes que se encuentren en su poder, estén soportados con factura o documento equivalente, con el lleno de los requisitos legales contemplados en el artículo 771-2 del Estatuto Tributario.

(EXEQUIBLE SCC-1114, 25-11-2003, M.P. Jaime Córdoba Triviño).

Artículo 321 (mod. por el art. 8 de la Ley 1762 de 2015)**: Fraude Aduanero.**

El que por cualquier medio suministre información falsa, la manipule u oculte cuando le sea requerida por la autoridad aduanera o cuando esté obligado a entregarla por mandato legal, con la finalidad de evadir total o parcialmente el pago de tributos, derechos o gravámenes aduaneros a los que esté obligado en Colombia, en cuantía superior a veinte (20) salarios mínimos legales mensuales vigentes del valor real de la mercancía incurrirá en pena de prisión de ocho (8) a doce (12) años, y multa de mil (1.000) a cincuenta mil (50.000) salarios mínimos legales mensuales vigentes (subrayado EXEQUIBLE SCC-191, 20-04-2016, M.P. Alejandro Linares Cantillo).

Parágrafo. Lo dispuesto en el presente artículo no se aplicará cuando el valor distinto de los tributos aduaneros declarados corresponda a error aritmético en la liquidación de tributos, sin perjuicio de la aplicación de las sanciones administrativas establecidas en la ley.

Artículo 322 (mod. por el art. 9 de la Ley 1762 de 2015)**: Favorecimiento por servidor público.**

El servidor público que colabore, participe, embarque, desembarque, transporte, distribuya, almacene, oculte, enajene o de cualquier forma facilite la sustracción, ocultamiento o disimulo de mercancías del control de las autoridades aduaneras, o la introducción de las mismas por lugares no habilitados, u omita los controles legales o reglamentarios propios de su cargo para lograr los mismos fines, cuando el valor real de la mercancía involucrada sea inferior a cincuenta (50) salarios mínimos legales mensuales vigentes, incurrirá en prisión de cuatro (4) a ocho (8) años, inhabilitación de derechos y funciones públicas por el mismo tiempo de la pena de prisión impuesta, y multa de mil (1.000) a cincuenta mil (50.000) salarios mínimos mensuales vigentes, sin que en ningún caso sea inferior al doscientos por ciento (200%) del valor aduanero del objeto de la conducta.

Si la conducta descrita en el inciso anterior recae sobre mercancías cuyo valor real supere los cincuenta (50) salarios mínimos legales mensuales vigentes, se impondrá una pena de prisión de nueve (9) a trece (13) años, inhabilitación de derechos y funciones públicas por el mismo tiempo de la pena de prisión impuesta, y multa de mil (1.000) a cincuenta mil (50.000) salarios mínimos mensuales vigentes, sin que en ningún caso sea inferior al doscientos por ciento (200%) del valor aduanero del objeto de la conducta.

Si la conducta descrita en el inciso anterior recae sobre mercancías cuyo valor real supere los doscientos (200) salarios mínimos legales mensuales vigentes, se impondrá una pena de prisión de once (11) a quince (15) años, inhabilitación de derechos y funciones públicas por el mismo tiempo de la pena de prisión impuesta, y multa de mil (1.000) a cincuenta mil (50.000) salarios mínimos mensuales vigentes, sin que en ningún caso sea inferior al doscientos por ciento (200%) del valor aduanero del objeto de la conducta.

El monto de la multa no podrá superar el máximo de la pena de multa establecida en este Código.

(EXEQUIBLE SCC-1114, 25-11-2003, M.P. Jaime Córdoba Triviño).

Artículo 322-1 (mod. por el art. 10 de la Ley 1762 de 2015)**: Favorecimiento por servidor público de contrabando de hidrocarburos o sus derivados.**

El servidor público que colabore, participe, embarque, desembarque, transporte, distribuya, almacene, oculte, enajene o de cualquier forma facilite la sustracción, ocultamiento o disimulo de hidrocarburos o sus derivados del control de las autoridades aduaneras, o la introducción de las mismas por lugares no habilitados, u omita los controles legales o reglamentarios propios de su cargo para lograr los mismos fines, cuando la cantidad de los hidrocarburos o sus derivados sea inferior a los cincuenta (50) galones, incurrirá en prisión de cinco (5) a nueve (9) años, inhabilitación derechos y funciones públicas por el mismos tiempo de la pena de prisión impuesta, y multa de mil (1.000) a cincuenta mil (50.000) salarios mínimos mensuales vigentes, sin que en ningún caso sea inferior al doscientos por ciento (200%) del valor aduanero del objeto de la conducta.

Si la conducta descrita en el inciso anterior recae sobre una cantidad de hidrocarburos o sus derivados que supere los cincuenta (50) galones, se impondrá una pena de prisión de diez (10) a catorce (14) años, inhabilitación derechos y funciones públicas por el mismo tiempo de la pena de prisión impuesta, y multa de mil (1.000) a cincuenta mil (50.000) salarios mínimos mensuales vigentes, sin que en ningún caso sea inferior al doscientos por ciento (200%) del valor aduanero del objeto de la conducta.

Si la conducta descrita en el primer inciso, recae sobre una cantidad de hidrocarburos o sus derivados que supere los quinientos (500) galones, se impondrá una pena de prisión de doce (12) a dieciséis (16) años, inhabilitación derechos y funciones públicas por el mismo tiempo de la pena de prisión impuesta, y multa de mil (1.000) a cincuenta mil (50.000) salarios mínimos mensuales vigentes, sin que en ningún caso sea inferior al doscientos por ciento (200%) del valor aduanero del objeto de la conducta.

El monto de la multa no podrá superar el máximo de multa establecida en este Código.

(EXEQUIBLE SCC-1114, 25-11-2003, M.P. Jaime Córdoba Triviño).

CAPÍTULO V. DEL LAVADO DE ACTIVOS

Artículo 323: Lavado de activos.

El que adquiera, resguarde, invierta, transporte, transforme, almacene, conserve, custodie o administre bienes que tengan su origen mediato o inmediato en actividades de tráfico de migrantes, trata de personas, extorsión, enriquecimiento ilícito, secuestro extorsivo, rebelión, tráfico de armas, tráfico de menores de edad, financiación del terrorismo y administración de recursos relacionados con actividades terroristas, tráfico de drogas tóxicas, estupefacientes o sustancias sicotrópicas, delitos contra el sistema financiero, delitos contra la administración pública, contrabando, contrabando de hidrocarburos o sus derivados, fraude aduanero o favorecimiento y facilitación del contrabando, favorecimiento de contrabando de hidrocarburos o sus derivados, en cualquiera de sus formas, o vinculados con el producto de delitos ejecutados bajo concierto para delinquir, o les dé a los bienes provenientes de dichas actividades apariencia de legalidad o los legalice, oculte o encubra la verdadera naturaleza, origen, ubicación, destino, movimiento o derecho sobre tales bienes o realice cualquier otro acto para ocultar o encubrir su origen ilícito, incurrirá por esa sola conducta, en prisión de diez (10) a treinta (30) años y multa de mil (1.000) a cincuenta mil (50.000) salarios mínimos legales mensuales vigentes (tacha INEXEQUIBLE y subrayados EXEQUIBLES SCC-191, de 20-04-2016, M.P. Alejandro Linares Cantillo).

La misma pena se aplicará cuando las conductas descritas en el inciso anterior se realicen sobre bienes cuya extinción de dominio haya sido declarada.

El lavado de activos será punible aun cuando las actividades de que provinieren los bienes, o los actos penados en los apartados anteriores, se hubiesen realizado, total o parcialmente, en el extranjero.

Las penas privativas de la libertad previstas en el presente artículo se aumentarán de una tercera parte a la mitad cuando para la realización de las conductas se efectuaren operaciones de cambio o de comercio exterior, o se introdujeren mercancías al territorio nacional.

Véase art. 324 C.P.; Leyes 1708 de 2014; 1849 de 2017.

Artículo 324: Circunstancias específicas de agravación.

Las penas privativas de la libertad previstas en el artículo anterior se aumentarán de una tercera parte a la mitad cuando la conducta sea desarrollada por quien pertenezca a una persona jurídica, una sociedad o una organización dedicada al lavado de activos y de la mitad a las tres cuartas partes cuando sean desarrolladas por los jefes, administradores o encargados de las referidas personas jurídicas, sociedades u organizaciones.

Véase art. 33 de la Ley 1474 de 2011.

Artículo 325 (mod. por el art. 3 de la Ley 1357 de 2009): Omisión de control.

El miembro de junta directiva, representante legal, administrador o empleado de una institución financiera o de cooperativas que ejerzan actividades de ahorro y crédito que, con el fin de ocultar o encubrir el origen ilícito del dinero, omita el cumplimiento de alguno o todos los mecanismos de control establecidos por el ordenamiento jurídico para las transacciones en efectivo incurrirá, por esa sola conducta, en prisión de treinta y ocho (38) a ciento veintiocho (128) meses y multa de ciento treinta y tres punto treinta y tres (133.33) a quince mil (15.000) salarios mínimos legales mensuales vigentes.

Artículo 325-A (mod. por el art. 4 de la Ley 1357 de 2009): **Omisión de Reportes Sobre Transacciones en efectivo, Movilización o Almacenamiento de Dinero en Efectivo.**

Aquellos sujetos sometidos a control de la Unidad de Información y Análisis Financiero (UIAF) que deliberadamente omitan el cumplimiento de los reportes a esta entidad para las transacciones en efectivo o para la movilización o para el almacenamiento de dinero en efectivo, incurrirán, por esa sola conducta, en prisión de treinta y ocho (38) a ciento veintiocho (128) meses y multa de ciento treinta y tres punto treinta y tres (133.33) a quince mil (15.000) salarios mínimos legales mensuales vigentes.

Se exceptúan de lo dispuesto en el presente artículo quienes tengan el carácter de miembro de junta directiva, representante legal, administrador o empleado de instituciones financieras o de cooperativas que ejerzan actividades de ahorro y crédito, a quienes se aplicará lo dispuesto en el artículo 325 del presente Capítulo.

Artículo 325-B (ad. por el art. 22 de la Ley 1474 de 2011): **Omisión de control en el sector de la salud.**

El empleado o director de una entidad vigilada por la Superintendencia de Salud, que con el fin de ocultar o encubrir un acto de corrupción, omita el cumplimiento de alguno o todos los mecanismos de control establecidos para la prevención y la lucha contra el fraude en el sector de la salud, incurrirá, por esa sola conducta, en la pena prevista para el artículo 325 de la Ley 599 de 2000.

Artículo 326: Testaferrato.

Quien preste su nombre para adquirir bienes con dineros provenientes del delito de narcotráfico y conexos, incurrirá en prisión de noventa y seis (96) a doscientos setenta (270) meses y multa de seiscientos sesenta y seis punto sesenta y seis (666.66) a cincuenta mil (50.000) salarios mínimos legales mensuales vigentes, sin perjuicio del decomiso de los respectivos bienes.

La misma pena se impondrá cuando la conducta descrita en el inciso anterior se realice con dineros provenientes del secuestro extorsivo, extorsión y conexos y la multa será de seis mil seiscientos sesenta y seis punto sesenta y seis (6.666.66) a cincuenta mil (50.000) salarios mínimos legales mensuales vigentes, sin perjuicio del decomiso de los respectivos bienes (inc. 2 ad. por el art. 7 de la Ley 733 de 2002).

(Se aumentan las penas por el art. 14 de la Ley 890 de 2004).

Artículo 327: Enriquecimiento ilícito de particulares.

El que de manera directa o por interpuesta persona obtenga, para sí o para otro, incremento patrimonial no justificado, derivado en una u otra forma de actividades delictivas incurrirá, por esa sola conducta, en prisión de noventa y seis (96) a ciento ochenta (180) meses y multa correspondiente al doble del valor del incremento ilícito logrado, sin que supere el equivalente a cincuenta mil (50.000) salarios mínimos legales mensuales vigentes.

(Se aumentan las penas por el art. 14 de la Ley 890 de 2004).

CAPÍTULO VI. DEL APODERAMIENTO DE LOS HIDROCARBUROS, SUS DERIVADOS, BIOCOMBUSTIBLES O MEZCLAS QUE LOS CONTENGAN Y OTRAS DISPOSICIONES

Artículo 327-A (ad. por el art. 1 de la Ley 1028 de 2006)**: Apoderamiento de hidrocarburos, sus derivados, biocombustibles o mezclas que los contengan.**

El que se apodere de hidrocarburos, sus derivados, biocombustibles o mezclas que los contengan debidamente reglamentados, cuando sean transportados a través de un oleoducto, gasoducto, poliducto o a través de cualquier otro medio, o cuando se encuentren almacenados en fuentes inmediatas de abastecimiento o plantas de bombeo, incurrirá en prisión de ocho (8) a quince (15) años y multa de mil trescientos (1.300) a doce mil (12.000) salarios mínimos mensuales legales vigentes.

En las mismas penas incurrirá el que mezcle ilícitamente hidrocarburos, sus derivados, biocombustibles o mezclas que los contengan.

Cuando el apoderamiento se cometiere en volúmenes que no exceda de veinte (20) galones o 65 metros cúbicos (m3) de gas, la pena será de prisión de tres (3) a ocho (8) años y multa de doscientos (200) a setecientos (700) salarios mínimos legales mensuales vigentes.

Artículo 327-B (ad. por el art. 1 de la Ley 1028 de 2006)**: Apoderamiento o alteración de sistemas de identificación.**

El que se apodere o altere sistemas o mecanismos legalmente autorizados para la identificación de la procedencia de los hidrocarburos, sus derivados, los biocombustibles o mezclas que los contengan, tales como equipos, sustancias, marcadores, detectores o reveladores, incurrirá en prisión de cinco (5) a doce (12) años y multa de setecientos (700) a seis mil (6.000) salarios mínimos legales mensuales vigentes.

Artículo 327-C (ad. por el art. 1 de la Ley 1028 de 2006)**: Receptación.**

El que sin haber tomado parte en la ejecución de las conductas punibles descritas en los artículos 327A y 327B adquiera, transporte, almacene, conserve, tenga en su poder, venda, ofrezca, financie, suministre o comercialice a cualquier título hidrocarburos, sus derivados, biocombustibles o mezclas que los contengan debidamente reglamentadas o sistemas de identificación legalmente autorizados, cuando tales bienes provengan de la ejecución de alguno de estos delitos, incurrirá en prisión de seis (6) a doce (12) años y multa de mil (1.000) a seis mil (6.000) salarios mínimos legales mensuales vigentes.

En la misma pena incurrirá el que destine mueble o inmueble o autorice o tolere en ellos tal destinación o realice cualquier actividad que facilite la comisión de las conductas mencionadas en el inciso anterior.

Artículo 327-D (ad. por el art. 1 de la Ley 1028 de 2006)**: Destinación ilegal de combustibles.**

El que sin autorización legal venda, ofrezca, distribuya o comercialice a cualquier título combustibles líquidos amparados mediante el artículo 1° de la Ley 681 de 2001 o las normas que lo modifiquen, aclaren o adicionen, incurrirá en prisión de seis (6) a doce (12) años y multa de mil (1.000) a seis mil (6.000) salarios mínimos legales mensuales vigentes.

En la misma pena incurrirá el que con incumplimiento de la normatividad existente, adquiera, transporte, almacene, conserve o tenga en su poder combustibles líquidos derivados del petróleo con destino a zonas de frontera.

Artículo 327-E (ad. por el art. 1 de la Ley 1028 de 2006)**: Circunstancia genérica de agravación.**

Cuando alguno de los delitos previstos en este capítulo se cometiere por servidor público, persona que ejerza funciones públicas o integrantes de grupos armados organizados al margen de la ley, las penas respectivas se aumentarán en una tercera parte a la mitad.

TÍTULO XI. DE LOS DELITOS CONTRA LOS RECURSOS NATURALES Y EL MEDIO AMBIENTE

CAPÍTULO ÚNICO. DELITOS CONTRA LOS RECURSOS NATURALES Y MEDIO AMBIENTE

Artículo 328 (mod. por el art. 29 de la Ley 1453 de 2011)**: Ilícito aprovechamiento de los recursos naturales renovables.**

El que con incumplimiento de la normatividad existente se apropie, introduzca, explote, transporte, mantenga, trafique, comercie, explore, aproveche o se beneficie de los especímenes, productos o partes de los recursos fáunicos, forestales, florísticos, hidrobiológicos, biológicos o genéticas de la biodiversidad colombiana, incurrirá en prisión de cuarenta y ocho (48) a ciento ocho (108) meses y multe hasta de treinta y cinco mil (35.000) salarios mínimos legales mensuales vigentes.

La pena se aumentará de una tercera parte a la mitad, cuando las especies estén categorizadas como amenazadas, en riesgo de extinción o de carácter migratorio, raras o endémicas del territorio colombiano.

Véase art. 80 C.N.

Artículo 329 (mod. por el art. 30 de la Ley 1453 de 2011)**: Violación de fronteras para la explotación o aprovechamiento de los recursos naturales.**

El extranjero que realizare dentro del territorio nacional acto no autorizado de aprovechamiento, explotación, exploración o extracción de recursos naturales, incurrirá en prisión de sesenta y cuatro (64) a ciento cuarenta y cuatro meses (144) y multa de ciento treinta y tres punto treinta y tres (133.33) a cuarenta y cinco mil (45.000) salarios mínimos legales vigentes.

Artículo 330 (mod. por el art. 31 de la Ley 1453 de 2011)**: Manejo y uso ilícito de organismos, microorganismos y elementos genéticamente modificados.**

El que con incumplimiento de la normatividad existente introduzca, manipule, experimente, inocule, o propague, microorganismos moléculas, sustancias o elementos que pongan en peligro la salud o la existencia de los recursos fáunicos, florísticos o hidrobiológicos, o alteren perjudicialmente sus poblaciones incurrirá en prisión de sesenta (60) a ciento ocho (108) meses y multa de ciento treinta y tres punto treinta y tres (133.33) a quince mil (15.000) salarios mínimos mensuales legales vigentes.

Incurrirá en la misma pena el que con incumplimiento de la normatividad existente importe, introduzca, manipule, experimente, libere, organismos genéticamente modificados, que constituyan un riesgo para la salud humana, el ambiente o la biodiversidad colombiana.

Si se produce enfermedad, plaga o erosión genética de las especies la pena se aumentará en una tercera parte.

Artículo 330-A (mod. por el art. 32 de la Ley 1453 de 2011)**: Manejo ilícito de especies exóticas.**

El que con incumplimiento de la normatividad existente, introduzca, trasplante, manipule, experimente, inocule, o propague especies silvestres exóticas, invasoras, que pongan en peligro la salud humana, el ambiente, las especies de la biodiversidad colombiana, incurrirá en prisión de cuarenta y ocho (48) a ciento a ocho (108) meses y multa de ciento treinta y tres punto treinta y tres (133.33) a quince mil (15.000) salarios mínimas mensuales vigentes.

Artículo 331 (mod. por el art. 33 de la Ley 1453 de 2011)**: Daños en los recursos naturales.**

El que con incumplimiento de la normatividad existente destruya, inutilice, haga desaparecer o de cualquier otro modo dañe los recursos naturales a que se refiere este título, o a los que estén asociados con estos, incurrirá en prisión de cuarenta y ocho (48) a ciento ocho (108) meses y multa de ciento treinta y tres punto treinta y tres (133.33) a quince mil (15.000) salarios mínimos mensuales legales vigentes.

La pena se aumentará de una tercera parte a la mitad cuando:

– Se afecten ecosistemas naturales, calificados como estratégicos que hagan parte del Sistema Nacional, Regional y Local de las áreas especialmente protegidas.

– Cuando el daño sea consecuencia de la acción u omisión de quienes ejercen funciones de control y vigilancia.

Artículo 332 (mod. por el art. 34 de la Ley 1453 de 2011)**: Contaminación ambiental.**

El que con incumplimiento de la normatividad existente, provoque, contamine o realice directa o indirectamente emisiones, vertidos, radiaciones, ruidos, depósitos o disposiciones al aire, la atmósfera o demás componentes del espacio aéreo, el suelo, el subsuelo, las aguas terrestres, marítimas o subterráneas o demás recursos naturales, en tal forma que ponga en peligro la salud humana o los recursos fáunicos, forestales, florísticos o hidrobiológicos, incurrirá, sin perjuicio de las sanciones administrativas a que hubiere lugar, en prisión de cincuenta y cinco (55) a ciento doce (112) meses y multa de ciento cuarenta (140) a cincuenta mil (50.000) salarios mínimos legales mensuales vigentes.

La pena se aumentará de una tercera parte a la mitad cuando en la comisión de cualquiera de los hechos descritos en el artículo anterior sin perjuicio de las que puedan corresponder con arreglo a otros preceptos de este Código concurra alguna de las circunstancias siguientes:

1. Cuando la conducta se realice con fines terroristas sin que la multa supere el equivalente a cincuenta mil (50.000) salarios mínimos mensuales legales vigentes.

2. Cuando la emisión o el vertimiento supere el doble de lo permitido por la normatividad existente o haya infringido más de dos parámetros.

3. Cuando la contaminación, descarga, disposición o vertimiento se realice en zona protegida o de importancia ecológica.

4. Cuando la industria o actividad realice clandestina o engañosamente los vertimientos o emisiones.

5. Que se hayan desobedecido las órdenes expresas de la autoridad administrativa de corrección o suspensión de las actividades tipificadas en el artículo anterior.

6. Que se haya ocultado o aportado información engañosa o falsaria sobre los aspectos ambientales de la misma.

Artículo 332-A (mod. por el art. 35 de la Ley 1453 de 2011)**: Contaminación ambiental por residuos sólidos peligrosos.**

El que con incumplimiento de la normatividad existente almacene, transporte o disponga inadecuadamente, residuo sólido, peligroso o escombros, de tal manera que ponga en peligro la calidad de los cuerpos de agua, el suelo o el subsuelo tendrá prisión de dos (2) a nueve (9) años y multa de ciento treinta y tres punto treinta y tres (133.33) a cincuenta mil (50.000) salarios mínimos legales mensuales vigentes.

La pena se aumentará de una tercera parte a la mitad cuando en la comisión de cualquiera de los hechos descritos en el artículo anterior se ponga en peligro la salud humana.

Artículo 333 (mod. por el art. 36 de la Ley 1453 de 2011)**: Contaminación ambiental por explotación de yacimiento minero o hidrocarburo.**

El que provoque, contamine o realice directa o indirectamente en los recursos de agua, suelo, subsuelo o atmósfera, con ocasión a la extracción o excavación, exploración, construcción y montaje, explotación, beneficio, transformación, transporte de la actividad minera o de hidrocarburos, incurrirá en prisión de cinco (5) a diez (10) años, y multa de treinta mil (30.000) a cincuenta mil (50.000) salarios mínimos legales mensuales vigentes.

Artículo 334 (mod. por el art. 37 de la Ley 1453 de 2011)**: Experimentación ilegal con especies, agentes biológicos o bioquímicos.**

El que sin permiso de autoridad competente o con incumplimiento de la normatividad existente, realice experimentos, con especies, agentes biológicos o bioquímicos, que generen o pongan en peligro o riesgo la salud humana o la supervivencia de las especies de la biodiversidad colombiana, incurrirá en prisión de sesenta (60) a ciento cuarenta y cuatro (144) meses y multa de ciento treinta y tres punto treinta tres (133.33) a cincuenta mil (50.000) salarios mínimos mensuales legales vigentes.

Artículo 335 (mod. por el art. 38 de la Ley 1453 de 2011)**: Ilícita actividad de pesca.**

El que sin permiso de autoridad competente o con incumplimiento de la normatividad existente, realice actividad de pesca, comercialización, transporte, o almacenaje de ejemplares o productos de especies vedadas o en zonas o áreas de reserva, o en épocas vedadas, en zona prohibida, o con explosivos, sustancia venenosa, incurrirá en prisión de cuarenta y ocho (48) a ciento ocho (108) meses y multa hasta de cincuenta mil (50.000) salarios mínimos legales mensuales vigentes.

En la misma pena incurrirá el que:

1. Utilice instrumentos no autorizados o de especificaciones técnicas que no correspondan a las permitidas por la autoridad competente.

2. Deseque, varíe o baje el nivel de los ríos, lagunas, ciénagas o cualquiera otra fuente con propósitos pesqueros o fines de pesca.

3. Altere los refugios o el medio ecológico de especies de recursos hidrobiológicos, como consecuencia de actividades de exploración o explotación de recursos naturales no renovables.

4. Construya obras o instale redes, mallas o cualquier otro elemento que impida el libre y permanente tránsito de los peces en los mares, ciénagas, lagunas, caños, ríos y canales.

Artículo 336: Caza ilegal.

El que sin permiso de autoridad competente o infringiendo normas existentes, excediere el número de piezas permitidas, o cazare en época de veda, incurrirá en prisión de dieciséis (16) a cincuenta y cuatro (54) meses y multa de veintiséis punto sesenta y seis (26.66) a setecientos cincuenta (750) salarios mínimos legales mensuales vigentes, siempre que la conducta no constituya delito sancionado con pena mayor.

(Se aumentan las penas por el art. 14 de la Ley 890 de 2004).

Artículo 337 (mod. por el art. 39 de la Ley 1453 de 2011)**: Invasión de áreas de especial importancia ecológica.**

El que invada, permanezca así sea de manera temporal o realice uso indebido de los recursos naturales a los que se refiere este título en área de reserva forestal, resguardos o reservas indígenas, terrenos de propiedad colectiva, de las comunidades negras, parque regional, área o ecosistema de interés estratégico o área protegida, definidos en la ley o reglamento, incurrirá en prisión de cuarenta y ocho (48) a ciento cuarenta y cuatro (144) meses y multa de ciento treinta y tres punto treinta y tres (133.33) a cincuenta mil (50.000) salarios mínimos legales mensuales vigentes.

La pena señalada se aumentará de una tercera parte a la mitad cuando como consecuencia de la invasión, se afecten gravemente los componentes naturales que sirvieron de base para efectuar la calificación del territorio correspondiente, sin que la multa supere el equivalente a cincuenta mil (50.000) salarios mínimos legales mensuales vigentes.

El que promueva, financie, dirija, se aproveche económicamente u obtenga cualquier otro beneficio de las conductas descritas en este artículo, incurrirá en prisión de sesenta (60) a ciento ochenta (180) meses y multa de trescientos (300) a cincuenta mil (50.000) salarios mínimos legales mensuales vigentes.

Artículo 338: Explotación ilícita de yacimiento minero y otros materiales.

El que sin permiso de autoridad competente o con incumplimiento de la normatividad existente explote, explore o extraiga yacimiento minero, o explote arena, material pétreo o de arrastre de los cauces y orillas de los ríos por medios capaces de causar graves daños a los recursos naturales o al medio ambiente, incurrirá en prisión de treinta y dos (32) a ciento cuarenta y cuatro (144) meses y multa de ciento treinta y tres punto treinta y tres (133.33) a cincuenta mil (50.000) salarios mínimos legales mensuales vigentes.

(Se aumentan las penas por el art. 14 de la Ley 890 de 2004).

Artículo 339 (mod. por el art. 40 de la Ley 1453 de 2011)**: Modalidad culposa.**

Las penas previstas en los artículos 331, 332, 333 de este código se disminuirán hasta en la mitad cuando las conductas punibles se realicen culposamente.

Véase art. 23, 331, 332, 333 C.P.

TÍTULO XI-A (Título ad. por el art. 5 de la Ley 1774 de 2016). DE LOS DELITOS CONTRA LOS ANIMALES

CAPÍTULO ÚNICO. DELITOS CONTRA LA VIDA, INTEGRIDAD FÍSICA Y EMOCIONAL DE LOS ANIMALES

Artículo 339-A (ad. por el art. 5 de la Ley 1774 de 2016)**: Delitos contra la vida, la integridad física y emocional de los animales.**

El que, por cualquier medio o procedimiento maltrate a un animal doméstico, amansado, silvestre vertebrado o exótico vertebrado, causándole la muerte o lesiones que menoscaben gravemente su salud o integridad física, incurrirá en pena de prisión de doce (12) a treinta y seis (36) meses, e inhabilidad especial de uno (1) a tres (3) años para el ejercicio de profesión, oficio, comercio o tenencia que tenga relación con los animales y multa de cinco (5) a sesenta (60) salarios mínimos mensuales legales vigentes (subrayado EXEQUIBLE SCC-041, 01-02-2017, M.P. Gabriel Eduardo Mendoza Martelo y Jorge Iván Palacio Palacio).

Véase art. 339-B.

Artículo 339-B (ad. por el art. 5 de la Ley 1774 de 2016)**: Circunstancias de agravación punitiva.**

Las penas contempladas en el artículo anterior se aumentarán de la mitad a tres cuartas partes, si la conducta se cometiere:

a) Con sevicia;

b) Cuando una o varias de las conductas mencionadas se perpetren en vía o sitio público;

c) Valiéndose de inimputables o de menores de edad o en presencia de aquellos;

d) Cuando se cometan actos sexuales con los animales;

e) Cuando alguno de los delitos previstos en los artículos anteriores se cometiere por servidor público o quien ejerza funciones públicas.

Parágrafo 1°. Quedan exceptuadas de las penas previstas en esta ley, las prácticas, en el marco de las normas vigentes, de buen manejo de los animales que tengan como objetivo el cuidado, reproducción, cría, adiestramiento, mantenimiento; las de beneficio y procesamiento relacionadas con la producción de alimentos; y las actividades de entrenamiento para competencias legalmente aceptadas.

Parágrafo 2°. Quienes adelanten acciones de salubridad pública tendientes a controlar brotes epidémicos, o transmisión de enfermedades zoonóticas, no serán objeto de las penas previstas en la presente ley.

Parágrafo 3°. Quienes adelanten las conductas descritas en el artículo 7° de la Ley 84 de 1989 no serán objeto de las penas previstas en la presente ley (par. 3 INEXEQUIBLE SCC-041, 01-02-2017, M.P. Gabriel Eduardo Mendoza Martelo y Jorge Iván Palacio Palacio).

TÍTULO XII. DELITOS CONTRA LA SEGURIDAD PÚBLICA

CAPÍTULO I. DEL CONCIERTO, EL TERRORISMO, LAS AMENAZAS Y LA INSTIGACIÓN

Artículo 340 (mod. por el art. 5 de la Ley 1908 de 2018): **Concierto para delinquir.**

Cuando varias personas se concierten con el fin de cometer delitos, cada una de ellas será penada, por esa sola conducta, con prisión de cuarenta y ocho (48) a ciento ocho (108) meses.

Cuando el concierto sea para cometer delitos de genocidio, desaparición tortura, desplazamiento forzado, tráfico de niñas, niños y adolescentes, trata de personas, del tráfico de migrantes, homicidio, terrorismo, tráfico, fabricación o porte de estupefacientes, drogas tóxicas o sustancias sicotrópicas, secuestro, secuestro extorsivo, extorsión, enriquecimiento ilícito, lavado de activos o testaferrato y conexos, o financiación del terrorismo y de grupos de delincuencia organizada y administración de recursos relacionados con actividades terroristas y de la delincuencia organizada, ilícito aprovechamiento de los recursos naturales renovables, contaminación ambiental por explotación de yacimiento minero o hidrocarburo, explotación ilícita de yacimiento minero y otros materiales, y delitos contra la administración pública o que afecten el patrimonio del Estado, la pena será de prisión de ocho (8) a dieciocho (18) años y multa de dos mil setecientos (2.700) hasta treinta mil (30.000) salarios mínimos legales mensuales vigentes.

La pena privativa de la libertad se aumentará en la mitad para quienes organicen, fomenten, promuevan, dirijan, encabecen, constituyan o financien el concierto para delinquir o sean servidores públicos.

Cuando se tratare de concierto para la comisión de delitos de contrabando, contrabando de hidrocarburos y sus derivados, fraude aduanero, favorecimiento y facilitación del contrabando, favorecimiento de contrabando de hidrocarburos o sus derivados, la pena será de prisión de seis (6) a doce (12) años y multa de dos mil (2.000) hasta treinta mil (30.000) salarios mínimos legales mensuales vigentes.

Véase art. 342 C.P.

Artículo 340A (mod. por el art. 6 de la Ley 1908 de 2018)**: Asesoramiento a Grupos Delictivos Organizados y Grupos Armados Organizados.**

El que ofrezca, preste o facilite conocimientos jurídicos, contables, técnicos o científicos, ya sea de manera ocasional o permanente, remunerados o no, con el propósito de servir o contribuir a los fines ilícitos de Grupos Delictivos Organizados y Grupos Armados Organizados, incurrirá por esta sola conducta en prisión de seis (6) a diez (10) años e inhabilidad para el ejercicio de la profesión, arte, oficio, industria o comercio por veinte (20) años.

No se incurrirá en la pena prevista en este artículo cuando los servicios consistan en la defensa técnica, sin perjuicio del deber de acreditar sumariamente el origen lícito de los honorarios. En todo caso el Estado garantizará la defensa técnica.

Véase art. 342 C.P.

Artículo 341: Entrenamiento para actividades ilícitas.

El que organice, instruya, entrene o equipe a personas en tácticas, técnicas o procedimientos militares para el desarrollo de actividades terroristas, de escuadrones de la muerte, grupos de justicia privada o bandas de sicarios, o los contrate, incurrirá en prisión de doscientos cuarenta (240) a trescientos sesenta (360) meses y en multa de mil trescientos treinta y tres punto treinta y tres (1.333.33) a treinta mil (30.000) salarios mínimos legales mensuales vigentes.

(Se aumentan las penas por el art. 14 de la Ley 890 de 2004).

Véase art. 342 C.P.

Artículo 342: Circunstancia de agravación.

Cuando las conductas descritas en los artículos anteriores sean cometidas por miembros activos o retirados de la Fuerza Pública o de organismos de seguridad del Estado, la pena se aumentará de una tercera parte a la mitad.

(EXEQUIBLE SCC-334, de 13-06-2013, M.P. Jorge Ignacio Pretelt Chaljub).

Artículo 343: Terrorismo.

El que provoque o mantenga en estado de zozobra o terror a la población o a un sector de ella, mediante actos que pongan en peligro la vida, la integridad física o la libertad de las personas o las edificaciones o medios de comunicación, transporte, procesamiento o conducción de fluidos o fuerzas motrices, valiéndose de medios capaces de causar estragos, incurrirá en prisión de ciento sesenta (160) a doscientos setenta (270) meses y multa de mil trescientos treinta y tres punto treinta y tres (1.333.33) a quince mil (15.000) salarios mínimos legales mensuales vigentes, sin perjuicio de la pena que le corresponda por los demás delitos que se ocasionen con esta conducta.

Si el estado de zozobra o terror es provocado mediante llamada telefónica, cinta magnetofónica, video, casete o escrito anónimo, la pena será de treinta y dos (32) a noventa (90) meses y la multa de ciento treinta y tres punto treinta y tres (133.33) a setecientos cincuenta (750) salarios mínimos legales mensuales vigentes.

(Se aumentan las penas por el art. 14 de la Ley 890 de 2004).

Artículo 344: Circunstancias de agravación punitiva.

Las penas señaladas en el inciso primero del artículo anterior, serán de ciento noventa y dos (192) a trescientos sesenta (360) meses de prisión y multa de seis mil seiscientos sesenta y seis punto sesenta y seis (6.6666.66) a cuarenta y cinco mil (45.000) salarios mínimos legales mensuales vigentes, cuando:

1. Se hiciere copartícipe en la comisión del delito a menor de dieciocho (18) años;

2. Se asalten o se tomen instalaciones de la fuerza pública, de los cuerpos de seguridad del estado, o sedes diplomáticas o consulares;

3. La conducta se ejecute para impedir o alterar el normal desarrollo de certámenes democráticos;

4. El autor o partícipe sea miembro de la fuerza pública o de organismo de seguridad del estado;

5. Cuando la conducta recaiga sobre persona internacionalmente protegida diferente de las señaladas en el título ii de este libro, o agentes diplomáticos de conformidad con los tratados y convenios internacionales ratificados por Colombia, o se afecten edificaciones de países amigos o se perturben las relaciones internacionales.

(Se aumentan las penas por el art. 14 de la Ley 890 de 2004).

Artículo 345 (mod. por el art. 16 de la Ley 1453 de 2011): Financiación del terrorismo y de grupos de delincuencia organizada y administración de recursos relacionados con actividades terroristas y de la delincuencia organizada.

El que directa o indirectamente provea, recolecte, entregue, reciba, administre, aporte, custodie o guarde fondos, bienes o recursos, o realice cualquier otro acto que promueva, organice, apoye, mantenga, financie o sostenga económicamente a grupos de delincuencia organizada, grupos armados al margen de la ley o a sus integrantes, o a grupos terroristas nacionales o extranjeros, o a terroristas nacionales o extranjeros, o a actividades terroristas, incurrirá en prisión de trece (13) a veintidós (22) años y multa de mil trescientos (1.300) a quince mil (15.000) salarios mínimos legales mensuales vigentes.

Artículo 346: Utilización ilegal de uniformes e insignias.

El que sin permiso de autoridad competente importe, fabrique, transporte, almacene, distribuya, compre, venda, suministre, sustraiga, porte o utilice prendas, uniformes, insignias o medios de identificación reales, similares o semejantes a los de uso privativo de la fuerza pública o de los organismos de seguridad del estado, incurrirá en prisión de cuarenta y ocho (48) a ciento ocho (108) meses y multa de sesenta y seis punto sesenta y seis (66.66) a mil quinientos (1.500) salarios mínimos legales mensuales vigentes.

Parágrafo. Cuando la conducta sea desarrollada dentro de los territorios que conforman la cobertura geográfica de los Programas de Desarrollo con Enfoque Territorial (PDET), la pena se aumentará de una tercera parte a la mitad (par. ad. por el 7 de la Ley 1908 de 2018).

(Se aumentan las penas por el art. 14 de la Ley 890 de 2004).

Artículo 347 (mod. por el art. 10 de la Ley 1908 de 2018): **Amenazas.**

El que por cualquier medio atemorice o amenace a una persona, familia, comunidad o institución, con el propósito de causar alarma, zozobra o terror en la población o en un sector de ella, incurrirá por esta sola conducta, en prisión de cuatro (4) a ocho (8) años y multa de trece punto treinta y tres (13.33) a ciento cincuenta (150) salarios mínimos legales mensuales vigentes.

Si la amenaza o intimidación recayere sobre un miembro de una organización sindical, un periodista o sus familiares, en razón o con ocasión al cargo o función que desempeñe, la pena se aumentará en una tercera parte.

Artículo 348: Instigación a delinquir.

El que pública y directamente incite a otro u otros a la comisión de un determinado delito o género de delitos, incurrirá en multa.

Si la conducta se realiza para cometer delitos de genocidio, desaparición forzada de personas, secuestro extorsivo, tortura, traslado forzoso de población u homicidio o con fines terroristas, la pena será de ochenta (80) a ciento ochenta (180) meses de prisión y multa de seiscientos sesenta y seis punto sesenta y seis (666.66) a mil quinientos (1.500) salarios mínimos mensuales legales vigentes.

(Se aumentan las penas por el art. 14 de la Ley 890 de 2004).

Artículo 349: Incitación a la comisión de delitos militares.

El que en beneficio de actividades terroristas incite al personal de la fuerza pública u organismos de seguridad del estado a desertar, abandonar el puesto o el servicio, o ponga en práctica cualquier medio para este fin, incurrirá en prisión de treinta y dos (32) a noventa (90) meses y multa de trece punto treinta y tres (13.33) a ciento cincuenta (150) salarios mínimos legales mensuales vigentes.

(Se aumentan las penas por el art. 14 de la Ley 890 de 2004).

CAPÍTULO II. DE LOS DELITOS DE PELIGRO COMÚN O QUE PUEDEN OCASIONAR GRAVE PERJUICIO PARA LA COMUNIDAD Y OTRAS INFRACCIONES

Artículo 350: Incendio.

El que con peligro común prenda fuego en cosa mueble, incurrirá en prisión de dieciséis (16) a ciento cuarenta y cuatro (144) meses y multa de trece punto treinta y tres (13.33) a ciento cincuenta (150) salarios mínimos legales mensuales vigentes.

Si la conducta se realizare en inmueble o en objeto de interés científico, histórico, cultural, artístico o en bien de uso público o de utilidad social, la prisión será de treinta y dos (32) a ciento ochenta (180) meses y multa de ciento treinta y tres punto treinta y tres (133.33) a setecientos cincuenta (750) salarios mínimos legales mensuales vigentes.

La pena señalada en el inciso anterior se aumentará hasta en la mitad si la conducta se cometiere en edificio habitado o destinado a habitación o en inmueble público o destinado a este uso, o en establecimiento comercial, industrial o agrícola, o en terminal de transporte, o en depósito de mercancías, alimentos, o en materias o sustancias explosivas, corrosivas, inflamables, asfixiantes, tóxicas, infecciosas o similares, o en bosque, recurso florístico o en área de especial importancia ecológica.

(Se aumentan las penas por el art. 14 de la Ley 890 de 2004).

Véase art. 360 C.P.

Artículo 351: Daño en obras de utilidad social.

El que dañe total o parcialmente obra destinada a la captación, conducción, embalse, almacenamiento, tratamiento o distribución de aguas, incurrirá en prisión de treinta y dos (32) a ciento ochenta (180) meses y multa de ciento treinta y tres punto treinta y tres (133.33) a setecientos cincuenta (750) salarios mínimos legales mensuales vigentes.

(Se aumentan las penas por el art. 14 de la Ley 890 de 2004).

Véase art. 360 C.P.

Artículo 352: Provocación de inundación o derrumbe.

El que ocasione inundación o derrumbe, incurrirá en prisión de dieciséis (16) a ciento ochenta (180) meses y multa de sesenta y seis punto sesenta y seis (66.66) a setecientos cincuenta (750) salarios mínimos legales mensuales vigentes.

(Se aumentan las penas por el art. 14 de la Ley 890 de 2004).

Véase art. 360 C.P.

Artículo 353 (mod. por el art. 45 de la Ley 1453 de 2011): Perturbación en servicio de transporte público, colectivo u oficial.

El que por cualquier medio ilícito imposibilite la circulación o dañe nave, aeronave, vehículo o medio motorizado destinados al transporte público, colectivo o vehículo oficial, incurrirá en prisión de cuatro (4) a ocho (8) años y multa de trece punto treinta y tres (13.33) a setenta y cinco (75) salarios mínimos legales mensuales vigentes (subrayado EXEQUIBLE SCC-742, 26-09-2012, M.P. María Victoria Calle Correa).

Véase art. 360 C.P.

Artículo 353-A (mod. por el art. 44 de la Ley 1453 de 2011)**: Obstrucción a vías públicas que afecten el orden público.**

El que por medios ilícitos incite, dirija, constriña o proporcione los medios para obstaculizar de manera temporal o permanente, selectiva o general, las vías o la infraestructura de transporte de tal manera que atente contra la vida humana, la salud pública, la seguridad alimentaria, el medio ambiente o el derecho al trabajo, incurrirá en prisión de veinticuatro (24) a cuarenta y ocho meses (48) y multa de trece (13) a setenta y cinco (75) salarios mínimos legales mensuales vigentes y pérdida de inhabilidad de derechos y funciones públicas por el mismo término de la pena de prisión.

Parágrafo. Se excluyen del presente artículo las movilizaciones realizadas con permiso de la autoridad competente en el marco del artículo 37 de la Constitución Política.

(EXEQUIBLE SCC-742, 26-09-2012, M.P. María Victoria Calle Correa).

Véase arts. Véase art. 360 C.P.; 37 C.N.

Artículo 354: Siniestro o daño de nave.

El que ocasione incendio, sumersión, encallamiento o naufragio de nave o de otra construcción flotante, o el daño o caída de aeronave, incurrirá en prisión de dieciséis (16) a ciento veintiséis (126) meses y multa de sesenta y seis punto sesenta y seis (66.66) a setecientos cincuenta (750) salarios mínimos legales mensuales vigentes.

(Se aumentan las penas por el art. 14 de la Ley 890 de 2004).

Véase art. 360 C.P.

Artículo 355: Pánico.

El que por cualquier medio suscite pánico en lugar público, abierto al público o en transporte colectivo, incurrirá en multa.

Véase art. 360 C.P.

Artículo 356: Disparo de arma de fuego contra vehículo.

El que dispare arma de fuego contra vehículo en que se hallen una o más personas, incurrirá en prisión de dieciséis (16) a noventa (90) meses.

(Se aumentan las penas por el art. 14 de la Ley 890 de 2004).

Véase art. 360 C.P.

Artículo 356-A (ad. por el art. 18 de la Ley 1453 de 2011)**: Disparo de arma de fuego sin justificación.**

Quien teniendo permiso para el porte o tenencia de armas de fuego la dispare sin que obre la necesidad de defender un derecho propio o ajeno contra injusta agresión actual o inminente e inevitable de otra manera, incurrirá en prisión de uno (1) a cinco (5) años, cancelación del permiso de porte y tenencia de dicha arma, y la imposibilidad por 20 años de obtener dicha autorización; siempre que la conducta aquí descrita no constituya delito sancionado con pena mayor.

Véase art. 360 C.P.

Artículo 357: Daño en obras o elementos de los servicios de comunicaciones, energía y combustibles.

El que dañe obras u otros elementos destinados a comunicaciones telefónicas, telegráficas, informáticas, telemáticas y satelitales, radiales o similares, o a la producción y conducción de energía o combustible, o a su almacenamiento, incurrirá en prisión de treinta y dos (32) a noventa (90) meses y multa de trece punto treinta y tres (13.33) a ciento cincuenta (150) salarios mínimos legales mensuales vigentes.

La pena se aumentará de una tercera parte a la mitad cuando la conducta se realice con fines terroristas.

(Se aumentan las penas por el art. 14 de la Ley 890 de 2004).

Véase art. 360 C.P.

Artículo 358 (mod. por el art. 3 de la Ley 1773 de 2016)**: Tenencia, fabricación y tráfico de sustancias u objetos peligrosos.**

El que ilícitamente importe, introduzca, exporte, fabrique, adquiera, tenga en su poder, suministre, trafique, transporte o elimine sustancia, desecho o residuo peligroso, radiactivo o nuclear; o ácidos, álcalis, sustancias similares o corrosivas que generen destrucción al entrar en contacto con el tejido humano; considerados como tal por tratados internacionales ratificados por Colombia o disposiciones vigentes, incurrirá en prisión de cuarenta y ocho (48) a ciento cuarenta y cuatro (144) meses y multa de ciento treinta y tres punto treinta y tres (133.33) a treinta mil (30.000) salarios mínimos legales mensuales vigentes.

La pena señalada en el inciso anterior se aumentará hasta la mitad, cuando como consecuencia de algunas de las conductas descritas se produzca liberación de energía nuclear, elementos radiactivos o gérmenes patógenos que pongan en peligro la vida o la salud de las personas o sus bienes.

Véase art. 360 C.P.

Artículo 359 (mod. por el art. 3 de la Ley 1773 de 2016)**: Empleo o lanzamiento de sustancias u objetos peligrosos.**

El que emplee, envíe, remita o lance contra persona, edificio o medio de locomoción, o en lugar público o abierto al público, sustancia u objeto de los mencionados en el artículo precedente, incurrirá en prisión de dieciséis (16) a noventa (90) meses, siempre que la conducta no constituya otro delito.

Si la conducta se comete al interior de un escenario deportivo o cultural, además se incurrirá en multa de cinco (5) a diez (10) salarios mínimos legales mensuales vigentes y en prohibición de acudir al escenario cultural o deportivo por un periodo entre seis (6) meses, y tres (3) años.

La pena será de ochenta (80) a ciento ochenta (180) meses de prisión y multa de ciento treinta y cuatro (134) a setecientos cincuenta (750) salarios mínimos legales mensuales vigentes, cuando la conducta se realice con fines terroristas o en contra de miembros de la fuerza pública.

La pena se aumentará de una tercera parte a la mitad cuando el objeto lanzado corresponda a artefactos explosivos, elementos incendiarios, o sustancias químicas que pongan en riesgo la vida, la integridad personal o los bienes.

El que porte o ingrese armas blancas u objetos peligrosos al interior de un escenario deportivo o cultural incurrirá en multa de cinco (5) a diez (10) salarios mínimos legales mensuales vigentes y prohibición de acudir al escenario deportivo o cultural de seis (6) meses a tres (3) años (subrayado EXEQUIBLE SCC-121, 22-02-2012, M.P. Luis Ernesto Vargas Silva).

Véase art. 360 C.P.

Artículo 360: Modalidad culposa.

Si por culpa se ocasionare alguna de las conductas descritas en los artículos anteriores, en los casos en que ello sea posible según su configuración estructural, la pena correspondiente se reducirá de una tercera parte a la mitad.

Véase art. 23 C.P.

Artículo 361: Introducción de residuos nucleares y de desechos tóxicos.

El que introduzca al territorio nacional residuos nucleares o desechos tóxicos incurrirá en prisión de cuarenta y ocho (48) a ciento ochenta (180) meses y multa de ciento treinta y tres punto treinta y tres (133.33) a treinta mil (30.000) salarios mínimos legales mensuales vigentes.

(Se aumentan las penas por el art. 14 de la Ley 890 de 2004).

Véase art. 81 C.N.

Artículo 362: Perturbación de instalación nuclear o radiactiva.

El que por cualquier medio ponga en peligro el normal funcionamiento de instalación nuclear o radiactiva, incurrirá en prisión de cuarenta ocho (48) a ciento cuarenta y cuatro (144) meses y multa de ciento treinta y tres punto treinta y tres (133.33) a treinta mil (30.000) salarios mínimos legales mensuales vigentes.

(Se aumentan las penas por el art. 14 de la Ley 890 de 2004).

Artículo 363: Tráfico, transporte y posesión de materiales radiactivos o sustancias nucleares.

El que sin permiso de autoridad competente fabrique, transporte, posea, almacene, distribuya, reciba, venda, suministre o trafique materiales radiactivos o sustancias nucleares, utilice sus desechos o haga uso de isótopos radiactivos, incurrirá en prisión de treinta y dos (32) a ciento ocho (108) meses y multa de veintiséis punto sesenta y seis (26.66) a ciento cincuenta (150) salarios mínimos legales mensuales vigentes.

La pena será de cuarenta y ocho (48) a ciento cuarenta y cuatro (144) meses y multa de sesenta y seis punto sesenta y seis (66.66) a trescientos (300) salarios mínimos legales mensuales vigentes, cuando como consecuencia de alguna de las conductas anteriores se produzca liberación de energía nuclear o elementos radiactivos que pongan en peligro la vida o salud de las personas o sus bienes.

(Se aumentan las penas por el art. 14 de la Ley 890 de 2004).

Véase art. 81 C.N.

Artículo 364: Obstrucción de obras de defensa o de asistencia.

El que con ocasión de calamidad o desastre público obstaculice de cualquier modo las obras o medios de defensa o de asistencia o salvamento, incurrirá en prisión de dieciséis (16) a setenta y dos (72) meses y multa de trece punto treinta y tres (13.33) a setenta y cinco (75) salarios mínimos legales mensuales vigentes.

(Se aumentan las penas por el art. 14 de la Ley 890 de 2004).

Artículo 365 (mod. por el art. 19 de la Ley 1453 de 2011)**: Fabricación, tráfico, porte o tenencia de armas de fuego, accesorios, partes o municiones.**

El que sin permiso de autoridad competente importe, trafique, fabrique, transporte, almacene, distribuya, venda, suministre, repare, porte o tenga en un lugar armas de fuego de defensa personal, sus partes esenciales, accesorios esenciales o municiones, incurrirá en prisión de nueve (9) a doce (12) años (subrayado EXEQUIBLE 121, 22-02-2012, M.P. Luis Ernesto Vargas Silva).

En la misma pena incurrirá cuando se trate de armas de fuego de fabricación hechiza o artesanal, salvo las escopetas de fisto en zonas rurales.

La pena anteriormente dispuesta se duplicará cuando la conducta se cometa en las siguientes circunstancias:

1. Utilizando medios motorizados.

2. Cuando el arma provenga de un delito.

3. Cuando se oponga resistencia en forma violenta a los requerimientos de las autoridades.

4. Cuando se empleen máscaras o elementos similares que sirvan para ocultar la identidad o la dificulten.

5. Obrar en coparticipación criminal.

6. Cuando las armas o municiones hayan sido modificadas en sus características de fabricación u origen, que aumenten su letalidad.

7. Cuando el autor pertenezca o haga parte de un grupo de delincuencia organizado.

8. Cuando la conducta sea desarrollada dentro de los territorios que conforman la cobertura geográfica de los Programas de Desarrollo con Enfoque Territorial (PDET) (num. 8 ad. por el art. 8 de la Ley 1908 de 2018).

Artículo 366 (mod. por el art. 20 de la Ley 1453 de 2011)**: Fabricación, tráfico y porte de armas, municiones de uso restringido, de uso privativo de las Fuerzas Armadas o explosivos.**

El que sin permiso de autoridad competente importe, trafique, fabrique, transporte, repare, almacene, conserve, adquiera, suministre, porte o tenga en un lugar armas o sus partes esenciales, accesorios esenciales, municiones de uso privado de las Fuerzas Armadas o explosivos, incurrirá en prisión de once (11) a quince (15) años.

La pena anteriormente dispuesta se duplicará cuando concurran las circunstancias determinadas en el inciso 3° del artículo anterior.

Véase art. 365 C.P.P.

Artículo 367: Fabricación, importación, tráfico, posesión y uso de armas químicas, biológicas y nucleares.

El que importe, trafique, fabrique, almacene, conserve, adquiera, suministre, use o porte armas químicas, biológicas o nucleares, incurrirá en prisión de noventa y seis (96) a ciento ochenta (180) meses y multa de ciento treinta y tres punto treinta y tres (133.33) a treinta mil (30.000) salarios mínimos legales mensuales vigentes.

La pena se aumentará hasta la mitad si se utiliza la ingeniería genética para producir armas biológicas o exterminadoras de la especie humana.

(Se aumentan las penas por el art. 14 de la Ley 890 de 2004).

Artículo 367-A (ad. por el art. 2 de la Ley 759 de 2002)**: Empleo, producción, comercialización y almacenamiento de minas antipersonal.**
El que emplee, produzca, comercialice, ceda y almacene, directa o indirectamente, minas antipersonal o vectores específicamente concebidos como medios de lanzamiento o dispersión de minas antipersonal, incurrirá en prisión de ciento sesenta (160) a doscientos setenta (270) meses, en multa de seiscientos sesenta y seis punto sesenta y seis (666.66) a mil quinientos (1.500) salarios mínimos mensuales legales vigentes, y en inhabilitación para el ejercicio de derechos y funciones públicas de ochenta (80) a ciento ochenta (180) meses.

No obstante lo anterior, el ministerio de defensa nacional está autorizado a:

– Conservar las minas antipersonal que tenga almacenadas de acuerdo al plazo establecido en el artículo 4o. de la ley 554 de 2000 y las que al primero de marzo de 2001 estuviera utilizando para la protección de bases militares, de la infraestructura energética y de comunicaciones, debidamente señalizadas y garantizando la protección de la población civil, dentro de los plazos establecidos en la "convención sobre la prohibición del empleo, almacenamiento, producción y transferencia de minas antipersonal y sobre su destrucción, tal como lo dispone el artículo 5o. de la ley 554 de 2000".

– Trasladar las minas antipersonal en cumplimiento del plan de destrucción y exclusivamente con ese propósito.

– Retener, conservar y trasladar una cantidad de minas antipersonal para el desarrollo de técnicas de detección, limpieza o destrucción de minas y el adiestramiento en dichas técnicas, que no podrá exceder de mil (1.000) minas.

Si la mina antipersonal posee dispositivo antimanipulación o si se ha armado como trampa explosiva, la pena será de doscientos cuarenta (240) a trescientos sesenta (360) meses de prisión, la multa será de mil trescientos treinta y tres punto treinta y tres (1.333.33) a tres mil (3.000) salarios mínimos mensuales legales vigentes, y la inhabilitación para el ejercicio de derechos y funciones será de ciento sesenta (160) a doscientos setenta (270) meses.

(Se aumentan las penas por el art. 14 de la Ley 890 de 2004).

Artículo 367-B (ad. por el art. 3 de la Ley 759 de 2002): **Ayuda e inducción al empleo, producción y transferencia de minas antipersonal.**

El que promueva, ayude, facilite, estimule o induzca a otra persona a participar en cualquiera de las actividades contempladas en el artículo 367-a del código penal, incurrirá en prisión de noventa y seis (96) a ciento ochenta (180) meses y en multa de doscientos sesenta y seis punto sesenta y seis (266.66) a setecientos cincuenta (750) salarios mínimos mensuales legales vigentes.

TÍTULO XIII. DE LOS DELITOS CONTRA LA SALUD PÚBLICA

CAPÍTULO I. DE LAS AFECTACIONES A LA SALUD PÚBLICA

Artículo 368: Violación de medidas sanitarias.

El que viole medida sanitaria adoptada por la autoridad competente para impedir la introducción o propagación de una epidemia, incurrirá en prisión de cuatro (4) a ocho (8) años.

(Se aumentan las penas por el art. 1 de la Ley 1220 de 2008).

Artículo 369: Propagación de epidemia.

El que propague epidemia, incurrirá en prisión de cuatro (4) a diez (10) años.

(Se aumentan las penas por el art. 2 de la Ley 1220 de 2008).

Artículo 370: Propagación del virus de inmunodeficiencia humana o de la hepatitis B.

El que después de haber sido informado de estar infectado por el virus de inmunodeficiencia humana (VIH) o de la hepatitis B, realice prácticas mediante las cuales pueda contaminar a otra persona, o done sangre, semen, órganos o en general componentes anatómicos, incurrirá en prisión de seis (6) a doce (12) años.

(Se aumentan las penas por el art. 3 de la Ley 1220 de 2008).

Artículo 371: Contaminación de aguas.

El que envenene, contamine o de modo peligroso para la salud altere agua destinada al uso o consumo humano, incurrirá en prisión de cuatro (4) a diez (10) años, siempre que la conducta no constituya delito sancionado con pena mayor.

La pena será de cuatro (4) a ocho años (8) años de prisión, si estuviere destinada al servicio de la agricultura o al consumo o uso de animales.

Las penas se aumentarán de una tercera parte a la mitad cuando la conducta se realice con fines terroristas.

(Se aumentan las penas por el art. 4 de la Ley 1220 de 2008).

Artículo 372: Corrupción de Alimentos, Productos Médicos o Material Profiláctico.

El que envenene, contamine, altere producto o sustancia alimenticia, médica o material profiláctico, medicamentos o productos farmacéuticos, bebidas alcohólicas o productos de aseo de aplicación personal, los comercialice, distribuya o suministre, incurrirá en prisión de cinco (5) a doce (12) años, multa de doscientos (200) a mil quinientos (1.500) salarios mínimos legales mensuales vigentes e inhabilitación para el ejercicio de la profesión, arte, oficio, industria o comercio por el mismo término de la pena privativa de la libertad.

En las mismas penas incurrirá el que suministre, comercialice o distribuya producto, o sustancia o material de los mencionados en este artículo, encontrándose deteriorados, caducados o incumpliendo las exigencias técnicas relativas a su composición, estabilidad y eficacia.

Las penas se aumentarán hasta en la mitad, si el que suministre o comercialice fuere el mismo que la elaboró, envenenó, contaminó o alteró.

Si la conducta se realiza con fines terroristas, la pena será de prisión de ocho (8) a quince (15) años y multa de doscientos (200) a mil quinientos (1.500) salarios mínimos legales mensuales vigentes, e inhabilitación para el ejercicio de la profesión, arte, oficio, industria o comercio por el mismo término de la pena privativa de la libertad.

(Se aumentan las penas por el art. 5 de la Ley 1220 de 2008).

Artículo 373: Imitación o Simulación de Alimentos, Productos o Sustancias.

El que con el fin de suministrar, distribuir o comercializar, imite o simule producto o sustancia alimenticia, médica o material profiláctico, medicamentos o productos farmacéuticos, bebidas alcohólicas o productos de aseo de aplicación personal, incurrirá en prisión de cinco (5) a once (11) años, multa de doscientos (200) a mil quinientos (1.500) salarios mínimos legales mensuales vigentes e inhabilitación para el ejercicio de la profesión, arte, oficio, industria o comercio por el mismo término de la pena privativa de la libertad.

(Se aumentan las penas por el art. 6 de la Ley 1220 de 2008).

Artículo 374: Fabricación y comercialización de sustancias nocivas para la salud.

El que sin permiso de autoridad competente elabore, distribuya, suministre o comercialice productos químicos o sustancias nocivos <sic> para la salud, incurrirá en prisión de cinco (5) a once (11) años, multa de doscientos (200) a mil quinientos (1.500) salarios mínimos legales mensuales vigentes e inhabilitación para el ejercicio de la profesión, arte, oficio, industria o comercio por el mismo término de la pena privativa de la libertad.

(Se aumentan las penas por el art. 7 de la Ley 1220 de 2008).

Artículo 374-A (ad. por el art. 21 de la Ley 1453 de 2011)**: Enajenación ilegal de medicamentos.**

El que con el objeto de obtener un provecho para sí mismo o para un tercero enajene a título oneroso, adquiera o comercialice un medicamento que se le haya entregado a un usuario del Sistema General de Seguridad Social en Salud, incurrirá en prisión de veinticuatro (24) a cuarenta y ocho (48) meses y multa de cincuenta (50) a doscientos (200) salarios mínimos legales mensuales vigentes.

La pena se aumentará de una tercera parte a la mitad cuando se trate de medicamentos de origen biológico y biotecnológico y aquellos para tratar enfermedades huérfanas y de alto costo.

CAPÍTULO II. DEL TRÁFICO DE ESTUPEFACIENTES Y OTRAS INFRACCIONES

Artículo 375: Conservación o financiación de plantaciones.

El que sin permiso de autoridad competente cultive, conserve o financie plantaciones de marihuana o cualquier otra planta de las que pueda producirse cocaína, morfina, heroína o cualquiera otra droga que produzca dependencia, o más de un (1) kilogramo de semillas de dichas plantas, incurrirá en prisión de noventa y seis (96) a doscientos dieciséis (216) meses y en multa de doscientos sesenta y seis punto sesenta y seis (266.66) a dos mil doscientos cincuenta (2.250) salarios mínimos legales mensuales vigentes.

Si la cantidad de plantas de que trata este artículo excediere de veinte (20) sin sobrepasar la cantidad de cien (100), la pena será de sesenta y cuatro (64) a ciento ocho (108) meses de prisión y multa de trece punto treinta y tres (13.33) a setenta y cinco (75) salarios mínimos legales mensuales vigentes.

Las sanciones previstas en este artículo, no aplicarán para el uso médico y científico del cannabis siempre y cuando se tengan las licencias otorgadas, ya sea por el Ministerio de Salud y Protección Social o el Ministerio de Justicia y del Derecho, según sus competencias (inc. 4 ad. 12 del Ley 1787 de 2016).

(Se aumentan las penas por el art. 14 de la Ley 890 de 2004).

Artículo 376 (mod. por el art. 11 de la Ley 1453 de 2011)**: Tráfico, fabricación o porte de estupefacientes.**

El que sin permiso de autoridad competente, introduzca al país, así sea en tránsito o saque de él, transporte, lleve consigo, almacene, conserve, elabore, venda, ofrezca, adquiera, financie o suministre a cualquier título sustancia estupefaciente, sicotrópica o drogas sintéticas que se encuentren contempladas en los cuadros uno, dos, tres y cuatro del Convenio de las Naciones Unidas sobre Sustancias Sicotrópicas, incurrirá en prisión de ciento veintiocho (128) a trescientos sesenta (360) meses y multa de mil trescientos treinta y cuatro (1.334) a cincuenta mil (50.000) salarios mínimos legales mensuales vigentes.

Si la cantidad de droga no excede de mil (1.000) gramos de marihuana, doscientos (200) gramos de hachís, cien (100) gramos de cocaína o de sustancia estupefaciente a base de cocaína o veinte (20) gramos de derivados de la amapola, doscientos (200) gramos de droga sintética, sesenta (60) gramos de nitrato de amilo, sesenta (60) gramos de ketamina y GHB, la pena será de sesenta y cuatro (64) a ciento ocho (108) meses de prisión y multa de dos (2) a ciento cincuenta (150) salarios mínimos legales mensuales vigentes.

Si la cantidad de droga excede los límites máximos previstos en el inciso anterior sin pasar de diez mil (10.000) gramos de marihuana, tres mil (3.000) gramos de hachís, dos mil (2.000) gramos de cocaína o de sustancia estupefaciente a base de cocaína o sesenta (60) gramos de derivados de la amapola, cuatro mil (4.000) gramos de droga sintética, quinientos (500) gramos de nitrato de amilo, quinientos (500) gramos de ketamina y GHB, la pena será de noventa y seis (96) a ciento cuarenta y cuatro (144) meses de prisión y multa de ciento veinte y cuatro (124) a mil quinientos (1.500) salarios mínimos legales mensuales vigentes.

Las sanciones previstas en este artículo, no aplicarán para el uso médico y científico del cannabis siempre y cuando se tengan las licencias otorgadas, ya sea por el Ministerio de Salud y Protección Social o el Ministerio de Justicia y del Derecho, según sus competencias (inc. 4 ad. por art. 13 del Ley 1787 de 2016).

(CONDICIONALMENTE EXEQUIBLE SCC-491, 28-06-2012, M.P. Luis Ernesto Vargas Silva "(...) en el entendido de que no incluye la penalización del porte o conservación de dosis, exclusivamente destinada al consumo personal, de sustancia estupefaciente, sicotrópica o droga sintética, a las que se refiere el precepto acusado"; EXEQUIBLE SCC-689, 27-08-2002, M.P. Alvaro Tafur Galvis; véase art. 384 C.P.).

Artículo 377: Destinación ilícita de muebles o inmuebles.

El que destine ilícitamente bien mueble o inmueble para que en él se elabore, almacene o transporte, venda o use algunas de las drogas a que se refieren los artículos 375 y 376, y/o autorice o tolere en ellos tal destinación, incurrirá en prisión de noventa y seis (96) a doscientos dieciséis (216) meses y multa de mil trescientos treinta y tres punto treinta y tres (1.333.33) a cincuenta mil (50.000) salarios mínimos legales mensuales vigentes.

Las sanciones previstas en este artículo, no aplicarán para el uso médico y científico del cannabis siempre y cuando se tengan las licencias otorgadas, ya sea por el Ministerio de Salud y Protección Social o el Ministerio de Justicia y del Derecho, según sus competencias.

(Se aumentan las penas por el art. 14 de la Ley 890 de 2004).

(EXEQUIBLE SCC-689, 27-08-2002, M.P. Alvaro Tafur Galvis).

Véase arts. 375, 376 384 C.P.

Artículo 377-A (ad. por el art. 2 de la Ley 1311 de 2009)**: Uso, construcción, comercialización y/o tenencia de semisumergibles o sumergibles.**

El que sin permiso de la autoridad competente financie, construya, almacene, comercialice, transporte, adquiera o utilice semisumergible o sumergible, incurrirá en prisión de seis (6) a doce (12) años y multa de mil (1.000) a cincuenta mil (50.000) salarios mínimos legales mensuales vigentes.

Parágrafo. Para la aplicación de la presente ley, se entenderá por semisumergible o sumergible, la nave susceptible de moverse en el agua con o sin propulsión propia, inclusive las plataformas, cuyas características permiten la inmersión total o parcial. Se exceptúan los elementos y herramientas destinados a la pesca artesanal.

Véase art. 377-B.

Artículo 377-B (ad. por el art. 2 de la Ley 1311 de 2009; mod. por el art. 22 de la Ley 1453 de 2011)**: Circunstancia de agravación punitiva.**

Si la nave semisumergible o sumergible es utilizada para almacenar, transportar o vender, sustancia estupefaciente, insumos necesarios para su fabricación o es usado como medio para la comisión de actos delictivos la pena será de quince (15) a treinta (30) años y multa de setenta mil (70.000) salarios mínimos legales mensuales vigentes.

La pena se aumentará de una tercera parte a la mitad cuando la conducta sea realizada por un Servidor Público o quien haya sido miembro de la Fuerza Pública.

Artículo 378: Estímulo al uso ilícito.

El que en cualquier forma estimule o propague el uso ilícito de drogas o medicamentos que produzcan dependencia incurrirá en prisión de cuarenta y ocho (48) a ciento cuarenta y cuatro (144) meses y multa de ciento treinta y tres punto treinta y tres (133.33) a mil quinientos (1.500) salarios mínimos legales mensuales vigentes.

(Se aumentan las penas por el art. 14 de la Ley 890 de 2004).

Véase art. 384 C.P.

Artículo 379: Suministro o formulación ilegal.

El profesional o practicante de medicina, odontología, enfermería, farmacia o de alguna de las respectivas profesiones auxiliares que, en ejercicio de ellas, ilegalmente formule, suministre o aplique droga que produzca dependencia, incurrirá en prisión de cuarenta y ocho (48) a ciento cuarenta y cuatro (144) meses y multa de ciento treinta y tres punto treinta y tres (133.33) a mil quinientos (1.500) salarios mínimos legales mensuales vigentes, e inhabilitación para el ejercicio de la profesión, arte, oficio, industria o comercio de ochenta (80) a ciento ochenta (180) meses.

(Se aumentan las penas por el art. 14 de la Ley 890 de 2004).

(EXEQUIBLE SCC-689, 27-08-2002, M.P. Alvaro Tafur Galvis).

Véase art. 384 C.P.

Artículo 380: Suministro o formulación ilegal a deportistas.

El que, sin tener las calidades de que trata el artículo anterior, suministre ilícitamente a un deportista profesional o aficionado, alguna droga o medicamento que produzca dependencia, o lo induzca a su consumo, incurrirá en prisión de dieciséis (16) a cincuenta y cuatro (54) meses.

(Se aumentan las penas por el art. 14 de la Ley 890 de 2004).

(EXEQUIBLE SCC-689, 27-08-2002, M.P. Alvaro Tafur Galvis).

Véase art. 384 C.P.

Artículo 381: Suministro a menor.

El que suministre, administre o facilite a un menor droga que produzca dependencia o lo induzca a usarla, incurrirá en prisión de noventa y seis (96) a doscientos dieciséis (216) meses.

(Se aumentan las penas por el art. 14 de la Ley 890 de 2004).

Véase art. 384 C.P.

Artículo 382 (mod. por el art. 12 de la Ley 1453 de 2011)**: Tráfico de sustancias para el procesamiento de narcóticos.**

El que ilegalmente introduzca al país, así sea en tránsito, o saque de él, transporte, tenga en su poder, desvíe del uso legal a través de empresas o establecimientos de comercio, elementos o sustancias que sirvan para el procesamiento de cocaína, heroína, drogas de origen sintético y demás narcóticos que produzcan dependencia, tales como éter etílico, acetona, amoniaco, permanganato de potasio, carbonato liviano, ácido sulfúrico, ácido clorhídrico, diluyentes, disolventes, sustancias contempladas en los cuadros uno y dos de la Convención de Naciones Unidas contra los Estupefacientes y Sustancias Psicotrópicas y las que según concepto previo del Consejo Nacional de Estupefacientes se utilicen con el mismo fin, así como medicamentos de uso veterinario, incurrirá en prisión de 96 a 180 meses y multa de 3.000 a 50.000 salarios mínimos legales mensuales vigentes.

(EXEQUIBLE SCC-689, 27-08-2002, M.P. Alvaro Tafur Galvis).

Véase art. 384 C.P.

Artículo 383: Porte de sustancias.

El que en lugar público o abierto al público y sin justificación porte escopolamina o cualquier otra sustancia semejante que sirva para colocar en estado de indefensión a las personas, incurrirá en prisión de dieciséis (16) a treinta y seis (36) meses, salvo que la conducta constituya delito sancionado con pena mayor.

(Se aumentan las penas por el art. 14 de la Ley 890 de 2004).

Véase art. 384 C.P.

Artículo 384: Circunstancias de agravación punitiva.

El mínimo de las penas previstas en los artículos anteriores se duplicará en los siguientes casos (subrayado CONDICIONALMENTE EXEQUIBLE SCC-1080, 05-12-2002, M.P. Alvaro Tafur Galvis "(...) bajo el entendido que en ningún caso podrá ser aplicada una pena que supere el máximo fijado en la Ley para cada delito").

1. Cuando la conducta se realice:

a) Valiéndose de la actividad de un menor, o de quien padezca trastorno mental, o de persona habituada;

b) En centros educacionales, asistenciales, culturales, deportivos, recreativos, vacacionales, cuarteles, establecimientos carcelarios, lugares donde se celebren espectáculos o diversiones públicas o actividades similares o en sitios aledaños a los anteriores (subrayado EXEQUIBLE SCC-535, 12-07-2006, M.P. Clara Inés Vargas Hernández);

c) Por parte de quien desempeñe el cargo de docente o educador de la niñez o la juventud, y.

d) En inmueble que se tenga a título de tutor o curador.

3. Cuando el agente hubiere ingresado al territorio nacional con artificios o engaños o sin autorización legal, sin perjuicio del concurso de delitos que puedan presentarse.

4. Cuando la cantidad incautada sea superior a mil (1.000) kilos si se trata de marihuana; a cien (100) kilos si se trata de marihuana hachís; y a cinco (5) kilos si se trata de cocaína o metacualona o dos (2) kilos si se trata de sustancia derivada de la amapola.

Artículo 385: Existencia, construcción y utilización ilegal de pistas de aterrizaje.

Incurrirá en prisión de sesenta y cuatro (64) a ciento ochenta (180) meses y multa de ciento treinta y tres punto treinta y tres (133.33) a mil quinientos (1.500) salarios mínimos legales mensuales vigentes, el dueño, poseedor, tenedor o arrendatario de predios donde:

1. Existan o se construyan pistas de aterrizaje sin autorización de la unidad administrativa especial de aeronáutica civil;

2. Aterricen o emprendan vuelo aeronaves sin autorización de la unidad administrativa especial de aeronáutica civil o sin causa justificada, a menos que diere inmediato aviso a las autoridades civiles, militares o de policía más cercana;

3. Existan pistas o campos de aterrizaje con licencia otorgada por la unidad administrativa especial de aeronáutica civil, que no dé inmediato aviso a las autoridades de que trata el literal anterior sobre el decolaje o aterrizaje de aeronaves en las circunstancias previstas en el mismo numeral.

(EXEQUIBLE SCC-689, 27-08-2002, M.P. Alvaro Tafur Galvis).

(Se aumentan las penas por el art. 14 de la Ley 890 de 2004).

TÍTULO XIV. DELITOS CONTRA MECANISMOS DE PARTICIPACIÓN DEMOCRÁTICA

CAPÍTULO ÚNICO. DE LA VIOLACIÓN AL EJERCICIO DE MECANISMOS DE PARTICIPACIÓN DEMOCRÁTICA

Artículo 386 (mod. por el art. 1 de la Ley 1864 de 2017)**: Perturbación de certamen democrático.**

El que por medio de maniobra engañosa perturbe o impida votación pública relacionada con los mecanismos de participación democrática, o el escrutinio de la misma, o la realización de un cabildo abierto, incurrirá en prisión de cuatro (4) a nueve (9) años y multa de cincuenta (50) a doscientos (200) salarios mínimos legales mensuales vigentes.

La pena será de prisión de seis (6) a doce (12) años cuando la conducta se realice por medio de violencia.

La pena se aumentará de una tercera parte a la mitad cuando la conducta sea realizada por un servidor público.

Véase art. 103 C.N.

Artículo 387 (mod. por el art. 2 de la Ley 1864 de 2017)**: Constreñimiento al sufragante.**

El que amenace o presione por cualquier medio a un ciudadano o a un extranjero habilitado por la ley, con el fin de obtener apoyo o votación por determinado candidato o lista de candidatos, voto en blanco, o por los mismos medios le impida el libre ejercicio del derecho al sufragio, incurrirá en prisión de cuatro (4) a nueve (9) años y multa de cincuenta (50) a doscientos (200) salarios mínimos legales mensuales vigentes.

En igual pena incurrirá quien por los mismos medios pretenda obtener en plebiscito, referendo, consulta popular o revocatoria del mandato, apoyo o votación en determinado sentido, o impida el libre ejercicio del derecho al sufragio.

La pena se aumentará de la mitad al doble cuando la conducta sea realizada por servidor público, cuando haya subordinación o cuando se condicione el otorgamiento o acceso a beneficios otorgados con ocasión de programas sociales o de cualquier otro orden de naturaleza gubernamental.

La pena se aumentará en una tercera parte cuando la conducta sea cometida por miembros de Grupos Delictivos Organizados y Grupos Armados Organizados (inc. 4 ad. por el art. 4 de la Ley 1908 de 2018).

Artículo 388 (mod. por el art. 3 de la Ley 1864 de 2017)**: Fraude al sufragante.**

El que mediante maniobra engañosa obtenga que un ciudadano o un extranjero habilitado por la ley, vote por determinado candidato, partido o corriente política o lo haga en blanco, incurrirá en prisión de cuatro (4) a ocho (8) años, y multa de cincuenta (50) a doscientos (200) salarios mínimos legales mensuales vigentes.

En igual pena incurrirá quien por el mismo medio obtenga en plebiscito, referendo, consulta popular o revocatoria del mandato votación en determinado sentido.

La pena se aumentará de una tercera parte a la mitad cuando la conducta sea realizada por un servidor público.

La pena se aumentará de la mitad al doble cuando la conducta este mediada por amenazas de pérdidas de servicios públicos estatales o beneficios otorgados con ocasión de la ejecución de programas sociales o culturales o de cualquier otro orden, de naturaleza estatal o gubernamental.

Véase art. 40 C.N.

Artículo 389 (mod. por el art. 4 de la Ley 1864 de 2017): **Fraude en inscripción de cédulas.**

El que por cualquier medio indebido logre que personas habilitadas para votar inscriban documento o cédula de ciudadanía en una localidad, municipio o distrito diferente a aquel donde hayan nacido o residan, con el propósito de obtener ventaja en elección popular, plebiscito, referendo, consulta popular o revocatoria del mandato, incurrirá en prisión de cuatro (4) a nueve (9) años y multa de cincuenta (50) a doscientos (200) salarios mínimos legales mensuales vigentes.

En igual pena incurrirá quien inscriba su documento o cédula de ciudadanía en localidad, municipio o distrito diferente a aquel donde haya nacido o resida, con el propósito de obtener provecho ilícito para sí o para terceros.

La pena se aumentará de una tercera parte a la mitad cuando la conducta sea realizada por un servidor público.

Véase art. 294 C.P.

Artículo 389-A (ad. por el art. 5 de la Ley 1864 de 2017): **Elección ilícita de candidatos.**

El que sea elegido para un cargo de elección popular estando inhabilitado para desempeñarlo por decisión judicial, disciplinaria o fiscal incurrirá en prisión de cuatro (4) a nueve (9) años y multa de doscientos (200) a ochocientos (800) salarios mínimos legales mensuales vigentes.

Véase art. 122 C.N.

Artículo 390 (mod. por el art. 6 de la Ley 1864 de 2017): **Corrupción de sufragante.**

El que celebre contrato, condicione su perfección o prórroga, prometa, pague o entregue dinero, dádiva u ofrezca beneficio particular o en favor de un tercero a un ciudadano o a un extranjero habilitado por la ley con el propósito de sufragar por un determinado candidato, partido o corriente política, o para que lo haga en blanco o se abstenga de hacerlo, incurrirá en prisión de cuatro (4) a ocho (8) años y multa de doscientos (200) a mil (1.000) salarios mínimos legales mensuales vigentes.

En igual pena incurrirá quien por los mismos medios obtenga en plebiscito, referendo, consulta popular o revocatoria del mandato votación en determinado sentido.

En igual pena incurrirá el sufragante que acepte la promesa, el dinero, la dádiva, el contrato, o beneficio particular con los fines señalados en el inciso primero.

La pena se aumentará de una tercera parte a la mitad cuando la conducta sea realizada por un servidor público.

La pena se aumentará de la mitad al doble cuando en la promesa, pago o entrega de dinero, beneficios o dádivas medien recursos públicos.

Artículo 390-A (ad. por el art. 7 de la Ley 1864 de 2017)**: Tráfico de votos.**

El que ofrezca los votos de un grupo de ciudadanos a cambio de dinero o dádiva con la finalidad de que dichos ciudadanos consignen su voto en favor de determinado candidato, partido o corriente política, voten en blanco, se abstengan de hacerlo o lo hagan en determinado sentido en un plebiscito, referendo, consulta popular o revocatoria de mandato incurrirá en prisión de cuatro (4) a nueve (9) años y multa de cuatrocientos (400) a mil doscientos (1.200) salarios mínimos legales mensuales vigentes.

Artículo 391 (mod. por el art. 8 de la Ley 1864 de 2017)**: Voto fraudulento.**

El que suplante a un ciudadano o a un extranjero habilitado por la ley, o vote más de una vez, o sin derecho consigne voto en una elección, plebiscito, referendo, consulta popular, o revocatoria del mandato, incurrirá en prisión de cuatro (4) a ocho (8) años y multa de cincuenta (50) a doscientos (200) salarios mínimos legales mensuales vigentes.

Artículo 392 (mod. por el art. 9 de la Ley 1864 de 2017)**: Favorecimiento de voto fraudulento.**

El servidor público que permita suplantar a un ciudadano o a un extranjero habilitado por la ley, o votar más de una vez o hacerlo sin derecho, incurrirá en prisión de cuatro (4) a nueve (9) años, multa de cincuenta (50) a doscientos (200) salarios mínimos legales mensuales vigentes e inhabilidad para ejercer cargos públicos por el doble de la pena de prisión impuesta.

Artículo 393 (mod. por el art. 10 de la Ley 1864 de 2017)**: Mora en la entrega de documentos relacionados con una votación.**

El servidor público que no haga entrega oportuna a la autoridad competente de documentos electorales, sellos de urna o de arca triclave, incurrirá en prisión de cuatro (4) a nueve (9) años, multa de cincuenta (50) a doscientos (200) salarios mínimos legales mensuales vigentes e inhabilidad para ejercer cargos públicos por el mismo tiempo de la pena de prisión impuesta.

Artículo 394 (mod. por el art. 11 de la Ley 1864 de 2017)**: Alteración de resultados electorales.**

El que por medio distinto de los señalados en los artículos precedentes altere el resultado de una votación o introduzca documentos o tarjetones indebidamente, incurrirá en prisión de cuatro (4) a ocho (8) años, salvo que la conducta constituya delito sancionado con pena mayor, y multa de cincuenta (50) a doscientos (200) salarios mínimos legales mensuales vigentes.

La pena se aumentará de una tercera parte a la mitad cuando la conducta sea realizada por un servidor público.

Véase art. 294 C.P.

Artículo 395 (mod. por el art. 12 de la Ley 1864 de 2017)**: Ocultamiento, retención y posesión ilícita de cédula.**

El que haga desaparecer posea o retenga cédula de ciudadanía ajena o cualquier otro documento necesario para el ejercicio del derecho de sufragio, incurrirá en prisión de cuatro (4) a ocho (8) años, salvo que la conducta constituya delito sancionado con pena mayor, y multa de cincuenta (50) a doscientos (200) salarios mínimos legales mensuales vigentes.

Véase art. 294 C.P.

Artículo 396 (mod. por el art. 13 de la Ley 1864 de 2017)**: Denegación de inscripción.**

El servidor público a quien legalmente corresponda la inscripción de candidato o lista de candidatos para elecciones populares que no cumpla con esta función o la dilate o entorpezca, incurrirá en prisión de cuatro (4) a ocho (8) años, multa de cincuenta (50) a doscientos (200) salarios mínimos legales mensuales vigentes e inhabilidad para ejercer cargos públicos por el doble de la pena de prisión impuesta.

En igual pena incurrirá quien realice las conductas anteriores cuando se trate de plebiscito, referendo, consulta popular y revocatoria del mandato.

La misma pena se impondrá al que por cualquier medio impida u obstaculice la inscripción a que se refieren los incisos anteriores.

Artículo 396-A (ad. por el art. 14 de la Ley 1864 de 2017)**: Financiación de campañas electorales con fuentes prohibidas.**

El gerente de la campaña electoral que permita en ella la consecución de bienes provenientes de fuentes prohibidas por la ley para financiar campañas electorales, incurrirá en prisión de cuatro (4) a ocho (8) años, multa de cuatrocientos (400) a mil doscientos (1.200) salarios mínimos legales mensuales vigentes e inhabilitación para el ejercicio de derechos y funciones públicas por el mismo tiempo.

En la misma pena incurrirá el respectivo candidato cuando se trate de cargos uninominales y listas de voto preferente que realice la conducta descrita en el inciso anterior.

En la misma pena incurrirá el candidato de lista de voto no preferente que intervenga en la consecución de bienes provenientes de dichas fuentes para la financiación de su campaña electoral.

En la misma pena incurrirá el que aporte recursos provenientes de fuentes prohibidas por la ley a campaña electoral.

Artículo 396-B (ad. por el art. 15 de la Ley 1864 de 2017)**: Violación de los topes o límites de gastos en las campañas electorales.**

El que administre los recursos de la campaña electoral que exceda los topes o límites de gastos establecidos por la autoridad electoral, incurrirá en prisión de cuatro (4) a ocho (8) años, multa correspondiente al mismo valor de lo excedido e inhabilitación para el ejercicio de derechos y funciones públicas por el mismo tiempo.

Artículo 396-C (ad. por el art. 16 de la Ley 1864 de 2017)**: Omisión de información del aportante.**

El que no informe de sus aportes realizados a las campañas electorales conforme a los términos establecidos en la ley, incurrirá en prisión de cuatro (4) a ocho (8) años y multa de cuatrocientos (400) a mil doscientos (1.200) salarios mínimos legales mensuales vigentes.

TÍTULO XV. DELITOS CONTRA LA ADMINISTRACIÓN PÚBLICA

CAPÍTULO I. DEL PECULADO

Artículo 397: Peculado por apropiación.

El servidor público que se apropie en provecho suyo o de un tercero de bienes del estado o de empresas o instituciones en que éste tenga parte o de bienes o fondos parafiscales, o de bienes de particulares cuya administración, tenencia o custodia se le haya confiado por razón o con ocasión de sus funciones, incurrirá en prisión de noventa y seis (96) a doscientos setenta (270) meses, multa equivalente al valor de lo apropiado sin que supere el equivalente a cincuenta mil (50.000) salarios mínimos legales mensuales vigentes, e inhabilitación para el ejercicio de derechos y funciones públicas por el mismo término.

Si lo apropiado supera un valor de doscientos (200) salarios mínimos legales mensuales vigentes, dicha pena se aumentará hasta en la mitad.

La pena de multa no superará los cincuenta mil salarios mínimos legales mensuales vigentes.

Si lo apropiado no supera un valor de cincuenta (50) salarios mínimos legales mensuales vigentes la pena será de sesenta y cuatro (64) a ciento ochenta (180) meses e inhabilitación para el ejercicio de derechos y funciones públicas <u>por el mismo término</u> y multa equivalente al valor de lo apropiado.

(Se aumentan las penas por el art. 14 de la Ley 890 de 2004; véase arts. 33 de la Ley 1474 de 2011; 123 C.N.; 401 C.P.).

(Subrayados EXEQUIBLES SCC-652, 05-08-2003, M.P. Marco Gerardo Monroy Cabra "(...) bajo el entendido que no se refieren a la inhabilidad intemporal para ejercer funciones públicas").

Artículo 398: Peculado por uso.

El servidor público que indebidamente use o permita que otro use bienes del estado o de empresas o instituciones en que éste tenga parte, o bienes de particulares cuya administración, tenencia o custodia se le haya confiado por razón o con ocasión de sus funciones, incurrirá en prisión de dieciséis (16) a setenta y dos (72) meses e inhabilitación para el ejercicio de derechos y funciones públicas <u>por el mismo término</u>.

(Se aumentan las penas por el art. 14 de la Ley 890 de 2004).

(Subrayado EXEQUIBLE SCC-652, 05-08-2003, M.P. Marco Gerardo Monroy Cabra "(...) bajo el entendido que no se refieren a la inhabilidad intemporal para ejercer funciones públicas").

Véase art. 401 C.P.

Artículo 399: Peculado por aplicación oficial diferente.

El servidor público que dé a los bienes del estado o de empresas o instituciones en que éste tenga parte, cuya administración, tenencia o custodia se le haya confiado por razón o con ocasión de sus funciones, aplicación oficial diferente de aquella a que están destinados, o comprometa sumas superiores a las fijadas en el presupuesto, o las invierta o utilice en forma no prevista en éste, en perjuicio de la inversión social o de los salarios o prestaciones sociales de los servidores, incurrirá en prisión de dieciséis (16) a cincuenta y cuatro (54) meses, multa de trece punto treinta y tres (13.33) a setenta y cinco (75) salarios mínimos legales mensuales vigentes, e inhabilitación para el ejercicio de derechos y funciones públicas por el mismo término.

(Se aumentan las penas por el art. 14 de la Ley 890 de 2004.

(Subrayado EXEQUIBLE SCC-652, 05-08-2003, M.P. Marco Gerardo Monroy Cabra "(...) bajo el entendido que no se refieren a la inhabilidad intemporal para ejercer funciones públicas").

Véase arts. 399-A, 401 C.P.

Artículo 399-A (ad. por el art. 23 de la Ley 1474 de 2011)**: Peculado por aplicación oficial diferente frente a recursos de la seguridad social.**

La pena prevista en el artículo 399 se agravará de una tercera parte a la mitad, cuando se dé una aplicación oficial diferente a recursos destinados a la seguridad social integral.

Véase art. 401 C.P.

Artículo 400: Peculado culposo.

El servidor público que respecto a bienes del estado o de empresas o instituciones en que éste tenga parte, o bienes de particulares cuya administración, tenencia o custodia se le haya confiado por razón o con ocasión de sus funciones, por culpa dé lugar a que se extravíen, pierdan o dañen, incurrirá en prisión de dieciséis (16) a cincuenta y cuatro (54) meses, multa de trece punto treinta y tres (13.33) a setenta y cinco (75) salarios mínimos legales mensuales vigentes e inhabilitación para el ejercicio de funciones públicas por el mismo término señalado.

(Se aumentan las penas por el art. 14 de la Ley 890 de 2004; véase arts. 23, 401 C.P.).

(Subrayado EXEQUIBLE SCC-652, 05-08-2003, M.P. Marco Gerardo Monroy Cabra "(...) bajo el entendido que no se refieren a la inhabilidad intemporal para ejercer funciones públicas").

Artículo 400-A (ad. por el art. 24 de la Ley 1474 de 2011): **Peculado culposo frente a recursos de la seguridad social integral.**

Las penas previstas en el artículo 400 de la Ley 599 de 2000 se agravarán de una tercera parte a la mitad, cuando se dé una aplicación oficial diferente a recursos destinados a la seguridad social integral.

Artículo 401 (mod. por el art. 25 de la Ley 1474 de 2011): **Circunstancias de atenuación punitiva.**

Si antes de iniciarse la investigación, el agente, por sí o por tercera persona, hiciere cesar el mal uso, reparare lo dañado, corrigiere la aplicación oficial diferente, o reintegrare lo apropiado, perdido o extraviado, o su valor actualizado con intereses la pena se disminuirá en la mitad.

Si el reintegro se efectuare antes de dictarse sentencia de segunda instancia, la pena se disminuirá en una tercera parte.

Cuando el reintegro fuere parcial, el juez deberá, proporcionalmente, disminuir la pena hasta en una cuarta parte.

Artículo 402 (mod. por el art. 339 de la Ley 1819 de 2016): **Omisión del agente retenedor o recaudador.**

El agente retenedor o autorretenedor que no consigne las sumas retenidas o autorretenidas por concepto de retención en la fuente dentro de los dos (2) meses siguientes a la fecha fijada por el Gobierno nacional para la presentación y pago de la respectiva declaración de retención en la fuente o quien encargado de recaudar tasas o contribuciones públicas no las consigne dentro del término legal, incurrirá en prisión de cuarenta (48) a ciento ocho (108) meses y multa equivalente al doble de lo no consignado sin que supere el equivalente a 1.020.000 UVT.

En la misma sanción incurrirá el responsable del impuesto sobre las ventas o el impuesto nacional al consumo que, teniendo la obligación legal de hacerlo, no consigne las sumas recaudadas por dicho concepto, dentro de los dos (2) meses siguiente a la fecha fijada por el Gobierno nacional para la presentación y pago de la respectiva declaración del impuesto sobre las ventas.

El agente retenedor o el responsable del impuesto sobre las ventas o el impuesto nacional al consumo que omita la obligación de cobrar y recaudar estos impuestos, estando obligado a ello, incurrirá en la misma pena penal prevista en este artículo.

Tratándose de sociedades u otras entidades, quedan sometidas a esas mismas sanciones las personas naturales encargadas en cada entidad del cumplimiento de dichas obligaciones.

Parágrafo. El agente retenedor o autorretenedor, responsable del impuesto a la ventas, el impuesto nacional al consumo o el recaudador de tasas o contribuciones públicas, que extinga la obligación tributaria por pago o compensación de las sumas adeudadas, según el caso, junto con sus correspondientes intereses previstos en el Estatuto Tributario, y normas legales respectivas, se hará beneficiario de resolución inhibitoria, preclusión de investigación o cesación de procedimiento dentro del proceso penal que se hubiere iniciado por tal motivo, sin perjuicio de las sanciones administrativas a que haya lugar.

(EXEQUIBLE SCC-009, de 23-01-2003, M.P. Jaime Araújo Rentería; SCC-129, 18-02-2003, M.P. Manuel José Cepeda Espinosa; SCC-652, 05-08-2003, M.P. Marco Gerardo Monroy Cabra (...) exclusivamente por las razones expuestas en esta providencia y bajo el entendido que si la conducta en él descrita es cometida por un servidor público en ejercicio de sus funciones, el juez penal deberá imponer la inhabilidad intemporal consagrada en el artículo 122 de la Constitución Política").

Artículo 403: Destino de recursos del tesoro para el estimulo o beneficio indebido de explotadores y comerciantes de metales preciosos.

El servidor público que destine recursos del tesoro para estimular o beneficiar directamente o por interpuesta persona, a los explotadores y comerciantes de metales preciosos, con el objeto de que declaren sobre el origen o procedencia del mineral precioso, incurrirá en prisión de treinta y dos (32) a noventa (90) meses, en multa de ciento treinta y tres punto treinta y tres (133.33) a setecientos cincuenta (750) salarios mínimos legales mensuales vigentes, e inhabilitación para el ejercicio de derechos y funciones públicas por ochenta (80) meses.

En la misma pena incurrirá el que reciba con el mismo propósito los recursos del tesoro, o quien declare producción de metales preciosos a favor de municipios distintos al productor.

(Se aumentan las penas por el art. 14 de la Ley 890 de 2004).

Artículo 403-A (ad. por el art. 26 de la Ley 1474 de 2011)**: Fraude de subvenciones.**

El que obtenga una subvención, ayuda o subsidio proveniente de recursos públicos mediante engaño sobre las condiciones requeridas para su concesión o callando total o parcialmente la verdad, incurrirá en prisión de cinco (5) a nueve (9) años, multa de doscientos (200) a mil (1.000) salarios mínimos legales mensuales vigentes e inhabilidad para el ejercicio de derechos y funciones públicas de seis (6) a doce (12) años.

Las mismas penas se impondrán al que no invierta los recursos obtenidos a través de una subvención, subsidio o ayuda de una entidad pública a la finalidad a la cual estén destinados.

CAPÍTULO II. DE LA CONCUSIÓN

Artículo 404: Concusión.

El servidor público que abusando de su cargo o de sus funciones constriña o induzca a alguien a dar o prometer al mismo servidor o a un tercero, dinero o cualquier otra utilidad indebidos, o los solicite, incurrirá en prisión de noventa y seis (96) a ciento ochenta (180) meses, multa de sesenta y seis punto sesenta y seis (66.66) a ciento cincuenta (150) salarios mínimos legales mensuales vigentes, e inhabilitación para el ejercicio de derechos y funciones públicas de ochenta (80) a ciento cuarenta y cuatro (144) meses.

(Se aumentan las penas por el art. 14 de la Ley 890 de 2004).

Véase arts. 33 de la Ley 1474 de 2011.

CAPÍTULO III. DEL COHECHO

Artículo 405: Cohecho propio.

El servidor público que reciba para sí o para otro, dinero u otra utilidad, o acepte promesa remuneratoria, directa o indirectamente, para retardar u omitir un acto propio de su cargo, o para ejecutar uno contrario a sus deberes oficiales, incurrirá en prisión de ochenta (80) a ciento cuarenta y cuatro (144) meses, multa de sesenta y seis punto sesenta y seis (66.66) a ciento cincuenta (150) salarios mínimos legales mensuales vigentes, e inhabilitación para el ejercicio de derechos y funciones públicas de ochenta (80) a ciento cuarenta y cuatro (144) meses.

(Se aumentan las penas por el art. 14 de la Ley 890 de 2004).

Véase arts. 33 de la Ley 1474 de 2011).

Artículo 406: Cohecho impropio.

El servidor público que acepte para sí o para otro, dinero u otra utilidad o promesa remuneratoria, directa o indirecta, por acto que deba ejecutar en el desempeño de sus funciones, incurrirá en prisión de sesenta y cuatro (64) a ciento veintiséis (126) meses, multa de sesenta y seis punto sesenta y seis (66.66) a ciento cincuenta (150) salarios mínimos legales mensuales vigentes, e inhabilitación para el ejercicio de derechos y funciones públicas de ochenta (80) a ciento cuarenta y cuatro (144) meses.

El servidor público que reciba dinero u otra utilidad de persona que tenga interés en asunto sometido a su conocimiento, incurrirá en prisión de treinta y dos (32) a noventa (90) meses, multa de cuarenta (40) a setenta y cinco (75) salarios mínimos legales mensuales vigentes, e inhabilitación para el ejercicio de derechos y funciones públicas por ochenta (80) meses.

(Se aumentan las penas por el art. 14 de la Ley 890 de 2004).

Véase arts. 33 de la Ley 1474 de 2011.

Artículo 407: Cohecho por dar u ofrecer.

El que dé u ofrezca dinero u otra utilidad a servidor público, en los casos previstos en los dos artículos anteriores, incurrirá en prisión de cuarenta y ocho (48) a ciento ocho (108) meses, multa de sesenta y seis punto sesenta y seis (66.66) a ciento cincuenta (150) salarios mínimos legales mensuales vigentes, e inhabilitación para el ejercicio de derechos y funciones públicas de ochenta (80) a ciento cuarenta y cuatro (144) meses.

(Se aumentan las penas por el art. 14 de la Ley 890 de 2004).

CAPÍTULO IV. DE LA CELEBRACIÓN INDEBIDA DE CONTRATOS

Artículo 408: Violación del régimen legal o constitucional de inhabilidades e incompatibilidades.

El servidor público que en ejercicio de sus funciones intervenga en la tramitación, aprobación o celebración de un contrato con violación al régimen legal o a lo dispuesto en normas constitucionales, sobre inhabilidades o incompatibilidades, incurrirá en prisión de sesenta y cuatro (64) a doscientos dieciséis (216) meses, multa de sesenta y seis punto sesenta y seis (66.66) a trescientos (300) salarios mínimos legales mensuales vigentes, e inhabilitación para el ejercicio de derechos y funciones públicas de ochenta (80) a doscientos dieciséis (216) meses.

(Se aumentan las penas por el art. 14 de la Ley 890 de 2004).

Véase arts. 33 de la Ley 1474 de 2011; art. 122 C.N.; Ley 80 de 1993; Ley 734 de 2002; Ley 1150 de 2007.

Artículo 409: Interés indebido en la celebración de contratos.

El servidor público que se interese en provecho propio o de un tercero, en cualquier clase de contrato u operación en que deba intervenir por razón de su cargo o de sus funciones, incurrirá en prisión de sesenta y cuatro (64) a doscientos dieciséis (216) meses, multa de sesenta y seis punto sesenta y seis (66.66) a trescientos (300) salarios mínimos legales mensuales vigentes, e inhabilitación para el ejercicio de derechos y funciones públicas de ochenta (80) a doscientos dieciséis (216) meses.

(Se aumentan las penas por el art. 14 de la Ley 890 de 2004).

(EXQUIBLE SCC-128, 18-02-2003, M.P. Alvaro Tafur Galvis).

Véase arts. 33 de la Ley 1474 de 2011.

Artículo 410: Contrato sin cumplimiento de requisitos legales.

El servidor público que por razón del ejercicio de sus funciones tramite contrato sin observancia de los requisitos legales esenciales o lo celebre o liquide sin verificar el cumplimiento de los mismos, incurrirá en prisión de sesenta y cuatro (64) a doscientos dieciséis (216) meses, multa de sesenta y seis punto sesenta y seis (66.66) a trescientos (300) salarios mínimos legales mensuales vigentes, e inhabilitación para el ejercicio de derechos y funciones públicas de ochenta (80) a doscientos dieciséis (216) meses.

(Se aumentan las penas por el art. 14 de la Ley 890 de 2004).

(EXEQUIBLE SCC-917, 29-08-2001, M.P. Alfredo Beltrán Sierra).

Véase arts. 33 de la Ley 1474 de 2011.

Artículo 410-A (ad. por el art. 27 de la Ley 1474 de 2011)**: Acuerdos restrictivos de la competencia.**

El que en un proceso de licitación pública, subasta pública, selección abreviada o concurso se concertare con otro con el fin de alterar ilícitamente el procedimiento contractual, incurrirá en prisión de seis (6) a doce (12) años y multa de doscientos (200) a mil (1.000) salarios mínimos legales mensuales vigentes e inhabilidad para contratar con entidades estatales por ocho (8) años.

Parágrafo. El que en su condición de delator o clemente mediante resolución en firme obtenga exoneración total de la multa a imponer por parte de la Superintendencia de Industria y Comercio en una investigación por acuerdo anticompetitivos en un proceso de contratación pública obtendrá los siguientes beneficios: reducción de la pena en una tercera parte, un 40% de la multa a imponer y una inhabilidad para contratar con entidades estatales por cinco (5) años.

CAPÍTULO V. DEL TRÁFICO DE INFLUENCIAS

Artículo 411: Tráfico de influencias de servidor público.

El servidor público que utilice indebidamente, en provecho propio o de un tercero, influencias derivadas del ejercicio del cargo o de la función, con el fin de obtener cualquier beneficio de parte de servidor público en asunto que éste se encuentre conociendo o haya de conocer, incurrirá en prisión de sesenta y cuatro (64) a ciento cuarenta y cuatro (144) meses, multa de ciento treinta y tres punto treinta y tres (133.33) a trescientos (300) salarios mínimos legales mensuales vigentes, e inhabilitación para el ejercicio de derechos y funciones públicas de ochenta (80) a ciento cuarenta y cuatro (144) meses.

Parágrafo. Los miembros de corporaciones públicas no incurrirán en este delito cuando intervengan ante servidor público o entidad estatal en favor de la comunidad o región (par. ad. por el art. 134 de la Ley 1474 de 2011).

(Se aumentan las penas por el art. 14 de la Ley 890 de 2004).

Véase arts. 33 de la Ley 1474 de 2011.

Artículo 411-A (ad. por el art. 28 de la Ley 1474 de 2011)**: Tráfico de influencias de particular.**

El particular que ejerza indebidamente influencias sobre un servidor público en asunto que este se encuentre conociendo o haya de conocer, con el fin de obtener cualquier beneficio económico, incurrirá en prisión de cuatro (4) a ocho (8) años y multa de cien (100) a doscientos (200) salarios mínimos legales mensuales vigentes.

CAPÍTULO VI. DEL ENRIQUECIMIENTO ILÍCITO

Art. 412 (mod. por el art. 29 de la ley 1474 de 2011)**: Enriquecimiento ilícito.**

El servidor público, o quien haya desempeñado funciones públicas, que durante su vinculación con la administración o dentro de los cinco (5) años posteriores a su desvinculación, obtenga, para sí o para otro, incremento patrimonial injustificado, incurrirá, siempre que la conducta no constituya otro delito, en prisión de nueve (9) a quince (15) años, multa equivalente al doble del valor del enriquecimiento sin que supere el equivalente a cincuenta mil (50.000) salarios mínimos legales mensuales vigentes, e inhabilitación para el ejercicio de derechos y funciones públicas de noventa y seis (96) a ciento ochenta (180) meses.

Véase arts. 33 de la Ley 1474 de 2011.

CAPÍTULO VII. DEL PREVARICATO

Art. 413: Prevaricato por acción.

El servidor público que profiera resolución, dictamen o concepto manifiestamente contrario a la ley, incurrirá en prisión de cuarenta y ocho (48) a ciento cuarenta y cuatro (144) meses, multa de sesenta y seis punto sesenta y seis (66.66) a trescientos (300) salarios mínimos legales mensuales vigentes, e inhabilitación para el ejercicio de derechos y funciones públicas de ochenta (80) a ciento cuarenta y cuatro (144) meses.

(Se aumentan las penas por el art. 14 de la Ley 890 de 2004).

(EXEQUIBLE SCC-335, 16-04-2008, M.P. Humberto Antonio Sierra Porto; SCC-917, de 29-08-2001, M.P. Alfredo Beltrán Sierra).

Véase arts. 33 de la Ley 1474 de 2011; art. 415 C.P.

Art. 414: Prevaricato por omisión.

El servidor público que omita, retarde, rehúse o deniegue un acto propio de sus funciones, incurrirá en prisión de treinta y dos (32) a noventa (90) meses, multa de trece punto treinta y tres (13.33) a setenta y cinco (75) salarios mínimos legales mensuales vigentes, e inhabilitación para el ejercicio de derechos y funciones públicas por ochenta (80) meses.

(Se aumentan las penas por el art. 14 de la Ley 890 de 2004).

Véase arts. 33 de la Ley 1474 de 2011, art. 415 C.P.

Art. 415: Circunstancias de agravación punitiva.

Las penas establecidas en los artículos anteriores se aumentarán hasta en una tercera parte cuando las conductas se realicen en actuaciones judiciales o administrativas que se adelanten por delitos de genocidio, homicidio, tortura, desplazamiento forzado, desaparición forzada, secuestro, secuestro extorsivo, extorsión, rebelión, terrorismo, concierto para delinquir, narcotráfico, enriquecimiento ilícito, lavado de activos, o cualquiera de las conductas contempladas en el título II de este Libro.

CAPÍTULO VIII. DE LOS ABUSOS DE AUTORIDAD Y OTRAS INFRACCIONES

Art. 416: Abuso de autoridad por acto arbitrario e injusto.

El Servidor público que fuera de los casos especialmente previstos como conductas punibles, con ocasión de sus funciones o excediéndose en el ejercicio de ellas, cometa acto arbitrario e injusto, incurrirá en multa y pérdida del empleo o cargo público.

Véase art. 92 C.N.

Art. 417: Abuso de autoridad por omisión de denuncia.

El servidor público que teniendo conocimiento de la comisión de una conducta punible cuya averiguación deba adelantarse de oficio, no dé cuenta a la autoridad, incurrirá en multa y pérdida del empleo o cargo público.

La pena será de treinta y dos (32) a setenta y dos (72) meses de prisión si la conducta punible que se omitiere denunciar sea de las contempladas en el delito de omisión de denuncia de particular.

(Se aumentan las penas por el art. 14 de la Ley 890 de 2004).

Artículo 418: Revelación de secreto.

El servidor público que indebidamente dé a conocer documento o noticia que deba mantener en secreto o reserva, incurrirá en multa y pérdida del empleo o cargo público.

Si de la conducta resultare perjuicio, la pena será de dieciséis (16) a cincuenta y cuatro (54) meses de prisión, multa de veinte (20) a noventa (90) salarios mínimos legales mensuales vigentes, e inhabilitación para el ejercicio de derechos y funciones públicas por ochenta (80) meses.

(Se aumentan las penas por el art. 14 de la Ley 890 de 2004).

Véase art. 294 C.P.; art. 74 C.N.

Artículo 418-B: Revelación de secreto culposa.

El servidor público que por culpa dé indebidamente a conocer documento o noticia que deba mantener en secreto o reserva, incurrirá en mul-

~~ta de diez (10) a ciento veinte (120) salarios mínimos legales mensuales~~
~~vigentes y pérdida del empleo o cargo público.~~
(INEXEQUIBLE SCC-913, 16-11-2010, M.P. Nilson Pinilla Pinilla).

Artículo 419: Utilización de asunto sometido a secreto o reserva.

El servidor público que utilice en provecho propio o ajeno, descubrimiento científico, u otra información o dato llegados a su conocimiento por razón de sus funciones y que deban permanecer en secreto o reserva, incurrirá en multa y pérdida del empleo o cargo público, siempre que la conducta no constituya otro delito sancionado con pena mayor.

Artículo 420: Utilización indebida de información oficial privilegiada.

El servidor público que como empleado o directivo o miembro de una junta u órgano de administración de cualquier entidad pública, que haga uso indebido de información que haya conocido por razón o con ocasión de sus funciones y que no sea objeto de conocimiento público, con el fin de obtener provecho para sí o para un tercero, sea éste persona natural o jurídica, incurrirá en multa y pérdida del empleo o cargo público.

Artículo 421: Asesoramiento y otras actuaciones ilegales.

El servidor público que ilegalmente represente, litigue, gestione o asesore en asunto judicial, administrativo o policivo, incurrirá en multa y pérdida del empleo o cargo público.

Si el responsable fuere servidor de la rama judicial o del ministerio público la pena será de prisión de dieciséis (16) a cincuenta y cuatro (54) meses, e inhabilitación para el ejercicio de derechos y funciones públicas por ochenta (80) meses.

(Se aumentan las penas por el art. 14 de la Ley 890 de 2004).

Artículo 422: Intervención en política.

El servidor público que ejerza jurisdicción, autoridad civil o política, cargo de dirección administrativa, o se desempeñe en los órganos judicial, electoral, de control, que forme parte de comités, juntas o directorios políticos, o utilice su poder para favorecer o perjudicar electoralmente a un candidato, partido o movimiento político, incurrirá en multa y pérdida del empleo o cargo público.

Se exceptúan de lo dispuesto en el inciso anterior los miembros de las corporaciones públicas de elección popular.

Véase arts. 127, 219 C.N.

Artículo 423: Empleo ilegal de la fuerza pública.

El servidor público que obtenga el concurso de la fuerza pública o emplee la que tenga a su disposición para consumar acto arbitrario o injusto, o para impedir o estorbar el cumplimiento de orden legítima de otra autoridad, incurrirá en prisión de dieciséis (16) a setenta y dos (72) meses, multa trece punto treinta y tres (13.33) a setenta y cinco (75) salarios mínimos legales mensuales vigentes e inhabilitación para el ejercicio de derechos y funciones públicas por ochenta (80) meses, siempre que la conducta no constituya delito sancionado con pena mayor.

(Se aumentan las penas por el art. 14 de la Ley 890 de 2004).

Véase arts. 216; 221 C.N.

Artículo 424: Omisión de apoyo.

El agente de la fuerza pública que rehúse o demore indebidamente el apoyo pedido por autoridad competente, en la forma establecida por la ley, incurrirá en prisión de dieciséis (16) a setenta y dos (72) meses e inhabilitación para el ejercicio de derechos y funciones públicas por ochenta (80) meses.

(Se aumentan las penas por el art. 14 de la Ley 890 de 2004).

(CONDICIONALMENTE EXEQUIBLE SCC-1184, 03-12-2008, M.P. Nilson Pinilla Pinilla "(...) sin perjuicio de la aplicación de otros tipos penales cuando los hechos constituyan delitos de mayor gravedad").

CAPÍTULO IX. DE LA USURPACIÓN Y ABUSO DE FUNCIONES PÚBLICAS

Artículo 425: Usurpación de funciones públicas.

El particular que sin autorización legal ejerza funciones públicas, incurrirá en prisión de dieciséis (16) a treinta y seis (36) meses.

(Se aumentan las penas por el art. 14 de la Ley 890 de 2004).

Véase arts. 122, 125 C.N., art. 427 C.P.

Artículo 426 (mod. por el art. 13 de la Ley 1453 de 2011): **Simulación de investidura o cargo.**

El que simulare investidura o cargo público o fingiere pertenecer a la fuerza pública, incurrirá en prisión de dos (2) a cuatro (4) años y en multa de tres (3) a quince (15) salarios mínimos legales mensuales vigentes.

En la misma pena incurrirá el que con fines ilícitos porte o utilice uniformes o distintivos de una persona jurídica.

La pena se duplicará si la conducta se realiza con fines terroristas o cuando se participe en grupos de delincuencia organizada.

Véase art. 122 C.N., art. 427 C.P.

Artículo 427 (mod. por el art. 14 de la Ley 1453 de 201): **Usurpación y abuso de funciones públicas con fines terroristas.**

Las penas señaladas en los artículos 425, 426 y 428, serán de cuatro (4) a ocho (8) años cuando la conducta se realice con finas terroristas.

Artículo 428: Abuso de función pública.

El servidor público que abusando de su cargo realice funciones públicas diversas de las que legalmente le correspondan, incurrirá en prisión de dieciséis (16) a treinta y seis (36) meses e inhabilitación para el ejercicio de derechos y funciones públicas por ochenta (80) meses.

(Se aumentan las penas por el art. 14 de la Ley 890 de 2004).

Véase art. 247 C.P.

CAPÍTULO X. DE LOS DELITOS CONTRA LOS SERVIDORES PÚBLICOS

Artículo 429 (mod. por el art. 43 de la Ley 1453 de 2011): **Violencia contra servidor público.**

El que ejerza violencia contra servidor público, por razón de sus funciones o para obligarlo a ejecutar u omitir algún acto propio de su cargo o a realizar uno contrario a sus deberes oficiales, incurrirá en prisión de cuatro (4) a ocho (8) años.

Artículo 429-B:

~~La persona que bajo cualquier circunstancia dé a conocer información sobre la identidad de quienes desarrollan actividades de inteligencia o contrainteligencia, incurrirá en pena de prisión de (5) cinco a (8) ocho años siempre que la conducta no constituya delito sancionado con pena mayor.~~

(INEXEQUIBLE SCC-913, 16-11-2010, M.P. Nilson Pinilla Pinilla).

Artículo 430 (mod. por el art. 15 de la Ley 1453 de 2011)**: Perturbación de actos oficiales.**

El que simulando autoridad o invocando falsa orden de la misma o valiéndose de cualquier otra maniobra engañosa, trate de impedir o perturbar la reunión o el ejercicio de las funciones de las corporaciones o autoridades legislativas, jurisdiccionales o administrativas, o de cualquier otra autoridad pública, o pretenda influir en sus decisiones o deliberaciones, incurrirá en prisión de dos a cuatro años y en multa.

El que realice la conducta anterior por medio de violencia incurrirá en prisión de cuatro (4) a ocho (8) años.

CAPÍTULO XI. DE LA UTILIZACIÓN INDEBIDA DE INFORMACIÓN Y DE INFLUENCIAS DERIVADAS DEL EJERCICIO DE FUNCIÓN PÚBLICA

Artículo 431: Utilización indebida de información obtenida en el ejercicio de función pública.

El que habiéndose desempeñado como servidor público <u>durante el año inmediatamente anterior</u> utilice, en provecho propio o de un tercero, información obtenida en calidad de tal y que no sea objeto de conocimiento público, incurrirá en multa (subrayado EXEQUIBLE SCC-475, 10-05-2005, M.P. Álvaro Tafur Galvis).

Artículo 432: Utilización indebida de influencias derivadas del ejercicio de función pública.

El que habiéndose desempeñado como servidor público durante el año inmediatamente anterior utilice, en provecho propio o de un tercero, influencias derivadas del ejercicio del cargo o de la función cumplida, con el fin de obtener ventajas en un trámite oficial, incurrirá en multa.

Artículo 433 (mod. por el art. 30 de la Ley 1778 de 2016): **Soborno transnacional.**

El que dé u ofrezca a un servidor público extranjero, en provecho de este o de un tercero, directa o indirectamente, cualquier dinero, objeto de valor pecuniario u otra utilidad a cambio de que este realice, omita o retarde cualquier acto relacionado con una transacción económica o comercial, incurrirá en prisión de nueve (9) a quince (15) años y multa de cien (100) a doscientos (200) salarios mínimos legales mensuales vigentes.

Parágrafo. Para los efectos de lo dispuesto en el presente artículo, se considera servidor público extranjero toda persona que tenga un cargo legislativo, administrativo o judicial en un país extranjero, haya sido nombrada o elegida, así como cualquier persona que ejerza una función pública para un país extranjero, sea dentro de un organismo público o de una empresa de servicio público. También se entenderá que ostenta la referida calidad cualquier funcionario o agente de una organización pública internacional.

Véase arts. 33 de la Ley 1474 de 2011.

Artículo 434: Asociación para la comisión de un delito contra la administración pública.

El servidor público que se asocie con otro, o con un particular, para realizar un delito contra la administración pública, incurrirá por ésta sola conducta en prisión de dieciséis (16) a cincuenta y cuatro (54) meses, siempre que la misma no constituya delito sancionado con pena mayor.

Si interviniere un particular se le impondrá la misma pena.

(Se aumentan las penas por el art. 14 de la Ley 890 de 2004).

CAPÍTULO XII (ad. por el art. 338 de la Ley 1819 de 2016). **OMISIÓN DE ACTIVOS O INCLUSIÓN DE PASIVOS INEXISTENTES**

Artículo 434-A (ad. por el art. 338 de la Ley 1819 de 2016): **Omisión de activos o inclusión de pasivos inexistentes.**

El contribuyente que de manera dolosa omita activos o presente información inexacta en relación con estos o declare pasivos inexistentes en un valor igual o superior a 7.250 salarios mínimos legales mensuales vigentes, y con lo anterior, afecte su impuesto sobre la renta y complementarios o el saldo a favor de cualquiera de dichos impuestos, será sancionado con pena privativa de libertad de 48 a 108 meses y multa del 20% del valor del activo omitido, del valor del activo declarado inexactamente o del valor del pasivo inexistente.

Parágrafo 1°. Se extinguirá la acción penal cuando el contribuyente presente o corrija la declaración o declaraciones correspondientes y realice los respectivos pagos, cuando a ello hubiere lugar.

Parágrafo 2°. Para efectos del presente artículo se entiende por contribuyente el sujeto respecto de quien se realiza el hecho generador de la obligación tributaria sustancial.

TÍTULO XVI. DELITOS CONTRA LA EFICAZ Y RECTA IMPARTICIÓN DE JUSTICIA

CAPÍTULO I. DE LAS FALSAS IMPUTACIONES ANTE LAS AUTORIDADES

Artículo 435: Falsa denuncia.

El que bajo juramento denuncie ante la autoridad una conducta típica que no se ha cometido, incurrirá en prisión de dieciséis (16) a treinta y seis (36) meses y multa de dos punto sesenta y seis (2.66) a quince (15) salarios mínimos legales mensuales vigentes.

(Se aumentan las penas por el art. 14 de la Ley 890 de 2004).

Véase arts. 438, 439, 440 C.P.

Artículo 436: Falsa denuncia contra persona determinada.

El que bajo juramento denuncie a una persona como autor o partícipe de una conducta típica que no ha cometido o en cuya comisión no ha tomado parte, incurrirá en prisión de sesenta y cuatro (64) a ciento cuarenta y cuatro (144) meses y multa de dos punto sesenta y seis (2.66) a treinta (30) salarios mínimos legales mensuales vigentes.

(Se aumentan las penas por el art. 14 de la Ley 890 de 2004).

Véase arts. 438, 439, 440 C.P.

Artículo 437: Falsa autoacusación.

El que ante autoridad se declare autor o partícipe de una conducta típica que no ha cometido, o en cuya comisión no ha tomado parte, incurrirá en prisión de dieciséis (16) a treinta y seis (36) meses y multa de dos punto sesenta y seis (2.66) a quince (15) salarios mínimos legales mensuales vigentes.

(Se aumentan las penas por el art. 14 de la Ley 890 de 2004).

Véase arts. 438, 439, 440 C.P.

Artículo 438: Circunstancias de agravación.

Si para los efectos descritos en los artículos anteriores, el agente simula pruebas, las penas respectivas se aumentarán hasta en una tercera parte, siempre que esta conducta por sí misma no constituya otro delito.

Artículo 439: Reducción cualitativa de pena en caso de contravención.

Si se tratara de una contravención las penas señaladas en los artículos anteriores serán de multa, que ningún caso podrá ser inferior a una unidad.

Artículo 440: Circunstancia de atenuación.

Las penas previstas en los artículos anteriores se reducirán de una tercera parte a la mitad, si antes de vencerse la última oportunidad procesal para practicar pruebas, el autor se retracta de la falsa denuncia.

CAPÍTULO II. DE LA OMISIÓN DE DENUNCIA DE PARTICULAR

Artículo 441 (mod. por el art. 18 de la Ley 1121 de 2006)**: Omisión de denuncia de particular.**

El que teniendo conocimiento de la comisión de un delito de genocidio, desplazamiento forzado, tortura, desaparición forzada, homicidio, secuestro, secuestro extorsivo o extorsión, narcotráfico, tráfico de drogas tóxicas, estupefacientes o sustancias sicotrópicas, terrorismo, financiación del terrorismo y administración de recursos relacionados con actividades terroristas, enriquecimiento ilícito, testaferrato, lavado de activos, cualquiera de las conductas contempladas en el Título II y en el Capítulo IV del Título IV de este libro, en este último caso cuando el sujeto pasivo sea un menor ~~de doce (12) años~~, omitiere sin justa causa informar de ello en forma inmediata a la autoridad, incurrirá en prisión de tres (3) a ocho (8) años (tacha INEXEQUIBLE SCC-853, de 25-11-2009, M.P. Jorge Iván Palacio Palacio).

CAPÍTULO III. DEL FALSO TESTIMONIO

Artículo 442 (mod. por el art. 8 de la Ley 890 de 2004): **Falso testimonio.**

El que en actuación judicial o administrativa, bajo la gravedad del juramento ante autoridad competente, falte a la verdad o la calle total o parcialmente, incurrirá en prisión de seis (6) a doce (12) años.

Véase art. 443 C.P.

Artículo 443: Circunstancia de atenuación.

Si el responsable de las conductas descritas en el artículo anterior se retracta en el mismo asunto en el cual rindió la declaración antes de vencerse la última oportunidad procesal para practicar pruebas, la pena imponible se disminuirá en la mitad.

Artículo 444 (mod. por el art. 31 de la Ley 1474 de 2011): **Soborno.**

El que entregue o prometa dinero u otra utilidad a un testigo para que falte a la verdad o la calle total o parcialmente en su testimonio, incurrirá en prisión de seis (6) a doce (12) años y multa de cien (100) a mil (1.000) salarios.

Artículo 444-A (mod. por el art. 32 de la Ley 1474 de 2011): **Soborno en la actuación penal.**

El que en provecho suyo o de un tercero entregue o prometa dinero u otra utilidad a persona que fue testigo de un hecho delictivo, para que se abstenga de concurrir a declarar, o para que falte a la verdad, o la calle total o parcialmente, incurrirá en prisión de seis (6) a doce (12) años y multa de cincuenta (50) a dos mil (2.000) salarios mínimos legales mensuales vigentes.

CAPÍTULO IV. DE LA INFIDELIDAD A LOS DEBERES PROFESIONALES

Artículo 445: Infidelidad a los deberes profesionales.

El apoderado o mandatario que en asunto judicial o administrativo, por cualquier medio fraudulento, perjudique la gestión que se le hubiere confiado, o que en un mismo o diferentes asuntos defienda intereses contrarios o incompatibles surgidos de unos mismos supuestos de hecho, incurrirá en prisión de dieciséis (16) a setenta y dos (72) meses.

Si la conducta se realiza en asunto penal, la pena imponible se aumentará hasta en una tercera parte.

(Se aumentan las penas por el art. 14 de la Ley 890 de 2004).

CAPÍTULO VI. DEL ENCUBRIMIENTO

Artículo 446: Favorecimiento.

El que tenga conocimiento de la comisión de la conducta punible, y sin concierto previo, ayudare a eludir la acción de la autoridad o a entorpecer la investigación correspondiente, incurrirá en prisión de dieciséis (16) a setenta y dos (72) meses.

Si la conducta se realiza respecto de los delitos de genocidio, desaparición forzada, tortura, desplazamiento forzado, homicidio, extorsión, enriquecimiento ilícito, secuestro extorsivo, tráfico de drogas, estupefacientes o sustancias psicotrópicas, la pena será de sesenta y cuatro (64) a doscientos dieciséis (216) meses de prisión.

Si se tratare de contravención se impondrá multa.

(Se aumentan las penas por el art. 14 de la Ley 890 de 2004).

Artículo 447 (mod. por el art. 45 de la Ley 1142 de 2007)**: Receptación.**

El que sin haber tomado parte en la ejecución de la conducta punible adquiera, posea, convierta o transfiera bienes muebles o inmuebles, que tengan su origen mediato o inmediato en un delito, o realice cualquier otro acto para ocultar o encubrir su origen ilícito, incurrirá en prisión de cuatro (4) a doce (12) años y multa de seis punto sesenta y seis (6.66) a setecientos cincuenta (750) salarios mínimos legales mensuales vigentes, siempre que la conducta no constituya delito sancionado con pena mayor.

Si la conducta se realiza sobre medio motorizado, o sus partes esenciales, o sobre mercancía o combustible que se lleve en ellos; o sobre elementos destinados a comunicaciones telefónicas, telegráficas, informáticas, telemáticas y satelitales, o a la generación, transmisión, o distribución de energía eléctrica y gas domiciliario, o a la prestación de los servicios de acueducto y alcantarillado, la pena será de seis (6) a trece (13) años de prisión y multa de siete (7) a setecientos (700) salarios mínimos legales mensuales vigentes.

Si la conducta se realiza sobre un bien cuyo valor sea superior a mil (1.000) salarios mínimos legales mensuales vigentes la pena se aumentará de una tercera parte a la mitad.

Si la conducta recae sobre los siguientes productos o sus derivados: aceites comestibles, arroz, papa, cebolla, huevos, leche, azúcar, cacao, carne, ganado, aves vivas o en canal, licores, medicamentos, cigarrillos, aceites carburantes, vehículos, autopartes, calzado, marroquinería, confecciones, textiles, acero o cemento, en cuantía superior a cinco (5) salarios mínimos legales mensuales vigentes, la pena imponible se aumentará hasta en la mitad (inc. 4 ad. por el art. 13 de la Ley 1762 de 2015).

Artículo 447-A:
Derogado por el artículo 56 de la Ley 1762 de 2015, de 6 de julio.

CAPÍTULO VII. DE LA FUGA DE PRESOS

Artículo 448: Fuga de presos.
El que se fugue estando privado de su libertad en centro de reclusión, hospital o domiciliariamente, en virtud de providencia o sentencia que le haya sido notificada, incurrirá en prisión de cuarenta y ocho (48) a ciento ocho (108) meses.

(Se aumentan las penas por el art. 14 de la Ley 890 de 2004).

Véase art. 451, 452 C.P.

Artículo 449 (mod. por el art. 17 de la Ley 1453 de 2011)**: Favorecimiento de la fuga.**
El servidor público o el particular encargado de la vigilancia, custodia o conducción de un detenido, capturado o condenado que procure o facili-

te su fuga, incurrirá en prisión de ochenta (80) a ciento cuarenta y cuatro (144) meses, e inhabilitación para el ejercicio de derechos y funciones públicas hasta por el mismo término.

La pena se aumentará hasta en una tercera parte cuando el detenido, capturado o condenado estuviere privado de su libertad por los delitos de genocidio, homicidio, desplazamiento forzado, tortura, desaparición forzada, secuestro, secuestro extorsivo, extorsión, terrorismo, concierto para delinquir, narcotráfico, enriquecimiento ilícito, lavado de activos, o cualquiera de las conductas contempladas en el Título II de este Libro.

Véase arts. 450, 451 C.P.

Artículo 450 (mod. por el art. 10 de la Ley 733 de 2002)**: Modalidad culposa.**

El servidor público encargado de la vigilancia, custodia o conducción de un detenido o condenado que por culpa dé lugar a su fuga, incurrirá en multa y pérdida del empleo o cargo público.

Cuando el detenido o condenado estuviere privado de su libertad por los delitos de genocidio, homicidio, desplazamiento forzado, tortura, desaparición forzada, secuestro, secuestro extorsivo, extorsión, terrorismo, concierto para delinquir, narcotráfico, enriquecimiento ilícito, lavado de activos, o cualquiera de las conductas contempladas en el Título II de este libro, incurrirán en prisión de treinta y dos (32) a setenta y dos (72) meses.

(Se aumentan las penas por el art. 14 de la Ley 890 de 2004).

(EXEQUIBLE SCC-762, 17-09-2002, M.P. Rodrigo Escobar Gil).

Véase arts. 23 C.P.

Artículo 451: Circunstancias de atenuación.

Si dentro de los tres (3) meses siguientes a la fuga, el evadido se presentare voluntariamente, las penas previstas en el artículo 448 se disminuirán en la mitad, sin perjuicio de las sanciones disciplinarias que deban imponérsele.

En la misma proporción se disminuirá la pena al copartícipe de la fuga o al servidor público que la hubiere facilitado que, dentro de los tres (3) meses siguientes a la evasión, facilite la captura del fugado o logre su presentación ante autoridad competente.

Artículo 452 (mod. por el art. 24 de la Ley 1453 de 2011)**: Eximente de responsabilidad penal.**

Cuando el interno fugado se presentare voluntariamente dentro de las treinta y seis (36) horas siguientes a la evasión, la fuga se tendrá en cuenta únicamente para efectos disciplinarios.

CAPÍTULO VIII. DEL FRAUDE PROCESAL Y OTRAS INFRACCIONES

Artículo 453 (mod. por el art. 11 de la Ley 890 de 2004)**: Fraude procesal.**

El que por cualquier medio fraudulento induzca en error a un servidor público para obtener sentencia, resolución o acto administrativo contrario a la ley, incurrirá en prisión de seis (6) a doce (12) años, multa de doscientos (200) a mil (1.000) salarios mínimos legales mensuales vigentes e inhabilitación para el ejercicio de derechos y funciones públicas de cinco (5) a ocho (8) años.

Artículo 454 (mod. por el art. 47 de la Ley 1453 de 2011)**: Fraude a resolución judicial o administrativa de policía.**

El que por cualquier medio se sustraiga al cumplimiento de obligación impuesta en resolución judicial o administrativa de policía, incurrirá en prisión de uno (1) a cuatro (4) años y multa de cinco (5) a cincuenta (50) salarios mínimos legales mensuales vigentes.

CAPÍTULO IX. DELITOS CONTRA MEDIOS DE PRUEBA Y OTRAS INFRACCIONES

Artículo 454-A (ad. por el art. 13 de la Ley 890 de 2004)**: Amenazas a testigo.**

El que amenace a una persona testigo de un hecho delictivo con ejercer violencia física o moral en su contra o en la de su cónyuge, compañero o compañera permanente o pariente dentro del cuarto grado, para que se abstenga de actuar como testigo, o para que en su testimonio falte a la verdad, o la calle total o parcialmente, incurrirá en pena de prisión de cuatro (4) a ocho (8) años y multa de cincuenta (50) a dos mil (2.000) salarios mínimos legales mensuales vigentes.

Si la conducta anterior se realizare respecto de testigo judicialmente admitido para comparecer en juicio, con la finalidad de que no concurra a declarar, o para que declare lo que no es cierto, incurrirá en prisión de cinco (5) a doce (12) años y multa de cien (100) a cuatro mil (4.000) salarios mínimos legales mensuales vigentes.

A las mismas penas previstas en los incisos anteriores incurrirá quien realice las conductas sobre experto que deba rendir informe durante la indagación o investigación, o que sea judicialmente admitido para comparecer en juicio como perito.

(CONDICIONALMENTE EXEQUIBLE SCC-029, 28-01-2009, M.P. Rodrigo Escobar Gil, "(...) en los términos de los considerandos de esta providencia, en el entendido de que este tipo penal también comprende las amenazas, en igualdad de condiciones, en contra de los integrantes de las parejas del mismo sexo que actúen como testigos".

Artículo 454-B (ad. por el art. 13 de la Ley 890 de 2004)**: Ocultamiento, alteración o destrucción de elemento material probatorio.**

El que para evitar que se use como medio cognoscitivo durante la investigación, o como medio de prueba en el juicio, oculte, altere o destruya elemento material probatorio de los mencionados en el Código de Procedimiento Penal, incurrirá en prisión de cuatro (4) a doce (12) años y multa de doscientos (200) a cinco mil (5.000) salarios mínimos legales mensuales vigentes.

Artículo 454-C (ad. por el art. 13 de la Ley 890 de 2004)**: Impedimento o perturbación de la celebración de audiencias públicas.**

El que por cualquier medio impida o trate de impedir la celebración de una audiencia pública durante la actuación procesal, siempre y cuando la conducta no constituya otro delito, incurrirá en prisión de tres (3) a seis

(6) años y multa de cien (100) a dos mil (2.000) salarios mínimos legales mensuales vigentes.

TÍTULO XVII. DELITOS CONTRA LA EXISTENCIA Y SEGURIDAD DEL ESTADO

CAPÍTULO I. DE LOS DELITOS DE TRAICIÓN A LA PATRIA

Artículo 455: Menoscabo de la integridad nacional.

El que realice actos que tiendan a menoscabar la integridad territorial de Colombia, a someterla en todo o en parte al dominio extranjero, a afectar su naturaleza de estado soberano, o a fraccionar la unidad nacional, incurrirá en prisión de trescientos veinte (320) a quinientos cuarenta (540) meses.

(Se aumentan las penas por el art. 14 de la Ley 890 de 2004).

Artículo 456: Hostilidad militar.

El colombiano, aunque haya renunciado a la calidad de nacional, o el extranjero que deba obediencia al estado colombiano, que intervenga en actos de hostilidad militar o en conflictos armados contra la patria, incurrirá en prisión de ciento sesenta (160) a trescientos sesenta (360) meses.

Si como consecuencia de la intervención, se pone en peligro la seguridad del estado o sufren perjuicio sus bienes o las fuerzas armadas, la pena se aumentará hasta en una tercera parte.

(Se aumentan las penas por el art. 14 de la Ley 890 de 2004).

Artículo 457: Traición diplomática.

El que encargado por el gobierno colombiano de gestionar algún asunto de estado con gobierno extranjero o con persona o con grupo de otro país o con organismo internacional, actúe en perjuicio de los intereses de la república, incurrirá en prisión de ochenta (80) a doscientos setenta (270) meses.

Si se produjere el perjuicio, la pena se aumentará hasta en una tercera parte.

(Se aumentan las penas por el art. 14 de la Ley 890 de 2004).

Artículo 458: Instigación a la guerra.

El colombiano, aunque haya renunciado a la calidad de nacional, o el extranjero que deba obediencia al estado, que realice actos dirigidos a provocar contra Colombia guerra u hostilidades de otra u otras naciones, incurrirá en prisión de ciento sesenta (160) a trescientos sesenta (360) meses.

Si hay guerra o se producen las hostilidades, la pena imponible se aumentará hasta en una tercera parte.

(Se aumentan las penas por el art. 14 de la Ley 890 de 2004).

Artículo 459: Atentados contra hitos fronterizos.

El que destruya, altere, inutilice o suprima las señales que marcan las fronteras nacionales, incurrirá en prisión de sesenta y cuatro (64) a ciento cuarenta y cuatro (144) meses.

(Se aumentan las penas por el art. 14 de la Ley 890 de 2004).

Artículo 460: Actos contrarios a la defensa de la nación.

El que en guerra, hostilidad o conflicto armado con nación extranjera, realice acto que propicie la deserción o cualquier otro delito contra el servicio de las fuerzas armadas del país o dificulte la defensa del estado, incurrirá en prisión de ochenta (80) a doscientos setenta (270) meses.

(Se aumentan las penas por el art. 14 de la Ley 890 de 2004).

Artículo 461: ~~Ultraje a emblemas o símbolos patrios.~~

~~El que ultraje públicamente la bandera, himno o escudo de Colombia, incurrirá en multa.~~

(INEXEQUIBLE SCC-575, de 26-08-2009, M.P. Humberto Antonio Sierra Porto).

Artículo 462: Aceptación indebida de honores.

El colombiano que acepte cargo, honor, distinción o merced de Estado en hostilidad, guerra o conflicto armado con la patria, incurrirá en multa.

CAPÍTULO II. DE LOS DELITOS CONTRA LA SEGURIDAD DEL ESTADO

Artículo 463: Espionaje.

El que indebidamente obtenga, emplee o revele secreto político, económico o militar relacionado con la seguridad del estado, incurrirá en prisión de sesenta y cuatro (64) a doscientos dieciséis (216) meses.

(Se aumentan las penas por el art. 14 de la Ley 890 de 2004).

Artículo 464: Violación de tregua o armisticio.

El que violare o desconociere tratado, tregua o armisticio acordados entre la república y un estado enemigo, o entre las fuerzas beligerantes, y no aceptare salvoconducto debidamente expedido, incurrirá en prisión de dieciséis (16) a noventa (90) meses.

(Se aumentan las penas por el art. 14 de la Ley 890 de 2004).

Artículo 465: Violación de inmunidad diplomática.

El que viole la inmunidad del jefe de un Estado extranjero o de su representante ante el Gobierno Colombiano incurrirá en multa.

Artículo 466: Ofensa a diplomáticos.

El que ofendiere en su dignidad a un representante de nación extranjera, en razón de su cargo, incurrirá en prisión de dieciséis (16) a cincuenta y cuatro (54) meses.

(Se aumentan las penas por el art. 14 de la Ley 890 de 2004).

TÍTULO XVIII. DE LOS DELITOS CONTRA EL RÉGIMEN CONSTITUCIONAL Y LEGAL

CAPÍTULO ÚNICO. DE LA REBELIÓN, SEDICIÓN Y ASONADA

Artículo 467: Rebelión.

Los que mediante el empleo de las armas pretendan derrocar al gobierno nacional, o suprimir o modificar el régimen constitucional o legal vigente, incurrirán en prisión de noventa y seis (96) a ciento sesenta y dos (162) meses y multa de ciento treinta y tres punto treinta y tres (133.33) a trescientos (300) salarios mínimos legales mensuales vigentes.

(Se aumentan las penas por el art. 14 de la Ley 890 de 2004).

Véase art. 470 C.P.; preámbulo C.N.

Artículo 468: Sedición.

Los que mediante el empleo de las armas pretendan impedir transitoriamente el libre funcionamiento del régimen constitucional o legal vigentes, incurrirán en prisión de treinta y dos (32) a ciento cuarenta y cuatro (144) meses y multa de sesenta y seis punto sesenta y seis (66.66) a ciento cincuenta (150) salarios mínimos legales mensuales vigentes.

~~También incurrirá en el delito de sedición quienes conformen o hagan parte de grupos guerrilleros o de autodefensa cuyo accionar interfiera con el normal funcionamiento del orden constitucional y legal. En este caso, la pena será la misma prevista para el delito de rebelión.~~

~~Mantendrá plena vigencia el numeral 10 del artículo 3 de la Convención de las Naciones Unidas Contra el Tráfico Ilícito de Estupefacientes y Sustancias Psicotrópicas, suscrito en Viena el 20 de diciembre de 1988 e incorporado a la legislación nacional mediante Ley 67 de 1993.~~ (Tacha INEXEQUIBLE SCC-370, 18-05-2006, M.P. Manuel José Cepeda Espinosa, Jaime Córdoba Triviño, Rodrigo Escobar Gil, Marco Gerardo Monroy Cabra, Álvaro Tafur Galvis y Clara Inés Vargas Hernández).

(Se aumentan las penas por el art. 14 de la Ley 890 de 2004).

Véase art. 470 C.P.; preámbulo C.N.

Artículo 469: Asonada.

Los que en forma tumultuaria exigieren violentamente de la autoridad la ejecución u omisión de algún acto propio de sus funciones, incurrirán en prisión de dieciséis (16) a treinta y seis (36) meses.

(Se aumentan las penas por el art. 14 de la Ley 890 de 2004).

Artículo 470: Circunstancias de agravación punitiva.

La pena imponible se aumentará hasta en la mitad para quien promueva, organice o dirija la rebelión o sedición.

Artículo 471: Conspiración.

Los que se pongan de acuerdo para cometer delito de rebelión o de sedición, incurrirán, por esta sola conducta, en prisión de dieciséis (16) a treinta y seis (36) meses.

Véase art. 473 C.P.

Artículo 472: Seducción, usurpación y retención ilegal de mando.

El que, con el propósito de cometer delito de rebelión o de sedición, sedujere personal de las fuerzas armadas, usurpare mando militar o policial, o retuviere ilegalmente mando político, militar o policial, incurrirá en prisión de dieciséis (16) a treinta y seis (36) meses.

(Se aumentan las penas por el art. 14 de la Ley 890 de 2004).

Véase art. 473 C.P.

Artículo 473: Circunstancia de agravación punitiva.

La pena imponible para las conductas descritas en los artículos anteriores se agravará hasta en una tercera parte, cuando el agente sea servidor público.

TÍTULO XIX. DISPOSICIONES GENERALES

CAPÍTULO ÚNICO. DE LA DEROGATORIA Y VIGENCIA

Artículo 474: Derogatoria.

Deróganse el Decreto 100 de 1980 y demás normas que lo modifican y complementan, en lo que tiene que ver con la consagración de prohibiciones y mandatos penales.

(EXEQUIBLE SCC-226, 02-04-2002, M.P. Alvaro Tafur Galvis).

Artículo 475: Transitorio.

El Gobierno Nacional, la Fiscalía General de la Nación, la Procuraduría General de la Nación y la Defensoría del Pueblo, integrarán una Comisión Interinstitucional encargada de estudiar, definir y recomendar al Congreso de la República la adopción de un proyecto de ley relativo al sistema de responsabilidad penal juvenil para personas menores de dieciocho (18) años.

Véase Ley 1098 de 2006.

Artículo 476: Vigencia.

Este Código entrará a regir un (1) año después de su promulgación. (EXEQUIBLE SCC-581, 06-06-2001, M.P. Jaime Araujo Renteria).

El Presidente del honorable Senado de la República,
Miguel Pinedo Vidal
El Secretario General del honorable Senado de la República,
Manuel Enríquez Rosero
La Presidenta de la honorable Cámara de Representantes,
Nancy Patricia Gutiérrez Castañeda
El Secretario General de la honorable Cámara de Representantes,
Gustavo Bustamante Moratto
REPÚBLICA DE COLOMBIA-GOBIERNO NACIONAL
Publíquese y ejecútese
Dada en Santa Fe de Bogotá, D. C., a 24 de julio de 2000
ANDRÉS PASTRANA ARANGO
El Ministro de Justicia y del Derecho,
Rómulo González Trujillo

CÓDIGO DE PROCEDIMIENTO PENAL

LEY 906 DE 2004
(agosto 31)

por la cual se expide el Código de Procedimiento Penal

Subtipo: LEY ORDINARIA

El Congreso de la República

DECRETA

TÍTULO PRELIMINAR. PRINCIPIOS RECTORES Y GARANTÍAS PROCESALES

Artículo 1: Dignidad humana.

Los intervinientes en el proceso penal serán tratados con el respeto debido a la dignidad humana.

Véase C.N. art. 1. C.P. art. 1.

Artículo 2 (mod. por el art. 1, Ley 1142 de 2007): Libertad.

Toda persona tiene derecho a que se respete su libertad. Nadie podrá ser molestado en su persona ni privado de su libertad sino en virtud de mandamiento escrito de autoridad judicial competente, emitido con las formalidades legales y por motivos previamente definidos en la ley.

El juez de control de garantías, previa solicitud de la Fiscalía General de la Nación, ordenará la restricción de la libertad del imputado cuando resulte necesaria para garantizar su comparecencia o la preservación de la prueba o la protección de la comunidad, en especial, de las víctimas. Igualmente, por petición de cualquiera de las partes, en los términos señalados en este código, dispondrá la modificación o revocación de la medida restrictiva si las circunstancias hubieren variado y la convirtieren en irrazonable o desproporcionada.

En todos los casos se solicitará el control de legalidad de la captura al juez de garantías, en el menor tiempo posible, sin superar las treinta y seis (36) horas siguientes.

(CONDICIONALMENTE EXEQUIBLE SCC-163, 20-02-2008 M.P. Jaime Araujo Rentería "(...) en el entendido que dentro del término de treinta y seis (36) horas posterior a la captura, se debe realizar el control efectivo a la restricción de la libertad por parte del juez de garantías, o en su caso, del juez de conocimiento").

Véase C.N. arts. 28, 30. C.P.P. arts. 295, 296, 297, 300, 301, 308, 313. Ley 1095 de 2006 (Habeas Corpus).

Artículo 3: Prelación de los tratados internacionales.

En la actuación prevalecerá lo establecido en los tratados y convenios internacionales ratificados por Colombia que traten sobre derechos humanos y que prohíban su limitación durante los estados de excepción, por formar bloque de constitucionalidad.

Véase C.N. arts. 44, 93, 94; C.P. art. 2; C.P.P. arts. 124, 130.

Artículo 4: Igualdad.

Es obligación de los servidores judiciales hacer efectiva la igualdad de los intervinientes en el desarrollo de la actuación procesal y <u>proteger, especialmente, a aquellas personas que por su condición económica, física o mental, se encuentren en circunstancias de debilidad manifiesta.</u>

(Subrayado EXEQUIBLE, SCC-799, 02-08-2005, M.P. Jaime Araujo Rentería).

El sexo, la raza, la condición social, la profesión, el origen nacional o familiar, la lengua, el credo religioso, la opinión política o filosófica, en ningún caso podrán ser utilizados dentro del proceso penal como elementos de discriminación.

Véase C.N. arts. 1, 13. C.P. arts. 7, 134-A.

Artículo 5: Imparcialidad.

En ejercicio de las funciones de control de garantías, preclusión y juzgamiento, los jueces se orientarán por el imperativo de establecer con objetividad la verdad y la justicia.

Véase CP.P. art. 115.

Artículo 6: Legalidad.

Nadie podrá ser investigado ni juzgado sino conforme a la ley procesal vigente al momento de los hechos, con observancia de las formas propias de cada juicio.

La ley procesal de efectos sustanciales permisiva o favorable, aun cuando sea posterior a la actuación, se aplicará de preferencia a la restrictiva o desfavorable.

Las disposiciones de este código se aplicarán única y exclusivamente para la investigación y el juzgamiento de los delitos cometidos con posterioridad a su vigencia (inc. 3 EXEQUIBLE SCC-592, 09-06-2005).

Véase C.N. arts. 6, 28, 29, 34, 91, 92, 124, 213 inc. final, 214 incs. 2, 3. C.P. art. 6.; C.G.P. art. 7.

Artículo 7: Presunción de inocencia e in dubio pro reo.

Toda persona se presume inocente y debe ser tratada como tal, mientras no quede en firme decisión judicial definitiva sobre su responsabilidad penal.

En consecuencia, corresponderá al órgano de persecución penal la carga de la prueba acerca de la responsabilidad penal. La duda que se presente se resolverá a favor del procesado.

En ningún caso podrá invertirse esta carga probatoria.

Para proferir sentencia condenatoria deberá existir convencimiento de la responsabilidad penal del acusado, más allá de toda duda.

Véase C.N. art. 29. Ley 1719 de 2014, arts. 18, 19.

Artículo 8: Defensa.

En desarrollo de la actuación, una vez adquirida la condición de imputado, este tendrá derecho, en plena igualdad respecto del órgano de persecución penal, en lo que aplica a: (Subrayado EXEQUIBLE, SCC-799, 02-08-2005, M.P. Jaime Araujo Rentería).

a) No ser obligado a declarar en contra de sí mismo ni en contra de su cónyuge, compañero permanente o parientes dentro del cuarto grado de consanguinidad o civil, o segundo de afinidad;

(Subrayado CONDICIONALMENTE EXEQUIBLE, SCC-029, 28-01-2009, M.P. Rodrigo Escobar Gil (...) "en el entendido de que las mismas incluyen, en igualdad de condiciones, a los integrantes de las parejas del mismo sexo" (...) expresión o civil EXEQUIBLE, SCC-799, 02-08-2005, M.P. Jaime Araujo Rentería).

Véase C.P.P. arts. 303, 385.

b) No autoincriminarse ni incriminar a su cónyuge, compañero permanente o parientes dentro del cuarto grado de consanguinidad o civil, o segundo de afinidad;

(Subrayado CONDICIONALMENTE EXEQUIBLE, SCC-029, 28-01-2009, M.P. Rodrigo Escobar Gil (...) "en el entendido de que las mismas incluyen, en igualdad de condiciones, a los integrantes de las parejas del mismo sexo" (...) expresión o civil EXEQUIBLE, SCC-799, 02-08-2005, M.P. Jaime Araujo Rentería).

c) No se utilice el silencio en su contra;

d) No se utilice en su contra el contenido de las conversaciones tendientes a lograr un acuerdo para la declaración de responsabilidad en cualquiera de sus formas o de un método alternativo de solución de conflictos, si no llegaren a perfeccionarse;

e) Ser oído, asistido y representado por un abogado de confianza o nombrado por el Estado;

f) Ser asistido gratuitamente por un traductor debidamente acreditado o reconocido por el juez, en el caso de no poder entender o expresarse en el idioma oficial; o de un intérprete en el evento de no poder percibir el idioma por los órganos de los sentidos o hacerse entender oralmente. Lo anterior no obsta para que pueda estar acompañado por uno designado por él;

g) Tener comunicación privada con su defensor antes de comparecer frente a las autoridades;

h) Conocer los cargos que le sean imputados, expresados en términos que sean comprensibles, con indicación expresa de las circunstancias conocidas de modo, tiempo y lugar que los fundamentan;

i) Disponer de tiempo razonable y de medios adecuados para la preparación de la defensa. De manera excepcional podrá solicitar las prórrogas debidamente justificadas y necesarias para la celebración de las audiencias a las que deba comparecer;

j) Solicitar, conocer y controvertir las pruebas;

k) Tener un juicio público, oral, contradictorio, concentrado, imparcial, con inmediación de las pruebas y sin dilaciones injustificadas, en el cual pueda, si así lo desea, por sí mismo o por conducto de su defensor, interrogar en audiencia a los testigos de cargo y a obtener la comparecencia, de ser necesario aun por medios coercitivos, de testigos o peritos que puedan arrojar luz sobre los hechos objeto del debate;

l) Renunciar a los derechos contemplados en los literales (b) y (k) siempre y cuando se trate de una manifestación libre, consciente, voluntaria y debidamente informada. En estos eventos requerirá siempre el asesoramiento de su abogado defensor (Subrayado EXEQUIBLE SCC-1260, 05-12-2005, M.P. Clara Inés Vargas Hernández.).

Véase C.P.P. arts. 9, 15, 125, 131, 144. C.N. art. 29.

Artículo 9: Oralidad.

La actuación procesal será oral y en su realización se utilizarán los medios técnicos disponibles que permitan imprimirle mayor agilidad y fidelidad, sin perjuicio de conservar registro de lo acontecido. A estos efectos se dejará constancia de la actuación.

Véase C.N. art. 29. Véase C.P.P. arts. 144, 145, 146, 147, 148.

Artículo 10: Actuación procesal.

La actuación procesal se desarrollará teniendo en cuenta el respeto a los derechos fundamentales de las personas que intervienen en ella y la necesidad de lograr la eficacia del ejercicio de la justicia. En ella los funcionarios judiciales harán prevalecer el derecho sustancial.

Para alcanzar esos efectos serán de obligatorio cumplimiento los procedimientos orales, la utilización de los medios técnicos pertinentes que los viabilicen y los términos fijados por la ley o el funcionario para cada actuación.

El juez dispondrá de amplias facultades en la forma prevista en este código para sancionar por desacato a las partes, testigos, peritos y demás intervinientes que afecten con su comportamiento el orden y la marcha de los procedimientos.

El juez podrá autorizar los acuerdos o estipulaciones a que lleguen las partes y que versen sobre aspectos en los cuales no haya controversia sustantiva, sin que implique renuncia de los derechos constitucionales.

El juez de control de garantías y el de conocimiento estarán en la obligación de corregir los actos irregulares no sancionables con nulidad, respetando siempre los derechos y garantías de los intervinientes.

Véase C.N. art. 29. C.P.P. Título VI.; Ley 270 de 1996 arts. 1, 4; C.G.P. art. 3.

Artículo 11: Derechos de las víctimas.

El Estado garantizará el acceso de las víctimas a la administración de justicia, en los términos establecidos en este código.

En desarrollo de lo anterior, las víctimas tendrán derecho:

a) A recibir, durante todo el procedimiento, un trato humano y digno;

b) A la protección de su intimidad, a la garantía de su seguridad, y a la de sus familiares y testigos a favor;

c) A una pronta e integral reparación de los daños sufridos, a cargo del autor o partícipe del injusto o de los terceros llamados a responder en los términos de este código;

d) A ser oídas y a que se les facilite el aporte de pruebas; (subrayado EXEQUIBLE SCC-516, 11-07-2007, M.P. Jaime Córdoba Triviño).

e) A recibir desde el primer contacto con las autoridades y en los términos establecidos en este código, información pertinente para la protección de sus intereses y a conocer la verdad de los hechos que conforman las circunstancias del injusto del cual han sido víctimas;

f) A que se consideren sus intereses al adoptar una decisión discrecional sobre el ejercicio de la persecución del injusto;

g) A ser informadas sobre la decisión definitiva relativa a la persecución penal; a acudir, en lo pertinente, ante el juez de control de garantías, y a interponer los recursos ante el juez de conocimiento, cuando a ello hubiere lugar;

h) A ser asistidas durante el juicio y el incidente de reparación integral, ~~si el interés de la justicia lo exigiere~~, por un abogado que podrá ser designado de oficio (tacha INEXEQUIBLE SCC-516, 11-07-2007, M.P. Jaime Córdoba Triviño).

i) A recibir asistencia integral para su recuperación en los términos que señale la ley;

j) A ser asistidas gratuitamente por un traductor o intérprete en el evento de no conocer el idioma oficial, o de no poder percibir el lenguaje por los órganos de los sentidos.

Véase C.P. arts. 1, 10, 30. C.P.P. arts. 1, 14, 82, 99, 132, 133, 134, 135, 136, 137.

Artículo 12: Lealtad.

Todos los que intervienen en la actuación, sin excepción alguna, están en el deber de obrar con absoluta lealtad y buena fe.

Véase C.P.P. arts. 140, 141.

Artículo 13: Gratuidad.

La actuación procesal no causará erogación alguna a quienes en ella intervengan, en cuanto al servicio que presta la administración de justicia.

Véase C.N. art. 13. Ley 1285 de 2009 art. 2. Ley 941 de 2005 arts. 6, 43.

Artículo 14: Intimidad.

Toda persona tiene derecho al respeto de su intimidad. Nadie podrá ser molestado en su vida privada.

No podrán hacerse registros, allanamientos ni incautaciones en domicilio, residencia, o lugar de trabajo, sino en virtud de orden escrita del Fiscal General de la Nación o su delegado, con arreglo de las formalidades y motivos previamente definidos en este código. Se entienden excluidas las situaciones de flagrancia y demás contempladas por la ley.

De la misma manera deberá procederse cuando resulte necesaria la búsqueda selectiva en las bases de datos computarizadas, mecánicas o de cualquier otra índole, que no sean de libre acceso, o cuando fuere necesario interceptar comunicaciones.

(Subrayado CONDICIONALMENTE EXEQUIBLE SCC-336, 09-05-2007, M.P. Jaime Córdoba Triviño, "(...) en el entendido que se requiere de orden judicial previa cuando se trata de los datos personales, organizados con fines legales y recogidos por instituciones o entidades públicas o privadas debidamente autorizadas para ello").

En estos casos, dentro de las treinta y seis (36) horas siguientes deberá adelantarse la respectiva audiencia ante el juez de control de garantías, con el fin de determinar la legalidad formal y material de la actuación.

Véase C.N. art. 15; C.P.P. arts. 114, 219, 220, 222, 224, 225, 229, 230, 231, 232, 233, 235, 236, 239, 244, 301, 306. Ley 1719 de 2014 art. 13.

Artículo 15: Contradicción.

Las partes tendrán derecho a conocer y controvertir las pruebas, así como a intervenir en su formación, tanto las que sean producidas o incorporadas en el juicio oral y en el incidente de reparación integral, como las que se practiquen en forma anticipada.

(Subrayado EXEQUIBLE, SCC-1154, 15-11-2005, M.P. Manuel José Cepeda Espinosa).

Para garantizar plenamente este derecho, en el caso de formular acusación la Fiscalía General de la Nación deberá, por conducto del juez de conocimiento, suministrar todos los elementos probatorios e informes de que tenga noticia, incluidos los que sean favorables al procesado.

Véase C.P.P. art. 378.

Artículo 16: Inmediación.

En el juicio únicamente se estimará como prueba la que haya sido producida o incorporada en forma pública, oral, concentrada, y sujeta a confrontación y contradicción ante el juez de conocimiento. En ningún caso podrá comisionarse para la práctica de pruebas. Sin embargo, en las circunstancias excepcionalmente previstas en este código, podrá tenerse como prueba la producida o incorporada de forma anticipada durante la audiencia ante el juez de control de garantías.

(Subrayado EXEQUIBLE, SCC-591, 09-06-2005, M.P. Clara Inés Vargas Hernández).

Véase C.P.P. arts. 112, 274, 284, 285, 379.

Artículo 17: Concentración.

Durante la actuación procesal la práctica de pruebas y el debate deberán realizarse de manera continua, con preferencia en un mismo día; si ello no fuere posible se hará en días consecutivos, <u>sin perjuicio de que el juez que dirija la audiencia excepcionalmente la suspenda por un término hasta de treinta (30) días, si se presentaren circunstancias especiales que lo justifiquen</u>. En todo caso el juez velará porque no surjan otras audiencias concurrentes, de modo que concentre su atención en un solo asunto. (Subrayado EXEQUIBLE SCC-144, 03-03-2010, M.P. Dr. Juan Carlos Henao Pérez).

Artículo 18: Publicidad.

La actuación procesal será pública. Tendrán acceso a ella, además de los intervinientes, los medios de comunicación y la comunidad en general. Se exceptúan los casos en los cuales el juez considere que la publicidad de los procedimientos pone en peligro a las víctimas, jurados, testigos, peritos y demás intervinientes; se afecte la seguridad nacional; se exponga a un daño psicológico a los menores de edad que deban intervenir; se menoscabe el derecho del acusado a un juicio justo; o se comprometa seriamente el éxito de la investigación.

Véase C.P.P. arts. 133, 149, 150, 151, 152.

Artículo 19: Juez natural.

Nadie podrá ser juzgado por juez o tribunal ad hoc o especial, instituido con posterioridad a la comisión de un delito por fuera de la estructura judicial ordinaria.

Véase C.P.P. Libro I, Título I.

Artículo 20: Doble instancia.

<u>Las sentencias y los autos que se refieran a la libertad del imputado o acusado,</u> que afecten la práctica de las pruebas o que tengan efectos patrimoniales, salvo las excepciones previstas en este código, serán susceptibles del recurso de apelación.

(Subrayado INCONSTITUCIONAL con efectos diferidos, en cuanto omite la posibilidad de impugnar todas las sentencias condenatorias; y EXEQUIBLE el contenido positivo de la misma disposición. EXHORTA al Congreso de la República para que, en el término de un año contado a partir de la notificación por edicto de esta sentencia, regule integralmente el derecho a impugnar todas las sentencias condenatorias. De no hacerlo, a partir del vencimiento de este término (Notificada Edicto No. 49 de 24-04-15) se entenderá que procede la impugnación de todas las sentencias condenatorias ante el superior de quien impuso la condena, SCC-792, 29-10-2014, M.P. Luis Guillermo Guerrero Pérez).

El superior no podrá agravar la situación del apelante único.

(Subrayado EXEQUIBLE, SCC-591, 09-06-2005, M.P. Clara Inés Vargas Hernández).

Véase C.N. art. 31. Ley 270 de 1996 art. 27. C.G.P. art. 9.

Artículo 21: Cosa juzgada.

La persona cuya situación jurídica haya sido definida por sentencia ejecutoriada o providencia que tenga la misma fuerza vinculante, no será sometida a nueva investigación o juzgamiento por los mismos hechos, salvo que la decisión haya sido obtenida mediante fraude o violencia, o en casos de violaciones a los derechos humanos o infracciones graves al Derecho Internacional Humanitario, que se establezcan mediante decisión de una instancia internacional de supervisión y control de derechos humanos, respecto de la cual el Estado colombiano ha aceptado formalmente la competencia.

Véase C.P.P. art. 80; C.P. art. 17.

Artículo 22: Restablecimiento del derecho.

Cuando sea procedente, la Fiscalía General de la Nación y los jueces deberán adoptar las medidas necesarias para hacer cesar los efectos producidos por el delito y las cosas vuelvan al estado anterior, si ello fuere posible, de modo que se restablezcan los derechos quebrantados, independientemente de la responsabilidad penal.

Artículo 23: Cláusula de exclusión.

Toda prueba obtenida con violación de las garantías fundamentales será nula de pleno derecho, por lo que deberá excluirse de la actuación procesal.

Igual tratamiento recibirán las pruebas que sean consecuencia de las pruebas excluidas, o las que solo puedan explicarse en razón de su existencia.

(EXEQUIBLE SCC-591, 09-06-2005, M.P. Clara Inés Vargas Hernández).

Véase C.P.P. arts. 360, 455.

Artículo 24: Ámbito de la jurisdicción penal.

Las indagaciones, investigaciones, imputaciones, acusaciones y juzgamientos por las conductas previstas en la ley penal como delito, serán adelantadas por los órganos y mediante los procedimientos establecidos en este código y demás disposiciones complementarias.

Artículo 25: Integración.

En materias que no estén expresamente reguladas en este código o demás disposiciones complementarias, son aplicables las del Código de Procedimiento Civil y las de otros ordenamientos procesales cuando no se opongan a la naturaleza del procedimiento penal.

Artículo 26: Prevalencia.

Las normas rectoras son obligatorias y prevalecen sobre cualquier otra disposición de este código. Serán utilizadas como fundamento de interpretación.

Artículo 27: Moduladores de la actividad procesal.

En el desarrollo de la investigación y en el proceso penal los servidores públicos se ceñirán a criterios de necesidad, ponderación, legalidad y corrección en el comportamiento, para evitar excesos contrarios a la función pública, especialmente a la justicia.

LIBRO I
DISPOSICIONES GENERALES

TÍTULO I. JURISDICCIÓN Y COMPETENCIA

CAPÍTULO I. DISPOSICIONES GENERALES

Artículo 28: La jurisdicción penal ordinaria.
La jurisdicción penal ordinaria es única y nacional, con independencia de los procedimientos que se establezcan en este código para la persecución penal.

Artículo 29: Objeto de la jurisdicción penal ordinaria.
Corresponde a la jurisdicción penal la persecución y el juzgamiento de los delitos cometidos en el territorio nacional, y los cometidos en el extranjero en los casos que determinen los Tratados Internacionales suscritos y ratificados por Colombia y la legislación interna.

Véase C.P. arts. 14, 15, 16.

Artículo 30: Excepciones a la jurisdicción penal ordinaria.
Se exceptúan los delitos cometidos por miembros de la Fuerza Pública en servicio activo y en relación con el mismo servicio, y los asuntos de los cuales conozca la jurisdicción indígena. (Subrayado EXEQUIBLE, SCC-591, 09-06-2005, M.P. Clara Inés Vargas Hernández).

Véase Decreto 1953 de 2014; Título VI.

Artículo 31: Órganos de la jurisdicción.
La administración de justicia en lo penal está conformada por los siguientes órganos:
1. La Sala de Casación Penal de la Corte Suprema de Justicia.
2. Los tribunales superiores de distrito judicial.
3. Los juzgados penales de circuito especializados.
4. Los juzgados penales de circuito.
5. Los juzgados penales municipales.

6. Los juzgados promiscuos cuando resuelven asuntos de carácter penal.

7. Los juzgados de ejecución de penas y medidas de seguridad.

8. Los jurados en las causas criminales, en los términos que determine la ley.

Parágrafo 1°. También ejercerán jurisdicción penal las autoridades judiciales que excepcionalmente cumplen funciones de control de garantías.

Parágrafo 2°. El Congreso de la República y la Fiscalía General de la Nación ejercerán determinadas funciones judiciales.

CAPÍTULO II. DE LA COMPETENCIA

Artículo 32: De la Corte Suprema de Justicia.

La Sala de Casación Penal de la Corte Suprema de Justicia conoce:

1. De la casación.

2. De la acción de revisión cuando la sentencia o la preclusión ejecutoriadas hayan sido proferidas en única o segunda instancia por esta corporación o por los tribunales.

3. De los recursos de apelación contra los autos y sentencias que profieran en primera instancia los tribunales superiores. (Subrayado INCONSTITUCIONAL con efectos diferidos, en cuanto omite la posibilidad de impugnar todas las sentencias condenatorias; y EXEQUIBLE el contenido positivo de la misma disposición. EXHORTA al Congreso de la República para que, en el término de un año contado a partir de la notificación por edicto de esta sentencia, regule integralmente el derecho a impugnar todas las sentencias condenatorias. De no hacerlo, a partir del vencimiento de este término (Notificada Edicto No. 49 de 24-04-15) se entenderá que procede la impugnación de todas las sentencias condenatorias ante el superior de quien impuso la condena, SCC-792, 29-10-2014, M.P. Luis Guillermo Guerrero Pérez).

4. De la definición de competencia cuando se trate de aforados constitucionales y legales, o de tribunales, o de juzgados de diferentes distritos.

5. Del juzgamiento de los funcionarios a que se refieren los artículos 174 y 235 numeral 2 de la Constitución Política (EXEQUIBLE SCC-934, 15-11-2006, M.P. Manuel José Cepeda Espinosa).

6. Del juzgamiento de los funcionarios a que se refiere el artículo 235 numeral 4 de la Constitución Política (EXEQUIBLE SCC-934, 15-11-2006, M.P. Manuel José Cepeda Espinosa).

7. De la investigación y juzgamiento de los Senadores y Representantes a la Cámara (EXEQUIBLE SCC-934, 15-11-2006, M.P. Manuel José Cepeda Espinosa).

8. De las solicitudes de cambio de radicación de procesos penales de un distrito judicial a otro durante el juzgamiento.

9. Del juzgamiento del viceprocurador, vicefiscal, magistrados de los consejos seccionales de la judicatura, del Tribunal Superior Militar, del Consejo Nacional Electoral, fiscales delegados ante la Corte Suprema de Justicia y Tribunales, Procuradores Delegados, Procuradores Judiciales II, Registrador Nacional del Estado Civil, Director Nacional de Fiscalía y Directores Seccionales de Fiscalía (EXEQUIBLE SCC-934, 15-11-2006, M.P. Manuel José Cepeda Espinosa).

Parágrafo. Cuando los funcionarios a los que se refieren los numerales 6, 7 y 9 anteriores hubieren cesado en el ejercicio de sus cargos, el fuero sólo se mantendrá para los delitos que tengan relación con las funciones desempeñadas.

Véase C.N. arts. 174, 235.

Artículo 33: De los tribunales superiores de distrito respecto de los jueces penales de circuito especializados.

Los tribunales superiores de distrito respecto de los jueces penales de circuito especializados conocen:

1. Del recurso de apelación de los autos y sentencias que sean proferidas en primera instancia por los jueces penales de circuito especializados.

2. En primera instancia, de los procesos que se sigan a los jueces penales de circuito especializados y fiscales delegados ante los juzgados penales de circuito especializados por los delitos que cometan en ejercicio de sus funciones o por razón de ellas.

3. De la acción de revisión contra sentencias proferidas por los jueces penales de circuito especializados, y preclusiones proferidas en investigaciones por delitos de su competencia.

4. De las solicitudes de cambio de radicación dentro del mismo distrito.

5. De la definición de competencia de los jueces del mismo distrito.

6. Del recurso de apelación interpuesto en contra la decisión del juez de ejecución de penas cuando se trate de condenados por delitos de competencia de los jueces penales de circuito especializados.

Artículo 34: De los tribunales superiores de distrito.

Las salas penales de los tribunales superiores de distrito judicial conocen:

1. De los recursos de apelación contra los autos y sentencias que en primera instancia profieran los jueces del circuito y de las sentencias proferidas por los municipales del mismo distrito.

2. En primera instancia, de las actuaciones que se sigan a los jueces del circuito, de ejecución de penas y medidas de seguridad, municipales, de menores, de familia, penales militares, procuradores provinciales, procuradores grado I, personeros distritales y municipales cuando actúan como agentes del Ministerio Público en la actuación penal, y a los fiscales delegados ante los jueces penales del circuito, municipales o promiscuos, por los delitos que cometan en ejercicio de sus funciones o por razón de ellas.

3. De la acción de revisión contra sentencias proferidas por los jueces de circuito o municipales pertenecientes al mismo distrito, y preclusiones proferidas en investigaciones por delitos de su competencia.

4. De las solicitudes de cambio de radicación dentro del mismo distrito.

5. De la definición de competencia de los jueces del circuito del mismo distrito, o municipales de diferentes circuitos.

6. Del recurso de apelación interpuesto contra la decisión del juez de ejecución de penas.

Véase C.P.P. art. 478.

Artículo 35: De los jueces penales de circuito especializados.
Los jueces penales de circuito especializado conocen de:

1. Genocidio.

2. Homicidio agravado según los numerales 8, 9 y 10 del artículo 104 del Código Penal.

3. Lesiones personales agravadas según los numerales 8, 9 y 10 del artículo 104 del Código Penal.

4. Los delitos contra personas y bienes protegidos por el Derecho Internacional Humanitario.

5. Secuestro extorsivo o agravado según los numerales 6, 7, 11 y 16 del artículo 170 del Código Penal.

6. Desaparición forzada.

7. Apoderamiento de aeronaves, naves o medio de transporte colectivo.

8. Tortura.

9. Desplazamiento forzado.

10. Constreñimiento ilegal agravado según el numeral 1 del artículo 183 del Código Penal.

11. Constreñimiento para delinquir agravado según el numeral 1 del artículo 185 del Código Penal.

12. Hurto de hidrocarburos o sus derivados cuando se sustraigan de un oleoducto, gasoducto, naftaducto o poliducto, o que se encuentren almacenados en fuentes inmediatas de abastecimiento o plantas de bombeo.

13. Extorsión en cuantía superior a quinientos (500) salarios mínimos legales mensuales vigentes.

14. Lavado de activos cuya cuantía sea o exceda de cien (100) salarios mínimos legales mensuales.

15. Testaferrato cuya cuantía sea o exceda de cien (100) salarios mínimos legales mensuales.

16. Enriquecimiento ilícito de particulares cuando el incremento patrimonial no justificado se derive en una u otra forma de las actividades delictivas a que se refiere el presente artículo, cuya cuantía sea o exceda de cien (100) salarios mínimos legales mensuales.

17. Concierto para delinquir agravado según el inciso 2° del artículo 340 del Código Penal.

18. Entrenamiento para actividades ilícitas.

19. Terrorismo.

20. Financiamiento del terrorismo y administración de recursos relacionados con actividades terroristas. (Mod. por el art. 24 de la Ley 1121 de 2006).

21. Instigación a delinquir con fines terroristas para los casos previstos en el inciso 2° del artículo 348 del Código Penal.

22. Empleo o lanzamiento de sustancias u objetos peligrosos con fines terroristas.

23. De los delitos señalados en el artículo 366 del Código Penal.

24. Empleo, producción y almacenamiento de minas antipersonales.

25. Ayuda e inducción al empleo, producción y transferencia de minas antipersonales.

26. Corrupción de alimentos, productos médicos o material profiláctico con fines terroristas.

27. Conservación o financiación de plantaciones ilícitas cuando la cantidad de plantas exceda de 8. 000 unidades o la de semillas sobrepasen los 10. 000 gramos.

28. Delitos señalados en el artículo 376 del Código Penal, agravados según el numeral 3 del artículo 384 del mismo código.

29. Destinación ilícita de muebles o inmuebles cuando la cantidad de droga elaborada, almacenada o transportada, vendida o usada, sea igual a las cantidades a que se refiere el literal anterior.

30. Delitos señalados en el artículo 382 del Código Penal cuando su cantidad supere los cien (100) kilos o los cien (100) litros en caso de ser líquidos.

31. Existencia, construcción y utilización ilegal de pistas de aterrizaje.

32. Trata de Personas, cuando la conducta implique el traslado o transporte de personas desde o hacia el exterior del país, o la acogida, recepción o captación de estas. (Ad. por el art. 22 de la Ley 985 de 2005).

Véase Ley 782 de 2002 art. 44; Ley 418 de 1997 art. 96.

Artículo 36: De los jueces penales del circuito.

Los jueces penales de circuito conocen:

1. Del recurso de apelación contra los autos proferidos por los jueces penales municipales o cuando ejerzan la función de control de garantías.

2. De los procesos que no tengan asignación especial de competencia.

3. De la definición de competencia de los jueces penales o promiscuos municipales del mismo circuito.

Artículo 37 (mod. por el art. 2 de la Ley 1142 de 2007): **De los jueces penales municipales.**

Los jueces penales municipales conocen:

1. De los delitos de lesiones personales.

2. De los delitos contra el patrimonio económico en cuantía equivalente a una cantidad no superior en pesos en ciento cincuenta (150) salarios mínimos mensuales legales vigentes al momento de la comisión del hecho.

3. De los procesos por delitos que requieren querella aunque el sujeto pasivo sea un menor de edad, un inimputable, o la persona haya sido sorprendida en flagrancia e implique investigación oficiosa.

<u>La investigación de oficio no impide aplicar, cuando la decisión se considere necesaria, los efectos propios de la querella para beneficio y reparación integral de la víctima del injusto.</u> ~~En los delitos de violencia intrafamiliar, los beneficios quedarán supeditados a la valoración positiva del Instituto Colombiano de Bienestar Familiar.~~ (Subrayado EXEQUIBLE, tacha INEXEQUIBLE SCC-1198, 04-12-2008, M.P. Nilson Pinilla Pinilla).

4. De los delitos de violencia intrafamiliar e inasistencia alimentaria.

5. De la función de control de garantías.

6. De los delitos contenidos en el título VII Bis. (Ad. por el art. 3 de la Ley 1273 de 2009).

7. De los delitos contra los animales. (Ad. por el art. 6 de la Ley 1774 de 2016).

Véase Ley 1098 de 2006 art. 83; Título II, Libro II arts. 192; 193; 194; 195; 196; 197; 198; 199; 200. C.P.P. art. 74. C.P. arts. 339A, 339B.

Artículo 38: De los jueces de ejecución de penas y medidas de seguridad.

Los jueces de ejecución de penas y medidas de seguridad conocen:

1. De las decisiones necesarias para que las sentencias ejecutoriadas que impongan sanciones penales se cumplan.

2. De la acumulación jurídica de penas en caso de varias sentencias condenatorias proferidas en procesos distintos contra la misma persona.

3. Sobre la libertad condicional y su revocatoria.

4. De lo relacionado con la rebaja de la pena y redención de pena por trabajo, estudio o enseñanza.

5. De la aprobación previa de las propuestas que formulen las autoridades penitenciarias o de las solicitudes de reconocimiento de beneficios administrativos que supongan una modificación en las condiciones de cumplimiento de la condena o una reducción del tiempo de privación efectiva de libertad.

6. De la verificación del lugar y condiciones en que se deba cumplir la pena o la medida de seguridad. Asimismo, del control para exigir los correctivos o imponerlos si se desatienden, y la forma como se cumplen las medidas de seguridad impuestas a los inimputables.

En ejercicio de esta función, participarán con los gerentes o directores de los centros de rehabilitación en todo lo concerniente a los condenados inimputables y ordenará la modificación o cesación de las respectivas medidas, de acuerdo con los informes suministrados por los equipos terapéuticos responsables del cuidado, tratamiento y rehabilitación de estas personas. Si lo estima conveniente podrá ordenar las verificaciones de rigor acudiendo a colaboraciones oficiales o privadas.

7. De la aplicación del principio de favorabilidad cuando debido a una ley posterior hubiere lugar a reducción, modificación, sustitución, suspensión o extinción de la sanción penal.

8. De la extinción de la sanción penal.

9. Del reconocimiento de la ineficacia de la sentencia condenatoria cuando la norma incriminadora haya sido declarada inexequible o haya perdido su vigencia.

301   CÓDIGO DE PROCEDIMIENTO PENAL - LIBRO I   **Art. 39**

Parágrafo 1°. Cuando se trate de condenados que gocen de fuero constitucional o legal, la competencia para la ejecución de las sanciones penales corresponderá, en primera instancia, a los jueces de ejecución de penas y medidas de seguridad del lugar donde se encuentre cumpliendo la pena. La segunda instancia corresponderá al respectivo juez de conocimiento.

Parágrafo 2°. Los jueces penales del circuito y penales municipales conocerán y decretarán la extinción de la sanción penal por prescripción en los procesos de su competencia. (Ad. por el art. 1 de la Ley 937 de 2004).

Véase Ley 1709 de 2014 arts. 5, 42. Ley 1153 de 2007 art. 38. C.P.P. art. 459.

Artículo 39 (mod. por el art. 48 de la Ley 1453 de 2011)**: De la función de control de garantías.**

La función de control de garantías será ejercida por cualquier juez penal municipal. El juez que ejerza el control de garantías quedará impedido para ejercer la función del conocimiento del mismo caso en su fondo.

Cuando el acto sobre el cual deba ejercerse la función de control de garantías corresponda a un asunto que por competencia esté asignado a juez penal municipal, o concurra causal de impedimento y sólo exista un funcionario de dicha especialidad en el respectivo municipio, la función de control de garantías deberá ejercerla otro juez municipal del mismo lugar sin importar su especialidad o, a falta de este, el del municipio más próximo.

Parágrafo 1°. En los casos que conozca la Corte Suprema de Justicia, la función de Juez de Control de Garantías será ejercida por un Magistrado de la Sala Penal del Tribunal Superior de Bogotá.

Parágrafo 2°. Cuando el lugar donde se cometió el hecho pertenezca a un circuito en el que haya cuatro o más jueces municipales, un número determinado y proporcional de jueces ejercerán exclusivamente la función de control de garantías, de acuerdo con la distribución y organización dispuesta por la Sala Administrativa del Consejo Superior de la Judicatura o de los respectivos Consejos Seccionales de la Judicatura, previo estudio de los factores que para el asunto se deban tener en cuenta.

Parágrafo 3°. Habrá jueces de garantías ambulantes que actúen en los sitios donde sólo existe un juez municipal o cuando se trate de un lugar en el que el traslado de las partes e intervinientes se dificulte por razones de transporte, distancia, fuerza mayor o en casos adelantados por la Unidad Nacional de Derechos Humanos de la Fiscalía General de la Nación o en los que exista problemas de seguridad de los funcionarios.

La Sala Administrativa del Consejo Superior de la Judicatura o los respectivos Consejos Seccionales de la Judicatura, autorizará, previo estudio de los factores que para el asunto se deban tener en cuenta, su desplazamiento y su seguridad.

Artículo 40: Competencia para imponer las penas y las medidas de seguridad.

Anunciado el sentido del fallo, salvo las excepciones establecidas en este código, el juez del conocimiento será competente para imponer las penas y las medidas de seguridad, dentro del término señalado en el capítulo correspondiente.

Artículo 41: Competencia para ejecutar.

Ejecutoriado el fallo, el juez de ejecución de penas y medidas de seguridad será competente para los asuntos relacionados con la ejecución de sanción.

CAPÍTULO III. COMPETENCIA TERRITORIAL

Artículo 42: División territorial para efecto del juzgamiento.

El territorio nacional se divide para efectos del juzgamiento en distritos, circuitos y municipios.

La Corte Suprema de Justicia tiene competencia en todo el territorio nacional.

Los tribunales superiores de distrito judicial en el correspondiente distrito.

Los jueces de circuito especializado en el respectivo distrito.

Los jueces del circuito en el respectivo circuito, salvo lo dispuesto en norma especial.

Los jueces municipales en el respectivo municipio, salvo lo dispuesto en norma especial.

Los jueces de ejecución de penas y medidas de seguridad en el respectivo distrito.

Artículo 43: Competencia.

Es competente para conocer del juzgamiento el juez del lugar donde ocurrió el delito.

Cuando no fuere posible determinar el lugar de ocurrencia del hecho, este se hubiere realizado en varios lugares, en uno incierto o en el extranjero, la competencia del juez de conocimiento se fija por el lugar donde se formule acusación por parte de la Fiscalía General de la Nación, lo cual hará donde se encuentren los elementos fundamentales de la acusación.

Las partes podrán controvertir la competencia del juez únicamente en audiencia de formulación de acusación.

Para escoger el juez de control de garantías en estos casos se atenderá lo señalado anteriormente. Su escogencia no determinará la del juez de conocimiento.

Artículo 44: Competencia excepcional.

Cuando en el lugar en que debiera adelantarse la actuación no haya juez, o el juez único o todos los jueces disponibles se hallaren impedidos, las salas administrativas del Consejo Superior de la Judicatura, o los consejos seccionales, según su competencia, podrán a petición de parte, y para preservar los principios de concentración, eficacia, menor costo del servicio de justicia e inmediación, ordenar el traslado temporal del juez que razonablemente se considere el más próximo, así sea de diferente municipio, circuito o distrito, para atender esas diligencias o el desarrollo del proceso. La designación deberá recaer en funcionario de igual categoría, cuya competencia se entiende válidamente prorrogada. La Sala Penal de la Corte, así como los funcionarios interesados en el asunto, deberán ser informados de inmediato de esa decisión.

Artículo 45: De la Fiscalía General de la Nación.

El Fiscal General de la Nación y sus delegados tienen competencia en todo el territorio nacional.

CAPÍTULO IV. CAMBIO DE RADICACIÓN

Artículo 46: Finalidad y procedencia.

El cambio de radicación podrá disponerse excepcionalmente cuando en el territorio donde se esté adelantando la actuación procesal existan circunstancias que puedan afectar el orden público, la imparcialidad o la independencia de la administración de justicia, las garantías procesales, la publicidad del juzgamiento, la seguridad o integridad personal de los intervinientes, en especial de las víctimas, o de los servidores públicos.

Artículo 47 (mod. por el art. 71 de la Ley 1453 de 2011)**: Solicitud de cambio.**

Antes de iniciarse la audiencia del juicio oral, las partes o el Ministerio Público, oralmente o por escrito, podrán solicitar el cambio de radicación ante el juez que esté conociendo del proceso, quien informará al superior competente para decidir (subrayado CONDICIONALMENTE EXEQUIBLE SCC-031, 02-05-2018, M.P. Diana Fajardo Rivera "(...) en el entendido de que las víctimas también pueden solicitar directamente el cambio de radicación").

El juez que esté conociendo de la actuación también podrá solicitar el cambio de radicación ante el funcionario competente para resolverla.

Parágrafo. El Gobierno Nacional podrá solicitar el cambio de radicación por razones de orden público, de interés general, de seguridad nacional o de seguridad de los intervinientes, en especial de las víctimas, o de los servidores públicos y testigos, así como por directrices de política criminal.

Los cambios de radicación solicitados por el Gobierno Nacional, serán presentados ante la Sala Penal de la Corte Suprema de Justicia, quien resolverá de plano la solicitud. Contra la providencia que resuelva la solicitud de cambio de radicación no procede recurso alguno.

Lo previsto en este artículo también se aplicará a los procesos que se tramitan bajo la Ley 600 de 2000.

Artículo 48: Trámite.

La solicitud debe ser debidamente sustentada y a ella se acompañarán los elementos cognoscitivos pertinentes. El superior tendrá tres (3) días para decidir mediante auto contra el cual no procede recurso alguno. El juicio oral no podrá iniciarse hasta tanto el superior no la decida. El juez que conozca de la solicitud rechazará de plano la que no cumpla con los requisitos exigidos en esta disposición.

Artículo 49: Fijación del sitio para continuar el proceso.

El superior competente para resolver el cambio de radicación señalará el lugar donde deba continuar el proceso, previo informe del Gobierno Nacional o departamental sobre los sitios donde no sea conveniente fijar la nueva radicación.

Si el tribunal superior de distrito, al conocer del cambio de radicación, estima conveniente que esta se haga en otro distrito, la solicitud pasará a la Corte Suprema de Justicia para que decida. En este caso la Corte podrá, si encuentra procedente el cambio de radicación, señalar otro distrito, o escoger el sitio en donde debe continuar el proceso en el mismo distrito, previo informe del Gobierno Nacional o departamental en el sentido anotado.

CAPÍTULO V. COMPETENCIA POR RAZÓN DE LA CONEXIDAD Y EL FACTOR SUBJETIVO

Artículo 50: Unidad procesal.

Por cada delito se adelantará una sola actuación procesal, cualquiera que sea el número de autores o partícipes, salvo las excepciones constitucionales y legales.

Los delitos conexos se investigarán y juzgarán conjuntamente. La ruptura de la unidad procesal no genera nulidad siempre que no afecte las garantías constitucionales.

Artículo 51: Conexidad.

Al formular la acusación el fiscal podrá solicitar al juez de conocimiento que se decrete la conexidad cuando (inc. EXEQUIBLE SCC-471, 31-08-2016, M.P. Alejandro Linares Cantillo).

1. El delito haya sido cometido en coparticipación criminal.

2. Se impute a una persona la comisión de más de un delito con una acción u omisión o varias acciones u omisiones, realizadas con unidad de tiempo y lugar.

3. Se impute a una persona la comisión de varios delitos, cuando unos se han realizado con el fin de facilitar la ejecución o procurar la impunidad de otros; o con ocasión o como consecuencia de otro.

4. Se impute a una o más personas la comisión de uno o varios delitos en las que exista homogeneidad en el modo de actuar de los autores o partícipes, relación razonable de lugar y tiempo, y, la evidencia aportada a una de las investigaciones pueda influir en la otra.

Parágrafo. La defensa en la audiencia preparatoria podrá solicitar se decrete la conexidad invocando alguna de las causales anteriores. (CONDICIONALMENTE EXEQUIBLE, SCC-471, 31-08-2016, M.P. Alejandro Linares Cantillo "(...) en el entendido que además de la defensa, en la audiencia preparatoria las víctimas podrán solicitar que se decrete la conexidad procesal").

Véase Ley 782 de 2002 art. 22. Ley 418 de 1997 art. 56.

Artículo 52: Competencia por conexidad.

Cuando deban juzgarse delitos conexos conocerá de ellos el juez de mayor jerarquía de acuerdo con la competencia por razón del fuero legal o la naturaleza del asunto; si corresponden a la misma jerarquía será factor de competencia el territorio, en forma excluyente y preferente, en el siguiente orden: donde se haya cometido el delito más grave; donde se haya realizado el mayor número de delitos; donde se haya producido la primera aprehensión o donde se haya formulado primero la imputación.

Cuando se trate de conexidad entre delitos de competencia del juez penal de circuito especializado y cualquier otro funcionario judicial corresponderá el juzgamiento a aquel.

Artículo 53: Ruptura de la unidad procesal.
Además de lo previsto en otras disposiciones, no se conservará la unidad procesal en los siguientes casos:

1. Cuando en la comisión del delito intervenga una persona para cuyo juzgamiento exista fuero constitucional o legal que implique cambio de competencia o que esté atribuido a una jurisdicción especial.

2. Cuando se decrete nulidad parcial de la actuación procesal que obligue a reponer el trámite con relación a uno de los acusados o de delitos.

3. Cuando no se haya proferido para todos los delitos o para todos los procesados decisión que anticipadamente ponga fin al proceso.

4. Cuando la terminación del proceso sea producto de la aplicación de los mecanismos de justicia restaurativa o del principio de oportunidad y no comprenda a todos los delitos o a todos los acusados.

5. Cuando en el juzgamiento las pruebas determinen la posible existencia de otro delito, o la vinculación de una persona en calidad de autor o partícipe.

Parágrafo. Para los efectos indicados en este artículo se entenderá que el juez penal de circuito especializado es de superior jerarquía respecto del juez de circuito.

CAPÍTULO VI. DEFINICIÓN DE COMPETENCIA

Artículo 54: Trámite.
Cuando el juez ante el cual se haya presentado la acusación manifieste su incompetencia, así lo hará saber a las partes en la misma audiencia y remitirá el asunto inmediatamente al funcionario que deba definirla, quien en el término improrrogable de tres (3) días decidirá de plano. Igual procedimiento se aplicará cuando se trate de lo previsto en el artículo 286 de este código y cuando la incompetencia la proponga la defensa.

Véase C.P.P. arts. 339; 341.

Artículo 55: Prórroga.
Se entiende prorrogada la competencia si no se manifiesta o alega la incompetencia en la oportunidad indicada en el artículo anterior, salvo

que esta devenga del factor subjetivo o esté radicada en funcionario de superior jerarquía.

En estos eventos el juez, de oficio o a solicitud del fiscal o de la defensa, de encontrar la causal de incompetencia sobreviniente en audiencia preparatoria o de juicio oral, remitirá el asunto ante el funcionario que deba definir la competencia, para que este, en el término de tres (3) días, adopte de plano las decisiones a que hubiere lugar.

Parágrafo. Para los efectos indicados en este artículo se entenderá que el juez penal de circuito especializado es de superior jerarquía respecto del juez de circuito.

CAPÍTULO VII. IMPEDIMENTOS Y RECUSACIONES

Artículo 56: Causales de impedimento.

Son causales de impedimento:

1. Que el funcionario judicial, su cónyuge o compañero o compañera permanente, o algún pariente suyo dentro del cuarto grado de consanguinidad o civil, o segundo de afinidad, tenga interés en la actuación procesal.

2. Que el funcionario judicial sea acreedor o deudor de alguna de las partes, del denunciante, de la víctima o del perjudicado, de su cónyuge o compañero permanente o algún pariente dentro del cuarto grado de consanguinidad o civil, o segundo de afinidad.

3. Que el funcionario judicial, o su cónyuge o compañero o compañera permanente, sea pariente dentro del cuarto grado de consanguinidad o civil, o segundo de afinidad, del apoderado o defensor de alguna de las partes.

4. Que el funcionario judicial haya sido apoderado o defensor de alguna de las partes, o sea o haya sido contraparte de cualquiera de ellos, o haya dado consejo o manifestado su opinión sobre el asunto materia del proceso.

5. Que exista amistad íntima o enemistad grave entre alguna de las partes, denunciante, víctima o perjudicado y el funcionario judicial.

6. Que el funcionario haya dictado la providencia de cuya revisión se trata, o hubiere participado dentro del proceso, o sea cónyuge o compañero o compañera permanente o pariente dentro del cuarto grado de consanguinidad o civil, o segundo de afinidad, del funcionario que dictó la providencia a revisar.

7. Que el funcionario judicial haya dejado vencer, sin actuar, los términos que la ley señale al efecto, a menos que la demora sea debidamente justificada.

8. Que el fiscal haya dejado vencer el término previsto en el artículo 175 de este código para formular acusación o solicitar la preclusión ante el juez de conocimiento.

9. Que el funcionario judicial, su cónyuge o compañero o compañera permanente, o pariente dentro del cuarto grado de consanguinidad o civil, o segundo de afinidad, sea socio, en sociedad colectiva, de responsabilidad limitada o en comandita simple o de hecho, de alguna de las partes, del denunciante, de la víctima o del perjudicado.

10. Que el funcionario judicial sea heredero o legatario de alguna de las partes, del denunciante, de la víctima o del perjudicado, o lo sea su cónyuge o compañero o compañera permanente, o alguno de sus parientes dentro del cuarto grado de consanguinidad o civil, o segundo de afinidad.

11. Que antes de formular la imputación el funcionario judicial haya estado vinculado legalmente a una investigación penal, o disciplinaria en la que le hayan formulado cargos, por denuncia o queja instaurada por alguno de los intervinientes. Si la denuncia o la queja fuere presentada con posterioridad a la formulación de la imputación, procederá el impedimento cuando se vincule jurídicamente al funcionario judicial.

12. Que el juez haya intervenido como fiscal dentro de la actuación.

13. Que el juez haya ejercido el control de garantías o conocido de la audiencia preliminar de reconsideración, caso en el cual quedará impedido para conocer el juicio en su fondo.

14. Que el juez haya conocido de la solicitud de preclusión formulada por la Fiscalía General de la Nación y la haya negado, caso en el cual quedará impedido para conocer el juicio en su fondo.

15. Que el juez o fiscal haya sido asistido judicialmente, durante los últimos tres (3) años, por un abogado que sea parte en el proceso.

Véase C.P.P. art. 339.

Artículo 57 (mod. por el art. 82 de la Ley 1395 de 2010)**: Trámite para el impedimento.**

Cuando el funcionario judicial se encuentre incurso en una de las causales de impedimento deberá manifestarlo a quien le sigue en turno, o, si en el sitio no hubiere más de uno de la categoría del impedido o todos estuvieren impedidos, a otro del lugar más cercano, para que en el término improrrogable de tres (3) días se pronuncie por escrito.

En caso de presentarse discusión sobre el funcionario a quien corresponda continuar el trámite de la actuación, el superior funcional de quien se declaró impedido decidirá de plano dentro de los tres días siguientes al recibo de la actuación.

Para tal efecto, el funcionario que tenga la actuación la enviará a la autoridad que deba resolver lo pertinente.

Véase C.P.P. art. 341.

Artículo 58: Impedimento del Fiscal General de la Nación.

Si el Fiscal General de la Nación se declarare impedido o no aceptare la recusación, enviará la actuación a la Sala Plena de la Corte Suprema de Justicia, para que resuelva de plano.

Si prosperare el impedimento o la recusación, continuará conociendo de la actuación el Vicefiscal General de la Nación.

Artículo 58-A (ad. por el art. 83 de la Ley 1395 de 2010)**: Impedimento de magistrado.**

Del impedimento manifestado por un magistrado conocen los demás que conforman la sala respectiva, quienes se pronunciarán en un término improrrogable de tres días. Aceptado el impedimento del magistrado, se complementará la Sala con quien le siga en turno y si hubiere necesidad, se sorteará un conjuez. Si no se aceptare el impedimento, tratándose de

Magistrado de Tribunal Superior, la actuación pasará a la Corte Suprema de Justicia para que dirima de plano la cuestión.

Si el magistrado fuere de la Corte Suprema de Justicia y la Sala rechazare el impedimento, la decisión de esta lo obligará. En caso de aceptarlo se sorteará un conjuez, si a ello hubiere necesidad.

Véase Ley 270 de 1996 art. 54.

Artículo 59: Impedimento conjunto.

Si la causal de impedimento se extiende a varios integrantes de las salas de decisión de los tribunales, el trámite se hará conjuntamente.

Artículo 60 (mod. por el art. 84 de la Ley 1395 de 2010): Requisitos y formas de recusación.

Si el funcionario en quien se dé una causal de impedimento no la declarare, cualquiera de las partes podrá recusarlo.

Si el funcionario judicial recusado aceptare como ciertos los hechos en que la recusación se funda, se continuará el trámite previsto cuando se admite causal de impedimento. En caso de no aceptarse, se enviará a quien le corresponde resolver para que decida de plano. Si la recusación versa sobre magistrado decidirán los restantes magistrados de la Sala.

La recusación se propondrá y decidirá en los términos de este Código, pero presentada la recusación, el funcionario resolverá inmediatamente mediante providencia motivada.

Artículo 61: Improcedencia del impedimento y de la recusación.

No son recusables los funcionarios judiciales a quienes corresponda decidir el incidente. No habrá lugar a recusación cuando el motivo de impedimento surja del cambio de defensor de una de las partes, a menos que la formule la parte contraria o el Ministerio Público.

Artículo 62: Suspensión de la actuación procesal.

Desde cuando se presente la recusación o se manifieste el impedimento del funcionario judicial hasta que se resuelva definitivamente, se suspenderá la actuación.

Cuando la recusación propuesta por el procesado o su defensor se declare infundada, no correrá la prescripción de la acción entre el momento de la petición y la decisión correspondiente.

Artículo 63: Impedimentos y recusación de otros funcionarios y empleados.

Las causales de impedimento y las sanciones se aplicarán a los fiscales, agentes del Ministerio Público, miembros de los organismos que cumplan funciones permanentes o transitorias de policía judicial, y empleados de los despachos judiciales, quienes las pondrán en conocimiento de su inmediato superior tan pronto como adviertan su existencia, sin perjuicio de que los interesados puedan recusarlos. El superior decidirá de plano y, si hallare fundada la causal de recusación o impedimento, procederá a reemplazarlo.

Cuando se trate de impedimento o recusación de personero municipal, la manifestación se hará ante el procurador provincial de su jurisdicción, quien procederá a reemplazarlo, si hubiere lugar a ello, por un funcionario de su propia dependencia o de la misma personería, o por el personero del municipio más cercano.

En los casos de la Procuraduría General de la Nación, Fiscalía General de la Nación y demás entidades que tengan funciones de policía judicial, se entenderá por superior la persona que indique el jefe de la respectiva entidad, conforme a su estructura.

En estos casos no se suspenderá la actuación.

Artículo 64: Desaparición de la causal.

En ningún caso se recuperará la competencia por la desaparición de la causal de impedimento.

Artículo 65: Improcedencia de la impugnación.

Las decisiones que se profieran en el trámite de un impedimento o recusación no tendrán recurso alguno.

TÍTULO II. ACCIÓN PENAL

CAPÍTULO I. DISPOSICIONES GENERALES

Artículo 66 (mod. por el art. 1 de la Ley 1826 de 2017 "procedimiento penal especial abreviado y acusador privado"): **Titularidad y obligatoriedad.**

El Estado, por intermedio de la Fiscalía General de la Nación, está obligado a ejercer la acción penal y a realizar la investigación de los hechos que revistan las características de una conducta punible, de oficio o que lleguen a su conocimiento por medio de denuncia, petición especial, querella o cualquier otro medio, salvo las excepciones contempladas en la Constitución Política y en este código.

No podrá, en consecuencia, suspender, interrumpir ni renunciar a la persecución penal, salvo en los casos que establezca la ley para aplicar el principio de oportunidad regulado dentro del marco de la política criminal del Estado, el cual estará sometido al control de legalidad por parte del juez de control de garantías.

Cuando se autorice la conversión de la acción penal pública a privada, y entre tanto esta perdure, la investigación y la acusación corresponderán al acusador privado en los términos de este código.

Véase C.N. arts. 249, 250.

Artículo 67: Deber de denunciar.

Toda persona debe denunciar a la autoridad los delitos de cuya comisión tenga conocimiento y que deban investigarse de oficio.

El servidor público que conozca de la comisión de un delito que deba investigarse de oficio, iniciará sin tardanza la investigación si tuviere competencia para ello; en caso contrario, pondrá inmediatamente el hecho en conocimiento ante la autoridad competente.

Véase Ley 1621 de 2013 art. 39 inc. 3o. Ley 962 de 2005 art. 81. C.P. arts. 219-B, 417, 441.

Artículo 68: Exoneración del deber de denunciar.

Nadie está obligado a formular denuncia contra sí mismo, contra su cónyuge, compañero o compañera permanente o contra sus parientes dentro del cuarto grado de consanguinidad o civil, o segundo de afinidad, ni a denunciar cuando medie el secreto profesional. (CONDICIONALMEN-TE EXEQUIBLE, SCC-848, 14-12-2014, M.P. Luis Guillermo Guerrero Pérez, "(...) en el entendido de que la exoneración allí prevista con respecto al cónyuge, compañero permanente y parientes en el cuarto grado de consanguinidad y civil, o segundo de afinidad, no comprende las hipótesis en las que el sujeto pasivo del delito es un menor de edad, y se afecta la vida, integridad personal, libertad física o libertad y formación sexual del niño, en los términos previstos en la parte motiva de esta sentencia").

Véase C.P.P. art. 8. Ley 1621 de 2013 art. 39.

Artículo 69: Requisitos de la denuncia, de la querella o de la petición.

La denuncia, querella o petición se hará verbalmente, o por escrito, o por cualquier medio técnico que permita la identificación del autor, dejando constancia del día y hora de su presentación y contendrá una relación detallada de los hechos que conozca el denunciante. Este deberá manifestar, si le consta, que los mismos hechos ya han sido puestos en conocimiento de otro funcionario. Quien la reciba advertirá al denunciante que la falsa denuncia implica responsabilidad penal.

En todo caso se inadmitirán las denuncias sin fundamento.

La denuncia solo podrá ampliarse por una sola vez a instancia del denunciante, o del funcionario competente, sobre aspectos de importancia para la investigación.

Los escritos anónimos que no suministren evidencias o datos concretos que permitan encauzar la investigación se archivarán por el fiscal correspondiente.

(Apartes subrayados CONDICIONALMENTE EXEQUIBLE, SCC-1177, 17-11-2005, M.P. Jaime Córdoba Triviño "(...) en el entendido que la inadmisión de la denuncia únicamente procede cuando el hecho no existió, o no reviste las características de delito. Esta decisión, debidamente motivada, debe ser adoptada por el fiscal y comunicada al denunciante y al Ministerio Público").

Véase C.P.P. art. 430. Ley 1153 de 2007 arts. 42, 43, 44, 45, 46, 47, 48.

Artículo 70: Condiciones de procesabilidad.

La querella y la petición especial son condiciones de procesabilidad de la acción penal.

Cuando el delito requiera petición especial deberá ser presentada por el Procurador General de la Nación.

Artículo 71 (mod. por el art. 2 de la Ley 1826 de 2017 "procedimiento penal especial abreviado y acusador privado"): **Querellante legítimo.**

La querella únicamente puede ser presentada por la víctima de la conducta punible. Si esta fuere incapaz o persona jurídica, debe ser formulada por su representante legal. Si el querellante legítimo ha fallecido, podrán presentarla sus herederos.

Cuando la víctima estuviere imposibilitada para formular la querella, o sea incapaz y carezca de representante legal, o este sea autor o partícipe de la conducta punible, puede presentarla el Defensor de Familia, el agente del Ministerio Público o los perjudicados directos.

El Procurador General de la Nación podrá formular querella cuando se afecte el interés público o colectivo.

La intervención de un servidor público como representante de un menor incapaz, no impide que pueda conciliar o desistir. El juez tendrá especial cuidado de verificar que la causa de esta actuación o del acuerdo, se produzca en beneficio de la víctima para garantizar la reparación integral o la indemnización económica.

Parágrafo. Cuando el delito de hurto, no haya sido puesto en conocimiento de la Administración de Justicia por el querellante legítimo, por encontrarse en imposibilidad física o mental para interponer la querella, esta podrá ser instaurada dentro del término legal, por el miembro de la Policía Nacional, que en el ejercicio de la actividad de policía, tenga conocimiento del hecho. En estos casos, la víctima de la conducta seguirá siendo querellante legítimo y el único facultado para ejercer la acusación privada.

Véase Ley 1098 de 2006 art. 82 num. 16. C.P.P. art. 551.

Artículo 72 (mod. por el art. 3 de la Ley 1826 de 2017 "procedimiento penal especial abreviado y acusador privado"): **Extensión de la querella.**
La querella se extiende de derecho contra todos los que hubieren participado en la conducta punible.

Artículo 73 (mod. por el art. 4 de la Ley 1826 de 2017 "procedimiento penal especial abreviado y acusador privado"): **Caducidad de la querella.**
La querella debe presentarse dentro de los seis (6) meses siguientes a la comisión de la conducta punible.

No obstante, cuando el querellante legítimo por razones de fuerza mayor o caso fortuito acreditados no hubiere tenido conocimiento de su ocurrencia, el término se contará a partir del momento en que aquellos desaparezcan, sin que en este caso sea superior a seis (6) meses.

Artículo 74 (mod. por el art. 5 de la Ley 1826 de 2017 "procedimiento penal especial abreviado y acusador privado"): **Conductas punibles que requieren querella.**
Para iniciar la acción penal será necesario querella en las siguientes conductas punibles:

1. Aquellas que de conformidad con el Código Penal no tienen señalada pena privativa de la libertad, con excepción de: Ofrecimiento, venta o compra de instrumento apto para interceptar la comunicación privada entre personas (C.P. artículo 193); Divulgación y empleo de documentos reservados (C.P. artículo 194); Abuso de autoridad por acto arbitrario e injusto (C.P. artículo 416); Revelación de secreto (C.P. artículo 418); Utilización secreto o reserva (C.P. artículo 419); Utilización indebida de información oficial privilegiada (C.P. artículo 420); Asesoramiento y otras actuaciones ilegales (C.P. artículo 421); Utilización indebida de información obtenida en el ejercicio de función pública (C.P. artículo 431); Utilización indebida de influencias derivadas del ejercicio de función pública (C.P. artículo 432).

2. Inducción o ayuda al suicidio (C.P. artículo 107); lesiones personales sin secuelas que produjeren incapacidad para trabajar o enfermedad sin exceder de sesenta (60) días (C.P. artículo 112 incisos 1o y 2o);

lesiones personales con deformidad física transitoria (C.P. artículo 113 inciso 1o); lesiones personales con perturbación funcional transitoria (C.P. artículo 114 inciso 1o); parto o aborto preterintencional (C. P artículo 118); lesiones personales culposas (C.P. artículo 120); omisión de socorro (C.P. artículo 131); violación a la libertad religiosa (C.P. artículo 201); injuria (C.P. artículo 220); calumnia (C.P. artículo 221); injuria y calumnia indirecta (C.P. artículo 222); injuria por vías de hecho (C.P. artículo 226); injurias recíprocas (C.P. artículo 227); maltrato mediante restricción a la libertad física (C.P. artículo 230); malversación y dilapidación de los bienes de familiares (C.P. artículo 236); hurto simple cuya cuantía no exceda de ciento cincuenta (150) salarios mínimos mensuales legales vigentes (C.P. artículo 239 inciso 2o); alteración, desfiguración y suplantación de marcas de ganado (C.P. artículo 243); estafa cuya cuantía no exceda de ciento cincuenta (150) salarios mínimos mensuales legales vigentes (C.P. artículo 246 inciso 3o); emisión y transferencia ilegal de cheques (C.P. artículo 248); abuso de confianza (C.P. artículo 249); aprovechamiento de error ajeno o caso fortuito (C.P. artículo 252); alzamiento de bienes (C.P. artículo 253); disposición de bien propio gravado con prenda (C.P. artículo 255); defraudación de fluidos (C.P. artículo 256); acceso ilegal de los servicios de telecomunicaciones (C.P. artículo 257); malversación y dilapidación de bienes (C.P. artículo 259); usurpación de tierras (C.P. artículo 261); usurpación de aguas (C.P. artículo 262); invasión de tierras o edificios (C.P. artículo 263); perturbación de la posesión sobre inmuebles (C.P. artículo 264); daño en bien ajeno (C.P. artículo 265); usura y recargo de ventas a plazo (C.P. artículo 305); falsa autoacusación (C.P. artículo 437); infidelidad a los deberes profesionales (C.P. artículo 445); Violación de los derechos de reunión y asociación (C.P. artículo 200).

Parágrafo. No será necesario querella para iniciar la acción penal respecto de casos de flagrancia o en los cuales el sujeto pasivo sea menor de edad, inimputable o se refieran a presuntas conductas punibles de violencia contra la mujer.

Artículo 75: Delitos que requieren petición especial.
La acción penal se iniciará por petición del Procurador General de la Nación, cuando el delito se cometa en el extranjero, no hubiere sido juzgado, el sujeto activo se encuentre en Colombia y se cumplan los siguientes requisitos:

1. Si se ha cometido por nacional colombiano, cuando la ley colombiana lo reprima con pena privativa de la libertad cuyo mínimo no sea inferior a dos (2) años.

2. Si se ha cometido por extranjero, cuando sea perjudicado el Estado o nacional colombiano y tenga prevista pena privativa de la libertad cuyo mínimo no sea inferior a dos (2) años.

3. Si se ha cometido por extranjero, cuando sea perjudicado otro extranjero, se hubiese señalado pena privativa de la libertad cuyo mínimo sea superior a tres (3) años, no se trate de delito político y no sea concedida la extradición.

4. En los delitos por violación de inmunidad diplomática y ofensa a diplomáticos.

Véase C.P. art. 16.

Artículo 76 (mod. por el art. 6 de la Ley 1826 de 2017 "procedimiento penal especial abreviado y acusador privado"): **Desistimiento de la querella.**
En cualquier momento de la actuación y antes del inicio de la audiencia de juicio oral, el querellante podrá manifestar verbalmente o por escrito su deseo de desistir de la acción penal.

Si al momento de presentarse la solicitud no se hubiese presentado escrito de acusación, le corresponde a la Fiscalía verificar que ella sea voluntaria, libre e informada, antes de proceder a aceptarla y archivar las diligencias.

Si se hubiere presentado escrito de acusación le corresponderá al juez de conocimiento, luego de escuchar el parecer de la Fiscalía, o del acusador privado, según sea el caso, determinar si acepta el desistimiento.

En cualquier caso el desistimiento se hará extensivo a todos los autores o partícipes de la conducta punible investigada, y una vez aceptado no admitirá retractación.

Artículo 77: Extinción.

La acción penal se extingue por <u>muerte</u> del imputado o acusado, prescripción, aplicación del principio de oportunidad, amnistía, oblación, caducidad de la querella, desistimiento, y en los demás casos contemplados por la ley. (Subrayado CONDICIONALMENTE EXEQUIBLE SCC-828, 20-10-2010, M.P. Humberto Antonio Sierra Porto "(...) en el entendido que el juez de conocimiento debe decidir oficiosamente, o a petición de interesado, independientemente de que exista reserva judicial, poner a disposición u ordenar el traslado de todas las pruebas o elementos probatorios que se hayan recaudado hasta el momento en que se produzca la muerte, para que adelanten otros mecanismos judiciales o administrativos que permitan garantizar los derechos de las víctimas").

Véase C.P. art. 82.

Artículo 78: Trámite de la extinción.

La ocurrencia del hecho generador de la extinción de la acción penal deberá ser manifestada por la Fiscalía General de la Nación ~~mediante orden sucintamente motivada. Si la causal se presentare antes de formularse la imputación el fiscal será competente para decretarla y ordenar como consecuencia el archivo de la actuación.~~

~~A partir de la formulación de la imputación~~ la Fiscalía deberá solicitar al juez de conocimiento la preclusión.

(Apartes con tacha INEXEQUIBLES SCC-591, 09-06-2005, M.P. Clara Inés Vargas Hernández).

Parágrafo. El imputado o acusado podrá renunciar a la prescripción de la acción penal dentro de los cinco (5) días siguientes a la comunicación del archivo de la investigación. Si se tratare de solicitud de preclusión, el imputado podrá manifestar su renuncia únicamente durante la audiencia correspondiente.

Artículo 79: Archivo de las diligencias.

Cuando la Fiscalía tenga conocimiento de un hecho respecto del cual conste que no existen motivos o circunstancias fácticas que permitan su caracterización como delito, o indiquen su posible existencia como tal, dispondrá el archivo de la actuación.

Sin embargo, si surgieren nuevos elementos probatorios la indagación se reanudará mientras no se haya extinguido la acción penal.

(CONDICIONALMENTE EXEQUIBLE, SCC-1154, 15-11-2005 M.P. Manuel José Cepeda Espinosa "(...) en el entendido que la expresión ´motivos o circunstancias fácticas que permitan su caracterización como delito´, corresponde a tipicidad objetiva y la decisión del fiscal deberá ser motivada y comunicada al denunciante y al Ministerio Público para el ejercicio de sus derechos y funciones").

Véase C.P.P. arts. 69, 175.

Artículo 80: Efectos de la extinción.

La extinción de la acción penal producirá efectos de cosa juzgada. Sin embargo, no se extenderá a la acción civil derivada del injusto ni a la acción de extinción de dominio.

Véase C.P.P. art. 21.

Artículo 81: Continuación de la persecución penal para los demás imputados o procesados.

La acción penal deberá continuarse en relación con los imputados o procesados en quienes no concurran las causales de extinción.

CAPÍTULO II. COMISO

Artículo 82: Procedencia.

El comiso procederá sobre los bienes y recursos del penalmente responsable que provengan o sean producto directo o indirecto del delito, o sobre aquellos utilizados o destinados a ser utilizados en los delitos dolosos como medio o instrumentos para la ejecución del mismo, sin perjuicio de los derechos que tengan sobre ellos los sujetos pasivos o los terceros de buena fe.

Cuando los bienes o recursos producto directo o indirecto del delito sean mezclados o encubiertos con bienes de lícita procedencia, el comiso procederá hasta el valor estimado del producto ilícito, salvo que con tal conducta se configure otro delito, pues en este último evento procederá sobre la totalidad de los bienes comprometidos en ella.

Sin perjuicio también de los derechos de las víctimas y terceros de buena fe, el comiso procederá sobre los bienes del penalmente responsable cuyo valor corresponda o sea equivalente al de bienes producto directo o indirecto del delito, cuando de estos no sea posible su localización, identificación o afectación material, o no resulte procedente el comiso en los términos previstos en los incisos precedentes.

Decretado el comiso, los bienes pasarán en forma definitiva a la Fiscalía General de la Nación a través del Fondo Especial para la Administración de Bienes, a menos que la ley disponga su destrucción o destinación diferente.

Parágrafo. Para los efectos del comiso se entenderán por bienes todos los que sean susceptibles de valoración económica o sobre los cuales pueda recaer derecho de dominio, corporales o incorporales, muebles o inmuebles, tangibles o intangibles, así como los documentos o instrumentos que pongan de manifiesto el derecho sobre los mismos.

Véase Ley 1615 de 2013 art. 5; C.P. art. 100.

Artículo 83: Medidas cautelares sobre bienes susceptibles de comiso.

Se tendrán como medidas materiales con el fin de garantizar el comiso la incautación y ocupación, y como medida jurídica la suspensión del poder dispositivo.

Las anteriores medidas procederán cuando se tengan motivos fundados para inferir que los bienes o recursos son producto directo o indirecto de un delito doloso, que su valor equivale a dicho producto, que han sido utilizados o estén destinados a ser utilizados como medio o instrumento de un delito doloso, o que constituyen el objeto material del mismo, salvo que deban ser devueltos al sujeto pasivo, a las víctimas o a terceros.

Véase C.P.P. art. 85.

Artículo 83A (ad. por el art. 31 de la Ley 1908 de 2018)**: Suspensión de giros nacionales e internacionales del sistema postal de pagos.**

En cualquier momento de la actuación, a petición de la fiscalía, el juez de control de garantías podrá ordenar el no pago de un objeto del sistema postal de pagos, cuando tenga inferencia razonable de que el dinero es producto directo o indirecto de la comisión de conductas punibles por parte de miembros de Grupos Delictivos Organizados y Grupos Armados Organizados.

Artículo 84: Trámite en la incautación u ocupación de bienes con fines de comiso.

Dentro de las treinta y seis (36) horas siguientes a la incautación u ocupación de bienes o recursos con fines de comiso, efectuadas por orden del Fiscal General de la Nación o su delegado, o por acción de la Policía Judicial en los eventos señalados en este código, el fiscal comparecerá ante el juez de control de garantías para que realice la audiencia de revisión de la legalidad sobre lo actuado.

Artículo 85: Suspensión del poder dispositivo.

En la formulación de imputación o en audiencia preliminar el fiscal podrá solicitar la suspensión del poder dispositivo de bienes y recursos con fines de comiso, que se mantendrá hasta tanto se resuelva sobre el mismo con carácter definitivo o se disponga su devolución.

Presentada la solicitud, el juez de control de garantías dispondrá la suspensión del poder dispositivo de los bienes y recursos cuando constate alguna de las circunstancias previstas en el artículo 83. Si determina que la medida no es procedente, el fiscal examinará si el bien se encuentra dentro de una causal de extinción de dominio, evento en el cual dispondrá en forma inmediata lo pertinente para que se promueva la acción respectiva.

En todo caso, para solicitar la suspensión del poder dispositivo de bienes y recursos con fines de comiso, el fiscal tendrá en cuenta el interés de la justicia, el valor del bien y la viabilidad económica de su administración.

Artículo 86 (mod. por el art. 5 de la Ley 1142 de 2007)**: Administración de los bienes.**

Los bienes y recursos que sean objeto de medidas con fines de comiso quedarán a disposición del Fondo Especial para la Administración de Bienes de la Fiscalía General de la Nación para su administración de acuerdo con los sistemas que para tal efecto desarrolle el Fiscal General de la Nación, y deberán ser relacionados en un Registro Público Nacional de Bienes. Tales medidas deberán inscribirse dentro de los tres (3) días siguientes a su adopción en las oficinas de registro correspondientes cuando la naturaleza del bien lo permita.

Parágrafo 1°. Se exceptúan de la administración del Fondo Especial para la Administración de Bienes de la Fiscalía General de la Nación los bienes que tienen el carácter de elemento material probatorio y evidencia física, que serán objeto de las normas previstas en este código para la cadena de custodia.

Parágrafo 2°. Los bienes y recursos afectados en procesos penales tramitados en vigencia de leyes anteriores a la Ley 906 de 2004, que se encuentran bajo la custodia de la Fiscalía General de la Nación o de cualquier organismo que ejerza funciones de policía judicial al momento de entrar en vigencia la presente ley, deberán incorporarse al Fondo de que trata este artículo e inscribirse en el Registro Público Nacional de Bienes.

Véase Ley 1743 de 2014 art. 14; Ley 1615 de 2013. C.P.P. art. 254.

Artículo 87: Destrucción del objeto material del delito.

En las actuaciones por delitos contra la salud pública, los derechos de autor, falsificación de moneda o las conductas descritas en los artículos 300, 306 y 307 del Código Penal, los bienes que constituyen su objeto material una vez cumplidas las previsiones de este código para la cadena de custodia y establecida su ilegitimidad por informe del perito oficial, serán destruidos por las autoridades de policía judicial en presencia del fiscal y del agente del Ministerio Público.

En procedimientos donde se encuentren laboratorios rústicos para el procesamiento de sustancias alucinógenas o cultivos ilícitos de hoja de coca o amapola, los funcionarios de policía judicial, antes de su destrucción, tomarán muestras y grabarán en videocinta o fotografiarán los laboratorios y los elementos y sustancias que sean objeto o producto del delito. Las fotografías o vídeos sustituirán el elemento físico y serán utilizados en su lugar durante el juicio oral o en cualquier otro momento del procedimiento. Las fotografías, filmaciones y muestras serán embaladas, rotuladas y se someterán a la cadena de custodia. (Inc. 2 ad. por el art. 6 de la Ley 1142 de 2007).

Véase Ley 1615 de 2013 arts. 11, 12.

Artículo 88: Devolución de bienes.

~~Además de lo previsto en otras disposiciones de este código~~, antes de formularse la acusación ~~y por orden del fiscal~~, y en un término que no puede exceder de seis meses, serán devueltos los bienes y recursos incautados u ocupados a quien tenga derecho a recibirlos cuando no sean necesarios para la indagación o investigación, o se determine que no se encuentran en una circunstancia en la cual procede su comiso; sin embargo, en caso de requerirse para promover acción de extinción de dominio dispondrá lo pertinente para dicho fin. (Apartes con tacha INEXEQUIBLES, SCC-591, 20-08-2014, M.P. Luis Ernesto Vargas Silva).

En las mismas circunstancias, a petición del fiscal o de quien tenga interés legítimo en la pretensión, el juez que ejerce las funciones de control de garantías dispondrá el levantamiento de la medida de suspensión del poder dispositivo.

Artículo 89 (mod. por el art. 7 de la Ley 1142 de 2007): Bienes o recursos no reclamados.

Ordenada la devolución de bienes o recursos, se comunicará de la manera más inmediata o en el término de la distancia a quien tenga derecho a recibirlos para que los reclame dentro de los quince (15) días siguientes a la efectiva recepción de la comunicación. Transcurrido el término anterior sin que los bienes sean reclamados, se dejarán a disposición del Fondo Especial para la Administración de Bienes de la Fiscalía General de la Nación.

De la misma forma se procederá si se desconoce al titular, poseedor o tenedor de los bienes que fueron afectados, caso en el cual la Fiscalía General de la Nación deberá instaurar la acción para que se declaren vacantes o mostrencos y sean adjudicados al Fondo Especial para la Administración de Bienes de la Fiscalía General de la Nación.

Las demandas podrán ser presentadas por lotes, teniendo en cuenta la naturaleza o características de los bienes y recursos.

Lo dispuesto en este artículo se entiende sin perjuicio de lo establecido en normas especiales.

Véase Ley 1615 de 2013 arts. 13, 14, 15.

Artículo 89A (ad. por el art. 8 de la Ley 1142 de 2007)**: Prescripción especial.**

Pasados tres (3) años para bienes muebles y cinco (5) años para inmuebles, contados a partir de la ejecutoria de la providencia que ordena la devolución de bienes o recursos con dueño, poseedor o tenedor conocido, sin que estos hayan sido reclamados, se presumirá legalmente que el titular del bien o recurso no le está dando la función social a la que se refiere el artículo 58 de la Constitución Política y la Fiscalía General de la Nación deberá instaurar la acción civil para que se reconozca la prescripción especial a la que se refiere este artículo.

Como consecuencia de lo anterior, mediante sentencia judicial, se reconocerá la prescripción especial adquisitiva de dominio a favor del Fondo Especial para la Administración de Bienes de la Fiscalía General de la Nación.

Artículo 90: Omisión de pronunciamiento sobre los bienes.

Si en la sentencia o decisión con efectos equivalentes se omite el pronunciamiento definitivo sobre los bienes afectados con fines de comiso, la defensa, el fiscal o el Ministerio Público podrán solicitar en la misma audiencia la adición de la decisión con el fin de obtener el respectivo pronunciamiento. (CONDICIONALMENTE EXEQUIBLE, SCC-782, 10-10-2012, M.P. Luis Ernesto Vargas Silva "(...) en el entendido que también la víctima podrá solicitar en la audiencia de que trata esta norma, la adición de la sentencia o de la decisión con efectos equivalentes, que omita un pronunciamiento definitivo sobre los bienes afectados con fines de comiso, con el fin de obtener el respectivo pronunciamiento").

Artículo 91: Suspensión y cancelación de la personería jurídica.

En cualquier momento y antes de presentarse la acusación, a petición de la Fiscalía, el juez de control de garantías ordenará a la autoridad competente que, previo el cumplimiento de los requisitos legales establecidos para ello, proceda a la suspensión de la personería jurídica o al cierre temporal de los locales o establecimientos abiertos al público, de personas jurídicas o naturales, cuando existan motivos fundados que permitan inferir que se han dedicado total o parcialmente al desarrollo de actividades delictivas. (Subrayado CONDICIONALMENTE EXEQUIBLE SCC-603, 02-11-2016 M.P. María Victoria Calle Correa "(...) EN EL ENTENDIDO de que las víctimas pueden solicitar directamente las medidas provisionales allí consignadas cuando acrediten ante el juez un interés específico para obrar, después de la formulación de la imputación").

Las anteriores medidas se dispondrán con carácter definitivo en la sentencia condenatoria cuando exista convencimiento más allá de toda duda razonable sobre las circunstancias que las originaron.

Véase Ley 1474 de 2011 art. 34 inc. 1.

CAPÍTULO III. MEDIDAS CAUTELARES

Artículo 92: Medidas cautelares sobre bienes.

El juez de control de garantías, en la audiencia de formulación de la imputación o con posterioridad a ella, a petición del fiscal o de las víctimas ~~directas~~ podrá decretar sobre bienes del imputado o del acusado las medidas cautelares necesarias para proteger el derecho a la indemnización de los perjuicios causados con el delito.

La víctima ~~directa~~ acreditará sumariamente su condición de tal, la naturaleza del daño recibido y la cuantía de su pretensión. (Apartes con tacha INEXEQUIBLES, SCC-516, 11-06-2007, M.P. Jaime Córdoba Triviño).

El embargo y secuestro de los bienes se ordenará en cuantía suficiente para garantizar el pago de los perjuicios que se hubieren ocasionado, previa caución que se debe prestar de acuerdo al régimen establecido en el Código de Procedimiento Civil, salvo que la solicitud sea formulada por el fiscal o que exista motivo fundado para eximir de ella al peticionante. El juez, una vez decretado el embargo y secuestro, designará secuestre y adelantará el trámite posterior conforme a las normas que regulan la materia en el Código de Procedimiento Civil.

Cuando las medidas afecten un bien inmueble que esté ocupado o habitado por el imputado o acusado, se dejará en su poder a título de depósito gratuito, con el compromiso de entregarlo a un secuestre o a quien el funcionario indique si se profiere sentencia condenatoria en su contra.

Parágrafo. En los procesos en los que sean víctimas los menores de edad o los incapaces, el Ministerio Público podrá solicitar el embargo y secuestro de los bienes del imputado en las mismas condiciones señaladas en este artículo, salvo la obligación de prestar caución (subrayado EXEQUIBLE SCC-210, 21-03-2007, M.P. Marco Gerardo Monroy Cabra).

Véase Ley 1285 de 2009 art. 20. Ley 270 de 1996 art. 203.

Artículo 93: Criterios para decretar medidas cautelares.

El juez al decretar embargos y secuestros los limitará a lo necesario, de acuerdo con las reglas establecidas en el Código de Procedimiento Civil.

El juez a solicitud del imputado, acusado o condenado, deberá examinar la necesidad de las medidas cautelares y, si lo considera pertinente, sustituirlas por otras menos gravosas o reducirlas cuando sean excesivas.

Véase C.G.P. arts. 298, 360, 384 num. 7, 480.

Artículo 94: Proporcionalidad.

No se podrán ordenar medidas cautelares sobre bienes del imputado o acusado cuando aparezcan desproporcionadas en relación con la gravedad del daño y la probable sentencia sobre la pretensión de reparación integral o tasación de perjuicios.

Artículo 95: Cumplimiento de las medidas.

Las medidas cautelares se cumplirán en forma inmediata después de haber sido decretadas, y se notificarán a la parte a quien afectan, una vez cumplidas.

Artículo 96 (mod. por el art. 85 de la Ley 1395 de 2010)**: Desembargo.**
Podrá decretarse el desembargo de bienes, cuando el imputado preste
caución en dinero efectivo o mediante póliza de compañía de seguros o
garantía bancaria, por el monto que el juez señale para garantizar el pago
de los daños y perjuicios que llegaren a establecerse, como de las demás
obligaciones de contenido económico a que hubiere lugar.

La caución en dinero efectivo se considerará embargada para todos
los efectos legales. Señalado el monto de la caución, el interesado deberá
prestarla dentro de un término no mayor de veinte (20) días contados a
partir de la fecha en que se impuso.

Cuando se profiera preclusión o sentencia absolutoria se condenará al
peticionario temerario al pago de los perjuicios que con la práctica de las
medidas cautelares se hubieren ocasionado al imputado.

También se levantará el embargo cuando se profiera preclusión o sentencia absolutoria o vencidos los treinta días previstos en el artículo 106
sin que se hubiere promovido el incidente de reparación integral o tras-
curridos 60 días contados a partir de la ejecutoria de la providencia del
artículo 105 condenatoria en perjuicios sin que se presentare demanda
ejecutiva ante el juez civil.

Véase Ley 270 de 1996 art. 203. Ley 1285 de 09 art. 20.

Artículo 97: Prohibición de enajenar.
El imputado dentro del proceso penal no podrá enajenar bienes sujetos
a registro durante los seis (6) meses siguientes a la formulación de la imputación, a no ser que antes se garantice la indemnización de perjuicios o
haya pronunciamiento de fondo sobre su inocencia.

Esta obligación deberá ser impuesta expresamente en la audiencia
correspondiente. Cualquier negociación que se haga sobre los bienes sin
autorización del juez será nula y así se deberá decretar.

Para los efectos del presente artículo el juez comunicará la prohibición
a la oficina de registro correspondiente.

Lo anterior sin perjuicio de los negocios jurídicos realizados con anterioridad y que deban perfeccionarse en el transcurso del proceso y de
los derechos de los terceros de buena fe, quienes podrán hacerlos valer,

personalmente o por intermedio de abogado dentro de una audiencia preliminar que deberá proponerse, para ese único fin, desde la formulación de la imputación hasta antes de iniciarse el juicio oral, con base en los motivos existentes al tiempo de su formulación. El juez que conozca del asunto resolverá de plano.

(EXEQUIBLE SCC-210, 21-03-2007, M.P. Marco Gerardo Monroy Cabra).

Artículo 98: Autorizaciones especiales.

El juez podrá autorizar que se realicen operaciones mercantiles sobre los bienes descritos en el artículo anterior, cuando aquellas sean necesarias para el pago de los perjuicios. Igual autorización procederá para los bienes entregados en forma provisional. El negocio jurídico deberá ser autorizado por el funcionario, y el importe deberá consignarse directamente a órdenes del despacho judicial.

Cuando la venta sea necesaria en desarrollo del giro ordinario de los negocios del sindicado o esté acreditada la existencia de bienes suficientes para atender una eventual indemnización, se podrá autorizar aquella.

Artículo 99: Medidas patrimoniales a favor de las víctimas.

El fiscal, a solicitud del interesado, podrá:

1. Ordenar la restitución inmediata a la víctima de los bienes objeto del delito que hubieren sido recuperados.

2. Autorizar a la víctima el uso y disfrute provisional de bienes que, habiendo sido adquiridos de buena fe, hubieran sido objeto de delito.

3. Reconocer las ayudas provisionales con cargo al fondo de compensación para las víctimas.

Artículo 100 (mod. por el art. 9 de la Ley 1142 de 2007)**: Afectación de bienes en delitos culposos.**

En los delitos culposos, los vehículos automotores, naves o aeronaves o cualquier unidad montada sobre ruedas y los demás objetos que tengan libre comercio, una vez cumplidas dentro de los diez (10) días siguientes las previsiones de este código para la cadena de custodia, se entregarán provisionalmente al propietario, poseedor o tenedor legítimo, salvo que se haya solicitado y decretado su embargo y secuestro.

Tratándose de vehículos de servicio público colectivo, podrán ser entregados a título de depósito provisional al representante legal de la empresa a la cual se encuentre afiliado con la obligación de rendir cuentas sobre lo producido en el término que el funcionario judicial determine y la devolución cuando así lo disponga. En tal caso, no procederá la entrega hasta tanto no se tome la decisión definitiva respecto de ellos.

La entrega será definitiva cuando se garantice el pago de los perjuicios, o se hayan embargado bienes del imputado o acusado en cuantía suficiente para proteger el derecho a la indemnización de los perjuicios causados con el delito.

La decisión de entrega de los bienes referidos en esta norma corresponde, en todos los casos, al juez de control de garantías.

(Art. CONDICIONALMENTE EXEQUIBLE SCC-423, 31-05-2006, M.P. Humberto Antonio Sierra Porto "(…) en el entendido de que el tercero civilmente responsable se encuentra facultado para ejercer plenamente su derecho de defensa en relación con el decreto y práctica de medidas cautelares en su contra".).

Artículo 101: Suspensión y cancelación de registros obtenidos fraudulentamente.

En cualquier momento y antes de presentarse la acusación, a petición de la Fiscalía, el juez de control de garantías dispondrá la suspensión del poder dispositivo de los bienes sujetos a registro cuando existan motivos fundados para inferir que el título de propiedad fue obtenido fraudulentamente. (Inc. 1 CONDICIONALMENTE EXEQUIBLE, SCC-839, 20-11-2013, M.P. Jorge Ignacio Pretelt Chaljub "(…) en el entendido que la víctima también puede solicitar la suspensión del poder adquisitivo de los bienes sujetos a registro, cuando existan motivos fundados para inferir que el título de propiedad fue obtenido fraudulentamente").

En la sentencia ~~condenatoria~~ se ordenará la cancelación de los títulos y registros respectivos cuando exista convencimiento más allá de toda duda razonable sobre las circunstancias que originaron la anterior medida. (Inc.

2 CONDICIONALMENTE EXEQUIBLE, salvo el aparte tachado INEXEQUIBLE SCC-060, 30-01-2008, M.P. Nilson Pinilla Pinilla "(...) en el entendido de que la cancelación de los títulos y registros respectivos también se hará en cualquier otra providencia que ponga fin al proceso penal").

Lo dispuesto en este artículo también se aplicará respecto de los títulos valores sujetos a esta formalidad y obtenidos fraudulentamente.

Si estuviere acreditado que con base en las calidades jurídicas derivadas de los títulos cancelados se están adelantando procesos ante otras autoridades, se pondrá en conocimiento la decisión de cancelación para que se tomen las medidas correspondientes.

CAPÍTULO IV. DEL EJERCICIO DEL INCIDENTE DE REPARACIÓN INTEGRAL

Artículo 102 (mod. por el art. 86 de la Ley 1395 de 2010)**: Procedencia y ejercicio del incidente de reparación integral.**

En firme la sentencia condenatoria y, previa solicitud expresa de la víctima, o del fiscal o del Ministerio Público a instancia de ella, el juez fallador convocará dentro de los ocho (8) días siguientes a la audiencia pública con la que dará inicio al incidente de reparación integral de los daños causados con la conducta criminal y ordenará las citaciones previstas en los artículos 107 y 108 de este Código, de ser solicitadas por el incidentante.

(EXEQUIBLE SCC-250, 06-04-2011, M.P. Mauricio González Cuervo).

Artículo 103 (mod. por el art. 87 de la Ley 1395 de 2010)**: Trámite del incidente de reparación integral.**

Iniciada la audiencia el incidentante formulará oralmente su pretensión en contra del declarado penalmente responsable, con expresión concreta de la forma de reparación integral a la que aspira e indicación de las pruebas que hará valer.

El juez examinará la pretensión y deberá rechazarla si quien la promueve no es víctima o está acreditado el pago efectivo de los perjuicios y está fuera la única pretensión formulada. La decisión negativa al reconocimiento de la condición de víctima será objeto de los recursos ordinarios en los términos de este código.

Admitida la pretensión el juez la pondrá en conocimiento del condenado y acto seguido ofrecerá la posibilidad de una conciliación que de prosperar dará término al incidente. En caso contrario el juez fijará fecha para una nueva audiencia dentro de los ocho (8) días siguientes para intentar nuevamente la conciliación y de no lograrse, el sentenciado deberá ofrecer sus propios medios de prueba.

Artículo 104: Audiencia de pruebas y alegaciones.

El día y hora señalados el juez realizará la audiencia, la cual iniciará con una invitación a los intervinientes a conciliar. De lograrse el acuerdo su contenido se incorporará a la decisión. En caso contrario, se procederá a la práctica de la prueba ofrecida por cada parte y se oirá el fundamento de sus pretensiones.

Parágrafo. La ausencia injustificada del solicitante a las audiencias de este trámite implicará el desistimiento de la pretensión, el archivo de la solicitud, y la condenatoria en costas.

Si injustificadamente no compareciere el declarado penalmente responsable se recibirá la prueba ofrecida por los presentes y, con base en ella, se resolverá. Quien no comparezca, habiendo sido citado en forma debida, quedará vinculado a los resultados de la decisión del incidente. (Subrayado EXEQUIBLE SCC-423, 31-05-2006, M.P. Humberto Antonio Sierra Porto).

Artículo 105 (mod. por el art. 88 de la Ley 1395 de 2010)**: Decisión de reparación integral.**

En la misma audiencia el juez adoptará la decisión que ponga fin al incidente, mediante sentencia.

Véase C.P.P. inc. 4 del art. 96.

Artículo 106 (mod. por el art. 89 de la Ley 1395 de 2010)**: Caducidad.**

La solicitud para la reparación integral por medio de este procedimiento especial caduca treinta (30) días después de haber quedado en firme el fallo condenatorio.

Véase C.P.P. inc. 4 del art. 96.

Artículo 107: Tercero civilmente responsable.

Es la persona que según la ley civil deba responder por el daño causado por la conducta del condenado.

El tercero civilmente responsable podrá ser citado o acudir al incidente de reparación a solicitud de la víctima del condenado o su defensor. Esta citación deberá realizarse en la audiencia que abra el trámite del incidente.

(CONDICIONALMENTE EXEQUIBLE SCC-425, 31-05-2006, M.P. Humberto Antonio Sierra Porto "(...) en el entendido que el tercero civilmente responsable se encuentra facultado para ejercer plenamente su derecho de defensa en relación con el decreto y práctica de medidas cautelares en su contra").

Artículo 108: Citación del asegurador.

~~Exclusivamente~~ para efectos de la conciliación de que trata el artículo 103, la víctima, el condenado, su defensor o el tercero civilmente responsable podrán pedir la citación del asegurador de la responsabilidad civil amparada en virtud del contrato de seguro válidamente celebrado, ~~quien tendrá la facultad de participar en dicha conciliación~~. (Apartes con tacha INEXEQUIBLES, subrayado EXEQUIBLE, SCC-409, 17-06-2009, M.P. Juan Carlos Henao Pérez).

TÍTULO III. MINISTERIO PÚBLICO

Artículo 109: El Ministerio Público.

El Ministerio Público intervendrá en el proceso penal cuando sea necesario, en defensa del orden jurídico, del patrimonio público, o de los derechos y garantías fundamentales. El Procurador General de la Nación directamente o a través de sus delegados constituirá agencias especiales en los procesos de significativa y relevante importancia, de acuerdo con los criterios internos diseñados por su despacho, y sin perjuicio de que actúe en los demás procesos penales.

Teniendo en cuenta lo dispuesto en el artículo 99 del Decreto 1421 de 1993, en los mismos eventos del inciso anterior los personeros distritales y municipales actuarán como agentes del Ministerio Público en el proceso penal y ejercerán sus competencias en los juzgados penales y promiscuos del circuito y municipales y ante sus fiscales delegados, sin perjuicio de que en cualquier momento la Procuraduría General de la Nación los asuma y en consecuencia los desplace.

Parágrafo. Para el cumplimiento de la función, los fiscales, jueces y la policía judicial enterarán oportunamente, por el medio más expedito, al Ministerio Público de las diligencias y actuaciones de su competencia.

Véase Decreto 262 de 2000 art. 29. C.N. arts. 118, num. 7 art. 277.

Artículo 110: De la agencia especial.

La constitución de "agente especial" del Ministerio Público se hará de oficio o a petición de cualquiera de los intervinientes en el proceso penal o del Gobierno Nacional.

Artículo 111: Funciones del Ministerio Público.

Son funciones del Ministerio Público en la indagación, la investigación y el juzgamiento:

1. Como garante de los derechos humanos y de los derechos fundamentales:

a) Ejercer vigilancia sobre las actuaciones de la policía judicial que puedan afectar garantías fundamentales;

b) Participar en aquellas diligencias o actuaciones realizadas por la Fiscalía General de la Nación y los jueces de la República que impliquen afectación o menoscabo de un derecho fundamental;

c) Procurar que las decisiones judiciales cumplan con los cometidos de lograr la verdad y la justicia;

d) Procurar que las condiciones de privación de la libertad como medida cautelar y como pena o medida de seguridad se cumplan de conformidad con los Tratados Internacionales, la Carta Política y la ley;

e) Procurar que de manera temprana y definitiva se defina la competencia entre diferentes jurisdicciones en procesos por graves violaciones a los Derechos Humanos y al Derecho Internacional Humanitario;

f) Procurar el cumplimiento del debido proceso y el derecho de defensa.

g) Participar cuando lo considere necesario, en las audiencias conforme a lo previsto en este código.

2. Como representante de la sociedad:

a) Solicitar condena o absolución de los acusados e intervenir en la audiencia de control judicial de la preclusión;

b) Procurar la indemnización de perjuicios, el restablecimiento y la restauración del derecho en los eventos de agravio a los intereses colectivos, solicitar las pruebas que a ello conduzcan y las medidas cautelares que procedan;

c) Velar porque se respeten los derechos de las víctimas, testigos, jurados y demás intervinientes en el proceso, así como verificar su efectiva protección por el Estado;

d) Participar en aquellas diligencias o actuaciones donde proceda la disponibilidad del derecho por parte de la víctima individual o colectiva y en las que exista disponibilidad oficial de la acción penal, procurando que la voluntad otorgada sea real y que no se afecten los derechos de los perjudicados, así como los principios de verdad y justicia, en los eventos de aplicación del principio de oportunidad;

e) Denunciar los fraudes y colusiones procesales.

Véase Decreto 262 de 2000 arts. 23, 26. Ley 941 de 2005. C.N. art. 277.

Artículo 112: Actividad probatoria.

El Ministerio Público podrá solicitar pruebas anticipadas en aquellos asuntos en los cuales esté ejerciendo o haya ejercido funciones de policía judicial siempre y cuando se reúnan los requisitos previstos en el artículo 284 del presente código.

Asimismo, podrá solicitar pruebas en el evento contemplado en el último inciso del artículo 357 de este código. (Inc. 2 subrayado EXEQUIBLE, SCC-144, 03-03-2010, M.P. Juan Carlos Henao Pérez).

TÍTULO IV. PARTES E INTERVINIENTES

CAPÍTULO I. FISCALÍA GENERAL DE LA NACIÓN

Artículo 113: Composición.

La Fiscalía General de la Nación para el ejercicio de la acción penal estará integrada por el Fiscal General de la Nación, el Vicefiscal, los fiscales y los funcionarios que él designe y estén previstos en el estatuto orgánico de la institución para esos efectos.

Véase C.N. art. 249.

Artículo 114: Atribuciones.

La Fiscalía General de la Nación, para el cumplimiento de sus funciones constitucionales y legales, tiene las siguientes atribuciones:

1. Investigar y acusar a los presuntos responsables de haber cometido un delito.

2. Aplicar el principio de oportunidad en los términos y condiciones definidos por este código.

3. Ordenar registros, allanamientos, incautaciones e interceptaciones de comunicaciones, y poner a disposición del juez de control de garantías los elementos recogidos, para su control de legalidad dentro de las treinta y seis (36) horas siguientes. 4. Asegurar los elementos materiales probatorios y evidencia física, garantizando su cadena de custodia mientras se ejerce su contradicción.

5. Dirigir y coordinar las funciones de policía judicial que en forma permanente ejerce su cuerpo técnico de investigación, la Policía Nacional y los demás organismos que señale la ley.

6. Velar por la protección de las víctimas, testigos y peritos que la Fiscalía pretenda presentar.

La protección de los testigos y peritos que pretenda presentar la defensa será a cargo de la Defensoría del Pueblo, la de jurados y jueces, del Consejo Superior de la Judicatura (inc. EXEQUIBLE SCC-592, 09-06-2005, M.P. Alvaro Tafur Galvis).

7. Ordenar capturas, de manera excepcional y en los casos previstos en este código, y poner a la persona capturada a disposición del juez de control de garantías, a más tardar dentro de las treinta y seis (36) horas siguientes.

8. Solicitar al juez de control de garantías las medidas necesarias que aseguren la comparecencia de los imputados al proceso penal, la conservación de la prueba y la protección de la comunidad, en especial de las víctimas.

9. Presentar la acusación ante el juez de conocimiento para dar inicio al juicio oral.

10. Solicitar ante el juez del conocimiento la preclusión de las investigaciones cuando no hubiere mérito para acusar.

11. Intervenir en la etapa del juicio en los términos de este código.

12. Solicitar ante el juez del conocimiento las medidas judiciales necesarias para la asistencia de las víctimas, el restablecimiento del derecho y la reparación integral de los efectos del injusto.

13. Interponer y sustentar los recursos ordinarios y extraordinarios y la acción de revisión en los eventos establecidos por este código.

14. Solicitar nulidades cuando a ello hubiere lugar.

15. Las demás que le asigne la ley.

Parágrafo (ad. por el art. 10 de la Ley 1142 de 2007). El Fiscal General de la Nación o el Fiscal Delegado, según el caso, podrá actuar con el apoyo de otro Fiscal Delegado de cualquier categoría, tanto para la investigación como para la intervención en las audiencias preliminares o de juicio. Esta misma facultad podrá aplicarse en el ejercicio de la defensa.

Véase C.P.P. arts. 142, 219, par. 297, 300. Ley 975 de 2005 art. 38. C.N. art. 250.

Artículo 115: Principio de objetividad.

La Fiscalía General de la Nación, con el apoyo de los organismos que ejerzan funciones de policía judicial, adecuará su actuación a un criterio objetivo y transparente, ajustado jurídicamente para la correcta aplicación de la Constitución Política y la ley.

Artículo 116: Atribuciones especiales del Fiscal General de la Nación.
Corresponde al Fiscal General de la Nación en relación con el ejercicio de la acción penal:

1. Investigar y acusar, si hubiere lugar, a los servidores públicos que gocen de fuero constitucional, con las excepciones previstas en la Constitución.

2. Asumir directamente las investigaciones y procesos, cualquiera sea el estado en que se encuentren, lo mismo que asignar y desplazar libremente a sus servidores en las investigaciones y procesos, mediante orden motivada.

3. Determinar el criterio y la posición que la Fiscalía General de la Nación deba asumir en virtud de los principios de unidad de gestión y jerarquía, sin perjuicio de la autonomía de los fiscales delegados en los términos y condiciones fijados por la ley.

Véase C.N. arts. 251, 254.

Artículo 117: La policía judicial.
Los organismos que cumplan funciones de policía judicial actuarán bajo la dirección y coordinación de la Fiscalía General de la Nación, para lo cual deberán acatar las instrucciones impartidas por el Fiscal General, el Vicefiscal, los fiscales en cada caso concreto, a los efectos de la investigación y el juzgamiento.

La omisión en el cumplimiento de las instrucciones mencionadas constituye causal de mala conducta, sin perjuicio de la responsabilidad administrativa, penal, disciplinaria y civil del infractor. En todo caso, el Fiscal General de la Nación o su delegado, bajo su responsabilidad, deberá separar de forma inmediata de las funciones que se le hayan dado para el desarrollo investigativo, a cualquier servidor público que omita o se extralimite en el cumplimiento de las instrucciones dadas.

Véase Ley 610 de 2000 art. 10. Decreto 2636 de 2004 art. 6. Ley 938 de 2004 arts. 42, 45. C.P.P. arts. 200, 201, 202, 203, 204, 205, 206, 207, 208, 209, 210, 211, 212. Ley 1828 de 2017 art. 37.

CAPÍTULO II. DEFENSA

Artículo 118: Integración y designación.
La defensa estará a cargo del abogado principal que libremente designe el imputado o, en su defecto, por el que le sea asignado por el Sistema Nacional de Defensoría Pública.
(EXEQUIBLE SCC-210, 21-03-2007, M.P. Marco Gerardo Monroy Cabra).
Véase Ley 941 de 2005. C.P.P. art. 8.

Artículo 119: Oportunidad.
La designación del defensor del imputado deberá hacerse desde la captura, si hubiere lugar a ella, o desde la formulación de la imputación. En todo caso deberá contar con este desde la primera audiencia a la que fuere citado.
El presunto implicado en una investigación podrá designar defensor desde la comunicación que de esa situación le haga la Fiscalía.
Véase C.P.P. art. 8.

Artículo 120: Reconocimiento.
Una vez aceptada la designación, el defensor podrá actuar sin necesidad de formalidad alguna para su reconocimiento.
Véase C.P.P. arts. 267, 268.

Artículo 121: Dirección de la defensa.
El defensor que haya sido designado como principal dirigirá la defensa, pudiendo incluso seleccionar otro abogado que lo acompañe como defensor suplente, previa información al juez y autorización del imputado. Este defensor suplente actuará bajo la responsabilidad del principal y podrá ser removido libremente durante el proceso.

Artículo 122: Incompatibilidad de la defensa.
La defensa de varios imputados podrá adelantarla un defensor común, siempre y cuando no medie conflicto de interés ni las defensas resulten incompatibles entre sí.

Si se advirtiera la presencia del conflicto y la defensa no lo resolviere mediante la renuncia del encargo correspondiente, el imputado o el Ministerio Público podrá solicitar al juez el relevo del defensor discernido. En este evento el imputado podrá designar un nuevo defensor. Si no hubiere otro y de encontrarse en imposibilidad para ello, el Sistema Nacional de Defensoría Pública le proveerá uno, de conformidad con las reglas generales.

Artículo 123: Sustitución del defensor.

Únicamente el defensor principal podrá sustituir la designación en otro abogado, pudiéndose reservar el derecho de reasumir la defensa en la oportunidad que estime conveniente.

Artículo 124: Derechos y facultades.

La defensa podrá ejercer todos los derechos y facultades que los Tratados Internacionales relativos a Derechos Humanos que forman parte del bloque de constitucionalidad, la Constitución Política y la ley reconocen en favor del imputado.

Artículo 125 (mod. por el art. 47 de la Ley 1142 de 2007)**: Deberes y atribuciones especiales.**

En especial la defensa tendrá los siguientes deberes y atribuciones:

1. Asistir personalmente al imputado desde su captura, a partir de la cual deberá garantizársele la oportunidad de mantener comunicación privada con él.

2. Disponer de tiempo y medios razonables para la preparación de la defensa, incluida la posibilidad excepcional de obtener prórrogas justificadas para la celebración del juicio oral.

3. En el evento de una acusación, conocer en su oportunidad todos los elementos probatorios, evidencia física e informaciones de que tenga noticia la Fiscalía General de la Nación, incluidos los que sean favorables al procesado.

4. Controvertir las pruebas, aunque sean practicadas en forma anticipada al juicio oral.

5. Interrogar y contrainterrogar en audiencia pública a los testigos y peritos.

6. Solicitar al juez la comparecencia, aun por medios coercitivos, de los testigos y peritos que puedan arrojar luz sobre los hechos materia de debate en el juicio oral.

7. Interponer y sustentar, si lo estimare conveniente, las nulidades, los recursos ordinarios y extraordinarios y la acción de revisión.

8. No ser obligado a presentar prueba de descargo o contraprueba, ni a intervenir activamente durante el juicio oral.

9. Buscar, identificar empíricamente, recoger y embalar elementos materiales probatorios y evidencia física; realizar entrevistas y valoraciones que requieran conocimientos especializados por medio de los técnicos e investigadores autorizados por la ley. Para tales efectos las entidades públicas y privadas, además de los particulares, prestarán la colaboración que requieran, sin que puedan oponer reserva, siempre que se acredite por parte del defensor certificado ~~por la Fiscalía General de la Nación~~, que la información será utilizada para efectos judiciales. (Subrayado CONDICIONALMENTE EXEQUIBLE, SCC-186, 27-02-2008, M.P. Nilson Pinilla Pinilla "(...) en el entendido que las entidades públicas y privadas así como los particulares, no pueden oponer reserva al defensor que ha obtenido la autorización del juez de control de garantías, el cual ponderará si se justifica la afectación de derechos fundamentales").

Véase C.P.P. arts. 8, 15.

CAPÍTULO III. IMPUTADO

Artículo 126: Calificación.

El carácter de parte como imputado se adquiere desde su vinculación a la actuación mediante la formulación de la imputación o desde la captura, si esta ocurriere primero. A partir de la presentación de la acusación adquirirá la condición de acusado.

Artículo 127: Ausencia del imputado.

Cuando al fiscal no le haya sido posible localizar a quien requiera para formularle imputación o tomar alguna medida de aseguramiento que lo afecte, solicitará ante el juez de control de garantías que lo declare persona ausente adjuntando los elementos de conocimiento que demuestren que ha insistido en ubicarlo. El imputado se emplazará mediante edicto que se fijará en un lugar visible de la secretaría por el término de cinco (5) días hábiles y se publicará en un medio radial y de prensa de cobertura local.

Cumplido lo anterior el juez lo declarará persona ausente, actuación que quedará debidamente registrada, así como la identidad del abogado designado por el sistema nacional de defensoría pública que lo asistirá y representará en todas las actuaciones, con el cual se surtirán todos los avisos o notificaciones. Esta declaratoria es válida para toda la actuación.

El juez verificará que se hayan agotado mecanismos de búsqueda y citaciones suficientes y razonables para obtener la comparecencia del procesado.

(EXEQUIBLE SCC-591, 09-06-2005, M.P. Clara Inés Vargas Hernández).

Véase C.P.P. arts. 291, 536.

Artículo 128 (mod. por el art. 99 de la Ley 1453 de 2011)**: Identificación o individualización.**

La Fiscalía General de la Nación estará obligada a verificar la correcta identificación o individualización del imputado, a fin de prevenir errores judiciales.

En los eventos en que el capturado no presente documento de identidad, la Policía Judicial tomará el registro decadactilar y verificará la identidad con documentos obtenidos en la Registraduría Nacional del Estado Civil y sus delegadas, de manera directa, o a través de la consulta de los medios técnicos o tecnológicos de los que se dispongan o tengan acceso. (Inc. 2 ad. por el art. 11 de la Ley 1142 de 2007).

En caso de no lograrse la verificación de la identidad, la policía judicial que realizó la confrontación remitirá el registro decadactilar de manera inmediata a la Registraduría Nacional del Estado Civil a efectos de que expida copia de la foto cédula, en un tiempo no superior a 24 horas.

En caso de no aparecer la persona en los archivos de la Registraduría Nacional del Estado Civil, esta autoridad lo registrará de manera excepcional y por única vez, con el nombre que se identificó inicialmente y procederá a asignarle un cupo numérico, sin tener que agotar los procedimientos regulados en el Decreto 1260 de 1970, o demás normas que lo modifiquen o complementen.

Concluido el procedimiento la Registraduría Nacional del Estado Civil informará los resultados a la autoridad solicitante.

Véase C.P.P. art. 207.

Artículo 129: Registro de personas vinculadas.

La Fiscalía llevará un registro de las personas a las cuales se haya vinculado a una investigación penal. Para el efecto, el funcionario que realice la vinculación lo informará dentro de los cinco (5) días siguientes a la decisión, al sistema que para tal efecto lleve la Fiscalía General de la Nación.

Artículo 130: Atribuciones.

Además de los derechos reconocidos en los Tratados Internacionales de Derechos Humanos ratificados por Colombia y que forman parte del bloque de constitucionalidad, de la Constitución Política y de la ley, en especial de los previstos en el artículo 8° de este código, el imputado o procesado, según el caso, dispondrá de las mismas atribuciones asignadas a la defensa que resultan compatibles con su condición. En todo caso, de mediar conflicto entre las peticiones o actuaciones de la defensa con las del imputado o procesado prevalecen las de aquella.

Artículo 131: Renuncia.

Si el imputado o procesado hiciere uso del derecho que le asiste de renunciar a las garantías de guardar silencio y al juicio oral, deberá el juez de control de garantías o el juez de conocimiento verificar que se trata de una decisión libre, consciente, voluntaria, debidamente informada, asesorada por la defensa, para lo cual será imprescindible el interrogatorio personal del imputado o procesado.

CAPÍTULO IV. VÍCTIMAS

Artículo 132: Víctimas.

Se entiende por víctimas, para efectos de este código, las personas naturales o jurídicas y demás sujetos de derechos que individual o colectivamente hayan sufrido algún daño ~~directo~~ como consecuencia del injusto. (Aparte con tacha SCC-516, 11-06-2007, M.P. Jaime Córdoba Triviño).

La condición de víctima se tiene con independencia de que se identifique, aprehenda, enjuicie o condene al autor del injusto e independientemente de la existencia de una relación familiar con este.

Véase Ley 1719 de 2014 art. 13. C.P.P. art. 340.

Artículo 133: Atención y protección inmediata a las víctimas.

La Fiscalía General de la Nación adoptará las medidas necesarias para la atención de las víctimas, la garantía de su seguridad personal y familiar, y la protección frente a toda publicidad que implique un ataque indebido a su vida privada o dignidad.

Las medidas de atención y protección a las víctimas no podrán redundar en perjuicio de los derechos del imputado o de un juicio justo e imparcial, ni serán incompatibles con estos.

Véase Ley 1719 de 14 art. 13. C.N. art. 250 nums. 6, 7.

Artículo 134: Medidas de atención y protección a las víctimas.

Las víctimas, en garantía de su seguridad y el respeto a su intimidad, podrán por conducto del fiscal solicitar al juez de control de garantías las medidas indispensables para su atención y protección.

Igual solicitud podrán formular las víctimas, por sí mismas o por medio de su abogado, durante el juicio oral y el incidente de reparación integral.

Véase Ley 1719 de 2014 arts. 13, 22.

Artículo 135: Garantía de comunicación a las víctimas.

Los derechos reconocidos serán comunicados por el fiscal a la víctima desde el momento mismo en que esta intervenga.

Igualmente se le informará sobre las facultades y derechos que puede ejercer por los perjuicios causados con el injusto, y de la disponibilidad que tiene de formular una pretensión indemnizatoria en el proceso por conducto del fiscal, o de manera directa en el incidente de reparación integral.

(CONDICIONALMENTE EXEQUIBLE SCC-454, 07-06-2006, M.P. Jaime Córdoba Triviño "(...) en el entendido que la garantía de comunicación a las víctimas y perjudicados con el delito opera desde el momento en que éstos entran en contacto con las autoridades, y se refiere a los derechos a la verdad, la justicia y la reparación).

Véase Ley 1719 de 2014 art. 13.

Artículo 136: Derecho a recibir información.

A quien demuestre sumariamente su calidad de víctima, la policía judicial y la Fiscalía General de la Nación le suministrarán información sobre:

1. Organizaciones a las que puede dirigirse para obtener apoyo.

2. El tipo de apoyo o de servicios que puede recibir.

3. El lugar y el modo de presentar una denuncia o una querella.

4. Las actuaciones subsiguientes a la denuncia y s u papel respecto de aquellas.

5. El modo y las condiciones en que puede pedir protección.

6. Las condiciones en que de modo gratuito puede acceder a asesoría o asistencia jurídicas, asistencia o asesoría sicológicas u otro tipo de asesoría.

7. Los requisitos para acceder a una indemnización.

8. Los mecanismos de defensa que puede utilizar.

9. El trámite dado a su denuncia o querella.

10. Los elementos pertinentes que le permitan, en caso de acusación o preclusión, seguir el desarrollo de la actuación.

11. La posibilidad de dar aplicación al principio de oportunidad y a ser escuchada tanto por la Fiscalía como por el juez de control de garantías, cuando haya lugar a ello (subrayado EXEQUIBLE SCC-516, 11-07-2007, M.P. Jaime Córdoba Triviño).

12. La fecha y el lugar del juicio oral.

13. El derecho que le asiste a promover el incidente de reparación integral.

14. La fecha en que tendrá lugar la audiencia de dosificación de la pena y sentencia.

15. La sentencia del juez.

También adoptará las medidas necesarias para garantizar, en caso de existir un riesgo para las víctimas que participen en la actuación, que se les informe sobre la puesta en libertad de la persona inculpada.

Véase Ley 1719 de 2014 art. 13.

Artículo 137: Intervención de las víctimas en la actuación penal.

Las víctimas del injusto, en garantía de los derechos a la verdad, la justicia y la reparación, tienen el derecho de intervenir en todas las fases de la actuación penal, de acuerdo con las siguientes reglas:

1. Las víctimas podrán solicitar al fiscal en cualquier momento de la actuación medidas de protección frente a probables hostigamientos, amenazas o atentados en su contra o de sus familiares.

2. El interrogatorio de las víctimas debe realizarse con respeto de su situación personal, derechos y dignidad.

3. Para el ejercicio de sus derechos no es obligatorio que las víctimas estén representadas por un abogado; sin embargo, a partir de la audiencia preparatoria y para intervenir tendrán que ser asistidas por un profesional del derecho o estudiante de consultorio jurídico de facultad de derecho debidamente aprobada.

4. En caso de existir pluralidad de víctimas, el fiscal, durante la investigación, solicitará que estas designen hasta dos abogados que las represente. De no llegarse a un acuerdo, el fiscal determinará lo más conveniente y efectivo (num. 4 INEXEQUIBLE, SCC-516, 11-07-2007, M.P. Jaime Córdoba Triviño).

5. Si la víctima no contare con medios suficientes para contratar un abogado a fin de intervenir, previa solicitud y comprobación sumaria de la necesidad, la Fiscalía General de la Nación le designará uno de oficio.

6. El juez podrá en forma excepcional, y con el fin de proteger a las víctimas, decretar que durante su intervención el juicio se celebre a puerta cerrada.

7. Las víctimas podrán formular ante el juez de conocimiento el incidente de reparación integral, una vez establecida la responsabilidad penal del imputado.

(EXEQUIBLE SCC-209, 21-03-2007, M.P. Manuel José Cepeda).

Véase Ley 975 de 2007 art. 38.

TÍTULO V. DEBERES Y PODERES DE LOS INTERVINIENTES EN EL PROCESO PENAL

CAPÍTULO I. DE LOS DEBERES DE LOS SERVIDORES JUDICIALES

Artículo 138: Deberes.

Son deberes comunes de todos los servidores públicos, funcionarios judiciales e intervinientes en el proceso penal, en el ámbito de sus respectivas competencias y atribuciones, los siguientes:

1. Resolver los asuntos sometidos a su consideración dentro de los términos previstos en la ley y con sujeción a los principios y garantías que orientan el ejercicio de la función jurisdiccional.

2. Respetar, garantizar y velar por la salvaguarda de los derechos de quienes intervienen en el proceso.

3. Realizar personalmente las tareas que le sean confiadas y responder por el uso de la autoridad que les haya sido otorgada o de la ejecución de las órdenes que pueda impartir, sin que en ningún caso quede exento de la responsabilidad que le incumbe por la que le corresponda a sus subordinados.

4. Guardar reserva sobre los asuntos relacionados con su función, aun después de haber cesado en el ejercicio del cargo.

5. Atender oportuna y debidamente las peticiones dirigidas por los intervinientes dentro del proceso penal.

6. Abstenerse de presentar en público al indiciado, imputado o acusado como responsable.

7. Los demás establecidos en la Ley Estatutaria de Administración de Justicia y en el Código Disciplinario Único que resulten aplicables.

Véase Ley 270 de 1996 art. 60A. Ley 1285 de 2009; art. 14. C.G.P. arts. 42, 46.

Artículo 139: Deberes específicos de los jueces.

Sin perjuicio de lo establecido en el artículo anterior, constituyen deberes especiales de los jueces, en relación con el proceso penal, los siguientes:

1. Evitar las maniobras dilatorias y todos aquellos actos que sean manifiestamente inconducentes, impertinentes o superfluos, mediante el rechazo de plano de los mismos.

2. Ejercer los poderes disciplinarios y aplicar las medidas correccionales atribuidos por este código y demás normas aplicables, con el fin de asegurar la eficiencia y transparencia de la administración de justicia.

3. Corregir los actos irregulares.

4. Motivar breve y adecuadamente las medidas que afecten los derechos fundamentales del imputado y de los demás intervinientes.

5. Decidir la controversia suscitada durante las audiencias para lo cual no podrá abstenerse so pretexto de ignorancia, silencio, contradicción, deficiencia, oscuridad o ambigüedad de las normas aplicables.

6. Dejar constancia expresa de haber cumplido con las normas referentes a los derechos y garantías del imputado o acusado y de las víctimas.

CAPÍTULO II. DE LOS DEBERES DE LAS PARTES E INTERVINIENTES

Artículo 140: Deberes.

Son deberes de las partes e intervinientes:

1. Proceder con lealtad y buena fe en todos sus actos.

2. Obrar sin temeridad en sus pretensiones o en el ejercicio de los derechos procesales, evitando los planteamientos y maniobras dilatorias, inconducentes, impertinentes o superfluas.

3. Abstenerse de usar expresiones injuriosas en sus intervenciones.

4. Guardar el respeto debido a los servidores judiciales y a los demás intervinientes en el proceso penal.

5. Comunicar cualquier cambio de domicilio, residencia, lugar o dirección electrónica señalada para recibir las notificaciones o comunicaciones.

6. Comparecer oportunamente a las diligencias y audiencias a las que sean citados.

7. Abstenerse de tener comunicación privada con el juez que participe en la actuación, salvo las excepciones previstas en este código.

8. Guardar silencio durante el trámite de las audiencias, excepto cuando les corresponda intervenir.

9. Entregar a los servidores judiciales correspondientes los objetos y documentos necesarios para la actuación y los que les fueren requeridos, salvo las excepciones legales.

Véase C.P.P. art. 12.

Artículo 141: Temeridad o mala fe.

Se considera que ha existido temeridad o mala fe, en los siguientes casos:

1. Cuando sea manifiesta la carencia de fundamento legal en la denuncia, recurso, incidente o cualquier otra petición formulada dentro de la actuación procesal.

2. Cuando a sabiendas se aleguen hechos contrarios a la realidad.

3. Cuando se utilice cualquier actuación procesal para fines claramente ilegales, dolosos o fraudulentos.

4. Cuando se obstruya la práctica de pruebas u otra diligencia.

5. Cuando por cualquier otro medio se entorpezca el desarrollo normal de la actuación procesal.

CAPÍTULO III. DEBERES DE LA FISCALÍA GENERAL DE LA NACIÓN

Artículo 142: Deberes específicos de la Fiscalía General de la Nación.

Sin perjuicio de lo dispuesto en los artículos anteriores, constituyen deberes esenciales de la Fiscalía General de la Nación los siguientes:

1. Proceder con objetividad, respetando las directrices del Fiscal General de la Nación. (Subrayado EXEQUIBLE SCC-1260, 05-12-2005, M.P. Clara Inés Vargas Hernández).

2. Suministrar, por conducto del juez de conocimiento, todos los elementos probatorios y evidencia física e informaciones de que tenga noticia, incluidos los que le sean favorables al acusado.

3. Asistir de manera ininterrumpida a las audiencias que sean convocadas e intervenir en desarrollo del ejercicio de la acción penal.

4. Informar a la autoridad competente de cualquier irregularidad que observe en el transcurso de la actuación de los funcionarios que ejercen atribuciones de policía judicial.

Véase C.P.P. art. 114. Ley 270 de 1996 art. 23.

CAPÍTULO IV. DE LOS PODERES Y MEDIDAS CORRECCIONALES

Artículo 143: Poderes y medidas correccionales.

El juez, de oficio o a solicitud de parte, podrá tomar las siguientes medidas correccionales:

1. A quien formule una recusación o manifieste un impedimento ostensiblemente infundados, lo sancionará con multa de uno (1) hasta diez (10) salarios mínimos legales mensuales vigentes.

2. A quien viole una reserva legalmente establecida lo sancionará con multa de uno (1) a cinco (5) salarios mínimos legales mensuales vigentes. En este caso el funcionario que conozca de la actuación será el competente para imponer la correspondiente sanción.

3. A quien impida u obstaculice la realización de cualquier diligencia durante la actuación procesal, le impondrá arresto inconmutable de uno (1) a treinta (30) días según la gravedad de la obstrucción y tomará las medidas conducentes para lograr la práctica inmediata de la prueba.

4. A quien le falte al debido respeto en el ejercicio de sus funciones o por razón de ellas, o desobedezca órdenes impartidas por él en el ejercicio de sus atribuciones legales lo sancionará con arresto inconmutable hasta por cinco (5) días.

5. A quien en las audiencias asuma comportamiento contrario a la solemnidad del acto, a su eficacia o correcto desarrollo, le impondrá como sanción la amonestación, o el desalojo, o la restricción del uso de la palabra, o multa hasta por diez (10) salarios mínimos legales mensuales o arresto hasta por cinco (5) días, según la gravedad y modalidades de la conducta.

6. A quien solicite pruebas manifiestamente inconducentes o impertinentes lo sancionará con multa de uno (1) hasta diez (10) salarios mínimos legales mensuales vigentes.

7. A quien en el proceso actúe con temeridad o mala fe, lo sancionará con multa de uno (1) hasta diez (10) salarios mínimos legales mensuales vigentes.

8. Al establecimiento de salud que reciba o dé entrada a persona lesionada sin dar aviso inmediato a la autoridad respectiva, lo sancionará con multa de diez (10) hasta cien (100) salarios mínimos legales mensuales vigentes.

9. A la parte e interviniente que solicite definición de competencia, o cambio de radicación sin fundamento en razones serias y soporte probatorio, lo sancionará con multa de uno (1) hasta diez (10) salarios mínimos legales mensuales vigentes.

10. A quienes sobrepasen las cintas o elementos usados para el aislamiento del lugar de los hechos, lo sancionará con multa de uno (1) a cincuenta (50) salarios mínimos legales mensuales vigentes o arresto por (5) cinco días según la gravedad y modalidad de la conducta.

Parágrafo. En los casos anteriores, si la medida correccional fuere de multa o arresto, su aplicación deberá estar precedida de la oportunidad para que el presunto infractor exprese las razones de su oposición, si las hubiere. Si el funcionario impone la sanción, el infractor podrá solicitar la reconsideración de la medida que, de mantenerse, dará origen a la ejecución inmediata de la sanción, sin que contra ella proceda recurso alguno.

Véase C.P.P. art. 141. C.G.P. art. 44.

TÍTULO VI. LA ACTUACIÓN

CAPÍTULO I. ORALIDAD EN LOS PROCEDIMIENTOS

Artículo 144: Idioma.

El idioma oficial en la actuación será el castellano.

El imputado, el acusado o la víctima serán asistidos por un traductor debidamente acreditado o reconocido por el juez en caso de no poder entender o expresarse en el idioma oficial; o por un intérprete en caso de no poder percibir el idioma por los órganos de los sentidos o hacerse entender oralmente. Lo anterior no obsta para que pueda estar acompañado por uno designado por él.

Véase C.P.P. art. 401.

Artículo 145: Oralidad en la actuación.

Todos los procedimientos de la actuación, tanto preprocesales como procesales, serán orales.

Véase C.P.P. art. 9. Ley 270 de 1996 art. 4.

Artículo 146: Registro de la actuación.

Se dispondrá el empleo de los medios técnicos idóneos para el registro y reproducción fidedignos de lo actuado, de conformidad con las siguientes reglas, y se prohíben las reproducciones escritas, salvo los actos y providencias que este código expresamente autorice:

1. En las actuaciones de la Fiscalía General de la Nación o de la Policía Judicial que requieran declaración juramentada, conservación de la escena de hechos delictivos, registro y allanamiento, interceptación de comunicaciones o cualquier otro acto investigativo que pueda ser necesario en los procedimientos formales, será registrado y reproducido mediante cualquier medio técnico que garantice su fidelidad, genuinidad u originalidad.

2. En las audiencias ante el juez que ejerce la función de control de garantías se utilizará el medio técnico que garantice la fidelidad, genuinidad u originalidad de su registro y su eventual reproducción escrita para efecto de los recursos. Al finalizar la diligencia se elaborará un acta en la que conste únicamente la fecha, lugar, nombre de los intervinientes, la duración de la misma y la decisión adoptada.

3. En las audiencias ante el juez de conocimiento, además de lo anterior, deberá realizarse una reproducción de seguridad con el medio técnico más idóneo posible, la cual solo se incorporará a la actuación para el trámite de los recursos consagrados en este código.

4. El juicio oral deberá registrarse íntegramente, por cualquier medio de audio video, o en su defecto audio, que asegure fidelidad.

El registro del juicio servirá únicamente para probar lo ocurrido en el juicio oral, para efectos del recurso de apelación.

Una vez anunciado el sentido del fallo, el secretario elaborará un acta del juicio donde constará la individualización del acusado, la tipificación dada a los hechos por la Fiscalía, la autoridad que profirió la decisión y el sentido del fallo. Igualmente, el secretario será responsable de la inalterabilidad del registro oral del juicio.

5. Cuando este código exija la presencia del imputado ante el juez para efectos de llevar a cabo la audiencia preparatoria o cualquier audiencia anterior al juicio oral, a discreción del juez dicha audiencia podrá realizarse a través de comunicación de audio video, caso en el cual no será necesaria la presencia física del imputado ante el juez.

El dispositivo de audio video deberá permitirle al juez observar y establecer comunicación oral y simultánea con el imputado y su defensor, o con cualquier testigo. El dispositivo de comunicación por audio video deberá permitir que el imputado pueda sostener conversaciones en privado con su defensor.

La señal del dispositivo de comunicación por audio video se transmitirá en vivo y en directo, y deberá ser protegida contra cualquier tipo de interceptación.

En las audiencias que deban ser públicas, se situarán monitores en la sala y en el lugar de encarcelamiento, para asegurar que el público, el juez y el imputado puedan observar en forma clara la audiencia.

Cualquier documento utilizado durante la audiencia que se realice a través de dispositivo de audio video, debe poder transmitirse por medios electrónicos. Tendrán valor de firmas originales aquellas que consten en documentos transmitidos electrónicamente.

Parágrafo. La conservación y archivo de los registros será responsabilidad de la Fiscalía General de la Nación durante la actuación previa a la formulación de la imputación. A partir de ella del secretario de las audiencias. En todo caso, los intervinientes tendrán derecho a la expedición de copias de los registros.

Véase C.P.P. art. 383.

Artículo 147: Celeridad y oralidad.

En las audiencias que tengan lugar con ocasión de la persecución penal, las cuestiones que se debatan serán resueltas en la misma audiencia. Las personas allí presentes se considerarán notificadas por el solo proferimiento oral de una decisión o providencia.

Véase Ley 270 de 1996 art. 4.

Artículo 148: Toga.

Sin excepción, durante el desarrollo de las audiencias los jueces deberán usar la toga, según reglamento.

CAPÍTULO II. PUBLICIDAD DE LOS PROCEDIMIENTOS

Artículo 149: Principio de publicidad.

Todas las audiencias que se desarrollen durante la etapa de juzgamiento serán públicas y no se podrá denegar el acceso a nadie, sin decisión judicial previa. Aun cuando se limite la publicidad al máximo, no podrá excluirse a la Fiscalía, el acusado, la defensa, el Ministerio Público, la víctima y su representación legal.

El juez podrá limitar la publicidad de todos los procedimientos o parte de ellos, previa audiencia privada con los intervinientes, de conformidad con los artículos siguientes y sin limitar el principio de contradicción.

Estas medidas deberán sujetarse al principio de necesidad y si desaparecieren las causas que dieron origen a esa restricción, el juez la levantará de oficio o a petición de parte.

No se podrá, en ningún caso, presentar al indiciado, imputado o acusado como culpable. Tampoco se podrá, antes de pronunciarse la sentencia, dar declaraciones sobre el caso a los medios de comunicación so pena de la imposición de las sanciones que corresponda.

Parágrafo (ad. por el art. 33 de la Ley 1257 de 2008). En las actuaciones procesales relativas a los delitos contra la libertad y formación sexual y de violencia sexual, el juez podrá, a solicitud de cualquiera de los intervinientes en el proceso, disponer la realización de audiencias cerradas al público. La negación de esta solicitud se hará mediante providencia motivada. Cuando cualquiera de los intervinientes en el proceso lo solicite, la autoridad competente podrá determinar la reserva de identidad respecto de sus datos personales, los de sus descendientes y los de cualquier otra persona que esté bajo su guarda o custodia.

Véase C.P.P. arts. 18, 150, 151, 152, 153, 155.

Artículo 150: Restricciones a la publicidad por motivos de orden público, seguridad nacional o moral pública.

Cuando el orden público o la seguridad nacional se vean amenazados por la publicidad de un proceso en particular, o se comprometa la preservación de la moral pública, el juez, mediante auto motivado, podrá imponer una o varias de las siguientes medidas:

1. Limitación total o parcial del acceso al público o a la prensa.

2. Imposición a los presentes del deber de guardar reserva sobre lo que ven, oyen o perciben.

Artículo 151: Restricciones a la publicidad por motivos de seguridad o respeto a las víctimas menores de edad.

En caso de que fuere llamada a declarar una víctima menor de edad, el juez podrá limitar total o parcialmente el acceso al público o a la prensa.

Artículo 152: Restricciones a la publicidad por motivos de interés de la justicia.

Cuando los intereses de la justicia se vean perjudicados o amenazados por la publicidad del juicio, en especial cuando la imparcialidad del juez pueda afectarse, el juez, mediante auto motivado, podrá imponer a los presentes el deber de guardar reserva sobre lo que ven, oyen o perciben, o limitar total o parcial el acceso del público o de la prensa.

Artículo 152A (ad. por el art. 67 de la Ley 1453 de 2011):

En aras de garantizar la vida e integridad personal de los testigos, el juez o tribunal podrá decretar la prohibición de que sean fotografiados, o se capte su imagen a través de cualquier otro medio.

CAPÍTULO III. AUDIENCIAS PRELIMINARES

Artículo 153: Noción.

Las actuaciones, peticiones y decisiones que no deban ordenarse, re-solverse o adoptarse en audiencia de formulación de acusación, prepara-toria o del juicio oral, se adelantarán, resolverán o decidirán en audiencia preliminar, ante el juez de control de garantías.

Artículo 154 (mod. por el art. 12 de la Ley 1142 de 2007): **Modalidades.**

Se tramitará en audiencia preliminar:

1. El acto de poner a disposición del juez de control de garantías los elementos recogidos en registros, allanamientos e interceptación de comu-nicaciones ordenadas por la Fiscalía, para su control de legalidad dentro de las treinta y seis (36) horas siguientes.

2. La práctica de una prueba anticipada.

3. La que ordena la adopción de medidas necesarias para la protección de víctimas y testigos.

4. La que resuelve sobre la petición de medida de aseguramiento.

5. La que resuelve sobre la petición de medidas cautelares reales.

6. La formulación de la imputación.

7. El control de legalidad sobre la aplicación del principio de oportu-nidad.

8. Las peticiones de libertad que se presenten con anterioridad al anuncio del sentido del fallo.

9. Las que resuelvan asuntos similares a los anteriores.

Véase C.P.P. arts. 230, 237, 274, 287, 327.

Artículo 155: Publicidad.

Las audiencias preliminares deben realizarse con la presencia del im-putado o de su defensor. La asistencia del Ministerio Público no es obli-gatoria.

Serán de carácter reservado las audiencias de control de legalidad so-bre allanamientos, registros, interceptación de comunicaciones, vigilancia y seguimiento de personas y de cosas. También las relacionadas con autorización judicial previa para la realización de inspección corporal, obtención de muestras que involucren al imputado y procedimientos en caso de lesionados o de víctimas de agresiones sexuales. Igualmente aquella en la que decrete una medida cautelar.

CAPÍTULO IV. TÉRMINOS

Artículo 156: Regla general.

Las actuaciones se desarrollarán con estricto cumplimiento de los términos procesales. Su inobservancia injustificada será sancionada.

Artículo 157: Oportunidad.

La persecución penal y las indagaciones pertinentes podrán adelantarse en cualquier momento. En consecuencia, todos los días y horas son hábiles para ese efecto.

Las actuaciones que se desarrollen ante los jueces que cumplan la función de control de garantías serán concentradas. Todos los días y horas son hábiles para el ejercicio de esta función.

Las actuaciones que se surtan ante el juez de conocimiento se adelantarán en días y horas hábiles, de acuerdo con el horario judicial establecido oficialmente.

Sin embargo, cuando las circunstancias particulares de un caso lo ameriten, previa decisión motivada del juez competente, podrán habilitarse otros días con el fin de asegurar el derecho a un juicio sin dilaciones injustificadas.

Artículo 158: Prórroga de términos.

Los términos previstos por la ley, o en su defecto fijados por el juez, no son prorrogables. Sin embargo, de manera excepcional y con la debida justificación, cuando el fiscal, el acusado o su defensor lo soliciten para lograr una mejor preparación del caso, el juez podrá acceder a la petición siempre que no exceda el doble del término prorrogado.

Artículo 159: Término judicial.

El funcionario judicial señalará el término en los casos en que la ley no lo haya previsto, sin que pueda exceder de cinco (5) días.

Artículo 160 (mod. por el art. 48 de la Ley 1142 de 2007)**: Término para adoptar decisiones.**

Salvo disposición en contrario, las decisiones deberán adoptarse en el acto mismo de la audiencia. Para este efecto el juez podrá ordenar un receso en los términos de este código.

Cuando deban adoptarse decisiones que se refieran a la libertad provisional del imputado o acusado, el funcionario judicial dispondrá máximo de tres días hábiles para realizar la audiencia respectiva.

CAPÍTULO V. PROVIDENCIAS JUDICIALES

Artículo 161: Clases.

Las providencias judiciales son:

1. Sentencias, si deciden sobre el objeto del proceso, bien en única, primera o segunda instancia, o en virtud de la casación o de la acción de revisión (num. INCONSTITUCIONAL con efectos diferidos, en cuanto omite la posibilidad de impugnar todas las sentencias condenatorias; y EXEQUIBLE el contenido positivo de la misma disposición. EXHORTA al Congreso de la República para que, en el término de un año contado a partir de la notificación por edicto de esta sentencia, regule integralmente el derecho a impugnar todas las sentencias condenatorias. De no hacerlo, a partir del vencimiento de este término (Notificada Edicto No. 49 de 24-04-15) "(...) se entenderá que procede la impugnación de todas las sentencias condenatorias ante el superior de quien impuso la condena" SCC-792, 29-10-2014, M.P. Luis Guillermo Guerrero Pérez).

2. Autos, si resuelven algún incidente o aspecto sustancial.

3. Ordenes, si se limitan a disponer cualquier otro trámite de los que la ley establece para dar curso a la actuación o evitar el entorpecimiento de la misma. Serán verbales, de cumplimiento inmediato y de ellas se dejará un registro.

Parágrafo. Las decisiones que en su competencia tome la Fiscalía General de la Nación también se llamarán órdenes y, salvo lo relacionado con audiencia, oralidad y recursos, deberán reunir los requisitos previstos en el artículo siguiente en cuanto le sean predicables.

Artículo 162: Requisitos comunes.

Las sentencias y autos deberán cumplir con los siguientes requisitos:

1. Mención de la autoridad judicial que los profiere.

2. Lugar, día y hora.

3. Identificación del número de radicación de la actuación.

4. Fundamentación fáctica, probatoria y jurídica con indicación de los motivos de estimación y desestimación de las pruebas válidamente admitidas en el juicio oral.

5. Decisión adoptada.

6. Si hubiere división de criterios la expresión de los fundamentos del disenso.

7. Señalamiento del recurso que procede contra la decisión y la oportunidad para interponerlo.

Artículo 163: Prohibición de transcripciones.

En desarrollo de los principios de oralidad y celeridad las providencias judiciales en ningún caso se podrá transcribir, reproducir o verter a texto escrito apartes de la actuación, excepto las citas o referencias apropiadas para la debida fundamentación de la decisión.

Artículo 164: Providencias de jueces colegiados o plurales.

La exposición de la decisión estará a cargo del juez que presida la audiencia o el que ellos designen.

Artículo 165: Expedición de copias.

Las providencias judiciales solo serán reproducidas a efectos del trámite de los recursos.

Podrán expedirse certificaciones por parte de la secretaría correspondiente donde conste un resumen de lo decidido, previa petición de quien acredite un interés para ello.

Artículo 166: Comunicación de la sentencia.

Ejecutoriada la sentencia que imponga una pena o medida de seguridad, el funcionario judicial informará de dicha decisión a la Dirección General de Prisiones, la Registraduría Nacional del Estado Civil, la Procuraduría General de la Nación y demás organismos que tengan funciones de policía judicial y archivos sistematizados, en el entendido que solo en estos casos se considerará que la persona tiene antecedentes judiciales.

De igual manera se informarán las sentencias absolutorias en firme a la Fiscalía General de la Nación, con el fin de realizar la actualización de los registros existentes en las bases de datos que se lleven, respecto de las personas vinculadas en los procesos penales.

Artículo 167: Información acerca de la ejecución de la sentencia.

Los jueces de ejecución de penas y medidas de seguridad informarán a la Fiscalía General de la Nación acerca de las decisiones adoptadas por su despacho, que afecten la vigencia de la condena o redosifique la pena impuesta, con el fin de realizar las respectivas actualizaciones en las bases de datos que se lleven.

CAPÍTULO VI. NOTIFICACIÓN DE LAS PROVIDENCIAS, CITACIONES, Y COMUNICACIONES ENTRE LOS INTERVINIENTES EN EL PROCESO PENAL

Artículo 168: Criterio general.

Se notificarán las sentencias y los autos.

Artículo 169: Formas.

Por regla general las providencias se notificarán a las partes en estrados.

En caso de no comparecer a la audiencia a pesar de haberse hecho la citación oportunamente, se entenderá surtida la notificación salvo que la ausencia se justifique por fuerza mayor o caso fortuito. En este evento la notificación se entenderá realizada al momento de aceptarse la justificación.

De manera excepcional procederá la notificación mediante comunicación escrita dirigida por telegrama, correo certificado, facsímil, correo electrónico o cualquier otro medio idóneo que haya sido indicado por las partes.

Si el imputado o acusado se encontrare privado de la libertad, las providencias notificadas en audiencia le serán comunicadas en el establecimiento de reclusión, de lo cual se dejará la respectiva constancia.

Las decisiones adoptadas con posterioridad al vencimiento del término legal deberán ser notificadas personalmente a las partes que tuvieren vocación de impugnación.

Artículo 170: Registro de la notificación.

El secretario deberá llevar un registro de las notificaciones realizadas tanto en audiencia como fuera de ella, para lo cual podrá utilizar los medios técnicos idóneos.

Artículo 171: Citaciones. Procedencia.

Cuando se convoque a la celebración de una audiencia o deba adelantarse un trámite especial, deberá citarse oportunamente a las partes, testigos, peritos y demás personas que deban intervenir en la actuación.

La citación para que los intervinientes comparezcan a la audiencia preliminar deberá ser ordenada por el juez de control de garantías.

Artículo 172: Forma.

Las citaciones se harán por orden del juez en la providencia que así lo disponga, y serán tramitadas por secretaría. A este efecto podrán utilizarse los medios técnicos más expeditos posibles y se guardará especial cuidado de que los intervinientes sean oportuna y verazmente informados de la existencia de la citación.

El juez podrá disponer el empleo de servidores de la administración de justicia y, de ser necesario, de miembros de la fuerza pública o de la policía judicial para el cumplimiento de las citaciones.

Artículo 173: Contenido.

La citación debe indicar la clase de diligencia para la cual se le requiere y si debe asistir acompañado de abogado. De ser factible se determinará la clase de delito, fecha de la comisión, víctima del mismo y número de radicación de la actuación a la cual corresponde.

Artículo 174: Comunicación de las peticiones escritas a las demás partes e intervinientes.

La petición escrita de alguna de las partes e intervinientes dirigida al juez que conoce de la actuación, para ser admitida en Secretaría para su trámite, deberá acompañarse de las copias necesarias para la información de las demás partes e intervinientes.

CAPÍTULO VII. DURACIÓN DE LA ACTUACIÓN

Artículo 175 (mod. por el art. 49 de la Ley 1453 de 2011)**: Duración de los procedimientos.**

El término de que dispone la Fiscalía para formular la acusación o solicitar la preclusión no podrá exceder de noventa (90) días contados desde el día siguiente a la formulación de la imputación, salvo lo previsto en el artículo 294 de este código.

El término será de ciento veinte (120) días cuando se presente concurso de delitos, o cuando sean tres o más los imputados o cuando se trate de delitos de competencia de los Jueces Penales de Circuito Especializados.

La audiencia preparatoria deberá realizarse por el juez de conocimiento a más tardar dentro de los cuarenta y cinco (45) días siguientes a la audiencia de formulación de acusación.

La audiencia del juicio oral deberá iniciarse dentro de los cuarenta y cinco (45) días siguientes a la conclusión de la audiencia preparatoria.

Parágrafo. La Fiscalía tendrá un término máximo de dos años contados a partir de la recepción de la noticia criminis para formular imputación u ordenar motivadamente el archivo de la indagación. Este término máximo será de tres años cuando se presente concurso de delitos, o cuando sean tres o más los imputados. Cuando se trate de investigaciones por delitos que sean de competencia de los jueces penales del circuito especializado el término máximo será de cinco años.

Parágrafo (ad. por el art. 35 de la Ley 1474 de 2011). En los procesos por delitos de competencia de los jueces penales del circuito especializados, por delitos contra la Administración Pública y por delitos contra el patrimonio económico que recaigan sobre bienes del Estado respecto de los cuales proceda la detención preventiva, los anteriores términos se duplicarán cuando sean tres (3) o más los imputados o los delitos objeto de.

Véase C.P.P. arts. 79, 294, 317A.

CAPÍTULO VIII. RECURSOS ORDINARIOS

Artículo 176: Recursos ordinarios.

Son recursos ordinarios la reposición y la apelación.

Salvo la sentencia la reposición procede para todas las decisiones y se sustenta y resuelve de manera oral e inmediata en la respectiva audiencia.

La apelación procede, salvo los casos previstos en este código, contra los autos adoptados durante el desarrollo de las audiencias, y contra la sentencia condenatoria o absolutoria. (Inc. 3o INCONSTITUCIONAL con efectos diferidos, en cuanto omite la posibilidad de impugnar todas las sentencias condenatorias; y EXEQUIBLE el contenido positivo de la misma disposición. EXHORTA al Congreso de la República para que, en el término de un año contado a partir de la notificación por edicto de esta sentencia, regule integralmente el derecho a impugnar todas las sentencias condenatorias. De no hacerlo, a partir del vencimiento de este término (Notificada Edicto No. 49 de 24-04-15) se entenderá que procede la impugnación de todas las sentencias condenatorias ante el superior de quien impuso la condena, SCC-792, 29-10-2014, M.P. Luis Guillermo Guerrero Pérez.) (Subrayado declarado EXEQUIBLE SCC-047, 01-02-2006 M.P. Rodrigo Escobar Gil).

Artículo 177 (mod. por el art. 13 de la Ley 1142 de 2007)**: Efectos.**

La apelación se concederá:

En el efecto suspensivo, en cuyo caso la competencia de quien profirió la decisión objeto de recurso se suspenderá desde ese momento hasta cuando la apelación se resuelva:

1. La sentencia condenatoria o <u>absolutoria.</u> (Subrayado EXEQUIBLE SCC-047, 01-02-2006, M.P. Rodrigo Escobar Gil).

2. El auto que decreta o rechaza la solicitud de preclusión.

3. El auto que decide la nulidad.

4. El auto que niega la práctica de prueba en el juicio oral; y.

5. El auto que decide sobre la exclusión de una prueba del juicio oral.

En el efecto devolutivo, en cuyo caso no se suspenderá el cumplimiento de la decisión apelada ni el curso de la actuación:

1. El auto que resuelve sobre la imposición, revocatoria o sustitución de una medida de aseguramiento.

2. El auto que resuelve sobre la imposición de una medida cautelar que afecte bienes del imputado o acusado.

3. El auto que resuelve sobre la legalización de captura.

4. El auto que decide sobre el control de legalidad del diligenciamiento de las órdenes de allanamiento y registro, retención de correspondencia, interceptación de comunicaciones o recuperación de información dejada al navegar por Internet u otros medios similares.

5. El auto que imprueba la aplicación del principio de oportunidad en la etapa de investigación; y.

6. El auto que admite la práctica de la prueba anticipada.

Artículo 178 (mod. por el art. 90 de la Ley 1395 de 2010)**: Trámite del recurso de apelación contra autos.**

Se interpondrá, sustentará y correrá traslado a los no impugnantes en la respectiva audiencia. Si el recurso fuere debidamente sustentado se concederá de inmediato ante el superior en el efecto previsto en el artículo anterior.

Recibida la actuación objeto del recurso el juez lo resolverá en el término de cinco (5) días y citará a las partes e intervinientes a audiencia de lectura de auto dentro de los cinco (5) días siguientes.

Si se trata de juez colegiado, el Magistrado ponente dispondrá de cinco (5) días para presentar proyecto y de tres (3) días la Sala para su estudio y decisión. La audiencia de lectura de providencia será realizada en 5 días. (EXEQUIBLE SCC-250, 06-04-2011, M.P. Mauricio González Cuervo).

Véase Ley 1592 de 2012 art. 27.

Artículo 179 (mod. por el art. 91 de la Ley 1395 de 2010): **Trámite del recurso de apelación contra sentencias.**

El recurso se interpondrá en la audiencia de lectura de fallo, se sustentará oralmente y correrá traslado a los no recurrentes dentro de la misma o por escrito en los cinco (5) días siguientes, precluido este término se correrá traslado común a los no recurrentes por el término de cinco (5) días.

Realizado el reparto en segunda instancia, el juez resolverá la apelación en el término de 15 días y citará a las partes e intervinientes para lectura de fallo dentro de los diez días siguientes. (Subrayado INCONSTITUCIONAL con efectos diferidos, en cuanto omite la posibilidad de impugnar todas las sentencias condenatorias; y EXEQUIBLE el contenido positivo de la misma disposición. EXHORTA al Congreso de la República para que, en el término de un año contado a partir de la notificación por edicto de esta sentencia, regule integralmente el derecho a impugnar todas las sentencias condenatorias. De no hacerlo, a partir del vencimiento de este término (Notificada Edicto No. 49 de 24-04-15) "(...) se entenderá que procede la impugnación de todas las sentencias condenatorias ante el superior de quien impuso la condena" SCC-792, 29-10-2014, M.P. Luis Guillermo Guerrero Pérez).

Si la competencia fuera del Tribunal Superior, el magistrado ponente cuenta con diez días para registrar proyecto y cinco la Sala para su estudio y decisión. El fallo será leído en audiencia en el término de diez días.

Artículo 179A (ad. por el art. 92 de la Ley 1395 de 2010): **Recurso desierto.**

Cuando no se sustente el recurso de apelación se declarará desierto, mediante providencia contra la cual procede el recurso de reposición.

Artículo 179B (ad. por el art. 93 de la Ley 1395 de 2010): **Procedencia del recurso de queja.**

Cuando el funcionario de primera instancia deniegue el recurso de apelación, el recurrente podrá interponer el de queja dentro del término de ejecutoria de la decisión que deniega el recurso. (Art. INCONSTITUCIONAL con efectos diferidos, en cuanto omite la posibilidad de impugnar todas las sentencias condenatorias; y EXEQUIBLE el contenido positivo de la misma disposición. EXHORTA al Congreso de la República para que, en el término de un año contado a partir de la notificación por edicto de esta sentencia, regule integralmente el derecho a impugnar todas las sentencias condenatorias. De no hacerlo, a partir del vencimiento de este término (Notificada Edicto No. 49 de 24-04-15) "(...) se entenderá que procede la impugnación de todas las sentencias condenatorias ante el superior de quien impuso la condena" SCC-792, 29-10-2014, M.P. Luis Guillermo Guerrero Pérez).

Artículo 179C (ad. por el art. 94 de la Ley 1395 de 2010)**: Interposición.**
Negado el recurso de apelación, el interesado solicitará copia de la providencia impugnada y de las demás piezas pertinentes, las cuales se compulsarán dentro del improrrogable término de un (1) día y se enviarán inmediatamente al superior.

Artículo 179D (ad. por el art. 95 de la Ley 1395 de 2010)**: Trámite.**
Dentro de los tres (3) días siguientes al recibo de las copias deberá sustentarse el recurso, con la expresión de los fundamentos.
Vencido este término se resolverá de plano.
Si el recurso no se sustenta dentro del término indicado, se desechará.
Si el superior necesitare copia de otras piezas de la actuación procesal, ordenará al inferior que las remita con la mayor brevedad posible.

Artículo 179E (ad. por el art. 96 de la Ley 1395 de 2010)**: Decisión del recurso.**
Si el superior concede la apelación, determinará el efecto que le corresponda y comunicará su decisión al inferior.

Artículo 179F (ad. por el art. 97 de la Ley 1395 de 2010)**: Desistimiento de los recursos.**
Podrá desistirse de los recursos antes de que el funcionario judicial los decida.

CAPÍTULO IX. CASACIÓN

Artículo 180: Finalidad.

El recurso pretende la efectividad del derecho material, el respeto de las garantías de los intervinientes, la reparación de los agravios inferidos a estos, y la unificación de la jurisprudencia.

Artículo 181: Procedencia.

El recurso como control constitucional y legal procede contra las sentencias proferidas en segunda instancia en los procesos adelantados por delitos, cuando afectan derechos o garantías fundamentales por:

1. Falta de aplicación, interpretación errónea, o aplicación indebida de una norma del bloque de constitucionalidad, constitucional o legal, llamada a regular el caso.

2. Desconocimiento del debido proceso por afectación sustancial de su estructura o de la garantía debida a cualquiera de las partes.

3. El manifiesto desconocimiento de las reglas de producción y apreciación de la prueba sobre la cual se ha fundado la sentencia.

4. Cuando la casación tenga por objeto únicamente lo referente a la reparación integral decretada en la providencia que resuelva el incidente, deberá tener como fundamento las causales y la cuantía establecidas en las normas que regulan la casación civil.

Artículo 182: Legitimación.

Están legitimados para recurrir en casación los intervinientes que tengan interés, quienes podrán hacerlo directamente si fueren abogados en ejercicio.

Artículo 183 (mod. por el art. 98 de la Ley 1395 de 2010)**: Oportunidad.**

El recurso se interpondrá ante el Tribunal dentro de los cinco (5) días siguientes a la última notificación y en un término posterior común de treinta (30) días se presentará la demanda que de manera precisa y concisa señale las causales invocadas y sus fundamentos.

Si no se presenta la demanda dentro del término señalado se declara desierto el recurso, mediante auto que admite el recurso de reposición.

Artículo 184: Admisión.

Vencido el término para interponer el recurso, la demanda se remitirá junto con los antecedentes necesarios a la Sala de Casación Penal de la Corte Suprema de Justicia para que decida dentro de los treinta (30) días siguientes sobre la admisión de la demanda.

No será seleccionada, por auto debidamente motivado que admite recurso de insistencia presentado por alguno de los magistrados de la Sala o por el Ministerio Público, la demanda que se encuentre en cualquiera de los siguientes supuestos: Si el demandante carece de interés, prescinde de señalar la causal, no desarrolla los cargos de sustentación o cuando de su contexto se advierta fundadamente que no se precisa del fallo para cumplir algunas de las finalidades del recurso.

En principio, la Corte no podrá tener en cuenta causales diferentes de las alegadas por el demandante. Sin embargo, atendiendo a los fines de la casación, fundamentación de los mismos, posición del impugnante dentro del proceso e índole de la controversia planteada, deberá superar los defectos de la demanda para decidir de fondo.

Para el efecto, se fijará fecha para la audiencia de sustentación que se celebrará dentro de los treinta (30) días siguientes, a la que podrán concurrir los no recurrentes para ejercer su derecho de contradicción dentro de los límites de la demanda.

(Apartes subrayados EXEQUIBLES SCC-880, 19-11-2014, M.P. Gloria Stella Ortiz Delgado).

Artículo 185: Decisión.

Cuando la Corte aceptare como demostrada alguna de las causales propuestas, dictará el fallo dentro de los sesenta (60) días siguientes a la audiencia de sustentación, contra el cual no procede ningún recurso ~~ni acción~~, salvo la de revisión. (Tacha INEXEQUIBLE, SCC-590, 08-06-2005, M.P. Jaime Córdoba Triviño).

La Corte está facultada para señalar en qué estado queda el proceso en el caso de determinar que este pueda recuperar alguna vigencia. En caso contrario procederá a dictar el fallo que corresponda.

Cuando la Corte adopte el fallo, dentro del mismo lapso o a más tardar dentro de los cinco (5) días siguientes, citará a audiencia para lectura del mismo.

Artículo 186: Acumulación de fallos.

A juicio de la Sala, por razones de unificación de la jurisprudencia, podrán acumularse para ser decididas en un mismo fallo, varias demandas presentadas contra diversas sentencias.

Artículo 187: Aplicación extensiva.

La decisión del recurso de casación se extenderá a los no recurrentes en cuanto les sea favorable.

Artículo 188: Principio de no agravación.

Cuando se trate de sentencia condenatoria no se podrá agravar la pena impuesta, salvo que el fiscal, el Ministerio Público, la víctima o su representante, cuando tuviere interés, la hubieren demandado.

Artículo 189: Suspensión de la prescripción.

Proferida la sentencia de segunda instancia se suspenderá el término de prescripción, el cual comenzará a correr de nuevo sin que pueda ser superior a cinco (5) años.

Artículo 190: De la libertad.

Durante el trámite del recurso extraordinario de casación lo referente a la libertad y demás asuntos que no estén vinculados con la impugnación, serán de la exclusiva competencia del juez de primera instancia.

Artículo 191: Fallo anticipado.

Por razones de interés general la Corte, en decisión mayoritaria de la Sala, podrá anticipar los turnos para convocar a la audiencia de sustentación y decisión.

CAPÍTULO X. ACCIÓN DE REVISIÓN

Artículo 192: Procedencia.

La acción de revisión procede contra sentencias ejecutoriadas, en los siguientes casos:

1. Cuando se haya condenado a dos (2) o más personas por un mismo delito que no hubiese podido ser cometido sino por una o por un número menor de las sentenciadas.

2. Cuando se hubiere dictado sentencia condenatoria en proceso que no podía iniciarse o proseguirse por prescripción de la acción, por falta de querella o petición válidamente formulada, o por cualquier otra causal de extinción de la acción penal.

3. Cuando después de la sentencia condenatoria aparezcan hechos nuevos o surjan pruebas no conocidas al tiempo de los debates, que establezcan la inocencia del condenado, o su inimputabilidad.

4. Cuando después del fallo ~~absolutorio~~ en procesos por violaciones de derechos humanos o infracciones graves al derecho internacional humanitario, se establezca mediante decisión de una instancia internacional de supervisión y control de derechos humanos, respecto de la cual el Estado colombiano ha aceptado formalmente la competencia, un incumplimiento protuberante de las obligaciones del Estado de investigar seria e imparcialmente tales violaciones. En este caso no será necesario acreditar existencia de hecho nuevo o prueba no conocida al tiempo de los debates. (Tacha INEXEQUIBLE, SCC-979, 26-09-2005, M.P. Jaime Córdoba Triviño).

5. Cuando con posterioridad a la sentencia se demuestre, mediante decisión en firme, que el fallo fue determinado por un delito del juez o de un tercero (EXEQUIBLE SCC-799, 02-08-2005, M.P. Jaime Araujo Rentería).

6. Cuando se demuestre que el fallo objeto de pedimento de revisión se fundamentó, en todo o en parte, en prueba falsa fundante para sus conclusiones (EXEQUIBLE SCC-799, 02-08-2005, M.P. Jaime Araujo Rentería).

7. Cuando mediante pronunciamiento judicial, la Corte haya cambiado favorablemente el criterio jurídico que sirvió para sustentar la sentencia condenatoria, tanto respecto de la responsabilidad como de la punibilidad.

Parágrafo. Lo dispuesto en los numerales 5 y 6 se aplicará también en los casos de preclusión y sentencia absolutoria.

Véase C.P.P. en los nums. 4 y 5 art. 198.

Artículo 193: Legitimación.

La acción de revisión podrá ser promovida por el fiscal, el Ministerio Público, el defensor y demás intervinientes, siempre que ostenten interés jurídico y hayan sido legalmente reconocidos dentro de la actuación materia de revisión. Estos últimos podrán hacerlo directamente si fueren abogados en ejercicio. En los demás casos se requerirá poder especial para el efecto.

Artículo 194: Instauración.

La acción de revisión se promoverá por medio de escrito dirigido al funcionario competente y deberá contener:

1. La determinación de la actuación procesal cuya revisión se demanda con la identificación del despacho que produjo el fallo.

2. El delito o delitos que motivaron la actuación procesal y la decisión.

3. La causal que se invoca y los fundamentos de hecho y de derecho en que se apoya la solicitud.

4. La relación de las evidencias que fundamentan la petición.

Se acompañará copia o fotocopia de <u>la decisión de única, primera y segunda instancias y constancias de su ejecutoria, según el caso, proferidas en la actuación cuya revisión se demanda.</u> (Subrayado INCONSTITUCIONAL con efectos diferidos, en cuanto omite la posibilidad de impugnar todas las sentencias condenatorias; y EXEQUIBLE el contenido positivo de la misma disposición. EXHORTA al Congreso de la República para que, en el término de un año contado a partir de la notificación por edicto de esta sentencia, regule integralmente el derecho a impugnar todas las sentencias condenatorias. De no hacerlo, a partir del vencimiento de este término no (Notificada Edicto No. 49 de 24-04-15) "(...) se entenderá que procede la impugnación de todas las sentencias condenatorias ante el superior de quien impuso la condena" SCC-792, 29-10-2014, M.P. Luis Guillermo Guerrero Pérez).

Artículo 195: Trámite.

Repartida la demanda, el magistrado ponente examinará si reúne los requisitos exigidos en el artículo anterior; en caso afirmativo la admitirá dentro de los cinco (5) días siguientes y se dispondrá solicitar el proceso objeto de la revisión. Este auto será notificado personalmente a los no demandantes; de no ser posible, se les notificará de la manera prevista en este código.

Si se tratare del absuelto, o a cuyo favor se ordenó preclusión, se le notificará personalmente. En caso de contumacia, se le designará defensor público con quien se surtirá la actuación.

Si la demanda fuere inadmitida, la decisión se tomará mediante auto motivado de la sala.

Si de las evidencias aportadas aparece manifiestamente improcedente la acción, la demanda se inadmitirá de plano.

Recibida la actuación, se abrirá a prueba por el término de quince (15) días para que las partes soliciten las que estimen conducentes.

Decretadas las pruebas, se practicarán en audiencia que tendrá lugar dentro de los treinta (30) días siguientes.

Concluida la práctica de pruebas, las partes alegarán siendo obligatorio para el demandante hacerlo.

Surtidos los alegatos, se dispondrá un receso hasta de dos (2) horas para adoptar el fallo, cuyo texto se redactará dentro de los treinta (30) días siguientes.

Vencido el término para alegar el magistrado ponente tendrá diez (10) días para registrar proyecto y se decidirá dentro de los veinte (20) días siguientes.

Artículo 196: Revisión de la sentencia.

Si la Sala encuentra fundada la causal invocada, procederá de la siguiente forma:

1. Declarará sin valor la sentencia motivo de la acción y dictará la providencia que corresponda cuando se trate de prescripción de la acción penal, ilegitimidad del querellante, caducidad de la querella, o cualquier otro

evento generador de extinción de la acción penal, y la causal aludida sea el cambio favorable del criterio jurídico de sentencia emanada de la Corte.

En los demás casos, la actuación será devuelta a un despacho judicial de la misma categoría, diferente de aquel que profirió la decisión, a fin de que se tramite nuevamente a partir del momento procesal que se indique.

2. Decretará la libertad provisional y caucionada del procesado. No se impondrá caución cuando la acción de revisión se refiere a una causal de extinción de la acción penal.

Artículo 197: Impedimento especial.

No podrá intervenir en el trámite y decisión de esta acción ningún magistrado que haya suscrito la decisión objeto de la misma.

Artículo 198: Consecuencias del fallo rescindente.

Salvo que se trate de las causales de revisión previstas en los numerales 4 y 5 del artículo 192, los efectos del fallo rescindente se extenderán a los no accionantes.

CAPÍTULO XI. DISPOSICIÓN COMÚN A LA CASACIÓN Y ACCIÓN DE REVISIÓN

Artículo 199: Desistimiento.

Podrá desistirse del recurso de casación y de la acción de revisión antes de que la Sala las decida.

LIBRO II
TÉCNICAS DE INDAGACIÓN E INVESTIGACIÓN DE LA PRUEBA Y SISTEMA PROBATORIO

TÍTULO I. LA INDAGACIÓN Y LA INVESTIGACIÓN

CAPÍTULO I. ÓRGANOS DE INDAGACIÓN E INVESTIGACIÓN

Artículo 200 (mod. por el art. 49 de la Ley 1142 de 2007): **Órganos.**
Corresponde a la Fiscalía General de la Nación realizar la indagación e investigación de los hechos que revistan características de un delito que lleguen a su conocimiento por medio de denuncia, querella, petición especial o por cualquier otro medio idóneo.

En desarrollo de la función prevista en el inciso anterior a la Fiscalía General de la Nación, por conducto del fiscal director de la investigación, le corresponde la dirección, coordinación, control jurídico y verificación técnico-científica de las actividades que desarrolle la policía judicial, en los términos previstos en este código.

Por policía judicial se entiende la función que cumplen las entidades del Estado para apoyar la investigación penal y, en el ejercicio de las mismas, dependen funcionalmente del Fiscal General de la Nación y sus delegados.

Los organismos oficiales y particulares están obligados a prestar la colaboración que soliciten las unidades de policía judicial, en los términos establecidos dentro de la indagación e investigación para la elaboración de los actos urgentes y cumplimiento a las actividades contempladas en los programas metodológicos, respectivamente; so pena de las sanciones a que haya lugar.

Véase C.P.P. art. 117.

Artículo 201: Órganos de policía judicial permanente.
Ejercen permanentemente las funciones de policía judicial los servidores investidos de esa función, pertenecientes al Cuerpo Técnico de Investigación de la Fiscalía General de la Nación, a la Policía Nacional y al

Departamento Administrativo de Seguridad, por intermedio de sus dependencias especializadas.

Parágrafo. En los lugares del territorio nacional donde no hubiere miembros de policía judicial de la Policía Nacional, estas funciones las podrá ejercer la Policía Nacional.

Véase Ley 938 de 2004 art. 46.

Artículo 202: Órganos que ejercen funciones permanentes de policía judicial de manera especial dentro de su competencia.

Ejercen permanentemente funciones especializadas de policía judicial dentro del proceso penal y en el ámbito de su competencia, los siguientes organismos:

1. La Procuraduría General de la Nación.
2. La Contraloría General de la República.
3. Las autoridades de tránsito.
4. Las entidades públicas que ejerzan funciones de vigilancia y control.
5. Los directores nacional y regional del Inpec, los directores de los establecimientos de reclusión y el personal de custodia y vigilancia, conforme con lo señalado en el Código Penitenciario y Carcelario.
6. Los alcaldes.
7. Los inspectores de policía.

Parágrafo. Los directores de estas entidades, en coordinación con el Fiscal General de la Nación, determinarán los servidores públicos de su dependencia que integrarán las unidades correspondientes.

Véase Decreto 4173 de 2011 art. 4 nums. 8o. Decreto 4062 de 2011 arts. 4 nums. 2, 4, 5, 6, 7, 10, 11, 12; 23, 27.

Artículo 203: Órganos que ejercen transitoriamente funciones de policía judicial.

Ejercen funciones de policía judicial, de manera transitoria, los entes públicos que, por resolución del Fiscal General de la Nación, hayan sido autorizados para ello. Estos deberán actuar conforme con las autorizaciones otorgadas y en los asuntos que hayan sido señalados en la respectiva resolución.

Véase Ley 938 de 2004 art. 11 num. 6, art. 46.

Artículo 204: Órgano técnico-científico.

El Instituto Nacional de Medicina Legal y Ciencias Forenses, de conformidad con la ley y lo establecido en el estatuto orgánico de la Fiscalía General de la Nación, prestará auxilio y apoyo técnico-científico en las investigaciones desarrolladas por la Fiscalía General de la Nación y los organismos con funciones de policía judicial. Igualmente lo hará con el imputado o su defensor cuando estos lo soliciten.

La Fiscalía General de la Nación, el imputado o su defensor se apoyarán, cuando fuere necesario, en laboratorios privados nacionales o extranjeros o en los de universidades públicas o privadas, nacionales o extranjeras.

También prestarán apoyo técnico-científico los laboratorios forenses de los organismos de policía judicial.

Artículo 205: Actividad de policía judicial en la indagación e investigación.

Los servidores públicos que, en ejercicio de sus funciones de policía judicial, reciban denuncias, querellas o informes de otra clase, de los cuales se infiera la posible comisión de un delito, realizarán de inmediato todos los actos urgentes, tales como inspección en el lugar del hecho, inspección de cadáver, entrevistas e interrogatorios. Además, identificarán, recogerán, embalarán técnicamente los elementos materiales probatorios y evidencia física y registrarán por escrito, grabación magnetofónica o fonóptica las entrevistas e interrogatorios y se someterán a cadena de custodia.

Cuando deba practicarse examen médico-legal a la víctima, en lo posible, la acompañará al centro médico respectivo. Si se trata de un cadáver, este será trasladado a la respectiva dependencia del Instituto Nacional de Medicina Legal y Ciencias Forenses o, en su defecto, a un centro médico oficial para que se realice la necropsia médico-legal.

Sobre esos actos urgentes y sus resultados la policía judicial deberá presentar, dentro de las treinta y seis (36) horas siguientes, un informe ejecutivo al fiscal competente para que asuma la dirección, coordinación y control de la investigación.

En cualquier caso, las autoridades de policía judicial harán un reporte de iniciación de su actividad para que la Fiscalía General de la Nación asuma inmediatamente esa dirección, coordinación y control.

Artículo 206: Entrevista.

Cuando la policía judicial, en desarrollo de su actividad, considere fundadamente que una persona fue víctima o testigo presencial de un delito o que tiene alguna información útil para la indagación o investigación que adelanta, realizará entrevista con ella y, si fuere del caso, le dará la protección necesaria.

La entrevista se efectuará observando las reglas técnicas pertinentes y se emplearán los medios idóneos para registrar los resultados del acto investigativo.

Sin perjuicio de lo anterior, el investigador deberá al menos dejar constancia de sus observaciones en el cuaderno de notas, en relación con el resultado de la entrevista.

Artículo 206A (ad. por el art. 2 de la Ley 1652 de 2013):

Entrevista forense a niños, niñas y adolescentes víctimas de delitos tipificados en el Título IV del Código Penal, al igual que en los artículos 138, 139, 141, 188a, 188c, 188d, relacionados con violencia sexual. Sin perjuicio del procedimiento establecido en los artículos 192, 193, 194, 195, 196, 197, 198, 199 y 200 de la Ley 1098 de 2006, por la cual se expide el Código de la Infancia y la Adolescencia, cuando la víctima dentro de un proceso por los delitos tipificados en el Título IV del Código Penal, al igual que en los artículos 138, 139, 141, 188a, 188c, 188d, del mismo código sea una persona menor de edad, se llevará a cabo una entrevista grabada o fijada por cualquier medio audiovisual o técnico en los términos del numeral 1 del artículo 146 de la Ley 906 de 2004, para cuyos casos se seguirá el siguiente procedimiento:

d) (sic) La entrevista forense de niños, niñas o adolescentes víctimas de violencia sexual será realizada por personal del Cuerpo Técnico de Investigación de la Fiscalía General de la Nación, entrenado en entrevista forense en niños, niñas y adolescentes, previa revisión del cuestionario por parte del Defensor de Familia, sin perjuicio de su presencia en la diligencia.

En caso de no contar con los profesionales aquí referenciados, a la autoridad competente le corresponde adelantar las gestiones pertinentes para asegurar la intervención de un entrevistador especializado.

Las entidades competentes tendrán el plazo de un año, para entrenar al personal en entrevista forense.

En la práctica de la diligencia el menor podrá estar acompañado, por su representante legal o por un pariente mayor de edad.

e) (sic) La entrevista forense se llevará a cabo en una Cámara de Gesell o en un espacio físico acondicionado con los implementos adecuados a la edad y etapa evolutiva de la víctima y será grabado o fijado en medio audiovisual o en su defecto en medio técnico o escrito.

f) (sic) El personal entrenado en entrevista forense, presentará un informe detallado de la entrevista realizada.

Este primer informe deberá cumplir con los requisitos establecidos en el artículo 209 de este código y concordantes, en lo que le sea aplicable. El profesional podrá ser citado a rendir testimonio sobre la entrevista y el informe realizado.

Parágrafo 1°. En atención a la protección de la dignidad de los niños, niñas y adolescentes víctimas de delitos sexuales, la entrevista forense será un elemento material probatorio al cual se acceda siempre y cuando sea estrictamente necesario y no afecte los derechos de la víctima menor de edad, lo anterior en aplicación de los criterios del artículo 27 del Código de Procedimiento Penal.

Parágrafo 2°. Durante la etapa de indagación e investigación, el niño, niña o adolescente víctima de los delitos contra la libertad, integridad y formación sexual, tipificados en el Título IV del Código Penal, al igual que en los artículos 138, 139, 141, 188a, 188c, 188d, del mismo Código, será entrevistado preferiblemente por una sola vez. De manera excepcional podrá realizarse una segunda entrevista, teniendo en cuenta en todo caso el interés superior del niño, niña o adolescente.

Véase Ley 1719 de 2014 arts. 13 nums. 9, 17, 18.

Artículo 207: Programa metodológico.
Recibido el informe de que trata el artículo 205, el fiscal encargado de coordinar la investigación dispondrá, si fuere el caso, la ratificación de los actos de investigación y la realización de reunión de trabajo con los miembros de la policía judicial. Si la complejidad del asunto lo amerita, el fiscal dispondrá, previa autorización del jefe de la unidad a que se encuentre adscrito, la ampliación del equipo investigativo.

Durante la sesión de trabajo, el fiscal, con el apoyo de los integrantes de la policía judicial, se trazará un programa metodológico de la investigación, el cual deberá contener la determinación de los objetivos en relación con la naturaleza de la hipótesis delictiva; los criterios para evaluar la información; la delimitación funcional de las tareas que se deban adelantar en procura de los objetivos trazados; los procedimientos de control en el desarrollo de las labores y los recursos de mejoramiento de los resultados obtenidos.

En desarrollo del programa metodológico de la investigación, el fiscal ordenará la realización de todas las actividades que no impliquen restricción a los derechos fundamentales y que sean conducentes al esclarecimiento de los hechos, al descubrimiento de los elementos materiales probatorios y evidencia física, a la individualización de los autores y partícipes del delito, a la evaluación y cuantificación de los daños causados y a la asistencia y protección de las víctimas.

Los actos de investigación de campo y de estudio y análisis de laboratorio serán ejercidos directamente por la policía judicial.
Véase Ley 975 de 2005 arts. 17 inc. 4, 38.

Artículo 208: Actividad de policía.
Cuando en ejercicio de la actividad de policía los servidores de la Policía Nacional descubrieren elementos materiales probatorios y evidencia física como los mencionados en este código, en desarrollo de registro personal, inspección corporal, registro de vehículos y otras diligencias similares, los identificarán, recogerán y embalarán técnicamente. Sin demora alguna, comunicarán el hallazgo a la policía judicial, telefónicamente o por cualquier otro medio eficaz, la cual sin dilación se trasladará al lu-

gar y recogerá los elementos y el informe. Cuando esto no fuere posible, quien los hubiere embalado los hará llegar, con las seguridades del caso, a la policía judicial. (Apartes con tacha INEXEQUIBLES; aparte subrayado "registro personal" EXEQUIBLE CONDICIONAL "(...) en el entendido que se trata de una revisión externa, superficial y no invasiva'; aparte "registro de vehículos" declarado EXEQUIBLE, SCC-789, 20-09-2006, M.P. Nilson Pinilla Pinilla).

Artículo 209: Informe de investigador de campo.

El informe del investigador de campo tendrá las siguientes características:

a) Descripción clara y precisa de la forma, técnica e instrumentos utilizados en la actividad investigativa a que se refiere el informe;

b) Descripción clara y precisa de los resultados de la actividad investigativa antes mencionada;

c) Relación clara y precisa de los elementos materiales probatorios y evidencia física descubiertos, así como de su recolección, embalaje y sometimiento a cadena de custodia;

d) Acompañará el informe con el registro de las entrevistas e interrogatorios que hubiese realizado.

Véase C.P.P. art. 254.

Artículo 210: Informe de investigador de laboratorio.

El informe del investigador de laboratorio tendrá las siguientes características:

a) La descripción clara y precisa del elemento material probatorio y evidencia física examinados;

b) La descripción clara y precisa de los procedimientos técnicos empleados en la realización del examen y, además, informe sobre el grado de aceptación de dichos procedimientos por la comunidad técnico-científica;

c) Relación de los instrumentos empleados e información sobre su estado de mantenimiento al momento del examen;

d) Explicación del principio o principios técnicos y científicos aplicados e informe sobre el grado de aceptación por la comunidad científica;

e) Descripción clara y precisa de los procedimientos de su actividad técnico-científica;

f) Interpretación de esos resultados.

Artículo 211: Grupos de tareas especiales.

Cuando por la particular complejidad de la investigación sea necesario conformar un grupo de tareas especiales, el fiscal jefe de la unidad respectiva solicitará la autorización al Fiscal General de la Nación, Director Nacional o Seccional de Fiscalía o su delegado.

El grupo de tareas especiales se integrará con los fiscales y miembros de policía judicial que se requieran, según el caso, y quienes trabajarán con dedicación exclusiva en el desarrollo del programa metodológico correspondiente.

En estos eventos, el fiscal, a partir de los hallazgos reportados por la policía judicial, deberá rendir informes semanales de avance al Fiscal General de la Nación, Director Nacional o Seccional de Fiscalía o su delegado, a fin de evaluar los progresos del grupo de tareas especiales.

Según los resultados, el Fiscal General de la Nación, Director Nacional o Seccional de Fiscalía o su delegado podrá reorganizar o disolver el grupo de tareas especiales.

Artículo 212: Análisis de la actividad de policía judicial en la indagación e investigación.

Examinado el informe de inicio de las labores realizadas por la policía judicial y analizados los primeros hallazgos, si resultare que han sido diligenciadas con desconocimiento de los principios rectores y garantías procesales, el fiscal ordenará el rechazo de esas actuaciones e informará de las irregularidades advertidas a los funcionarios competentes en los ámbitos disciplinario y penal.

En todo caso, dispondrá lo pertinente a los fines de la investigación.

Para cumplir la labor de control de policía judicial en la indagación e investigación, el fiscal dispondrá de acceso ilimitado y en tiempo real, cuando sea posible, a la base de datos de policía judicial.

Artículo 212A (ad. por el art. 66 de la Ley 1453 de 2011)**: Protección de testigos en la etapa de indagación e investigación.**

Sin perjuicio de las reglas generales sobre protección a los testigos contempladas en el Código de Procedimiento Penal, si en la etapa de indagación e investigación la Fiscalía estimare, por las circunstancias del caso, que existe un riesgo cierto para la vida o la integridad física de un testigo o de un perito, de su cónyuge, compañero permanente, o de sus parientes hasta en el cuarto grado de consanguinidad, segundo de afinidad o primero civil, dispondrá las medidas especiales de protección que resulten adecuadas para proteger la identidad de los que intervengan en el procedimiento:

a) Que no conste en los registros de las diligencias su profesión u oficio, domicilio o lugar de trabajo los de sus parientes, cónyuge o compañero permanente;

b) Que su domicilio sea fijado, para notificaciones y citaciones, en la sede de la Fiscalía, debiendo el órgano interviniente hacerlas llegar reservadamente a su destinatario.

Artículo 212B (ad. por el art. 22 de la Ley 1908 de 2018)**: Reserva de la actuación penal. La indagación será reservada.**

En todo caso, la Fiscalía podrá revelar información sobre la actuación por motivos de interés general.

CAPÍTULO II. ACTUACIONES QUE NO REQUIEREN AUTORIZACIÓN JUDICIAL PREVIA PARA SU REALIZACIÓN

Artículo 213: Inspección del lugar del hecho.

Inmediatamente se tenga conocimiento de la comisión de un hecho que pueda constituir un delito, y en los casos en que ello sea procedente, el servidor de Policía Judicial se trasladará al lugar de los hechos y lo examinará minuciosa, completa y metódicamente, con el fin de descubrir, identificar, recoger y embalar, de acuerdo con los procedimientos técnicos establecidos en los manuales de criminalística, todos los elementos materiales probatorios y evidencia física que tiendan a demostrar la realidad del hecho y a señalar al autor y partícipes del mismo.

El lugar de la inspección y cada elemento material probatorio y evidencia física descubiertos, antes de ser recogido, se fijarán mediante fotografía, video o cualquier otro medio técnico y se levantará el respectivo plano.

La Fiscalía dispondrá de protocolos, previamente elaborados, que serán de riguroso cumplimiento, en el desarrollo de la actividad investigativa regulada en esta sección. De toda la diligencia se levantará un acta que debe suscribir el funcionario y las personas que la atendieron, colaboraron o permitieron la realización.

Artículo 214: Inspección de cadáver.

En caso de homicidio o de hecho que se presuma como tal, la policía judicial inspeccionará el lugar y embalará técnicamente el cadáver, de acuerdo con los manuales de criminalística. Este se identificará por cualquiera de los métodos previstos en este código y se trasladará al centro médico legal con la orden de que se practique la necropsia.

Cuando en el lugar de la inspección se hallaren partes de un cuerpo humano, restos óseos o de otra índole perteneciente a ser humano, se recogerán en el estado en que se encuentren y se embalarán técnicamente. Después se trasladarán a la dependencia del Instituto Nacional de Medicina Legal y Ciencias Forenses, o centro médico idóneo, para los exámenes que correspondan.

Artículo 215: Inspecciones en lugares distintos al del hecho.

La inspección de cualquier otro lugar, diferente al del hecho, para descubrir elementos materiales probatorios y evidencia física útiles para la investigación, se realizará conforme con las reglas señaladas en este capítulo.

Artículo 216: Aseguramiento y custodia.

Cada elemento material probatorio y evidencia física recogidos en alguna de las inspecciones reguladas en los artículos anteriores, será asegurado, embalado y custodiado para evitar la suplantación o la alteración del mismo. Ello se hará observando las reglas de cadena de custodia.

Véase C.P.P. art. 254.

Artículo 217: Exhumación.

Cuando fuere necesario exhumar un cadáver o sus restos, para fines de la investigación, el fiscal así lo dispondrá. La policía judicial establecerá y revisará las condiciones del sitio preciso donde se encuentran los despojos a que se refiere la inspección. Técnicamente hará la exhumación del cadáver o los restos y los trasladará al centro de Medicina Legal, en donde será identificado técnico-científicamente, y se realizarán las investigaciones y análisis para descubrir lo que motivó la exhumación.

Artículo 218: Aviso de ingreso de presuntas víctimas.

Quien en hospital, puesto de salud, clínica, consultorio médico u otro establecimiento similar, público o particular, reciba o dé entrada a persona a la cual se le hubiese ocasionado daño en el cuerpo o en la salud, dará aviso inmediatamente a la dependencia de policía judicial que le sea más próxima o, en su defecto, a la primera autoridad del lugar.

Véase C.P.P. art. 143 num. 8.

Artículo 219: Procedencia de los registros y allanamientos.

El fiscal encargado de la dirección de la investigación, según lo establecido en los artículos siguientes y con el fin de obtener elementos materiales probatorios y evidencia física o realizar la captura del indiciado, imputado o condenado, podrá ordenar el registro y allanamiento de un inmueble, nave o aeronave, el cual será realizado por la policía judicial. Si el registro y allanamiento tiene como finalidad única la captura del indiciado, imputado o condenado, sólo podrá ordenarse en relación con delitos susceptibles de medida de aseguramiento de detención preventiva.

(EXEQUIBLE SCC-366, 11-06-2014, M.P. Nilson Pinilla Pinilla).

Véase C.P.P. arts. 224, 224 A, 230.

Artículo 220: Fundamento para la orden de registro y allanamiento.

Sólo podrá expedirse una orden de registro y allanamiento cuando existan motivos razonablemente fundados, de acuerdo con los medios cognoscitivos previstos en este código, para concluir que la ocurrencia del delito investigado tiene como probable autor o partícipe al propietario, al simple tenedor del bien por registrar, al que transitoriamente se encontrare en él; o que en su interior se hallan los instrumentos con los que se ha cometido la infracción, o los objetos producto del ilícito.

Artículo 221: Respaldo probatorio para los motivos fundados.

Los motivos fundados de que trata el artículo anterior deberán ser respaldados, al menos, en informe de policía judicial, declaración jurada de testigo o informante, o en elementos materiales probatorios y evidencia física que establezcan con verosimilitud la vinculación del bien por registrar con el delito investigado (inc. 1 EXEQUIBLE SCC-673, de 30-06-2005, M.P. Clara Inés Vargas Hernández).

Cuando se trate de declaración jurada de testigo, el fiscal deberá estar presente con miras a un eventual interrogatorio que le permita apreciar mejor su credibilidad. Si se trata de un informante, la policía judicial deberá precisar al fiscal su identificación y explicar por qué razón le resulta confiable. De todas maneras, los datos del informante serán reservados, inclusive para los efectos de la audiencia ante el juez de control de garantías. (Inc. 2 CONDICIONALMENTE EXEQUIBLE SCC-1260, 05-12-2005, M.P. Clara Inés Vargas Hernández "(...) 'en el entendido de que el caso de los informantes el fiscal podrá eventualmente interrogarlo a fin de apreciar mejor su credibilidad'. Parte final inc. 'en el entendido de que la reserva de datos del informante no vincula al juez de control de garantías'").

Cuando los motivos fundados surjan de la presencia de elementos materiales probatorios, tales como evidencia física, vídeos o fotografías fruto de seguimientos pasivos, el fiscal, además de verificar la cadena de custodia, deberá exigir el diligenciamiento de un oficio proforma en donde bajo juramento el funcionario de la policía judicial certifique que ha corroborado la corrección de los procedimientos de recolección, embalaje y conservación de dichos elementos.

Artículo 222 (mod. por el art. 14 de la Ley 1142 de 2007): **Alcance de la orden de registro y allanamiento.**

La orden expedida por el fiscal deberá determinar los lugares que se van a registrar. Si se trata de edificaciones, naves o aeronaves que dispongan de varias habitaciones o compartimentos, se indicará expresamente cuáles se encuentran comprendidos en la diligencia (subrayado EXEQUIBLE SCC-131, 24-02-2009, M.P. Nilson Pinilla Pinilla).

De no ser posible la descripción exacta del lugar o lugares por registrar, el fiscal deberá indicar en la orden los argumentos para que, a pesar de ello, deba procederse al operativo. En ninguna circunstancia podrá autorizarse por la Fiscalía General de la Nación el diligenciamiento de órdenes de registro y allanamiento indiscriminados, o en donde de manera global se señale el bien por registrar.

Artículo 223: Objetos no susceptibles de registro.

No serán susceptibles de registro los siguientes objetos:

1. Las comunicaciones escritas entre el indiciado, imputado o acusado con sus abogados.

2. Las comunicaciones escritas entre el indiciado, imputado o acusado con las personas que por razón legal están excluidas del deber de testificar.

3. Los archivos de las personas indicadas en los numerales precedentes que contengan información confidencial relativa al indiciado, imputado o acusado. Este apartado cobija también los documentos digitales, vídeos, grabaciones, ilustraciones y cualquier otra imagen que sea relevante a los fines de la restricción.

Parágrafo. Estas restricciones no son aplicables cuando el privilegio desaparece, ya sea por su renuncia o por tratarse de personas vinculadas como auxiliadores, partícipes o coautoras del delito investigado o de uno conexo o que se encuentre en curso, o se trate de situaciones que constituyan una obstrucción a la justicia.

Artículo 224: Plazo de diligenciamiento de la orden de registro y allanamiento.

La orden de registro y allanamiento deberá ser diligenciada en un término máximo de treinta (30) días, si se trata de la indagación y de quince (15) días, si se trata de una que tenga lugar después de la formulación de la imputación. En el evento de mediar razones que justifiquen una demora, el fiscal podrá, por una sola vez, prorrogarla hasta por el mismo tiempo.

Artículo 224A (ad. por el art. 12 de la Ley 1908 de 2018)**: Término para la realización de actividades investigativas de Grupos Delictivos Organizados y Grupos Armados Organizados.**

Sin perjuicio de lo establecido en las normas que prevean un término mayor, en el caso de las actividades investigativas que requieran control judicial previo, cuando se trate de las investigaciones que se adelanten contra miembros de Grupos Delictivos Organizados y Grupos Armados Organizados, la orden del fiscal deberá ser diligenciada en un plazo de seis (6) meses, si se trata de la indagación, y de tres (3) meses, cuando esta se expida con posterioridad a la formulación de imputación.

Artículo 225 (mod. por el art. 50 de la Ley 1453 de 2011):

Reglas particulares para el diligenciamiento de la orden de registro y allanamiento. Durante la diligencia de registro y allanamiento la Policía Judicial deberá:

1. El registro se adelantará exclusivamente en los lugares autorizados y, en el evento de encontrar nuevas evidencias de la comisión de los delitos investigados, podrá extenderse a otros lugares, incluidos los que puedan encuadrarse en las situaciones de flagrancia.

2. Se garantizará la menor restricción posible de los derechos de las personas afectadas con el registro y allanamiento, por lo que los bienes incautados se limitarán a los señalados en la orden, salvo que medien circunstancias de flagrancia o que aparezcan elementos materiales probatorios y evidencia física relacionados con otro delito.

3. Se levantará un acta que resuma la diligencia en la que se hará indicación expresa de los lugares registrados, de los objetos ocupados

o incautados y de las personas capturadas. Además, se deberá señalar si hubo oposición por parte de los afectados y, en el evento de existir medidas preventivas policivas, se hará mención detallada de la naturaleza de la reacción y las consecuencias de ella.

4. El acta será leída a las personas que aleguen haber sido afectadas por el registro y allanamiento y se les solicitará que firmen si están de acuerdo con su contenido. En caso de existir discrepancias con lo anotado, deberán dejarse todas las precisiones solicitadas por los interesados y, si después de esto, se negaren a firmar, el funcionario de la policía judicial responsable del operativo, bajo juramento, dejará expresa constancia de ello.

Parágrafo. Si el procedimiento se lleva a cabo entre las 6:00 p. m. y las 6 a. m., deberá contar con el acompañamiento de la Procuraduría General de la Nación, quien garantizará la presencia de sus delegados en dichas diligencias; en ningún caso se suspenderá el procedimiento por ausencia de la Procuraduría General de la Nación.

Artículo 226: Allanamientos especiales.

Para el allanamiento y registro de bienes inmuebles, naves, aeronaves o vehículos automotores que, conforme con el derecho internacional y los tratados en vigor gocen de inmunidad diplomática o consular, el fiscal solicitará venia al respectivo agente diplomático o consular, mediante oficio en el que se requerirá su contestación dentro de las veinticuatro (24) horas siguientes y será remitido por conducto del Ministerio de Relaciones Exteriores.

Artículo 227: Acta de la diligencia.

En el acta de la diligencia de allanamiento y registro deben identificarse y describirse todas las cosas que hayan sido examinadas o incautadas, el lugar donde fueron encontradas y se dejarán las constancias que soliciten las personas que en ella intervengan. Los propietarios, poseedores o tenedores tendrán derecho a que se les expida copia del acta, si la solicitan.

Artículo 228: Devolución de la orden y cadena de custodia.

Terminada la diligencia de registro y allanamiento, dentro del término de la distancia, sin sobrepasar las doce (12) horas siguientes, la policía judicial informará al fiscal que expidió la orden los pormenores del operativo y, en caso de haber ocupado o incautado objetos, en el mismo término le remitirá el inventario correspondiente pero será de aquella la custodia de los bienes incautados u ocupados.

En caso de haber realizado capturas durante el registro y allanamiento, concluida la diligencia, la policía judicial pondrá inmediatamente al capturado a órdenes del fiscal, junto con el respectivo informe.

Véase C.P.P. art. 254.

Artículo 229: Procedimiento en caso de flagrancia.

En las situaciones de flagrancia, la policía judicial podrá proceder al registro y allanamiento del inmueble, nave o aeronave del indiciado. En caso de refugiarse en un bien inmueble ajeno, no abierto al público, se solicitará el consentimiento del propietario o tenedor o en su defecto se obtendrá la orden correspondiente de la Fiscalía General de la Nación, salvo que por voces de auxilio resulte necesaria la intervención inmediata o se establezca coacción del indiciado en contra del propietario o tenedor.

Véase C.P.P. art. 301.

Artículo 230 (mod. por el art. 51 de la Ley 1453 de 2011): Excepciones al requisito de la orden escrita de la Fiscalía General de la Nación para proceder al registro y allanamiento.

Excepcionalmente podrá omitirse la obtención de la orden escrita de la Fiscalía General de la Nación para que la Policía Judicial pueda adelantar un registro y allanamiento, cuando:

1. Medie consentimiento expreso del propietario o simple tenedor del bien objeto del registro, o de quien tenga interés por ser afectado durante el procedimiento. En esta eventualidad, no se considerará como suficiente la mera ausencia de objeciones por parte del interesado, sino que deberá acreditarse la libertad del afectado al manifestar la autorización para el registro.

En todo caso, la Fiscalía deberá someter a control posterior de legalidad esta diligencia.

2. No exista una expectativa razonable de intimidad que justifique el requisito de la orden. En esta eventualidad, se considera que no existe dicha expectativa cuando el objeto se encuentra en campo abierto, a plena vista, o cuando se encuentra abandonado.

3. Se trate de situaciones de emergencia tales como incendio, explosión, inundación u otra clase de estragos que pongan en peligro la vida o la propiedad, o en situaciones de riesgo inminente de la salud, la vida o integridad personal o sexual de un menor de edad.

En caso de los anteriores numerales la Fiscalía deberá someter a control posterior de legalidad esta diligencia en los términos del artículo 237 de este código.

Véase C.P.P. art. 154.

Artículo 231: Interés para reclamar la violación de la expectativa razonable de intimidad en relación con los registros y allanamientos.

Únicamente podrá alegar la violación del debido proceso ante el juez de control de garantías o ante el juez de conocimiento, según sea el caso, con el fin de la exclusión de la evidencia ilegalmente obtenida durante el procedimiento de registro y allanamiento, quien haya sido considerado como indiciado o imputado o sea titular de un derecho de dominio, posesión o mera tenencia del bien objeto de la diligencia. Por excepción, se extenderá esta legitimación cuando se trate de un visitante que en su calidad de huésped pueda acreditar, como requisito de umbral, que tenía una expectativa razonable de intimidad al momento de la realización del registro.

Artículo 232: Cláusula de exclusión en materia de registros y allanamientos.

La expedición de una orden de registro y allanamiento por parte del fiscal, que se encuentre viciada por carencia de alguno de los requisitos esenciales previstos en este código, generará la invalidez de la diligencia, por lo que los elementos materiales probatorios y evidencia física que dependan ~~directa y exclusivamente~~ del registro carecerán de valor, serán excluidos de la actuación y ~~sólo podrán ser utilizados para fines de impugnación.~~ (Art. EXEQUIBLE, salvo aparte con tacha INEXEQUIBLE, SCC-591, 09-06-2005, M.P. Clara Inés Vargas Hernández).

Artículo 233: Retención de correspondencia.

El Fiscal General o su delegado podrá ordenar a la policía judicial la retención de correspondencia privada, postal, telegráfica o de mensajería especializada o similar que reciba o remita el indiciado o imputado, cuando tenga motivos razonablemente fundados, de acuerdo con los medios cognoscitivos previstos en este código, para inferir que existe información útil para la investigación.

En estos casos se aplicarán analógicamente, según la naturaleza del acto, los criterios establecidos para los registros y allanamientos.

Así mismo, podrá solicitarse a las oficinas correspondientes copia de los mensajes transmitidos o recibidos por el indiciado o imputado.

Similar procedimiento podrá autorizarse para que las empresas de mensajería especializada suministren la relación de envíos hechos por solicitud del indiciado o imputado o dirigidos a él.

Las medidas adoptadas en desarrollo de las atribuciones contempladas en este artículo no podrán extenderse por un período superior a un (1) año.

Artículo 234: Examen y devolución de la correspondencia.

La policía judicial examinará la correspondencia retenida y si encuentra elementos materiales probatorios y evidencia física que resulten relevantes a los fines de la investigación, en un plazo máximo de doce (12) horas, informará de ello al fiscal que expidió la orden.

Si se tratare de escritura en clave o en otro idioma, inmediatamente ordenará el desciframiento por peritos en criptografía, o su traducción.

Si por este examen se descubriere información sobre otro delito, iniciará la indagación correspondiente o bajo custodia la enviará a quien la adelanta.

Una vez formulada la imputación, o vencido el término fijado en el artículo anterior, la policía judicial devolverá la correspondencia retenida que no resulte de interés para los fines de la investigación.

Lo anterior no será obstáculo para que pueda ser devuelta con anticipación la correspondencia examinada, cuya apariencia no se hubiera alterado, con el objeto de no suscitar la atención del indiciado o imputado.

Artículo 235 (mod. por el art. 52 de la Ley 1453 de 2011)**: Interceptación de comunicaciones.**

El fiscal podrá ordenar, con el objeto de buscar elementos materiales probatorios, evidencia física, búsqueda y ubicación de imputados, indiciados o condenados, que se intercepten mediante grabación magnetofónica o similares las comunicaciones que se cursen por cualquier red de comunicaciones, en donde curse información o haya interés para los fines de la actuación. En este sentido, las autoridades competentes serán las encargadas de la operación técnica de la respectiva interceptación así como del procesamiento de la misma. Tienen la obligación de realizarla inmediatamente después de la notificación de la orden y todos los costos serán a cargo de la autoridad que ejecute la interceptación (subrayado EXEQUIBLE SCC-594, 20-08-2014, M.P. Jorge Ignacio Pretelt Chaljub).

En todo caso, deberá fundamentarse por escrito. Las personas que participen en estas diligencias se obligan a guardar la debida reserva.

Por ningún motivo se podrán interceptar las comunicaciones del defensor.

La orden tendrá una vigencia máxima de seis (6) meses, pero podrá prorrogarse, a juicio del fiscal, subsisten los motivos fundados que la originaron.

La orden del fiscal de prorrogar la interceptación de comunicaciones y similares deberá someterse al control previo de legalidad por parte del Juez de Control de Garantías.

Parágrafo (ad. por el art. 13 de la Ley 1908 de 2018). Los funcionarios de Policía Judicial deberán rendir informes parciales de los resultados de la interceptación de comunicaciones cuando dentro de las mismas se establezcan informaciones que ameriten una actuación inmediata para recolectar evidencia o elementos materiales probatorios e impedir la comisión de otra u otras conductas delictivas.

En todo caso, el fiscal comparecerá ante el juez de control de garantías a efectos de legalizar las actuaciones cuando finalice la actividad investigativa.

Véase C.N. art. 250. Ley 938 de 2004 art. 46. Ley 1621 de 2013 art. 17 inc. final.

Artículo 236 (mod. por el art. 53 de la Ley 1453 de 2011)**: Recuperación de información producto de la transmisión de datos a través de las redes de comunicaciones.**

Cuando el fiscal tenga motivos razonablemente fundados, de acuerdo con los medios cognoscitivos previstos en este código, para inferir que el indiciado o imputado está transmitiendo o manipulando datos a través de las redes de telecomunicaciones, ordenará a policía judicial la retención, aprehensión o recuperación de dicha información, equipos terminales, dispositivos o servidores que pueda haber utilizado cualquier medio de almacenamiento físico o virtual, análogo o digital, para que expertos en informática forense, descubran, recojan, analicen y custodien la información que recuperen; lo anterior con el fin de obtener elementos materiales probatorios y evidencia física o realizar la captura del indiciado, imputado o condenado.

En estos casos serán aplicables analógicamente, según la naturaleza de este acto, los criterios establecidos para los registros y allanamientos.

La aprehensión de que trata este artículo se limitará exclusivamente al tiempo necesario para la captura de la información en él contenida. Inmediatamente se devolverán los equipos incautados, de ser el caso.

Parágrafo (ad. por el art. 14 de la Ley 1908 de 2018). Cuando se trate de investigaciones contra miembros de Grupos Delictivos Organizados y Grupos Armados Organizados, la Policía Judicial dispondrá de un término de seis (6) meses en etapa de indagación y tres (3) meses en etapa de investigación, para que expertos en informática forense identifiquen, sustraigan, recojan, analicen y custodien la información que recuperen.

Artículo 237 (mod. por el art. 68 de la Ley 1453 de 2011)**: Audiencia de control de legalidad posterior.**

Dentro de las veinticuatro (24) horas siguientes al recibimiento del informe de Policía Judicial sobre las diligencias de las órdenes de registro y allanamiento, retención de correspondencia, interceptación de comunicaciones o recuperación de información producto de la transmisión de datos a través de las redes de comunicaciones, el fiscal comparecerá ante el Juez de Control de Garantías, para que realice la audiencia de revisión de legalidad sobre lo actuado.

Durante el trámite de la audiencia podrán asistir, además del fiscal, los funcionarios de la Policía Judicial y los testigos o peritos que prestaron declaraciones juradas con el fin de obtener la orden respectiva, o que intervinieron en la diligencia.

El juez podrá, si lo estima conveniente, interrogar directamente a los comparecientes y, después de escuchar los argumentos del fiscal, decidirá de plano sobre la validez del procedimiento.

Parágrafo. Si el cumplimiento de la orden ocurrió luego de formulada la imputación, se deberá citar a la audiencia de control de legalidad al imputado y a su defensor para que, si lo desean, puedan realizar el contradictorio. En este último evento, se aplicarán analógicamente, de acuerdo con la naturaleza del acto, las reglas previstas para la audiencia preliminar.

Artículo 238 (mod. por el art. 17 de la Ley 1142 de 2007)**: Impugnabilidad de la decisión.**

La decisión del juez de control de garantías será susceptible de impugnación, en los eventos previstos en esta ley. Si la defensa se abstuvo de intervenir en la audiencia, podrá solicitar en otra audiencia preliminar o durante la audiencia preparatoria la exclusión de las evidencias obtenidas.

Artículo 239 (mod. por el art. 54 de la Ley 1453 de 2011)**: Vigilancia y seguimiento de personas.**

Sin perjuicio de los procedimientos preventivos que adelanta la fuerza pública, en cumplimiento de su deber constitucional, el fiscal que tuviere motivos razonablemente fundados, de acuerdo con los medios cognoscitivos previstos en este código, para inferir que el indiciado o el imputa-do pudiere conducirlo a conseguir información útil para la investigación que se adelanta, podrá disponer que se someta a seguimiento pasivo, por tiempo determinado, por parte de la Policía Judicial. Si en el lapso de un (1) año no se obtuviere resultado alguno, se cancelará la orden de vigilancia, sin perjuicio de que vuelva a expedirse, si surgieren nuevos motivos (subrayado EXEQUIBLE SCC-881, 19-11-2014, M.P. Jorge Ignacio Pretelt Chaljub).

En la ejecución de la vigilancia se empleará cualquier medio que la téc-nica aconseje. En consecuencia, se podrán tomar fotografías, filmar videos y, en general, realizar todas las actividades relacionadas que permitan re-caudar información relevante a fin de identificar o individualizar los auto-res o partícipes, las personas que lo frecuentan, los lugares a donde asiste y aspectos similares, cuidando de no afectar la expectativa razonable de la intimidad del indiciado o imputado o de terceros (inc. 2 EXEQUIBLE SCC-881, 19-11-2014, M.P. Jorge Ignacio Pretelt Chaljub).

En todo caso se surtirá la autorización del Juez de Control de Garan-tías para la determinación de su legalidad formal y material, dentro de las treinta y seis (36) horas siguientes a la expedición de la orden por parte de la Fiscalía General. Vencido el término de la orden de vigilancia u obte-nida la información útil para la investigación el fiscal comparecerá ante el Juez de Control de Garantías, para que realice la audiencia de revisión de legalidad sobre lo actuado.

Parágrafo. La autoridad que recaude la información no podrá alterar ninguno de los medios técnicos anteriores, ni tampoco hacer interpreta-ciones de los mismos.

Artículo 240: Vigilancia de cosas.

El fiscal que dirija la investigación, que tuviere motivos razonable-mente fundados, de acuerdo con los medios cognoscitivos previstos en este código, para inferir que un inmueble, nave, aeronave o cualquier otro vehículo o mueble se usa para almacenar droga que produzca dependencia, elemento que sirva para el procesamiento de dicha droga, o para ocultar explosivos, armas, municiones, sustancias para producir explosivos y, en general, los instrumentos de comisión de un delito o los bienes y efectos provenientes de su ejecución, ordenará a la policía judicial vigilar esos lugares y esas cosas, con el fin de conseguir información útil para la investigación que se adelanta. Si en el lapso máximo de un (1) año no se obtuviere resultado alguno, se cancelará la orden de vigilancia, sin perjuicio de que vuelva a expedirse, si surgieren nuevos motivos.

En la ejecución de la vigilancia se empleará cualquier medio idóneo, siempre y cuando no se afecte la expectativa razonable de intimidad del indiciado, del imputado o de terceros.

En este último caso se aplicará lo dispuesto en el artículo 239.

En todo caso se surtirá la autorización del juez de control de garantías para la determinación de su legalidad formal y material, dentro de las treinta y seis (36) horas siguientes a la expedición de la orden por parte de la Fiscalía General.

Artículo 241: Análisis e infiltración de organización criminal.

Cuando el fiscal tuviere motivos razonablemente fundados, de acuerdo con los medios cognoscitivos previstos en este código, para inferir que el indiciado o el imputado, en la indagación o investigación que se adelanta, pertenece o está relacionado con alguna organización criminal, ordenará a la policía judicial la realización del análisis de aquella con el fin de conocer su estructura organizativa, la agresividad de sus integrantes y los puntos débiles de la misma. Después, ordenará la planificación, preparación y manejo de una operación, para que agente o agentes encubiertos la infiltren con el fin de obtener información útil a la investigación que se adelanta, de conformidad con lo establecido en el artículo siguiente.

El ejercicio y desarrollo de las actuaciones previstas en el presente artículo se ajustará a los presupuestos y limitaciones establecidos en los Tratados Internacionales ratificados por Colombia.

Artículo 242: Actuación de agentes encubiertos.

Cuando el fiscal tuviere motivos razonablemente fundados, de acuerdo con los medios cognoscitivos previstos en este código, para inferir que el indiciado o el imputado en la investigación que se adelanta, continúa desarrollando una actividad criminal, previa autorización del Director Nacional o Seccional de Fiscalías, podrá ordenar la utilización de agentes encubiertos, siempre que resulte indispensable para el éxito de las tareas investigativas. En desarrollo de esta facultad especial podrá disponerse que uno o varios funcionarios de la policía judicial o, incluso particulares, puedan actuar en esta condición y realizar actos extrapenales con trascendencia jurídica. En consecuencia, dichos agentes estarán facultados para intervenir en el tráfico comercial, asumir obligaciones, ingresar y participar en reuniones en el lugar de trabajo o domicilio del indiciado o imputado y, si fuere necesario, adelantar transacciones con él. Igualmente, si el agente encubierto encuentra que en los lugares donde ha actuado existe información útil para los fines de la investigación, lo hará saber al fiscal para que este disponga el desarrollo de una operación especial, por parte de la policía judicial, con miras a que se recoja la información y los elementos materiales probatorios y evidencia física hallados.

Así mismo, podrá disponerse que actúe como agente encubierto el particular que, sin modificar su identidad, sea de la confianza del indiciado o imputado o la adquiera para los efectos de la búsqueda y obtención de información relevante y de elementos materiales probatorios y evidencia física.

Durante la realización de los procedimientos encubiertos podrán utilizarse los medios técnicos de ayuda previstos en el artículo 239.

En cumplimiento de lo dispuesto en este artículo, se deberá adelantar la revisión de legalidad formal y material del procedimiento ante el juez de control de garantías dentro de las treinta y seis (36) horas siguientes a la terminación de la operación encubierta, <u>para lo cual se aplicarán, en lo que sea pertinente, las reglas previstas para los registros y allanamientos.</u> (Inc. CONDICIONALMENTE EXEQUIBLE, SCC-156, 06-04-2016, M.P. María Victoria Calle Correa "(...) con la condición de que cuando las operaciones encubiertas impliquen el ingreso del agente a reuniones en el lugar de trabajo o en el domicilio del imputado o indiciado, deben estar precedidas de autorización del juez de control de garantías, y sin perjuicio del control posterior") (Subrayado CONDICIONALMENTE EXEQUIBLE, SCC-025, 27-01-2009, M.P. Rodrigo Escobar Gil "(...) siempre que se entienda que cuando el indiciado tenga noticia de que en las diligencias practicadas en la etapa de indagación anterior a la formulación de la imputación, se está investigando su participación en la comisión de un hecho punible, el juez de control de garantías debe autorizarle su participación y la de su abogado en la audiencia posterior de control de legalidad de tales diligencias, si así lo solicita").

En todo caso, el uso de agentes encubiertos no podrá extenderse por un período superior a un (1) año, prorrogable por un (1) año más mediante debida justificación. Si vencido el plazo señalado no se hubiere obtenido ningún resultado, esta se cancelará, sin perjuicio de la realización del control de legalidad correspondiente.

(Inc. ad. por el art. 15 de la Ley 1098 de 2018). Para efectos de lo dispuesto en el presente artículo también podrá disponerse que los miembros de Grupos Delictivos Organizados y Grupos Armados Organizados puedan actuar como agentes encubiertos.

Artículo 242A (ad. por el art. 36 de la Ley 1474 de 2011)**: Operaciones encubiertas contra la corrupción.**

Los mecanismos contemplados en los artículos 241 y 242 podrán utilizarse cuando se verifique la posible existencia de hechos constitutivos de delitos contra la Administración Pública en una entidad pública.

Cuando en investigaciones de corrupción, el agente encubierto, en desarrollo de la operación, cometa delitos contra la Administración Pública en coparticipación con la persona investigada, quedará exonerado de responsabilidad, salvo que exista un verdadero acuerdo criminal ajeno a la operación encubierta, mientras que el indiciado o imputado responderá por el delito correspondiente.

Artículo 242B (ad. por el art. 16 de la Ley 1908 de 2018)**: Operaciones encubiertas en medios de comunicación virtual.**

La técnica especial de investigación de agente encubierto contemplada en el artículo 242 podrá utilizarse cuando se verifique la posible existencia de hechos constitutivos de delitos cometidos por organizaciones criminales que actúan a través de comunicaciones mantenidas en canales cerrados de comunicación virtual. El agente encubierto podrá intercambiar o enviar archivos ilícitos por razón de su contenido y analizar los resultados de los algoritmos aplicados para la identificación de dichos archivos ilícitos. También obtener imágenes y grabaciones de las conversaciones que puedan mantenerse en los encuentros previstos entre la gente y el indiciado.

Parágrafo. En todo caso, tratándose de este tipo de operaciones encubiertas, se deberá contar con una autorización previa por parte del Juez de Control de Garantías para interferir en las comunicaciones, de conformidad con lo dispuesto en la jurisprudencia constitucional.

Artículo 243: Entrega vigilada.

El fiscal que tuviere motivos razonablemente fundados, de acuerdo con los medios cognoscitivos previstos en este código, para creer que el indiciado o el imputado dirige, o de cualquier forma interviene en el transporte de armas, explosivos, municiones, moneda falsificada, drogas que producen dependencia o también cuando sea informado por agente encubierto o de confianza de la existencia de una actividad criminal continua, previa autorización del Director Nacional o Seccional de Fiscalías, podrá ordenar la realización de entregas vigiladas de objetos cuya posesión, transporte, enajenación, compra, alquiler o simple tenencia se encuentre prohibida. A estos efectos se entiende como entrega vigilada el dejar que la mercancía se transporte en el territorio nacional o salga de él, bajo la vigilancia de una red de agentes de policía judicial especialmente entrenados y adiestrados.

En estos eventos, está prohibido al agente encubierto sembrar la idea de la comisión del delito en el indiciado o imputado. Así, sólo está facultado para entregar por sí, o por interpuesta persona, o facilitar la entrega del objeto de la transacción ilegal, a instancia o por iniciativa del indiciado o imputado.

De la misma forma, el fiscal facultará a la policía judicial para la realización de vigilancia especial, cuando se trate de operaciones cuyo origen provenga del exterior y en desarrollo de lo dispuesto en el capítulo relativo a la cooperación judicial internacional.

Durante el procedimiento de entrega vigilada se utilizará, si fuere posible, los medios técnicos idóneos que permitan establecer la intervención del indiciado o del imputado.

En todo caso, una vez concluida la entrega vigilada, los resultados de la misma y, en especial, los elementos materiales probatorios y evidencia física, deberán ser objeto de revisión por parte del juez de control de garantías, lo cual cumplirá dentro de las treinta y seis (36) horas siguientes con el fin de establecer su legalidad formal y material. (Inc. CONDICIONALMENTE EXEQUIBLE, SCC-025, 27-01-2009, M.P. Rodrigo Escobar Gil "(...) siempre que se entienda que cuando el indiciado tenga noticia de que en las diligencias practicadas en la etapa de indagación anterior a la formulación de la imputación, se está investigando su participación en la comisión de un hecho punible, el juez de control de garantías debe autorizarle su participación y la de su abogado en la audiencia posterior de control de legalidad de tales diligencias, si así lo solicita").

Parágrafo 1° (ad. por el art. 17 de la Ley 1908 de 2018). Para el desarrollo de entregas vigiladas encubiertas, la Fiscalía General de la Nación, podrá utilizar como remesa encubierta dineros e instrumentos financieros incautados a organizaciones criminales o respecto de los cuales haya operado la figura del comiso o la extinción de dominio. La utilización de estos bienes solo podrá ser autorizada por el Fiscal General de la Nación.

Parágrafo 2° (ad. por el art. 17 de la Ley 1908 de 2018). Cuando la mercancía a entregar o recibir por parte del agente encubierto sea moneda de curso legal, nacional o extranjera o la transferencia de propiedad sobre productos financieros diferentes a moneda de curso legal, la operación podrá incluir la autorización de adelantar la apertura de productos financieros en instituciones colombianas o extranjeras, a través de las cuales originara la entrega o la recepción de la mercancía.

Los productos financieros abiertos bajo esta autorización tendrán la denominación de producto financiero encubierto. La apertura de productos financieros encubiertos requerirá la autorización de la respectiva entidad financiera, la cual se entenderá indemne respecto a las posibles conductas delictivas o infracciones regulatorias, derivadas de las actuaciones del

Agente Encubierto o de la entidad, en desarrollo de la operación, en lo exclusivamente relacionado con el producto financiero encubierto.

Artículo 244: Búsqueda selectiva en bases de datos.

La policía judicial, en desarrollo de su actividad investigativa, podrá realizar las comparaciones de datos registradas en bases mecánicas, magnéticas u otras similares, siempre y cuando se trate del simple cotejo de informaciones de acceso público.

Cuando se requiera adelantar búsqueda selectiva en las bases de datos, que implique el acceso a información confidencial, referida al indiciado o imputado o, inclusive a la obtención de datos derivados del análisis cruzado de las mismas, deberá mediar autorización previa del fiscal que dirija la investigación y se aplicarán, en lo pertinente, las disposiciones relativas a los registros y allanamientos. (Subrayado CONDICIONALMENTE EXEQUIBLE, SCC-025, 27-01-2009, M.P. Rodrigo Escobar Gil "(...) siempre que se entienda que cuando el indiciado tenga noticia de que en las diligencias practicadas en la etapa de indagación anterior a la formulación de la imputación, se está investigando su participación en la comisión de un hecho punible, el juez de control de garantías debe autorizarle su participación y la de su abogado en la audiencia posterior de control de legalidad de tales diligencias, si así lo solicita").

En estos casos, la revisión de la legalidad se realizará ante el juez de control de garantías, dentro de las treinta y seis (36) horas siguientes a la culminación de la búsqueda selectiva de la información.

Parágrafo 1° (ad. por el art. 18 de la Ley 1908 de 2018). Los términos para la búsqueda selectiva en base de datos en las investigaciones que se adelanten contra miembros de Grupos Delictivos Organizados y Grupos Armados Organizados en etapa de indagación serán de seis (6) meses y en investigación de tres (3) meses, prorrogables hasta por un término igual.

Parágrafo 2° (ad. por el art. 17 de la Ley 1908 de 2018). En las investigaciones que se sigan contra Organizaciones Criminales, el Juez de Control de Garantías podrá autorizar el levantamiento de la reserva y el acceso a la totalidad de bases de datos en las cuales pueda encontrarse el indiciado o imputado, cuando así se justifique por las circunstancias del caso y el tipo de conducta punible que se investiga. Esta autorización se concederá por un término igual al contemplado en el parágrafo primero, al término del cual, dentro de las treinta y seis horas siguientes al último acto de investigación se debe acudir nuevamente ante el juez de control de garantías, con el fin de solicitar sea impartida legalidad a la totalidad del procedimiento.

Artículo 245: Exámenes de ADN que involucren al indiciado o al imputado.

Cuando la policía judicial requiera la realización de exámenes de ADN, en virtud de la presencia de fluidos corporales, cabellos, vello púbico, semen, sangre u otro vestigio que permita determinar datos como la raza, el tipo de sangre y, en especial, la huella dactilar genética, se requerirá orden expresa del fiscal que dirige la investigación.

Si se requiere cotejo de los exámenes de ADN con la información genética del indiciado o imputado, mediante el acceso a bancos de esperma y de sangre, muestras de laboratorios clínicos, consultorios médicos u odontológicos, entre otros, deberá adelantarse la revisión de legalidad, ante el juez de control de garantías, ~~dentro de las treinta y seis (36) horas siguientes a la terminación del examen respectivo~~, con el fin de establecer su legalidad formal y material. (Inc. CONDICIONALMENTE EXEQUIBLE, SCC-334, 12-05-2010, M.P. Juan Carlos Henao Pérez "(...) en el entendido de que la revisión de legalidad que corresponde al juez de garantías, debe hacerse de manera previa"; aparte tachado INEXEQUIBLE). (Inc. CONDICIONALMENTE EXEQUIBLE, SCC-025, 27-01-2009, M.P. Rodrigo Escobar Gil "(...) siempre que se entienda que cuando el indiciado tenga noticia de que en las diligencias practicadas en la etapa de indagación anterior a la formulación de la imputación, se está investigando su participación en la comisión de un hecho punible, el juez de control de garantías debe autorizarle su participación y la de su abogado en la audiencia posterior de control de legalidad de tales diligencias, si así lo solicita").

CAPÍTULO III. ACTUACIONES QUE REQUIEREN AUTORIZACIÓN JUDICIAL PREVIA PARA SU REALIZACIÓN

Artículo 246: Regla general.

Las actividades que adelante la policía judicial, en desarrollo del programa metodológico de la investigación, diferentes a las previstas en el capítulo anterior y que impliquen afectación de derechos y garantías fundamentales, únicamente se podrán realizar con autorización previa proferida por el juez de control de garantías, a petición del fiscal correspondiente. La policía judicial podrá requerir autorización previa directamente al juez, cuando se presenten circunstancias excepcionales que ameriten extrema urgencia, en cuyo caso el fiscal deberá ser informado de ello inmediatamente.

Véase C.P.P. art. 207.

Artículo 247: Inspección corporal.

Cuando el Fiscal General, o el fiscal tengan motivos razonablemente fundados, de acuerdo con los medios cognoscitivos previstos en este código, para creer que, en el cuerpo del imputado existen elementos materiales probatorios y evidencia física necesarios para la investigación, podrá ordenar la inspección corporal de dicha persona. En esta diligencia deberá estar presente el defensor y se observará toda clase de consideraciones compatibles con la dignidad humana.

(CONDICIONALMENTE EXEQUIBLE SCC-822, 10-08-2005, M.P. Manuel José Cepeda Espinosa "(...) en el entendido de que: a) la obtención de muestras requiere autorización previa del juez de control de garantías, el cual ponderará la solicitud del fiscal, o de la policía judicial en circunstancias excepcionales que ameriten extrema urgencia, para determinar si la medida específica es o no pertinente y, de serlo, si también es idónea, necesaria y proporcionada en las condiciones particulares del caso; b) la obtención de muestras siempre se realizará en condiciones de seguridad, higiene, confiabilidad, y humanidad para el imputado, en los términos del apartado 5.4.2.5 de esta sentencia).

Artículo 248: Registro personal.

~~Sin perjuicio de los procedimientos preventivos que adelanta la fuerza pública en cumplimiento de su deber constitucional,~~ y salvo que se trate de registro incidental a la captura, realizado con ocasión de ella, el Fiscal General o su delegado que tenga motivos razonablemente fundados, de acuerdo con medios cognoscitivos previstos en este código, para inferir que alguna persona relacionada con la investigación que adelanta, está en posesión de elementos materiales probatorios y evidencia física, podrá ordenar el registro de esa persona. (Aparte con tacha INEXEQUIBLE, SCC-822, 05-08-2005, M.P. Manuel José Cepeda Espinosa; el resto del artículo se declara EXEQUIBLE "(...) en el entendido que: 'a) salvo el registro incidental a la captura, el registro corporal requiere autorización previa del juez de control de garantías, el cual ponderará la solicitud del fiscal, o de la policía judicial en circunstancias excepcionales que ameriten extrema urgencia, para determinar si la medida específica es o no pertinente y, de serlo, si también es idónea, necesaria y proporcionada en las condiciones particulares del caso'").

'b) el juez de control de garantías también definirá las condiciones bajo las cuales ésta se podrá practicar en el evento de que la persona sobre la cual recae el registro se niegue a permitir su práctica.'

Para practicar este registro se designará a persona del mismo sexo de la que habrá de registrarse, y se guardarán con ella toda clase de consideraciones compatibles con la dignidad humana. Si se tratare del imputado deberá estar asistido por su defensor.

Artículo 249: Obtención de muestras que involucren al imputado.

Cuando a juicio del fiscal resulte necesario a los fines de la investigación, y previa la realización de audiencia de revisión de legalidad ante el juez de control de garantías en el evento de no existir consentimiento del afectado, podrá ordenar a la policía judicial la obtención de muestras para examen grafotécnico, cotejo de fluidos corporales, identificación de voz, impresión dental y de pisadas, de conformidad con las reglas siguientes:

1. Para la obtención de muestras para examen grafotécnico:

a) Le pedirá al imputado que escriba, con instrumento similar al utilizado en el documento cuestionado, textos similares a los que se dicen falsificados y que escriba la firma que se dice falsa. Esto lo hará siguiendo las reglas sugeridas por los expertos del laboratorio de policía judicial;

b) Le pedirá al imputado que en la máquina que dice se elaboró el documento supuestamente falso o en que se alteró, o en otra similar, escriba texto como los contenidos en los mencionados documentos. Esto lo hará siguiendo las reglas sugeridas por los expertos del laboratorio de policía judicial;

c) Obtenidas las muestras y bajo rigurosa custodia, las trasladará o enviará, según el caso, junto con el documento redargüido de falso, al centro de peritaje para que hagan los exámenes correspondientes. Terminados estos, se devolverá con el informe pericial al funcionario que los ordenó.

2. Para la obtención de muestras de fluidos corporales, cabellos, vello púbico, pelos, voz, impresión dental y pisadas, se seguirán las reglas previstas para los métodos de identificación técnica.

En todo caso, se requerirá siempre la presencia del defensor del imputado.

Parágrafo. De la misma manera procederá la policía judicial al realizar inspección en la escena del hecho, cuando se presenten las circunstancias del artículo 245.

(EXEQUIBLE, SCC-822, 10-08-2005, M.P. José Cepeda Espinosa "(...) en el entendido que: 'a) la obtención de muestras requiere autorización previa del juez de control de garantías, el cual ponderará la solicitud del fiscal, o de la policía judicial en circunstancias excepcionales que ameriten extrema urgencia, para determinar si la medida específica es o no pertinente y, de serlo, si también es idónea, necesaria y proporcionada en las condiciones particulares del caso; 'b) la obtención de muestras siempre se realizará en condiciones de seguridad, higiene, confiabilidad, y humanidad para el imputado, en los términos del apartado 5.4.2.5 de esta sentencia").

407   CÓDIGO DE PROCEDIMIENTO PENAL - LIBRO II   **Art. 250**

Artículo 250: Procedimiento en caso de lesionados o de víctimas de agresiones sexuales.

Cuando se trate de investigaciones relacionadas con la libertad sexual, la integridad corporal o cualquier otro delito en donde resulte necesaria la práctica de reconocimiento y exámenes físicos de las víctimas, tales como extracciones de sangre, toma de muestras de fluidos corporales, semen u otros análogos, y no hubiera peligro de menoscabo para su salud, la policía judicial requerirá el auxilio del perito forense a fin de realizar el reconocimiento o examen respectivos.

En todo caso, deberá obtenerse el consentimiento escrito de la víctima o de su representante legal cuando fuere menor o incapaz y si estos no lo prestaren, se les explicará la importancia que tiene para la investigación y las consecuencias probables que se derivarían de la imposibilidad de practicarlos. De perseverar en su negativa se acudirá al juez de control de garantías ~~para que fije los condicionamientos dentro de los cuales debe efectuarse la inspección.~~ (Aparte con tacha INEXEQUIBLE, SCC-822, 10-08-2005, M.P. Manuel José Cepeda Espinosa; el resto del artículo EXEQUIBLE (...) "en el entendido que: 'a) la víctima o su representante legal haya dado su consentimiento libre e informado para la práctica de la medida; 'b) de perseverar la víctima en su negativa, el juez de control de garantías podrá autorizar o negar la medida, y la negativa de la víctima prevalecerá salvo cuando el juez, después de ponderar si la medida es idónea, necesaria y proporcionada en las circunstancias del caso, concluya que el delito investigado reviste extrema gravedad y dicha medida se la única forma de obtener una evidencia física para la determinación de la responsabilidad penal del procesado o de su inocencia. 'c) no se podrá practicar la medida en persona adulta víctima de delitos relacionados con la libertad sexual sin su consentimiento informado y libre. 'd) la práctica de reconocimiento y exámenes físicos para obtener muestras físicas, siempre se realizará en condiciones de seguridad, higiene, confiabilidad, y humanidad para la víctima, en los términos del apartado 5.5.2.6. de esta sentencia").

El reconocimiento o examen se realizará en un lugar adecuado, preferiblemente en el Instituto de Medicina Legal y Ciencias Forenses o, en su defecto, en un establecimiento de salud.

Véase Ley 1448 de 2011 arts. 38, 39, 40, 41, 42.

CAPÍTULO IV. MÉTODOS DE IDENTIFICACIÓN

Artículo 251: Métodos.

Para la identificación de personas se podrán utilizar los diferentes métodos que el estado de la ciencia aporte, y que la criminalística establezca en sus manuales, tales como las características morfológicas de las huellas digitales, la carta dental y el perfil genético presente en el ADN, los cuales deberán cumplir con los requisitos del artículo 420 de este código respecto de la prueba pericial.

Igualmente coadyuvarán en esta finalidad otros exámenes de sangre o de semen; análisis de composición de cabellos, vellos y pelos; caracterización de voz; comparación sistemática de escritura manual con los grafismos cuestionados en un documento, o características de redacción y estilo utilizado en el mismo; por el patrón de conducta delincuencial registrado en archivos de policía judicial; o por el conjunto de huellas dejadas al caminar o correr, teniendo en cuenta la línea direccional, de los pasos y de cada pisada.

Artículo 252: Reconocimiento por medio de fotografías o vídeos.

Cuando no exista un indiciado relacionado con el delito, o existiendo no estuviere disponible para la realización de reconocimiento en fila de personas, o se negare a participar en él, la policía judicial, para proceder a la respectiva identificación, podrá utilizar cualquier medio técnico disponible que permita mostrar imágenes reales, en fotografías, imágenes digitales o vídeos. Para realizar esta actuación se requiere la autorización previa del fiscal que dirige la investigación.

Este procedimiento se realizará exhibiendo al testigo un número no inferior a siete (7) imágenes de diferentes personas, incluida la del indiciado, si la hubiere. En este último evento, las imágenes deberán corresponder a personas que posean rasgos similares a los del indiciado.

En ningún momento podrá sugerirse o señalarse la imagen que deba ser seleccionada por el testigo, ni estar presente simultáneamente varios testigos durante el procedimiento de identificación.

Cuando se pretenda precisar la percepción del reconocedor con respecto a los rasgos físicos de un eventual indiciado, se le exhibirá el banco de imágenes, fotografías o vídeos de que disponga la policía judicial, para que realice la identificación respectiva.

Cualquiera que fuere el resultado del reconocimiento se dejará constancia resumida en acta a la que se anexarán las imágenes utilizadas, lo cual quedará sometido a cadena de custodia.

Este tipo de reconocimiento no exonera al reconocedor de la obligación de identificar en fila de personas, en caso de aprehensión o presentación voluntaria del imputado. En este evento se requerirá la presencia del defensor del imputado.

Artículo 253: Reconocimiento en fila de personas.

En los casos en que se impute la comisión de un delito a una persona cuyo nombre se ignore, fuere común a varias o resulte necesaria la verificación de su identidad, la policía judicial, previa autorización del fiscal que dirija la investigación, efectuará el reconocimiento en fila de personas, de conformidad con las siguientes reglas:

1. El reconocimiento se efectuará mediante la conformación de una fila de personas, en número no inferior a siete (7), incluido el imputado, al que se le advertirá el derecho que tiene de escoger el lugar dentro de la fila.

2. No podrá estar presente en una fila de personas más que un indiciado.

3. Las personas que formen parte de la fila deberán tener características morfológicas similares; estar vestidas de manera semejante y ofrecer modalidades análogas, cuando sea el caso por las circunstancias en que lo percibió quien hace el reconocimiento.

4. La policía judicial o cualquier otro interviniente, durante el reconocimiento, no podrá hacer señales o formular sugerencias para la identificación.

5. Tampoco podrá el testigo observar al indiciado, ni a los demás integrantes de la fila de personas, antes de que se inicie el procedimiento.

6. En caso de ser positiva la identificación, deberá expresarse, por parte del testigo, el número o posición de la persona que aparece en la fila y, además, manifestará si lo ha visto con anterioridad o con posterioridad a los hechos que se investigan, indicando en qué circunstancias.

7. De todo lo actuado se dejará registro mediante el empleo del medio técnico idóneo y se elaborará un acta que lo resuma, cualquiera que fuere su resultado.

Lo previsto en este artículo tendrá aplicación, en lo que corresponda, a los reconocimientos que tengan lugar después de formulada la imputación. En este evento se requerirá la presencia del defensor del imputado. De lo actuado se dejará constancia.

CAPÍTULO V. CADENA DE CUSTODIA

Artículo 254: Aplicación.

Con el fin de demostrar la autenticidad de los elementos materiales probatorios y evidencia física, la cadena de custodia se aplicará teniendo en cuenta los siguientes factores: identidad, estado original, condiciones de recolección, preservación, embalaje y envío; lugares y fechas de permanencia y los cambios que cada custodio haya realizado. Igualmente se registrará el nombre y la identificación de todas las personas que hayan estado en contacto con esos elementos.

La cadena de custodia se iniciará en el lugar donde se descubran, recauden o encuentren los elementos materiales probatorios y evidencia física, y finaliza por orden de autoridad competente.

Parágrafo. El Fiscal General de la Nación reglamentará lo relacionado con el diseño, aplicación y control del sistema de cadena de custodia, de acuerdo con los avances científicos, técnicos y artísticos.

Véase Ley 1621 de 2013 art. 43. Resolución 0-6394 de 22-12-2004 de la Fiscalía General de la Nación.

Artículo 255: Responsabilidad.

La aplicación de la cadena de custodia es responsabilidad de los servidores públicos que entren en contacto con los elementos materiales probatorios y evidencia física.

Los particulares que por razón de su trabajo o por el cumplimento de las funciones propias de su cargo, en especial el personal de los servicios de salud que entren en contacto con elementos materiales probatorios y evidencia física, son responsables por su recolección, preservación y entrega a la autoridad correspondiente.

Véase Ley 1621 de 2013 art. 43.

Artículo 256: Macroelementos materiales probatorios.

Los objetos de gran tamaño, como naves, aeronaves, vehículos automotores, máquinas, grúas y otros similares, después de ser examinados por peritos, para recoger elementos materiales probatorios y evidencia física que se hallen en ellos, se grabarán en videocinta o se fotografiarán su totalidad y, especialmente, se registrarán del mismo modo los sitios en donde se hallaron huellas, rastros, microrrastros o semejantes, marihuana, cocaína, armas, explosivos o similares que puedan ser objeto o producto de delito. Estas fotografías y vídeos sustituirán al elemento físico, serán utilizados en su lugar, durante el juicio oral y público o en cualquier otro momento del procedimiento; y se embalarán, rotularán y conservarán en la forma prevista en el artículo anterior.

El fiscal, en su defecto los funcionarios de policía judicial, deberán ordenar la destrucción de los materiales explosivos en el lugar del hallazgo, cuando las condiciones de seguridad lo permitan.

Artículo 257: Inicio de la cadena de custodia.

El servidor público que, en actuación de indagación o investigación policial, hubiere embalado y rotulado el elemento material probatorio y evidencia física, lo custodiará.

Artículo 258: Traslado de contenedor.

El funcionario de policía judicial o el servidor público que hubiere recogido, embalado y rotulado el elemento material probatorio y evidencia física, lo trasladará al laboratorio correspondiente, donde lo entregará en la oficina de correspondencia o la que haga sus veces, bajo el recibo que figura en el formato de cadena de custodia.

Artículo 259: Traspaso de contenedor.

El servidor público de la oficina de correspondencia o la que haga sus veces, sin pérdida de tiempo, bajo el recibo que figura en el formato de cadena de custodia, entregará el contenedor al perito que corresponda según la especialidad.

Artículo 260: Actuación del perito.

El perito que reciba el contenedor dejará constancia del estado en que se encuentra y procederá a las investigaciones y análisis del elemento material probatorio y evidencia física, a la menor brevedad posible, de modo que su informe pericial pueda ser oportunamente remitido al fiscal correspondiente.

Artículo 261: Responsabilidad de cada custodio.

Cada servidor público de los mencionados en los artículos anteriores, será responsable de la custodia del contenedor y del elemento material durante el tiempo que esté en su poder, de modo que no pueda ser destruido, suplantado, alterado o deteriorado.

Artículo 262: Remanentes.

Los remanentes del elemento material analizado, serán guardados en el almacén que en el laboratorio está destinado para ese fin. Al almacenarlo será previamente identificado de tal forma que, en cualquier otro momento, pueda ser recuperado para nuevas investigaciones o análisis o para su destrucción, cuando así lo disponga la autoridad judicial competente.

Cuando se tratare de otra clase de elementos como moneda, documentos manuscritos, mecanografiados o de cualquier otra clase; o partes donde constan números seriales y otras semejantes, elaborado el informe pericial, continuarán bajo custodia.

Artículo 263: Examen previo al recibo.

Toda persona que deba recibir un elemento material probatorio y evidencia física, antes de hacerlo, revisará el recipiente que lo contiene y dejará constancia del estado en que se encuentre.

Artículo 264: Identificación.

Toda persona que aparezca como embalador y rotulador, o que entrega o recibe el contenedor de elemento material probatorio y evidencia física, deberá identificarse con su nombre completo y apellidos, el número de su cédula de ciudadanía y el cargo que desempeña. Así constará en el formato de cadena de custodia.

Artículo 265: Certificación.

La policía judicial y los peritos certificarán la cadena de custodia.

La certificación es la afirmación de que el elemento hallado en el lugar, fecha y hora indicados en el rótulo, es el que fue recogido por la policía judicial y que ha llegado al laboratorio y ha sido examinado por el perito o peritos. Además, que en todo momento ha estado custodiado.

Artículo 266: Destino de macroelementos.

Salvo lo previsto en este código en relación con las medidas cautelares sobre bienes susceptibles de comiso, los macroelementos materiales probatorios, mencionados en este capítulo, después de que sean examinados, fotografiados, grabados o filmados, serán devueltos al propietario, poseedor o al tenedor legítimo según el caso, previa demostración de la calidad invocada, siempre y cuando no hayan sido medios eficaces para la comisión del delito.

Véase C.P.P. art. 82.

CAPÍTULO VI. FACULTADES DE LA DEFENSA EN LA INVESTIGACIÓN

Artículo 267: Facultades de quien no es imputado.

Quien sea informado o advierta que se adelanta investigación en su contra, podrá asesorarse de abogado. Aquel o este, podrán buscar, identificar empíricamente, recoger y embalar los elementos materiales probatorios, y hacerlos examinar por peritos particulares a su costa, o solicitar a la policía judicial que lo haga. Tales elementos, el informe sobre ellos y las entrevistas que hayan realizado con el fin de descubrir información útil, podrá utilizarlos en su defensa ante las autoridades judiciales.

Igualmente, podrá solicitar al juez de control de garantías que lo ejerza sobre las actuaciones que considere hayan afectado o afecten sus derechos fundamentales.

Artículo 268: Facultades del imputado.

El imputado o su defensor, durante la investigación, podrán buscar, identificar empíricamente, recoger y embalar los elementos materiales probatorios y evidencia física. Con la solicitud para que sean examinados y la constancia ~~de la Fiscalía~~ de que es imputado o defensor de este, <u>los trasladarán al respectivo laboratorio del Instituto Nacional de Medicina Legal y Ciencias Forenses</u>, donde los entregarán bajo recibo. (EXEQUIBLE, aparte tachado INEXEQUIBLE, y aparte subrayado CONDICIONALMENTE EXEQUIBLE, SCC-536, 28-05-2008, M.P. Jaime Araujo Rentería "(...) en el entendido de que el imputado o su defensor también podrán trasladar los elementos materiales probatorios y evidencia física a cualquier otro laboratorio público o privado, nacional o extranjero, para su respectivo examen").

Artículo 269: Contenido de la solicitud.

La solicitud deberá contener en forma separada, con claridad y precisión, las preguntas que en relación con el elemento material probatorio y evidencia física entregada, se requiere que responda el perito o peritos, previa la investigación y análisis que corresponda.

Artículo 270: Actuación del perito.

Recibida la solicitud y los elementos mencionados en los artículos anteriores, el perito los examinará. Si encontrare que el contenedor, tiene señales de haber sido o intentado ser abierto, o que la solicitud no reúne las mencionadas condiciones lo devolverá al solicitante. Lo mismo hará en caso de que encontrare alterado el elemento por examinar. Si todo lo hallare aceptable, procederá a la investigación y análisis que corresponda y a la elaboración del informe pericial.

El informe pericial se entregará bajo recibo al solicitante y se conservará un ejemplar de aquel y de este en el Instituto.

Véase C.P.P. art. 408.

Artículo 271: Facultad de entrevistar.

El imputado o su defensor, podrán entrevistar a personas con el fin de encontrar información útil para la defensa. En esta entrevista se emplearán las técnicas aconsejadas por la criminalística.

La entrevista se podrá recoger y conservar por escrito, en grabación magnetofónica, en video o en cualquier otro medio técnico idóneo.

Artículo 272: Obtención de declaración jurada.

El imputado o su defensor podrán solicitar a un alcalde municipal, inspector de policía o notario público, que le reciba declaración jurada a la persona, cuya exposición pueda resultar de especial utilidad para la investigación. Esta podrá recogerse por escrito, grabación magnetofónica, en video o en cualquier otro medio técnico idóneo.

Artículo 273: Criterios de valoración.

La valoración de los elementos materiales probatorios y evidencia física se hará teniendo en cuenta su legalidad, autenticidad, sometimiento a cadena de custodia y grado actual de aceptación científica, técnica o artística de los principios en que se funda el informe.

Véase Ley 1719 de 2014 arts. 18, 19.

Artículo 274: Solicitud de prueba anticipada.

El imputado o su defensor, podrán solicitar al juez de control de garantías, la práctica anticipada de cualquier medio de prueba, en casos de extrema necesidad y urgencia, para evitar la pérdida o alteración del medio probatorio. Se efectuará una audiencia, previa citación al fiscal correspondiente para garantizar el contradictorio.

Se aplicarán las mismas reglas previstas para la práctica de la prueba anticipada y cadena de custodia.

(EXEQUIBLE SCC-1154, 15-11-2005, M.P. Manuel José Cepeda Espinosa).

Véase C.P.P. art. 284.

TÍTULO II. MEDIOS COGNOSCITIVOS EN LA INDAGACIÓN E INVESTIGACIÓN

CAPÍTULO ÚNICO. ELEMENTOS MATERIALES PROBATORIOS, EVIDENCIA FÍSICA E INFORMACIÓN

Artículo 275: Elementos materiales probatorios y evidencia física.

Para efectos de este código se entiende por elementos materiales probatorios y evidencia física, los siguientes:

a) Huellas, rastros, manchas, residuos, vestigios y similares, dejados por la ejecución de la actividad delictiva;

b) Armas, instrumentos, objetos y cualquier otro medio utilizado para la ejecución de la actividad delictiva;

c) Dinero, bienes y otros efectos provenientes de la ejecución de la actividad delictiva;

d) Los elementos materiales descubiertos, recogidos y asegurados en desarrollo de diligencia investigativa de registro y allanamiento, inspección corporal y registro personal;

e) Los documentos de toda índole hallados en diligencia investigativa de inspección o que han sido entregados voluntariamente por quien los tenía en su poder o que han sido abandonados allí;

f) Los elementos materiales obtenidos mediante grabación, filmación, fotografía, video o cualquier otro medio avanzado, utilizados como cámaras de vigilancia, en recinto cerrado o en espacio público;

g) El mensaje de datos, como el intercambio electrónico de datos, internet, correo electrónico, telegrama, télex, telefax o similar, regulados por la Ley 527 de 1999 o las normas que la sustituyan, adicionen o reformen;

h) Los demás elementos materiales similares a los anteriores y que son descubiertos, recogidos y custodiados por el Fiscal General o por el fiscal directamente o por conducto de servidores de policía judicial o de peritos del Instituto Nacional de Medicina Legal y Ciencias Forenses, o de laboratorios aceptados oficialmente.

Parágrafo (ad. por el art. 1 de la de la Ley 1652 de 2013). También se entenderá por material probatorio la entrevista forense realizada a niños, niñas y/o adolescentes víctimas de los delitos descritos en el artículo 206A de este mismo Código (EXEQUIBLE SCC-177, 26-03-2014, M.P. Nilson Pinilla Pinilla).

Artículo 276: Legalidad.

La legalidad del elemento material probatorio y evidencia física depende de que en la diligencia en la cual se recoge o se obtiene, se haya observado lo prescrito en la Constitución Política, en los Tratados Internacionales sobre derechos humanos vigentes en Colombia y en las leyes.

Artículo 277: Autenticidad.

Los elementos materiales probatorios y la evidencia física son auténticos cuando han sido detectados, fijados, recogidos y embalados técnicamente, y sometidos a las reglas de cadena de custodia.

La demostración de la autenticidad de los elementos materiales probatorios y evidencia física no sometidos a cadena de custodia, estará a cargo de la parte que los presente.

Artículo 278: Identificación técnico científica.

La identificación técnico científica consiste en la determinación de la naturaleza y características del elemento material probatorio y evidencia física, hecha por expertos en ciencia, técnica o arte. Dicha determinación se expondrá en el informe pericial.

Artículo 279: Elemento material probatorio y evidencia física recogidos por agente encubierto o por agente infiltrado.

El elemento material probatorio y evidencia física, recogidos por agente encubierto o agente infiltrado, en desarrollo de operación legalmente programada, sólo podrá ser utilizado como fuente de actividad investigativa. Pero establecida su autenticidad y sometido a cadena de custodia, tiene el valor de cualquier otro elemento material probatorio y evidencia física.

Artículo 280: Elemento material probatorio y evidencia física recogidos en desarrollo de entrega vigilada.

El elemento material probatorio y evidencia física, recogidos por servidor público judicial colombiano, en desarrollo de la técnica de entrega vigilada, debidamente programada, sólo podrá ser utilizado como fuente de actividad investigativa. Pero establecida su autenticidad y sometido a cadena de custodia, tiene el valor de cualquier otro elemento material probatorio y evidencia física.

Artículo 281: Elemento material probatorio y evidencia física remitidos del extranjero.

El elemento material probatorio y evidencia física remitidos por autoridad extranjera, en desarrollo de petición de autoridad penal colombiana, basada en convenio bilateral o multilateral de cooperación judicial penal recíproca, será sometido a cadena de custodia y tendrá el mismo valor que se le otorga a cualquier otro elemento material probatorio y evidencia física.

Artículo 282: Interrogatorio a indiciado.

El fiscal o el servidor de policía judicial, según el caso, que tuviere motivos fundados de acuerdo con los medios cognoscitivos previstos en este código, para inferir que una persona es autora o partícipe de la conducta que se investiga, sin hacerle imputación alguna, le dará a conocer que tiene derecho a guardar silencio y que no está obligado a declarar contra sí mismo ni en contra de su cónyuge, <u>compañero permanente</u> o parientes dentro del cuarto grado de consanguinidad o civil, o segundo de afinidad. Si el indiciado no hace uso de sus derechos y manifiesta su deseo de declarar, se podrá interrogar en presencia de un abogado. (Subrayada CONDICIONALMENTE EXEQUIBLE, SCC-029, 28-01-2009 M.P. Rodrigo Escobar Gil "(...) en el entendido de que las mismas incluyen, en igualdad de condiciones, a los integrantes de las parejas del mismo sexo").

Artículo 283: Aceptación por el imputado.

La aceptación por el imputado es el reconocimiento libre, consciente y espontáneo de haber participado en alguna forma o grado en la ejecución de la conducta delictiva que se investiga.

CÓDIGO DE PROCEDIMIENTO PENAL - LIBRO II   **Art. 284**

Véase C.P.P. arts. 293, 351, 352, 353, 368.

Artículo 284: Prueba anticipada.

Durante la investigación y hasta antes de la instalación de la audiencia de juicio oral se podrá practicar anticipadamente cualquier medio de prueba pertinente, con el cumplimiento de los siguientes requisitos:

1. Que sea practicada ante el juez que cumpla funciones de control de garantías.

2. Que sea solicitada por el Fiscal General o el fiscal delegado, por la defensa o por el Ministerio Público en los casos previstos en el artículo 112. (CONDICIONALMENTE EXEQUIBLE, SCC-209, 21-03-2007, M.P. Manuel José Cepeda "(...) en el entendido de que la víctima también puede solicitar la práctica de pruebas anticipadas ante el juez de control de garantías").

3. Que sea por motivos fundados y de extrema necesidad y para evitar la pérdida o alteración del medio probatorio.

4. Que se practique en audiencia pública y con observancia de las reglas previstas para la práctica de pruebas en el juicio.

Parágrafo 1°. Si la prueba anticipada es solicitada a partir de la presentación del escrito de acusación, el peticionario deberá informar de esta circunstancia al juez de conocimiento.

Parágrafo 2°. Contra la decisión de practicar la prueba anticipada proceden los recursos ordinarios. Si se negare, la parte interesada podrá de inmediato y por una sola vez, acudir ante otro juez de control de garantías para que este en el acto reconsidere la medida. Su decisión no será objeto de recurso.

Parágrafo 3°. En el evento en que la circunstancia que motivó la práctica de la prueba anticipada, al momento en que se dé comienzo al juicio oral, no se haya cumplido o haya desaparecido, el juez ordenará la repetición de dicha prueba en el desarrollo del juicio oral (EXEQUIBLE SCC-591, 09-06-2005, M.P. Clara Inés Vargas Hernández).

Parágrafo 1° (sic 4°) (ad. por el art. 37 de la Ley 1474 de 2011): En las investigaciones que versen sobre delitos de competencia de los jueces penales del circuito especializados, por delitos contra la Administración

Pública y por delitos contra el patrimonio económico que recaigan sobre bienes del Estado respecto de los cuales proceda la detención preventiva, será posible practicar como prueba anticipada el testimonio de quien haya recibido amenazas contra su vida o la de su familia por razón de los hechos que conoce; así mismo, procederá la práctica de dicha prueba anticipada cuando contra el testigo curse un trámite de extradición en el cual se hubiere rendido concepto favorable por la Sala Penal de la Corte Suprema de Justicia.

La prueba deberá practicarse antes de que quede en firme la decisión del Presidente de la República de conceder la extradición.

Parágrafo 5° (ad. por el art. 19 de la Ley 1908 de 2018). La prueba testimonial anticipada se podrá practicar en todos los casos en que se adelanten investigaciones contra miembros de Grupos Delictivos Organizados y Grupos Armados Organizados. Las pruebas testimoniales que se practiquen de manera anticipada en virtud de este parágrafo solo podrán repetirse en juicio a través de videoconferencia, siempre que a juicio del Juez de conocimiento no se ponga en riesgo la vida e integridad del testigo o sus familiares, o no sea posible establecer su ubicación.

Véase C.P.P. arts. 112, 154.

Artículo 285: Conservación de la prueba anticipada.

Toda prueba anticipada deberá conservarse de acuerdo con medidas dispuestas por el juez de control de garantías.

(EXEQUIBLE SCC-1154, 15-11-2005, M.P. Manuel José Cepeda Espinosa).

TÍTULO III. FORMULACIÓN DE LA IMPUTACIÓN

CAPÍTULO ÚNICO. DISPOSICIONES GENERALES

Artículo 286: Concepto.

La formulación de la imputación es el acto a través del cual la Fiscalía General de la Nación <u>comunica</u> a una persona su calidad de imputado, en audiencia que se lleva a cabo ante el juez de control de garantías (subrayado EXEQUIBLE SCC-303, 22-05-2013, M.P. Luis Guillermo Guerrero Pérez).

Véase C.P.P. arts. 54, 126.

Artículo 287: Situaciones que determinan la formulación de la imputación.

El fiscal hará la imputación fáctica cuando de los elementos materiales probatorios, evidencia física o de la información legalmente obtenida, se pueda inferir razonablemente que el imputado es autor o partícipe del delito que se investiga. De ser procedente, en los términos de este código, el fiscal podrá solicitar ante el juez de control de garantías la imposición de la medida de aseguramiento que corresponda.

(EXEQUIBLE SCC-127, 01-03-2011, M.P. María Victoria Calle Correa).

Artículo 288: Contenido.

Para la formulación de la imputación, el fiscal deberá expresar oralmente:

1. Individualización concreta del imputado, incluyendo su nombre, los datos que sirvan para identificarlo y el domicilio de citaciones.

2. Relación clara y sucinta de los hechos jurídicamente relevantes, en lenguaje comprensible, lo cual no implicará el descubrimiento de los elementos materiales probatorios, evidencia física ni de la información en poder de la Fiscalía, sin perjuicio de lo requerido para solicitar la imposición de medida de aseguramiento (subrayado EXEQUIBLE SCC-1260, 05-12-2005, M.P. Clara Inés Vargas Hernández).

3. Posibilidad del investigado de allanarse a la imputación y a obtener rebaja de pena de conformidad con el artículo 351 (subrayado EXEQUIBLE SCC-303, 22-05-2013, M.P. Luis Guillermo Guerrero Pérez).

Véase C.P.P. art. 283.

Artículo 289 (mod. por el art. 18 de la Ley 1142 de 2007)**: Formalidades.**

La formulación de la imputación se cumplirá con la presencia del imputado o su defensor, ya sea de confianza o, a falta de este, el que fuere designado por el sistema nacional de defensoría pública.

Parágrafo 1°. Ante el juez de control de garantías, el fiscal podrá legalizar la captura, ~~formular imputación, solicitar imposición de medida de aseguramiento y hacer las solicitudes que considere procedentes~~, con la sola presencia del defensor de confianza o designado por el sistema nacional de defensoría pública, cuando el capturado haya entrado en estado de inconsciencia después de la privación de la libertad o se encuentre en un estado de salud que le impida ejercer su defensa material. ~~En este caso~~, la posibilidad de allanarse a la imputación se mantendrá hasta cuando la persona haya recobrado la consciencia, con el mismo descuento punitivo indicado en el inciso 1o del artículo 351 de este código. (Apartes con tacha mod. Ley 1142 de 2004 INEXEQUIBLES, resto del parágrafo EXEQUIBLE, SCC-425, 30-04-2008, M.P. Marco Gerardo Monroy Cabra "(...) en el entendido de que en esta hipótesis, se interrumpe la prescripción").

Parágrafo 2°. Cuando el capturado se encuentre recluido en clínica u hospital, pero consciente y en estado de salud que le permita ejercer su defensa material, el juez de control de garantías, a solicitud del fiscal, se trasladará hasta ese lugar para los efectos de la legalización de captura, la formulación de la imputación y la respuesta a las demás solicitudes de las partes.

~~**Parágrafo 3°.** En aquellos eventos en los cuales por las distancias, la dificultad en las vías de acceso, los desplazamientos y el orden público, no sea posible dentro del término de las treinta y seis (36) horas siguientes a la captura, trasladar a la persona aprehendida ante el juez de control de garantías, dentro del mismo término, deberá legalizarse su captura con la constancia que haga la Fiscalía General de la Nación respecto de los motivos por los cuales se imposibilitó el traslado y el compromiso de presentarlo tan pronto sean superadas las dificultades. El fiscal asumirá las responsabilidades penales y disciplinarias que correspondan en caso de faltar a la verdad. A esta audiencia asistirá el defensor de confianza o en su defecto el que sea designado por el Sistema Nacional de Defensoría Pública y el Ministerio Público. La Fiscalía podrá formular imputación y solicitar medida de aseguramiento. La persona aprehendida tendrá la posibilidad de allanarse a la imputación hasta cuando sea posible para la Fiscalía presentarlo físicamente ante el juez, con el mismo descuento punitivo indicado~~

423 CÓDIGO DE PROCEDIMIENTO PENAL - LIBRO II Art. 292

~~en el inciso 1o del artículo 351 de este código~~ (par. INEXEQUIBLE SCC-425, 30-04-2008, M.P. Marco Gerardo Monroy Cabra).

(CONDICIONALMENTE EXEQUIBLE SCC-209, 21-03-2007, M.P. Manuel José Cepeda "(...) en el entendido de que la víctima también puede estar presente en la audiencia de formulación de la imputación").

Artículo 290: Derecho de defensa.

Con la formulación de la imputación la defensa podrá preparar de modo eficaz su actividad procesal, sin que ello implique la solicitud de práctica de pruebas, <u>salvo las excepciones reconocidas en este código.</u> (Subrayado EXEQUIBLE SCC-1154, 15-11-2005, M.P. Manuel José Cepeda Espinosa).

Véase C.P.P. arts. 118, 119, 120.

Artículo 291: Contumacia.

<u>Si el indiciado, habiendo sido citado en los términos ordenados por este código, sin causa justificada así sea sumariamente, no compareciere a la audiencia, esta se realizará con el defensor que haya designado para su representación.</u> Si este último tampoco concurriere a la audiencia, sin que justifique su inasistencia, el juez procederá a designarle defensor en el mismo acto, de la lista suministrada por el sistema nacional de defensoría pública, en cuya presencia se formulará la imputación. (Subrayado EXEQUI-BLE, SCC-591, 09-06-2005, M.P. Clara Inés Vargas Hernández) (Aparte inc. Final cursiva CONDICIONALMENTE EXEQUIBLE, SCC-1154, 15-11-2005, M.P. Manuel José Cepeda Espinosa "(...) en el entendido de que el defensor de oficio podrá solicitar al juez un receso para preparar la defensa, solicitud que será valorada por el juez aplicando criterios de razonabilidad").

Véase C.P.P. art. 127, 536.

Artículo 292: Interrupción de la prescripción.

La prescripción de la acción penal se interrumpe con la formulación de la imputación.

Producida la interrupción del término prescriptivo, este comenzará a correr de nuevo por un término igual a la mitad del señalado en el artículo 83 del Código Penal. En este evento no podrá ser inferior a tres (3) años.

Véase C.P. art. 86.

Artículo 293 (mod. por el art. 69 de la Ley 1453 de 2011): **Procedimiento en caso de aceptación de la imputación.**

Si el imputado, por iniciativa propia o por acuerdo con la Fiscalía acepta la imputación, se entenderá que lo actuado es suficiente como acusación. La Fiscalía adjuntará el escrito que contiene la imputación o acuerdo que será enviado al Juez de conocimiento. Examinado por el juez de conocimiento el acuerdo para determinar que es voluntario, libre y espontáneo, procederá a aceptarlo sin que a partir de entonces sea posible la retractación de alguno de los intervinientes, y convocará a audiencia para la individualización de la pena y sentencia.

Parágrafo. La retractación por parte de los imputados que acepten cargos será válida en cualquier momento, siempre y cuando se demuestre por parte de estos que se vició su consentimiento o que se violaron sus garantías fundamentales.

Véase C.P.P. art. 381.

Artículo 294 (mod. por el art. 55 de la Ley 1453 de 2011): **Vencimiento del término.**

Vencido el término previsto en el artículo 175 el fiscal deberá solicitar la preclusión o formular la acusación ante el juez de conocimiento.

De no hacerlo, perderá competencia para seguir actuando de lo cual informará inmediatamente a su respectivo superior.

En este evento el superior designará un nuevo fiscal quien deberá adoptar la decisión que corresponda en el término de sesenta (60) días, contados a partir del momento en que se le asigne el caso. El término será de noventa (90) días cuando se presente concurso de delitos, o cuando sean tres o más los imputados o cuando el juzgamiento de alguno de los delitos sea de competencia de los jueces penales del circuito especializado.

Vencido el plazo, si la situación permanece sin definición el imputado quedará en libertad inmediata, y la defensa o el Ministerio Público solicitarán la preclusión al Juez de Conocimiento.

Véase C.P.P. art. 317 A num. 4.

TÍTULO IV. RÉGIMEN DE LA LIBERTAD Y SU RESTRICCIÓN

CAPÍTULO I. DISPOSICIONES COMUNES

Artículo 295: Afirmación de la libertad.

Las disposiciones de este código que autorizan preventivamente la privación o restricción de la libertad del imputado tienen carácter excepcional; solo podrán ser interpretadas restrictivamente y su aplicación debe ser necesaria, adecuada, proporcional y razonable frente a los contenidos constitucionales.

Artículo 296: Finalidad de la restricción de la libertad.

La libertad personal podrá ser afectada dentro de la actuación cuando sea necesaria para evitar la obstrucción de la justicia, o para asegurar la comparecencia del imputado al proceso, la protección de la comunidad y de las víctimas, o para el cumplimiento de la pena.

Véase C.P.P. art. 2.

CAPÍTULO II. CAPTURA

Artículo 297 (mod. por el art. 19 de la Ley 1142 de 2007)**: Requisitos generales.**

Para la captura se requerirá orden escrita proferida por un juez de control de garantías con las formalidades legales y por motivos razonablemente fundados, de acuerdo con el artículo 221, para inferir que aquel contra quien se pide librarla es autor o partícipe del delito que se investiga, según petición hecha por el respectivo fiscal.

Capturada la persona será puesta a disposición de un juez de control de garantías en el plazo máximo de treinta y seis (36) horas para que efectúe la audiencia de control de legalidad, ordene la cancelación de la orden de captura y disponga lo pertinente con relación al aprehendido.

Parágrafo. Salvo los casos de captura en flagrancia, o de la captura excepcional dispuesta por la Fiscalía General de la Nación, con arreglo a lo establecido en este código, el indiciado, imputado o acusado no podrá ser privado de su libertad ni restringido en ella, sin previa orden emanada del juez de control de garantías.

Parágrafo 2° (ad. por el art. 21 de la Ley 1908 de 2018): La persona que sea capturada será puesta a disposición del juez de control de garantías dentro de un término de 36 horas, el cual será interrumpido con la instalación de la audiencia por parte del juez competente en cumplimiento de lo señalado en el artículo 28 de la Constitución Política.

En todo caso para el cumplimiento de lo dispuesto en el presente artículo se tendrá en cuenta el criterio de plazo razonable, de conformidad con la Convención Americana de Derechos Humanos y la jurisprudencia interamericana.

Parágrafo 3° (ad. por el art. 21 de la Ley 1908 de 2018): En la audiencia de legalización de captura el fiscal podrá solicitar la legalización de todos los actos de investigación concomitantes con aquella que requieran control de legalidad posterior. Cuando se trate de tres o más capturados o actividades investigativas a legalizar, el inicio de la audiencia interrumpe los términos previstos en la ley para la legalización.

Véase C.P.P. arts. 114 num. 7, 300. Ley 975 de 2005 art. 61. Ley 1142 de 2007 art. 21. C.N. art. 30.

Artículo 298 (mod. por el art. 56 de la Ley 1453 de 2011)**: Contenido y vigencia.**

El mandamiento escrito expedido por el juez correspondiente indicará de forma clara y sucinta los motivos de la captura, el nombre y los datos que permitan individualizar al indiciado o imputado, cuya captura se ordena, el delito que provisionalmente se señale, la fecha de los hechos y el fiscal que dirige la investigación.

La orden de captura tendrá una vigencia máxima de un (1) año, pero podrá prorrogarse tantas veces como resulte necesario, a petición del fiscal correspondiente, quien estará obligado a comunicar la prórroga al organismo de Policía Judicial encargado de hacerla efectiva.

La Policía Judicial puede divulgar a través de los medios de comunicación las órdenes de captura.

De la misma forma el juez determinará si la orden podrá ser difundida por las autoridades de policía en los medios de comunicación, durante su vigencia.

Parágrafo. La persona capturada en cumplimiento de orden judicial será puesta a disposición de un Juez de Control de Garantías en el plazo máximo de treinta y seis (36) horas para que efectúe la audiencia de control de legalidad, ordene la cancelación de la orden de captura y disponga lo pertinente con relación al aprehendido. Lo aquí dispuesto no se aplicará en los casos en que el capturado es aprehendido para el cumplimiento de la sentencia, caso en el cual será dispuesto a disposición del juez de conocimiento que profirió la sentencia. (Subrayado CONDICIONALMENTE EXEQUIBLE SCC-042, 16-05-2018, M.P. Gloria Stella Ortiz Delgado "(...)'en el entendido de que el capturado deberá ponerse a disposición del juez de conocimiento o en su ausencia ante el juez de control de garantías, dentro de las treinta y seis (36) horas siguientes a la privación de la libertad. En caso de que el control judicial de la aprehensión se surta ante el juez de control de garantías, ese funcionario resolverá sobre la situación de la captura del condenado, adoptará las medidas provisionales de protección a las que haya lugar y ordenará la presentación de la persona junto con las diligencias adelantadas ante el juez de conocimiento que profirió la sentencia, al día hábil siguiente, con la finalidad de garantizar los derechos fundamentales al debido proceso, de defensa y de contradicción del detenido, así como el principio de juez natural").

Parágrafo 2°. Cuando existan motivos razonables para sospechar que una nave está siendo utilizada para el tráfico ilícito de estupefacientes y sustancias sicotrópicas, los miembros uniformados de la Armada Nacional deberán aplicar el procedimiento de interdicción marítima y conducir inmediatamente la nave y las personas que estén a bordo al puerto para que se verifique el carácter ilícito de las sustancias transportadas. En este caso, el término señalado en el parágrafo anterior se contará a partir del momento en el cual se verifique que las sustancias transportadas son ilícitas en el puerto, siempre y cuando se cumpla el procedimiento de interdicción marítima y se hayan respetado los derechos fundamentales de los involucrados (par. 2o. mod. por la Ley 1453-11 CONDICIONALMENTE

EXEQUIBLE, SCC-239, 22-03-2012, M.P. Juan Carlos Henao Pérez "(…) bajo el entendido de que la puesta a disposición de las personas capturadas durante la interdicción marítima ante el juez de control de garantías y la definición de su situación jurídica, deberá desarrollarse en el menor tiempo posible, sin que en ningún caso exceda las 36 horas siguientes a la llegada a puerto colombiano").

Parágrafo 3° (ad. por el art. 11 de la Ley 1851 de 2017). En desarrollo del derecho de visita o cuando existan motivos para sospechar que una nave o artefacto naval está siendo utilizada para realizar actividades ilícitas de pesca, violación de fronteras para la explotación o aprovechamiento de los recursos naturales, en el territorio marítimo nacional, los miembros de la Armada Nacional en desarrollo de sus funciones deberán aplicar el procedimiento de interdicción marítima y conducir inmediatamente a puerto colombiano, la nave o artefacto naval y las personas capturadas a bordo, para ponerlos a disposición ante las entidades competentes (par. ad. Ley 1851-17, art. 11). (Art. mod. Ley 1453-11, art. 56).

En este caso, la puesta a disposición de las personas capturadas durante la interdicción marítima ante el juez de control de garantías y la definición de su situación jurídica deberá desarrollarse en el menor tiempo posible, sin que en ningún caso exceda las 36 horas siguientes, contadas a partir de la llegada a puerto colombiano.

Véase Ley 418 de 1997 art. 8. pars. transs 3A y 3B. Decreto Ley 900 de 2017.

Artículo 299 (mod. por el 20 de la Ley 1142 de 2007)**: Trámite de la orden de captura.**

Proferida la orden de captura, el juez de control de garantías o el de conocimiento, desde el momento en que emita el sentido del fallo o profiera formalmente la sentencia condenatoria, la enviará inmediatamente a la Fiscalía General de la Nación para que disponga el o los organismos de policía judicial encargados de realizar la aprehensión física, y se registre en el sistema de información que se lleve para el efecto. De igual forma deberá comunicarse cuando por cualquier motivo pierda su vigencia, para descargarla de los archivos de cada organismo, indicando el motivo de tal determinación.

Parágrafo. Incurrirá en falta disciplinaria el servidor público que omita o retarde las comunicaciones aludidas en el presente artículo.

Artículo 300 (mod. por el art. 21 de la Ley 1142 de 2007)**: Captura excepcional por orden de la Fiscalía.**

El Fiscal General de la Nación o su delegado podrá proferir excepcionalmente orden de captura escrita y motivada en los eventos en los que proceda la detención preventiva, cuando ~~por motivos serios y de fuerza mayor~~ no se encuentre ~~disponible~~ un juez que pueda ordenarla, siempre que existan elementos materiales probatorios, evidencia física o información que permitan inferir razonablemente que el indiciado es autor o partícipe de la conducta investigada, y concurra cualquiera de las siguientes causales:

(EXEQUIBLE, SCC-226, 05-03-2008, M.P. Humberto Antonio Sierra Porto. EXEQUIBLE, aparte con tacha INEXEQUIBLE, y los apartes subrayados CONDICIONALMENTE EXEQUIBLES, SCC-185, 27-02-2008, M.P. Manuel José Cepeda Espinosa. Los condicionamientos son los siguientes 'b) la expresión cuando (...) no se encuentre (...) un juez que pueda ordenarla", que se declara EXEQUIBLE en el entendido que el fiscal debe agotar diligentemente la búsqueda de todos los jueces legalmente competentes, incluido el juez de control de garantías ambulante.' 'c) la expresión "o información", que se declara EXEQUIBLE, en el entendido que la información fue obtenida de conformidad con el inciso segundo del artículo 221 de la Ley 906 de 2004').

1. Riesgo inminente de que la persona se oculte, se fugue o se ausente del lugar donde se lleva a cabo la investigación.

2. Probabilidad fundada de alterar los medios probatorios.

3. Peligro para la seguridad de la comunidad o de la víctima en cuanto a que, si no es realizada la captura, el indiciado realice en contra de ellas una conducta punible.

La vigencia de esta orden está supeditada a la posibilidad de acceso al juez de control de garantías para obtenerla. Capturada la persona, será puesta a disposición de un juez de control de garantías inmediatamente o a más tardar dentro de las treinta y seis (36) horas siguientes para que efectúe la audiencia de control de legalidad a la orden y a la aprehensión.

Véase C.N. art. 250 num. 1. C.P.P. arts. 114 num. 7, 297 par.

Artículo 301: Flagrancia.

Se entiende que hay flagrancia cuando:

1. La persona es sorprendida y aprehendida durante la comisión del delito.

2. La persona es sorprendida o individualizada durante la comisión del delito y aprehendida inmediatamente después por persecución o cuando fuere señalado por la víctima u otra persona como autor o cómplice del delito inmediatamente después de su perpetración.

3. La persona es sorprendida y capturada con objetos, instrumentos o huellas, de los cuales aparezca fundadamente que acaba de cometer un delito o de haber participado en él.

4. La persona es sorprendida o individualizada en la comisión de un delito en un sitio abierto al público a través de la grabación de un dispositivo de video y aprehendida inmediatamente después.

La misma regla operará si la grabación del dispositivo de video se realiza en un lugar privado con consentimiento de la persona o personas que residan en el mismo.

5. La persona se encuentre en un vehículo utilizado momentos antes para huir del lugar de la comisión de un delito, salvo que aparezca fundadamente que el sujeto no tenga conocimiento de la conducta punible.

Parágrafo. La persona que incurra en las causales anteriores sólo tendrá ¼ del beneficio de que trata el artículo 351 de la Ley 906 de 2004 (par. mod. Ley 1453-11 EXEQUIBLE SCC-240, 19-04-2014, M.P. Mauricio González Cuervo) (par. mod. Ley 1453 de 2011 CONDICIONALMENTE EXEQUIBLE, SCC-645, 23-08-2012, M.P. Nilson Pinilla Pinilla, 'en el entendido de que la disminución en una cuarta parte del beneficio punitivo allí consagrado, debe extenderse a todas las oportunidades procesales en las que es posible al sorprendido en flagrancia allanarse a cargos y suscribir acuerdos con la Fiscalía General de la Nación, respetando los parámetros inicialmente establecidos por el legislador en cada uno de esos eventos').

Véase C.P.P. art. 351.

Artículo 302: Procedimiento en caso de flagrancia.

Cualquier persona podrá capturar a quien sea sorprendido en flagrancia.

Cuando sea una autoridad la que realice la captura deberá conducir al aprehendido inmediatamente o a más tardar en el término de la distancia, ante la Fiscalía General de la Nación.

Cuando sea un particular quien realiza la aprehensión deberá conducir al aprehendido en el término de la distancia ante cualquier autoridad de policía. Esta identificará al aprehendido, recibirá un informe detallado de las circunstancias en que se produjo la captura, y pondrá al capturado dentro del mismo plazo a disposición de la Fiscalía General de la Nación.

Si de la información suministrada o recogida aparece que el supuesto delito no comporta detención preventiva, el aprehendido o capturado será liberado por la Fiscalía, imponiéndosele bajo palabra un compromiso de comparecencia cuando sea necesario. De la misma forma se procederá si la captura fuere ilegal.

La Fiscalía General de la Nación, con fundamento en el informe recibido de la autoridad policiva o del particular que realizó la aprehensión, o con base en los elementos materiales probatorios y evidencia física aportados, presentará al aprehendido, inmediatamente o a más tardar dentro de las treinta y seis (36) horas siguientes, ante el juez de control de garantías para que este se pronuncie en audiencia preliminar sobre la legalidad de la aprehensión y las solicitudes de la Fiscalía, de la defensa y del Ministerio Público.

Parágrafo (ad. por el art. 22 de la Ley 1142 de 2007). En todos los casos de captura, la policía judicial inmediatamente procederá a la plena identificación y registro del aprehendido, de acuerdo con lo previsto en el artículo 128 de este código, con el propósito de constatar capturas anteriores, procesos en curso y antecedentes.

(EXEQUIBLE, SCC-591, 09-06-2005, M.P. Clara Inés Vargas Hernández "(...)'y bajo el entendido de que el fiscal únicamente puede examinar las condiciones objetivas para la imposición de la medida de aseguramiento de detención preventiva").

Artículo 303: Derechos del capturado.

Al capturado se le informará de manera inmediata lo siguiente:

1. Del hecho que se le atribuye y motivó su captura y el funcionario que la ordenó.

2. Del derecho a indicar la persona a quien se deba comunicar su aprehensión. El funcionario responsable del capturado inmediatamente procederá a comunicar sobre la retención a la persona que este indique.

3. Del derecho que tiene a guardar silencio, que las manifestaciones que haga podrán ser usadas en su contra y que no está obligado a declarar en contra de su cónyuge, <u>compañero permanente</u> o parientes dentro del cuarto grado de consanguinidad o civil, o segundo de afinidad. (Subrayado CONDICIONALMENTE EXEQUIBLE SCC-029, 28-01-2009, M.P. Rodrigo Escobar Gil "(...) en el entendido de que las mismas incluyen, en igualdad de condiciones, a los integrantes de las parejas del mismo sexo").

4. Del derecho que tiene a designar y a entrevistarse con un abogado de confianza en el menor tiempo posible. De no poder hacerlo, el sistema nacional de defensoría pública proveerá su defensa.

Véase C.P.P. art. 8.

Artículo 304 (mod. por el art. 58 de la Ley 1453 de 2011)**: Formalización de la reclusión.**

Cuando el capturado deba privarse de la libertad, una vez se imponga la medida de aseguramiento o la sentencia condenatoria, el funcionario judicial a cuyas órdenes se encuentre lo entregará inmediatamente en custodia al INPEC o a la autoridad del establecimiento de reclusión que corresponda, para efectuar el ingreso y registro al Sistema Penitenciario y Carcelario. Antes de los momentos procesales indicados el capturado estará bajo la responsabilidad del organismo que efectuó la aprehensión.

La remisión expresará el motivo, la fecha y la hora de la captura.

En caso de que el capturado haya sido conducido a un establecimiento carcelario sin la orden correspondiente, el director la solicitará al funcionario que ordenó su captura. Si transcurridas treinta y seis (36) horas desde el momento de la captura no se ha satisfecho este requisito, será puesto inmediatamente en libertad.

De igual forma deberá cumplirse con carácter inmediato la comunicación al funcionario judicial cuando por cualquier motivo pierda vigencia la privación de la libertad, so pena de incurrir en las sanciones previstas en la ley.

La custodia referida incluye los traslados, remisiones, desarrollo de audiencias y demás diligencias judiciales a que haya lugar.

Parágrafo. El Director del Instituto Nacional Penitenciario y Carcelario, INPEC, ordenará el traslado de cualquier imputado afectado con medida de aseguramiento, consistente en detención preventiva, cuando así lo aconsejen razones de seguridad nacional, orden público, seguridad penitenciaria, descongestión carcelaria, prevención de actividades delincuenciales, intentos de fuga, o seguridad del detenido o de cualquier otro interno.

En estos eventos, el Director del Instituto Nacional Penitenciario y Carcelario-INPEC, informará del traslado al Juez de Control de Garantías y al Juez de Conocimiento cuando este hubiere adquirido competencia. El Instituto Nacional Penitenciario y Carcelario —INPEC— está obligado a garantizar la comparecencia del imputado o acusado ante el Juez que lo requiera, mediante su traslado físico o medios electrónicos.

Véase Ley 1709 de 2014 art. 53. Ley 65 de 1993 art. 75.

Artículo 305: Registro de personas capturadas y detenidas.

Los organismos con atribuciones de policía judicial, llevarán un registro actualizado de las capturas de todo tipo que realicen, con los siguientes datos: identificación del capturado, lugar, fecha y hora en la que se llevó a cabo su captura, razones que la motivaron, funcionario que realizó o formalizó la captura y la autoridad ante la cual fue puesto a disposición.

Para tal efecto, cada entidad deberá remitir el registro previsto en el inciso anterior a la Fiscalía General de la Nación, para que la dependencia a su cargo consolide y actualice dicho registro con la información sobre las capturas realizadas por cada organismo.

Artículo 305A (ad. por el art. 4 de la Ley 1453 de 2011): **Registro nacional de órdenes captura.**

Existirá un registro único nacional en el cual deberán inscribirse todas las órdenes de captura proferidas en el territorio nacional y que deberá estar disponible para las autoridades que ejerzan funciones de Policía Judicial y la Fiscalía General de la Nación. El gobierno reglamentará la materia.

CAPÍTULO III. MEDIDAS DE ASEGURAMIENTO

Artículo 306 (mod. por el art. 59 de la Ley 1453 de 2011): **Solicitud de imposición de medida de aseguramiento.**

El fiscal solicitará al Juez de Control de Garantías imponer medida de aseguramiento, indicando la persona, el delito, los elementos de conocimiento necesarios para sustentar la medida y su urgencia, los cuales se evaluarán en audiencia permitiendo a la defensa la controversia pertinente.

Escuchados los argumentos del fiscal, el ministerio público, la víctima o su apoderado y la defensa, el juez emitirá su decisión.

La presencia del defensor constituye requisito de validez de la respectiva audiencia.

La víctima o su apoderado podrán solicitar al Juez de Control de Garantías, la imposición de la medida de aseguramiento, en los eventos en que esta no sea solicitada por el fiscal.

En dicho caso, el Juez valorará los motivos que sustentan la no solicitud de la medida por parte del Fiscal, para determinar la viabilidad de su imposición.

> Véase Ley 1592 de 2012 art. 22. Ley 975 de 2005 art. 22. Ley 1098 de 2006 art. 199 num. 1.

Artículo 307: Medidas de aseguramiento.

Son medidas de aseguramiento:

A. Privativas de la libertad.

1. Detención preventiva en establecimiento de reclusión.

2. Detención preventiva en la residencia señalada por el imputado, siempre que esa ubicación no obstaculice el juzgamiento;

B. No privativas de la libertad.

1. La obligación de someterse a un mecanismo de vigilancia electrónica.

2. La obligación de someterse a la vigilancia de una persona o institución determinada.

3. La obligación de presentarse periódicamente o cuando sea requerido ante el juez o ante la autoridad que él designe.

4. La obligación de observar buena conducta individual, familiar y social, con especificación de la misma y su relación con el hecho.

5. La prohibición de salir del país, del lugar en el cual reside o del ámbito territorial que fije el juez.

6. La prohibición de concurrir a determinadas reuniones o lugares.

7. La prohibición de comunicarse con determinadas personas o con las víctimas, siempre que no se afecte el derecho a la defensa.

8. La prestación de una caución real adecuada, por el propio imputado o por otra persona, mediante depósito de dinero, valores, constitución de prenda o hipoteca, entrega de bienes o la fianza de una o más personas idóneas.

9. La prohibición de salir del lugar de habitación entre las 6:00 p.m. y las 6:00 a.m.

El juez podrá imponer una o varias de estas medidas de aseguramiento, conjunta o indistintamente, según el caso, adoptando las precauciones necesarias para asegurar su cumplimiento. Si se tratare de una persona de notoria insolvencia, no podrá el juez imponer caución prendaria.

Parágrafo 1° (mod. por el art. 1 de la Ley 1786 de 2016). Salvo lo previsto en los parágrafos 2o y 3o del artículo 317 del Código de Procedimiento Penal (Ley 906 de 2004), el término de las medidas de aseguramiento privativas de la libertad no podrá exceder de un (1) año. Cuando el proceso se surta ante la justicia penal especializada, o sean tres (3) o más los acusados contra quienes estuviere vigente la detención preventiva, o se trate de investigación o juicio de actos de corrupción de los que trata la Ley 1474 de 2011 o de cualquiera de las conductas previstas en el Título IV del Libro Segundo de la Ley 599 de 2000 (Código Penal), dicho término podrá prorrogarse, a solicitud del fiscal o del apoderado de la víctima, hasta por el mismo término inicial. Vencido el término, el Juez de Control de Garantías, a petición de la Fiscalía, de la defensa o del apoderado de la víctima podrá sustituir la medida de aseguramiento privativa de la libertad de que se trate, por otra u otras medidas de aseguramiento no privativas de la libertad de que trata el presente artículo.

En los casos susceptibles de prórroga, los jueces de control de garantías, para resolver sobre la solicitud de levantamiento o prórroga de las medidas de aseguramiento privativas de la libertad, deberán considerar, además de los requisitos contemplados en el artículo 308 del Código de Procedimiento Penal, el tiempo que haya transcurrido por causa de maniobras dilatorias atribuibles a la actividad procesal del interesado o su defensor, caso en el cual dicho tiempo no se contabilizará dentro del término máximo de la medida de aseguramiento privativa de la libertad contemplado en este artículo.

Parágrafo 2° (mod. por el art. 1 de la Ley 1786 de 2016). Las medidas de aseguramiento privativas de la libertad solo podrán imponerse cuando quien las solicita pruebe, ante el Juez de Control de Garantías, que las no privativas de la libertad resultan insuficientes para garantizar el cumplimiento de los fines de la medida de aseguramiento.

Véase Ley 1786 de 2016 arts. 3, 4.

Artículo 307A (ad. 23 de la Ley 1908 de 2018): Término de la detención preventiva.

Cuando se trate de delitos cometidos por miembros de Grupos Delictivos Organizados el término de la medida de aseguramiento privativa de la libertad no podrá exceder de tres (3) años. Cuando se trate de Grupos Armados Organizados, el término de la medida de aseguramiento privativa de la libertad no podrá exceder de cuatro (4) años. Vencido el término anterior sin que se haya emitido sentido del fallo, se sustituirá la medida de aseguramiento por una no privativa de la libertad que permita cumplir con los fines constitucionales de la medida en relación con los derechos de las víctimas, la seguridad de la comunidad, la efectiva administración de justicia y el debido proceso.

La sustitución de la medida de aseguramiento por una no privativa de la libertad deberá efectuarse en audiencia ante el juez de control de garantías. La Fiscalía establecerá la naturaleza de la medida no privativa de la libertad que procedería, presentando los elementos materiales probatorios o la información legalmente obtenida que justifiquen su solicitud.

Parágrafo. La solicitud de revocatoria para miembros de Grupos Delictivos Organizados y Grupos Armados Organizados solo podrá ser solicitada ante los jueces de control de garantías de la ciudad o municipio donde se formuló la imputación y donde se presentó o deba presentarse el escrito de acusación.

Artículo 308: Requisitos.

El juez de control de garantías, a petición del Fiscal General de la Nación o de su delegado, decretará la medida de aseguramiento cuando de los elementos materiales probatorios y evidencia física recogidos y asegurados o de la información obtenidos legalmente, se pueda inferir razonablemente que el imputado puede ser autor o partícipe de la conducta delictiva que se investiga, siempre y cuando se cumpla alguno de los siguientes requisitos:

1. Que la medida de aseguramiento se muestre como necesaria para evitar que el imputado obstruya el debido ejercicio de la justicia.

2. Que el imputado constituye un peligro para la seguridad de la sociedad o de la víctima.

3. Que resulte probable que el imputado no comparecerá al proceso o que no cumplirá la sentencia. (Subrayado EXEQUIBLE, SCC-695, 25-09-2013, M.P. Nilson Pinilla Pinilla).

Parágrafo 1° (ad. por el art. 2 de la Ley 1760 de 2015). La calificación jurídica provisional contra el procesado no será, en sí misma, determinante para inferir el riesgo de obstrucción de la justicia, el peligro para la seguridad de la sociedad o de la víctima y la probabilidad de que el imputado no comparezca al proceso o de que no cumplirá la sentencia. El Juez de Control de Garantías deberá valorar de manera suficiente si en el futuro se configurarán los requisitos para decretar la medida de aseguramiento, sin tener en consideración exclusivamente la conducta punible que se investiga.

Véase C.P.P. arts. 2, 306, 309, 310, 311, 312.

Artículo 309: Obstrucción de la justicia.

Se entenderá que la imposición de la medida de aseguramiento es indispensable para evitar la obstrucción de la justicia, cuando existan motivos graves y fundados que permitan inferir que el imputado podrá destruir, modificar, dirigir, impedir, ocultar o falsificar elementos de prueba; o se considere que inducirá a coimputados, testigos, peritos o terceros para que informen falsamente o se comporten de manera desleal o reticente; o cuando impida o dificulte la realización de las diligencias o la labor de los funcionarios y demás intervinientes en la actuación.

Artículo 310 (mod. por el art. 3 de la Ley 1760 de 2015): Peligro para la comunidad.

Para estimar si la libertad del imputado representa un peligro futuro para la seguridad de la comunidad, además de la gravedad y modalidad de la conducta punible y la pena imponible, el juez deberá valorar las siguientes circunstancias:

1. La continuación de la actividad delictiva o su probable vinculación con organizaciones criminales.

2. El número de delitos que se le imputan y la naturaleza de los mismos.

3. El hecho de estar disfrutando un mecanismo sustitutivo de la pena privativa de la libertad, por delito doloso o preterintencional.

4. La existencia de sentencias condenatorias vigentes por delito doloso o preterintencional.

5. Cuando se utilicen armas de fuego o armas blancas.

6. Cuando el punible sea por abuso sexual con menor de 14 años.

7. Cuando hagan parte o pertenezcan a un grupo de delincuencia organizada.

(Mod. por la Ley 1453 de 2011 art. 65; Ley 1142 de 2007, art. 24. Apartes subrayados EXEQUIBLES, SCC-469, 31-08-2016, M.P. Luis Ernesto Vargas Silva).

Artículo 311: Peligro para la víctima.

Se entenderá que la seguridad de la víctima se encuentra en peligro por la libertad del imputado, cuando existan motivos fundados que permitan inferir que podrá atentar contra ella, su familia o sus bienes.

Artículo 312 (mod. por el art. 25 de la Ley 1142 de 2007)**: No comparecencia.**

Para decidir acerca de la eventual no comparecencia del imputado, se tendrá en cuenta, ~~en especial~~, la gravedad y modalidad de la conducta y la pena imponible, además de los siguientes factores: tacha INEXEQUIBLE SCC-1198, 04-12-2008, M.P. Nilson Pinilla Pinilla).

1. La falta de arraigo en la comunidad, determinado por el domicilio, asiento de la familia, de sus negocios o trabajo y las facilidades que tenga para abandonar definitivamente el país o permanecer oculto.

2. La gravedad del daño causado y la actitud que el imputado asuma frente a este.

3. El comportamiento del imputado durante el procedimiento o en otro anterior, del que se pueda inferir razonablemente su falta de voluntad para sujetarse a la investigación, a la persecución penal y al cumplimiento de la pena.

Artículo 313 (mod. por el art. 60 de la Ley 1453 de 2011)**: Procedencia de la detención preventiva.**

Satisfechos los requisitos señalados en el artículo 308, procederá la detención preventiva en establecimiento carcelario, en los siguientes casos:

1. En los delitos de competencia de los jueces penales de circuito especializados.

2. En los delitos investigables de oficio, cuando el mínimo de la pena prevista por la ley sea o exceda de cuatro (4) años.

3. En los delitos a que se refiere el Título VIII del Libro II del Código Penal, cuando la defraudación sobrepase la cuantía de ciento cincuenta (150) salarios mínimos legales mensuales vigentes.

4. Cuando la persona haya sido capturada por conducta constitutiva de delito o contravención, dentro del lapso de los tres años anteriores, contados a partir de la nueva captura o imputación, siempre que no se haya producido la preclusión o absolución en el caso precedente (num. mod. por el art. 7 de la Ley 1826 de 17 "procedimiento penal especial abreviado y acusador privado").

En el supuesto contemplado por el inciso anterior, se entenderá que la libertad del capturado representa peligro futuro para la sociedad en los términos de los artículos 308 y 310 de este código.

Véase Ley 65 de 1993 art. 21; C.P. arts. 270, 271, 272. C.P.P. art. 35. Ley 1709-14; art. 12.

Artículo 313A (ad. por el art. 24 de la Ley 1908 de 2018)**: Criterios para determinar el peligro para la comunidad y el riesgo de no comparecencia en las investigaciones contra miembros de Grupos Delictivos Organizados y Grupos Armados Organizados.**

En las investigaciones contra miembros de Grupos Delictivos Organizados y Grupos Armados Organizados, para los efectos del artículo 296 de la Ley 906 de 2004, constituirán criterios de peligro futuro y riesgo de no comparecencia, cualquiera de los siguientes:

1. Cuando el tiempo de existencia del grupo supere dos (2) años.

2. La gravedad de las conductas delictivas asociadas con el grupo, especialmente si se trata de delitos como el homicidio, secuestro, extorsión o el lavado de activos.

3. El uso de armas letales en sus acciones delictivas.

4. Cuando la zona territorial o el ámbito de influencia del grupo recaiga sobre cualquier zona del territorio o dentro de los territorios que conforman la cobertura geográfica de los Programas de Desarrollo con Enfoque Territorial (PDET).

5. Cuando el número de miembros del grupo sea superior a quince (15) personas.

6. Haber sido capturado o imputado dentro de los tres años anteriores, por conducta constitutiva de delito doloso.

7. Cuando las víctimas sean defensores de Derechos Humanos o hagan parte de poblaciones con especial protección constitucional. Se pondrá especial énfasis en la protección de mujeres, niñas, niños y adolescentes, quienes han sido afectados por las organizaciones criminales objeto de esta ley. Este enfoque tendrá en cuenta los riesgos específicos que enfrentan las mujeres contra su vida, libertad, integridad y seguridad y serán adecuadas a dichos riesgos.

8. La utilización de menores de edad en la comisión de delitos por parte del grupo.

9. Se tendrá en cuenta los contextos y las particularidades del territorio, incluidas las problemáticas y actores presentes en el que evidencia la amenaza, el riesgo y la vulnerabilidad.

10. Se tendrán en cuenta los informes emitidos por la Defensoría del Pueblo.

Artículo 314 (mod. por el art. 27 de la Ley 1142 de 2007)**: Sustitución de la detención preventiva.**

La detención preventiva en establecimiento carcelario podrá sustituirse por la del lugar de la residencia en los siguientes eventos:

1. Cuando para el cumplimiento de los fines previstos para la medida de aseguramiento sea suficiente la reclusión en el lugar de residencia, aspecto que será fundamentado por quien solicite la sustitución y decidido por el juez en la respectiva audiencia de imposición, en atención a la vida personal, laboral, familiar o social del imputado.

2. Cuando el imputado o acusado fuere mayor de sesenta y cinco (65) años, siempre que su personalidad, la naturaleza y modalidad del delito hagan aconsejable su reclusión en el lugar de residencia (subrayado EXEQUIBLE SCC-910, 07-11-2012, M.P. Luis Guillermo Guerrero Pérez).

3. Cuando a la imputada o acusada le falten dos (2) meses o menos para el parto. Igual derecho tendrá durante los seis (6) meses siguientes a la fecha de nacimiento.

4. Cuando el imputado o acusado estuviere en estado grave por enfermedad, previo dictamen de médicos oficiales.

El juez determinará si el imputado o acusado deberá permanecer en su lugar de residencia, en clínica u hospital.

5. Cuando la imputada o acusada fuere madre cabeza de familia de hijo menor o que sufriere incapacidad permanente, siempre y cuando haya estado bajo su cuidado. En ausencia de ella, el padre que haga sus veces tendrá el mismo beneficio.

La detención en el lugar de residencia comporta los permisos necesarios para los controles médicos de rigor, la ocurrencia del parto, y para trabajar en la hipótesis del numeral 5.

En todos los eventos el beneficiario suscribirá un acta en la cual se compromete a permanecer en el lugar o lugares indicados, a no cambiar de residencia sin previa autorización, a concurrir ante las autoridades cuando fuere requerido y, adicionalmente, podrá imponer la obligación de someterse a los mecanismos de control y vigilancia electrónica o de una persona o institución determinada, según lo disponga el juez.

El control del cumplimiento de la detención en el lugar de residencia estará a cargo del Inpec, el cual realizará un control periódico sobre el cumplimiento de la detención domiciliaria y reportará a la Fiscalía sobre sus resultados para que si se advierten violaciones a las condiciones impuestas por el Juez se puedan adoptar las correspondientes acciones.

Parágrafo 1° (mod. por el art. 5 de la Ley 1944 de 2018). No procederá la sustitución de la detención preventiva en establecimiento carcelario, por detención domiciliaria cuando la imputación se refiera a los siguientes delitos: Los de competencia de los jueces penales del circuito especializados o quien haga sus veces, Tráfico de migrantes (C.P. artículo 188); Acceso carnal o actos sexuales con incapaz de resistir (C.P. artículo 210); Violencia intrafamiliar (C.P. artículo 229); Hurto calificado (C.P. artículo 240); Hurto agravado (C.P. artículo 241, numerales 7, 8, 11, 12 y 15); abigeato (C. P. artículo 243); abigeato agravado (C. P. artículo 243-A); Estafa agravada (C.P. artículo 247); Uso de documentos falsos relacionados con medios motorizados hurtados (C.P. artículo 291); Fabricación, tráfico y porte de armas de fuego o municiones de uso personal, cuando concurra con el delito de concierto para delinquir (C.P. artículos 340 y 365), o los imputados registren sentencias condenatorias vigentes por los mismos delitos; Fabricación, tráfico y porte de armas y municiones de uso privativo de las fuerzas armadas (C.P. artículo 366); Fabricación, importación, tráfico, posesión y uso de armas químicas, biológicas y nucleares (C.P. artículo 367); Peculado por apropiación en cuantía superior a cincuenta (50) salarios mínimos legales mensuales (C.P. artículo 397); Concusión (C.P. artículo 404); Cohecho propio (C.P. artículo 405); Cohecho impropio (C.P. artículo 406); cohecho por dar u ofrecer (C.P. artículo 407); Enriquecimiento Ilícito (C.P. artículo 412); Soborno Transnacional (C.P. artículo 433); Interés Indebido en la Celebración de Contratos (C.P. artículo 409); Contrato sin Cumplimiento de Requisitos Legales (C.P. artículo 410); Tráfico de Influencias (C.P. artículo 411); Receptación repetida, continua (C.P. artículo 447, incisos 1o y 3o); Receptación para ocultar o encubrir el delito de hurto calificado, la receptación para ocultar o encubrir el hurto calificado en concurso con el concierto para delinquir, receptación sobre medio motorizado o sus partes esenciales, o sobre mercancía o combustible que se lleve en ellos (C.P. artículo 447, inciso 2o).

Véase C.P. arts. 38, 38A par. 3., 68A. Ley 1474 de 11 art. 13 inc. Final. Ley 1453 de 2011, art. 3o. par. 3o. Ley 1098 de 2006 art. 199 num. 2; C.N. art. 44.

Artículo 315 (mod. por el art. 28 de la Ley 1142 de 2007)**: Medidas de aseguramiento no privativas de la libertad.**

Cuando se proceda por delitos cuya pena principal no sea privativa de la libertad, o por delitos querellables, o cuando el mínimo de la pena señalada en la ley sea inferior a cuatro (4) años, satisfechos los requisitos del artículo 308, se podrá imponer una o varias de las medidas señaladas en el artículo 307 literal b), siempre que sean razonables y proporcionadas para el cumplimiento de las finalidades previstas.

Véase Ley 1098 de 2006 art. 199 num. 1.

Artículo 316 (mod. por el art. 29 de la Ley 1142 de 2007)**: Incumplimiento.**

Si el imputado o acusado incumpliere alguna de las obligaciones impuestas al concederle la detención domiciliaria, a petición de la Fiscalía o del Ministerio Público, el juez ordenará inmediatamente su reclusión en establecimiento carcelario.

El incumplimiento de las obligaciones impuestas, inherentes a la medida de aseguramiento no privativa de la libertad a que estuviere sometido el imputado o acusado, generará la sustitución de la medida de aseguramiento por otra, de reclusión en el lugar de residencia, o no privativa de la libertad, dependiendo de la gravedad del incumplimiento. En caso de un nuevo incumplimiento se procederá de conformidad con el inciso anterior.

Artículo 317: Causales de libertad.

Las medidas de aseguramiento indicadas en los anteriores artículos tendrán vigencia durante toda la actuación, sin perjuicio de lo establecido en el parágrafo 1o del artículo 307 del presente código sobre las medidas de aseguramiento privativas de la libertad. La libertad del imputado o acusado se cumplirá de inmediato y solo procederá en los siguientes eventos:

1. Cuando se haya cumplido la pena según la determinación anticipada que para este efecto se haga, o se haya decretado la preclusión, o se haya absuelto al acusado.

2. Como consecuencia de la aplicación del Principio de Oportunidad.

3. Como consecuencia de las cláusulas del acuerdo cuando haya sido aceptado por el Juez de Conocimiento.

4. Cuando transcurridos sesenta (60) días contados a partir de la fecha de imputación no se hubiere presentado el escrito de acusación o solicitado la preclusión, conforme a lo dispuesto en el artículo 294.

5. Cuando transcurridos ciento veinte (120) días contados a partir de la fecha de presentación del escrito de acusación, no se haya dado inicio a la audiencia de juicio.

6. Cuando transcurridos ciento cincuenta (150) días contados a partir de la fecha de inicio de la audiencia de juicio, no se haya celebrado la audiencia de lectura de fallo o su equivalente (EXEQUIBLE SCC-221, 19-04-2017 M.P. José Antonio Cepeda Amarís).

Parágrafo 1°. Los términos dispuestos en los numerales 4, 5 y 6 del presente artículo se incrementarán por el mismo término inicial, cuando el proceso se surta ante la justicia penal especializada, o sean tres (3) o más los imputados o acusados, o se trate de investigación o juicio de actos de corrupción de que trata la Ley 1474 de 2011 o de cualquiera de las conductas previstas en el Título IV del Libro Segundo de la Ley 599 de 2000 (Código Penal).

Parágrafo 2°. En los numerales 4 y 5 se restablecerán los términos cuando hubiere improbación de la aceptación de cargos, de los preacuerdos o de la aplicación del principio de oportunidad.

Parágrafo 3° (ad. por el art. 38 de la Ley 1474 de 2011). Cuando la audiencia de juicio oral no se haya podido iniciar o terminar por maniobras dilatorias del acusado o su defensor, no se contabilizarán dentro de los términos contenidos en los numerales 5 y 6 de este artículo, los días empleados en ellas.

Cuando la audiencia no se hubiere podido iniciar o terminar por causa razonable fundada en hechos externos y objetivos de fuerza mayor, ajenos al juez o a la administración de justicia, la audiencia se iniciará o reanudará cuando haya desaparecido dicha causa y a más tardar en un plazo no superior a la mitad del término establecido por el legislador en los numerales 5 y 6 del artículo 317.

Véase C.P.P. arts. 35, 157; 307 par. 1. C.P. art. 68 A.

Artículo 317A (ad. por el art. 25 1908 de 2018)**: Causales de libertad.**

Las medidas de aseguramiento en los casos de miembros de Grupos Delictivos Organizados y Grupos Armados Organizados tendrán vigencia durante toda la actuación. La libertad del imputado o acusado se cumplirá de inmediato y solo procederá en los siguientes eventos:

1. Cuando se haya cumplido la pena según la determinación anticipada que para este efecto se haga, o se haya decretado la preclusión, o se haya absuelto al acusado.

2. Como consecuencia de la aplicación del principio de oportunidad, cuando se trate de modalidad de renuncia.

3. Como consecuencia de las cláusulas del acuerdo cuando haya sido aceptado por el juez de conocimiento.

4. Cuando transcurridos cuatrocientos (400) días contados a partir de la fecha de imputación no se hubiere presentado el escrito de acusación o solicitado la preclusión, conforme a lo dispuesto en el artículo 294 del Código de Procedimiento Penal.

5. Cuando transcurridos quinientos (500) días contados a partir de la fecha de presentación del escrito de acusación, no se haya dado inicio a la audiencia de juicio por causa no imputable al procesado o a su defensa.

6. Cuando transcurridos quinientos (500) días contados a partir de la fecha de inicio de la audiencia de juicio, no se haya emitido el sentido del fallo.

Parágrafo 1°. En los numerales 4 y 5 se restablecerán los términos cuando hubiere improbación de la aceptación de cargos, de los preacuerdos o de la aplicación del principio de oportunidad.

Parágrafo 2°. No se contabilizarán los términos establecidos en los numerales 5 y 6 del presente artículo, cuando la audiencia de juicio oral no se haya podido iniciar o terminar por maniobras dilatorias del acusado o su defensor.

Parágrafo 3°. La libertad de los miembros de Grupos Delictivos Organizados y Grupos Armados Organizados solo podrá ser solicitada ante los jueces de control de garantías de la ciudad o municipio donde se formuló la imputación, y donde se presentó o donde deba presentarse el escrito de acusación.

Cuando la audiencia no se haya podido iniciar o terminar por causa objetiva o de fuerza mayor, por hechos ajenos al juez o a la administración de justicia, la audiencia se iniciará o reanudará cuando haya desaparecido el motivo que la originó.

Parágrafo 4°. No se aplicarán las causales contenidas en los numerales 2 y 3 cuando el procesado se haya acogido al proceso de sometimiento contenido en el Título III de esta ley.

Artículo 318: Solicitud de revocatoria.

Cualquiera de las partes podrá solicitar la revocatoria o la sustitución de la medida de aseguramiento, por una sola vez y ante el juez de control de garantías que corresponda, presentando los elementos materiales probatorios o la información legalmente obtenidos que permitan inferir razonablemente que han desaparecido los requisitos del artículo 308. Contra esta decisión no procede recurso alguno. (Apartes con tacha INEXEQUIBLE, SCC-456, 07-06-2006, M.P. Alfredo Beltrán Sierra).

Artículo 319: De la caución.

Fijada por el juez una caución, el obligado con la misma, si carece de recursos suficientes para prestarla, deberá demostrar suficientemente esa incapacidad así como la cuantía que podría atender dentro del plazo que se le señale.

En el evento en que se demuestre la incapacidad del imputado para prestar caución prendaria, esta podrá ser sustituida por cualquiera de las medidas de aseguramiento previstas en el literal B del artículo 307, de acuerdo con los criterios de razonabilidad, proporcionalidad y necesidad.

Esta decisión no admite recurso.

Véase Ley 270 de 1996 art. 203. Ley 1285 de 2009 art. 20.

Artículo 320: Informe sobre medidas de aseguramiento.

El juez que profiera, modifique o revoque una medida de aseguramiento deberá informarlo a la Fiscalía General de la Nación y al Departamento Administrativo de Seguridad, DAS, a más tardar dentro de los cinco (5) días siguientes a la decisión. Tales datos serán registrados y almacenados en el sistema de información que para el efecto llevará la Fiscalía General de la Nación.

TÍTULO V. PRINCIPIO DE OPORTUNIDAD

Artículo 321: Principio de oportunidad y política criminal.

La aplicación del principio de oportunidad deberá hacerse con sujeción a la política criminal del Estado.

Véase C.N. art. 250.

Artículo 322: Legalidad.

La Fiscalía General de la Nación está obligada a perseguir a los autores y partícipes en los hechos que revistan las características de una conducta punible que llegue a su conocimiento, excepto por la aplicación del principio de oportunidad, en los términos y condiciones previstos en este código.

Véase C.P.P. arts. 66, 114 num. 2.

Artículo 323 (mod. por el art. 1 de la Ley 1312 de 2009): **Aplicación del Principio de Oportunidad.**

La Fiscalía General de la Nación, en la investigación o en el juicio, hasta antes de la audiencia de juzgamiento, podrá suspender, interrumpir o renunciar a la persecución penal, en los casos que establece este código para la aplicación del principio de oportunidad.

El principio de oportunidad es la facultad constitucional que le permite a la Fiscalía General de la Nación, no obstante que existe fundamento para adelantar la persecución penal, suspenderla, interrumpirla o renunciar a ella, por razones de política criminal, según las causales taxativamente definidas en la ley, con sujeción a la reglamentación expedida por el Fiscal General de la Nación y sometido a control de legalidad ante el Juez de Garantías.

Véase C.P.P. arts. 53 num. 4., 77.

Artículo 324 (mod. por el art. 2 de la Ley 1312 de 2009): **Causales.**

El principio de oportunidad se aplicará en los siguientes casos:

1. Cuando se tratare de delitos sancionados con pena privativa de la libertad cuyo máximo señalado en la Ley no exceda de seis (6) años o con pena principal de multa, siempre que se haya reparado integralmente a la víctima conocida o individualizada; si esto último no sucediere, el funcionario competente fijará la caución pertinente a título de garantía de la reparación, una vez oído el concepto del Ministerio Público.

Esta causal es aplicable, igualmente, en los eventos de concurso de conductas punibles siempre y cuando, de forma individual, se cumpla con los límites y las calidades señaladas en el inciso anterior.

2. Cuando a causa de la misma conducta punible la persona fuere entregada en extradición a otra potencia.

3. Cuando la persona fuere entregada en extradición a causa de otra conducta punible y la sanción imponible en Colombia carezca de importancia comparada con la impuesta en el extranjero, con efectos de cosa juzgada.

4. Cuando el imputado o acusado, hasta antes de iniciarse la audiencia de juzgamiento, colabore eficazmente para evitar que el delito continúe

ejecutándose, o que se realicen otros, o cuando suministre información eficaz para la desarticulación de bandas de delincuencia organizada.

5. Cuando el imputado o acusado, hasta antes de iniciarse la audiencia de juzgamiento, se compromete a servir como testigo de cargo contra los demás procesados, bajo inmunidad total o parcial.

En este evento los efectos de la aplicación del principio de oportunidad quedarán en suspenso respecto del procesado testigo hasta cuando cumpla con el compromiso de declarar. Si concluida la audiencia de juzgamiento no lo hubiere hecho, se revocará el beneficio.

6. Cuando el imputado o acusado, hasta antes de iniciarse la audiencia de juzgamiento, haya sufrido, a consecuencia de la conducta culposa, daño físico o moral grave que haga desproporcionada la aplicación de una sanción o implique desconocimiento del principio de humanización de la sanción.

7. Cuando proceda la suspensión del procedimiento a prueba en el marco de la justicia restaurativa y como consecuencia de este se cumpla con las condiciones impuestas.

8. Cuando la realización del procedimiento implique riesgo o amenaza graves a la seguridad exterior del Estado.

9. En los casos de atentados contra bienes jurídicos de la administración pública o de la recta administración de justicia, cuando la afectación al bien jurídico funcional resulte poco significativa y la infracción al deber funcional tenga o haya tenido como respuesta adecuada el reproche institucional y la sanción disciplinaria correspondientes.

10. En delitos contra el patrimonio económico, cuando el objeto material se encuentre en tal alto grado de deterioro respecto de su titular, que la genérica protección brindada por la ley haga más costosa su persecución penal y comporte un reducido y aleatorio beneficio.

11. Cuando la imputación subjetiva sea culposa y los factores, que la determinan califiquen la conducta como de mermada significación jurídica y social.

12. Cuando el juicio de reproche de culpabilidad sea de tan secundaria consideración que haga de la sanción penal una respuesta innecesaria y sin utilidad social.

13. Cuando se afecten mínimamente bienes colectivos, siempre y cuando se dé la reparación integral y pueda deducirse que el hecho no volverá a presentarse.

14. Cuando la persecución penal de un delito comporte problemas sociales más significativos, siempre y cuando exista y se produzca una solución alternativa adecuada a los intereses de las víctimas. Quedan excluidos en todo caso los jefes, organizaciones, promotores, y financiadores del delito.

15. Cuando la conducta se realice excediendo una causal de justificación, si la desproporción significa un menor valor jurídico y social explicable en el ámbito de la culpabilidad.

16. Cuando quien haya prestado su nombre para adquirir o poseer bienes derivados de la actividad de un grupo organizado al margen de la ley o del narcotráfico, los entregue al fondo para Reparación de Víctimas siempre que no se trate de jefes, cabecillas, determinadores, organizadores promotores o directores de la respectiva organización.

17. ~~Al desmovilizado de un grupo armado organizado al margen de la ley que en los términos de la normatividad vigente haya manifestado con actos inequívocos su propósito de reintegrarse a la sociedad, siempre que no haya sido postulado por el Gobierno Nacional al procedimiento y beneficios establecidos en la Ley 975 de 2005 y no cursen en su contra investigaciones por delitos cometidos antes o después de su desmovilización con excepción de la pertenencia a la organización criminal, que para efectos de esta ley incluye la utilización ilegal de uniformes e insignias y el porte ilegal de armas y municiones.~~

~~Para los efectos de este numeral, el fiscal presentará la solicitud para la celebración de audiencias individuales o colectivas para la aplicación del principio de oportunidad.~~

~~Extiéndase esta causal a situaciones ocurridas a partir de la vigencia del Acto Legislativo número 3 de 2002.~~

~~Para la aplicación de esta causal, el desmovilizado deberá firmar una declaración bajo la gravedad de juramento en la que afirme no haber cometido un delito diferente a los establecidos en esta causal, so pena de perder el beneficio dispuesto en este artículo de conformidad con el Có-~~

~~digo Penal~~ (num. INEXEQUIBLE, SCC-936, 23-11-2010, M.P. Luis Ernesto Vargas Silva).

18. num. ad. por el art. 40 de la Ley 1474 de 2011. Cuando el autor o partícipe en los casos de cohecho formulare la respectiva denuncia que da origen a la investigación penal, acompañada de evidencia útil en el juicio, y sirva como testigo de cargo, siempre y cuando repare de manera voluntaria e integral el daño causado.

Los efectos de la aplicación del principio de oportunidad serán revocados si la persona beneficiada con el mismo incumple con las obligaciones en la audiencia de juzgamiento.

El principio de oportunidad se aplicará al servidor público si denunciare primero el delito en las condiciones anotadas.

Parágrafo 1º. En los casos de tráfico de estupefacientes y otras infracciones previstas en el capítulo segundo del título XIII del Código Penal, terrorismo, financiación de terrorismo, y administración de recursos relacionados con actividades terroristas, solo se podrá aplicar el principio de oportunidad, cuando se den las causales cuarta o quinta del presente artículo, siempre que no se trate de jefes, cabecillas, determinadores, organizadores promotores o directores de organizaciones delictivas.

Parágrafo 2º. La aplicación del principio de oportunidad en los casos de delitos sancionados con pena privativa de la libertad cuyo límite máximo exceda de seis (6) años de prisión será proferida por el Fiscal General de la Nación o por quien el delegue de manera especial para el efecto.

Parágrafo 3º. No se podrá aplicar el principio de oportunidad en investigaciones o acusaciones por hechos constitutivos de graves infracciones al Derecho Internacional Humanitario, delitos de lesa humanidad, crímenes de guerra o genocidio, ni cuando tratándose de conductas dolosas la víctima sea un menor de dieciocho (18) años (par. CONDICIONALMENTE EXEQUIBLE SCC-936, 23-11-2010, M.P. Luis Ernesto Vargas Silva "(...) en el entendido de que también comprende las graves violaciones a los derechos humanos").

Parágrafo 4º. No se aplicará el principio de oportunidad al investigado, acusado o enjuiciado vinculado al proceso penal por haber accedido o permanecido en su cargo, curul o denominación pública con el apoyo o colaboración de grupos al margen de la ley o del narcotráfico.

Véase Ley 1098 de 2006 art. 199 num. 3. Ley 742 de 2002.

Artículo 325 (mod. por el art. 3 de la Ley 1312 de 2009)**: Suspensión del procedimiento a prueba.**

El imputado o acusado, hasta antes de la audiencia de juzgamiento, podrá solicitar la suspensión del procedimiento a prueba, de la misma forma en que lo pueden hacer las personas simplemente imputadas, mediante solicitud oral en la que manifieste un plan de reparación del daño y las condiciones que estaría dispuesto a cumplir.

El plan podrá consistir en la mediación con las víctimas, en los casos en que esta sea procedente, la reparación integral de los daños causados a las víctimas o la reparación simbólica, en la forma inmediata o a plazos, en el marco de la justicia restaurativa.

Presentada la solicitud, individual o colectiva, el Fiscal consultará a la víctima y resolverá de inmediato mediante decisión que fijará las condiciones bajo las cuales se suspende el procedimiento, y aprobará o modificará el plan de reparación propuesto por el imputado, conforme a los principios de justicia restaurativa establecida en este Código. Si el procedimiento se reanuda con posterioridad, la admisión de los hechos por parte del imputado no se podrá utilizar como prueba de culpabilidad.

Parágrafo. El Fiscal podrá suspender el procedimiento a prueba cuando para el cumplimiento de la finalidad del principio de oportunidad estime conveniente hacerlo antes de decidir sobre la eventual renuncia al ejercicio de la acción penal.

Artículo 326 (mod. por el art. 4 de la Ley 1312 de 2009)**: Condiciones a cumplir durante el período de prueba.**

El Fiscal fijará el período de prueba, el cual no podrá ser superior a tres (3) años, y determinará una o varias de las condiciones que deberán cumplir el imputado o acusado hasta antes de la Audiencia de juzgamiento, entre las siguientes:

a) Residir en un lugar determinado e informar al Fiscal del conocimiento cualquier cambio del mismo.

b) Participar en programas especiales de tratamiento con el fin de superar problemas de dependencia a drogas o bebidas alcohólicas (EXEQUIBLE SCC-387, 25-06-2014, M.P. Jorge Iván Palacio Palacio).

c) Prestar servicios a favor de instituciones que se dediquen al trabajo social a favor de la comunidad.

d) Someterse a un tratamiento médico o psicológico (EXEQUIBLE SCC-387, 25-06-2014, M.P. Jorge Iván Palacio Palacio).

e) No poseer o portar armas de fuego.

f) No conducir vehículos automotores, naves o aeronaves.

g) La reparación integral a las víctimas, de conformidad con los mecanismos establecidos en la ley.

h) La realización de actividades a favor de la recuperación de las víctimas.

i) La colaboración activa y efectiva en el tratamiento psicológico para la recuperación de las víctimas, siempre y cuando medie su consentimiento.

j) La manifestación pública de arrepentimiento por el hecho que se le imputa.

k) La obligación de observar buena conducta individual, familiar y social.

1) La dejación efectiva de las armas y la manifestación expresa de no participar en actos delictuales.

m) La cooperación activa y efectiva para evitar la continuidad en la ejecución del delito, la comisión de otros delitos y la desarticulación de bandas criminales, redes de narcotráfico, grupos al margen de la ley, o, aquellas organizaciones vinculadas con los delitos a los que hace referencia el parágrafo 2o del artículo 324.

Parágrafo. Durante el periodo de prueba el imputado o acusado hasta antes de la audiencia deberá someterse a la vigilancia que el fiscal determine sin menoscabo de su dignidad. Vencido el periodo de prueba y verificado el cumplimiento de las condiciones, el fiscal solicitará el archivo definitivo de la actuación de acuerdo a lo reglamentado en el artículo siguiente.

Artículo 327 (mod. por el art. 5 de la Ley 1312 de 2009)**: Control judicial en la aplicación del principio de oportunidad.**

El juez de control de garantías deberá efectuar el control de legalidad de las solicitudes individuales o colectivas respectivas dentro de los cinco (5) días siguientes a la determinación de la Fiscalía de dar aplicación al principio de oportunidad.

Dicho control será obligatorio y automático y se realizará en audiencia especial en la que la víctima y el Ministerio Público podrán controvertir la prueba aducida por la Fiscalía General de la Nación para sustentar la decisión. El juez resolverá de plano.

La aplicación del principio de oportunidad y los preacuerdos de los posibles imputados o acusados y la Fiscalía, no podrá comprometer la presunción de inocencia y solo procederán si hay un mínimo de prueba que permita inferir la autoría o participación en la conducta y su tipicidad.

Véase C.P.P. art. 154 num. 7.

Artículo 328: La participación de las víctimas.

En la aplicación del principio de oportunidad el fiscal deberá tener en cuenta los intereses de las víctimas. Para estos efectos deberá oír a las que se hayan hecho presentes en la actuación.

Véase C.P.P. art. 111 lit. d.

Artículo 329: Efectos de la aplicación del principio de oportunidad.

La decisión que prescinda de la persecución extinguirá la acción penal respecto del autor o partícipe en cuyo favor se decide, salvo que la causal que la fundamente se base en la falta de interés del Estado en la persecución del hecho, evento en el cual las consecuencias de la aplicación del principio se extenderán a los demás autores o partícipes en la conducta punible, a menos que la ley exija la reparación integral a las víctimas.

Véase C.P.P. art. 77.

Artículo 330: Reglamentación.

El Fiscal General de la Nación deberá expedir un reglamento, en el que se determine de manera general el procedimiento interno de la entidad para asegurar que la aplicación del principio de oportunidad cumpla con sus finalidades y se ajuste a la Constitución y la ley.

El reglamento expedido por la Fiscalía General de la Nación deberá desarrollar el plan de política criminal del Estado.

(EXEQUIBLE SCC-979, 26-09-2005, M.P. Jaime Córdoba Triviño).

TÍTULO VI. DE LA PRECLUSIÓN

Artículo 331: Preclusión.

En cualquier momento, a partir de la formulación de la imputación el fiscal solicitará al juez de conocimiento la preclusión, si no existiere mérito para acusar.

(Aparte con tacha INEXEQUIBLE, SCC-591, 09-06-2005, M.P. Clara Inés Vargas Hernández. Subrayado EXEQUIBLE, SCC-118, 13-02-2008, M.P. Marco Gerardo Monroy Cabra).

Artículo 332: Causales.

El fiscal solicitará la preclusión en los siguientes casos (subrayado EXEQUIBLE SCC-118, 13-02-2008, M.P. Marco Gerardo Monroy Cabra):

1. Imposibilidad de iniciar o continuar el ejercicio de la acción penal.

2. Existencia de una causal que excluya la responsabilidad, de acuerdo con el Código Penal.

3. Inexistencia del hecho investigado.

4. Atipicidad del hecho investigado.

5. Ausencia de intervención del imputado en el hecho investigado.

6. Imposibilidad de desvirtuar la presunción de inocencia.

7. Vencimiento del término máximo previsto en el inciso segundo del artículo 294 del este código (EXEQUIBLE SCC-806, 20-08-2008, M.P. Humberto Antonio Sierra Porto).

Parágrafo. Durante el juzgamiento, de sobrevenir las causales contempladas en los numerales 1 y 3, el fiscal, el Ministerio Público o la defensa, podrán solicitar al juez de conocimiento la preclusión.

Véase C.P.P. arts. 7, 111 num. 2, 114 num. 10, 294.C.P. arts. 21, 32, 129, 224, 225, 227. 452.

Artículo 333: Trámite.

Previa solicitud del fiscal el juez citará a audiencia, dentro de los cinco (5) días siguientes, en la que se estudiará la petición de preclusión.

Instalada la audiencia, se concederá el uso de la palabra al fiscal para que exponga su solicitud con indicación de los elementos materiales probatorios y evidencia física que sustentaron la imputación, y fundamentación de la causal incoada. (Apartes subrayados en los incisos 1 y 2, EXEQUIBLES, SCC-118, 13-02-2008, M.P. Marco Gerardo Monroy Cabra).

Acto seguido se conferirá el uso de la palabra a la víctima, al agente del Ministerio Público y al defensor del imputado, ~~en el evento en que quisieren oponerse a la petición del fiscal.~~ (Aparte con tacha INEXEQUIBLE, SCC-648, 24-08-2010, M.P. Humberto Antonio Sierra Porto).

En ningún caso habrá lugar a solicitud ni práctica de pruebas.

Agotado el debate el juez podrá decretar un receso hasta por una (1) hora para preparar la decisión que motivará oralmente.

Artículo 334: Efectos de la decisión de preclusión.

En firme la sentencia que decreta la preclusión, cesará con efectos de cosa juzgada la persecución penal en contra del imputado por esos hechos. Igualmente, se revocarán todas las medidas cautelares que se le hayan impuesto.

Véase C.P.P. art. 317 nums. 1, 6.

Artículo 335: Rechazo de la solicitud de preclusión.

En firme el auto que rechaza la preclusión las diligencias volverán a la Fiscalía, restituyéndose el término que duró el trámite de la preclusión.

El juez que conozca de la preclusión quedará impedido para conocer del juicio (subrayado EXEQUIBLE SCC-881, 23-11-2011, M.P. Luis Ernesto Vargas Silva).

Véase C.P.P. art. 56.

LIBRO III
EL JUICIO

TÍTULO I. DE LA ACUSACIÓN

CAPÍTULO I. REQUISITOS FORMALES

Artículo 336: Presentación de la acusación.

El fiscal presentará el escrito de acusación ante el juez competente para adelantar el juicio cuando de los elementos materiales probatorios, evidencia física o información legalmente obtenida, se pueda afirmar, con probabilidad de verdad, que la conducta delictiva existió y que el imputado es su autor o partícipe.

Véase C.P.P. arts. 15, 125 num. 3, 174, 294.

Artículo 337: Contenido de la acusación y documentos anexos.

El escrito de acusación deberá contener:

1. La individualización concreta de quiénes son acusados, incluyendo su nombre, los datos que sirvan para identificarlo y el domicilio de citaciones.

2. Una relación clara y sucinta de los hechos jurídicamente relevantes, en un lenguaje comprensible.

3. El nombre y lugar de citación del abogado de confianza o, en su defecto, del que le designe el Sistema Nacional de Defensoría Pública.

4. La relación de los bienes y recursos afectados con fines de comiso.

5. El descubrimiento de las pruebas. Para este efecto se presentará documento anexo que deberá contener:

a) Los hechos que no requieren prueba.

b) <u>La trascripción de las pruebas anticipadas que se quieran aducir al juicio, siempre y cuando su práctica no pueda repetirse en el mismo</u> (subrayado EXEQUIBLE SCC-C-1154, 15-11-2005, M.P. Manuel José Cepeda Espinosa).

c) El nombre, dirección y datos personales de los testigos o peritos cuya declaración se solicite en el juicio.

d) Los documentos, objetos u otros elementos que quieran aducirse, junto con los respectivos testigos de acreditación.

e) La indicación de los testigos o peritos de descargo indicando su nombre, dirección y datos personales.

f) Los demás elementos favorables al acusado en poder de la Fiscalía.

g) Las declaraciones o deposiciones.

La Fiscalía solamente entregará copia del escrito de acusación con destino al acusado, al Ministerio Público y a las víctimas, ~~con fines únicos de información~~. (Aparte con tacha INEXEQUIBLE, SCC-209, 21-03-2007, M.P. Manuel José Cepeda).

CAPÍTULO II. AUDIENCIA DE FORMULACIÓN DE ACUSACIÓN

Artículo 338: Citación.

Dentro de los tres (3) días siguientes al recibo del escrito de acusación, el juez señalará fecha, hora y lugar para la celebración de la audiencia de formulación de acusación. A falta de sala, el juez podrá habilitar cualquier recinto público idóneo.

Artículo 339: Trámite.

Abierta por el juez la audiencia, ordenará el traslado del escrito de acusación a las demás partes; concederá la palabra a la Fiscalía, Ministerio Público y defensa para que expresen oralmente las causales de incompetencia, impedimentos, recusaciones, nulidades, si las hubiere, y las observaciones sobre el escrito de acusación, si no reúne los requisitos establecidos en el artículo 337, para que el fiscal lo aclare, adicione o corrija de inmediato.

Resuelto lo anterior concederá la palabra al fiscal para que formule la correspondiente acusación.

El juez deberá presidir toda la audiencia y se requerirá para su validez la presencia del fiscal, del abogado defensor y del acusado privado de la libertad, a menos que no desee hacerlo o sea renuente a su traslado.

También podrán concurrir el acusado no privado de la libertad y los demás intervinientes sin que su ausencia afecte la validez.

(CONDICIONALMENTE EXEQUIBLE SCC-209, 21-03-2007 M.P. Manuel José Cepeda "(...) en el entendido de que la víctima también puede intervenir en la audiencia de formulación de acusación para efectuar observaciones al escrito de acusación o manifestarse sobre posibles causales de incompetencia, recusaciones, impedimentos o nulidades").

Artículo 340: La víctima.

En esta audiencia se determinará la calidad de víctima, de conformidad con el artículo 132 de este código. Se reconocerá su representación legal en caso de que se constituya. De existir un número plural de víctimas, el juez podrá determinar igual número de representantes al de defensores para que intervengan en el transcurso del juicio oral.

(EXEQUIBLE SCC-516, 11-07-2007, M.P. Jaime Córdoba Triviño).

Artículo 341 (mod. por el art. 99 de la Ley 1395 de 2010)**: Trámite de impugnación de competencia.**

De las impugnaciones de competencia conocerá el superior jerárquico del juez, quien deberá resolver de plano lo pertinente dentro de los tres (3) días siguientes al recibo de lo actuado.

En el evento de prosperar la impugnación de competencia, el superior deberá remitir la actuación al funcionario competente. Esta decisión no admite recurso alguno.

Artículo 342: Medidas de protección.

Una vez formulada la acusación el juez podrá, a solicitud de la Fiscalía, cuando se considere necesario para la protección integral de las víctimas o testigos, ordenar:

1. Que se fije como domicilio para los efectos de las citaciones y notificaciones, la sede de la Fiscalía, quien las hará llegar reservadamente al destinatario.

2. Que se adopten las medidas necesarias tendientes a ofrecer eficaz protección a víctimas y testigos para conjurar posibles reacciones contra ellos o su familia, originadas en el cumplimiento de su deber testifical.

(CONDICIONALMENTE EXEQUIBLE, SCC-209, 21-03-2007, M.P. Manuel José Cepeda "(...) en el entendido de que la víctima también puede acudir directamente ante el juez competente a solicitar la medida correspondiente").

Véase C.P.P. arts. 11, 133.

Artículo 343: Fecha de la audiencia preparatoria.

Antes de finalizar la audiencia de formulación de acusación el juez tomará las siguientes decisiones:

1. Incorporará las correcciones a la acusación leída.

2. Aprobará o improbará los acuerdos a que hayan llegado las partes.

3. Suspenderá condicionalmente el procedimiento, cuando corresponda.

Concluida la audiencia de formulación de acusación, el juez fijará fecha, hora y sala para la celebración de la audiencia preparatoria, la cual deberá realizarse en un término no inferior a quince (15) días ni superior a los treinta (30) días siguientes a su señalamiento. A falta de sala, el juez podrá habilitar cualquier otro recinto público o privado para el efecto.

Véase C.P.P. art. 175 inc. 3.

CAPÍTULO III. DESCUBRIMIENTO DE LOS ELEMENTOS MATERIALES PROBATORIOS Y EVIDENCIA FÍSICA

Artículo 344: Inicio del descubrimiento.

Dentro de la audiencia de formulación de acusación se cumplirá lo relacionado con el descubrimiento de la prueba. A este respecto la defensa podrá solicitar al juez de conocimiento que ordene a la Fiscalía, o a quien corresponda, el descubrimiento de un elemento material probatorio específico y evidencia física de que tenga conocimiento, y el juez ordenará, si es pertinente, descubrir, exhibir o entregar copia según se solicite, con un plazo máximo de tres (3) días para su cumplimiento.

La Fiscalía, a su vez, podrá pedir al juez que ordene a la defensa entregarle copia de los elementos materiales de convicción, de las declaraciones juradas y demás medios probatorios que pretenda hacer valer en el juicio. Así mismo cuando la defensa piense hacer uso de la inimputabilidad en cualquiera de sus variantes entregará a la Fiscalía los exámenes periciales que le hubieren sido practicados al acusado.

El juez velará porque el descubrimiento sea lo más completo posible durante la audiencia de formulación de acusación.

Sin embargo, si durante el juicio alguna de las partes encuentra un elemento material probatorio y evidencia física muy significativos que debería ser descubierto, lo pondrá en conocimiento del juez quien, oídas las partes y considerado el perjuicio que podría producirse al derecho de defensa y la integridad del juicio, decidirá si es excepcionalmente admisible o si debe excluirse esa prueba.

(CONDICIONALMENTE EXEQUIBLE SCC-209, 21-03-2007, M.P. Manuel José Cepeda, "(...) en el entendido de que la víctima también puede solicitar al juez el descubrimiento de un elemento material probatorio específico o de evidencia física específica". Aparte subrayado CONDICIONALMENTE EXEQUIBLE, SCC-1194, 22-11-2005, M.P. Marco Gerardo Monroy Cabra "(...) en el entendido de que dicha potestad puede ejercerse independientemente de lo previsto en el artículo 250 constitucional que obliga a la Fiscalía General de la Nación, o a sus delegados, en caso de presentarse escrito de acusación, a "suministrar, por conducto del juez de conocimiento, todos los elementos probatorios e informaciones de que tenga noticia incluidos los que le sean favorables al procesado").

Artículo 345: Restricciones al descubrimiento de prueba.

Las partes no podrán ser obligadas a descubrir:

1. Información sobre la cual alguna norma disponga su secreto, como las conversaciones del imputado con su abogado, entre otras.

2. Información sobre hechos ajenos a la acusación, y, en particular, información relativa a hechos que por disposición legal o constitucional no pueden ser objeto de prueba.

3. Apuntes personales, archivos o documentos que obren en poder de la Fiscalía o de la defensa y que formen parte de su trabajo preparatorio del

caso, y cuando no se refieran a la manera como se condujo una entrevista o se realizó una deposición.

4. Información cuyo descubrimiento genere un perjuicio notable para investigaciones en curso o posteriores.

5. Información cuyo descubrimiento afecte la seguridad del Estado.

Parágrafo. En los casos contemplados en los numerales 4 y 5 del presente artículo, se procederá como se indica en el inciso 2° del artículo 383 pero a las partes se les impondrá reserva sobre lo escuchado y discutido.

Artículo 346: Sanciones por el incumplimiento del deber de revelación de información durante el procedimiento de descubrimiento.

Los elementos probatorios y evidencia física que en los términos de los artículos anteriores deban descubrirse y no sean descubiertos, ya sea con o sin orden específica del juez, no podrán ser aducidos al proceso ni convertirse en prueba del mismo, ni practicarse durante el juicio. El juez estará obligado a rechazarlos, salvo que se acredite que su descubrimiento se haya omitido por causas no imputables a la parte afectada.

Artículo 347: Procedimiento para exposiciones.

Cualquiera de las partes podrá aducir al proceso exposiciones, es decir declaraciones juradas de cualquiera de los testigos llamados a juicio, a efectos de impugnar su credibilidad.

La Fiscalía General de la Nación podrá tomar exposiciones de los potenciales testigos que hubiere entrevistado la policía judicial, con el mismo valor anotado en el inciso anterior, si a juicio del fiscal que adelanta la investigación resultare conveniente para la preparación del juicio oral.

Las afirmaciones hechas en las exposiciones, para hacerse valer en el juicio como impugnación, deben ser leídas durante el contrainterrogatorio. No obstante, la información contenida en ellas no puede tomarse como una prueba por no haber sido practicada con sujeción al contrainterrogatorio de las partes.

TÍTULO II. PREACUERDOS Y NEGOCIACIONES ENTRE LA FISCALÍA Y EL IMPUTADO O ACUSADO

CAPÍTULO ÚNICO

Artículo 348: Finalidades.

Con el fin de humanizar la actuación procesal y la pena; obtener pronta y cumplida justicia; activar la solución de los conflictos sociales que genera el delito; propiciar la reparación integral de los perjuicios ocasionados con el injusto y lograr la participación del imputado en la definición de su caso, la Fiscalía y el imputado o acusado podrán llegar a preacuerdos que impliquen la terminación del proceso.

El funcionario, al celebrar los preacuerdos, debe observar las directivas de la Fiscalía General de la Nación y las pautas trazadas como política criminal, a fin de aprestigiar la administración de justicia y evitar su cuestionamiento.

(CONDICIONALMENTE EXEQUIBLE, SCC-516, 11-07-2007, M.P. Jaime Córdoba Triviño "(...) en el entendido que la víctima también podrá intervenir en la celebración de acuerdos y preacuerdo entre la Fiscalía y el imputado o acusado, para lo cual deberá ser oída e informada de su celebración por el fiscal y el juez encargado de aprobar el acuerdo". Aparte subrayado EXEQUIBLE SCC-1260, 05-12-2005, M.P. Clara Inés Vargas Hernández).

Véase Ley 1098 de 2006 art. 199 num. 7.

Artículo 349: Improcedencia de acuerdos o negociaciones con el imputado o acusado.

En los delitos en los cuales el sujeto activo de la conducta punible hubiese obtenido incremento patrimonial fruto del mismo, no se podrá celebrar el acuerdo con la Fiscalía hasta tanto se reintegre, por lo menos, el cincuenta por ciento del valor equivalente al incremento percibido y se asegure el recaudo del remanente.

Véase Ley 1098 de 2006 art. 199 num. 7.

Artículo 350: Preacuerdos desde la audiencia de formulación de imputación.

Desde la audiencia de formulación de imputación y hasta antes de ser presentado el escrito de acusación, la Fiscalía y el imputado podrán llegar a un preacuerdo sobre los términos de la imputación. Obtenido este preacuerdo, el fiscal lo presentará ante el juez de conocimiento como escrito de acusación.

El fiscal y el imputado, a través de su defensor, podrán adelantar conversaciones para llegar a un acuerdo, en el cual el imputado se declarará culpable del delito imputado, o de uno relacionado de pena menor, a cambio de que el fiscal:

1. Elimine de su acusación alguna causal de agravación punitiva, o algún cargo específico.

2. Tipifique la conducta, dentro de su alegación conclusiva, de una forma específica con miras a disminuir la pena.

(Subrayado CONDICIONALMENTE EXEQUIBLE, SCC-1260, 05-12-2005, M.P. Clara Inés Vargas Hernández "(...) en el entendido de que el fiscal, en ejercicio de esta facultad, no puede crear tipos penales y de que en todo caso, a los hechos invocados en su alegación no les puede dar sino la calificación jurídica que corresponda conforme a la ley penal preexistente". Art. CONDICIONALMENTE EXEQUIBLE, SCC-516, 11-07-2007, M.P. Jaime Córdoba Triviño "(...) en el entendido que la víctima también podrá intervenir en la celebración de acuerdos y preacuerdo entre la Fiscalía y el imputado o acusado, para lo cual deberá ser oída e informada de su celebración por el fiscal y el juez encargado de aprobar el acuerdo").

Véase Ley 1098 de 2006 art. 199 num. 7.

Artículo 351: Modalidades.

La aceptación de los cargos determinados en la audiencia de formulación de la imputación, comporta una rebaja hasta de la mitad de la pena imponible, acuerdo que se consignará en el escrito de acusación. (Apartes subrayados EXEQUIBLES SCC-303, 22-05-20013 M.P. Luis Guillermo Guerrero Pérez).

También podrán el fiscal y el imputado llegar a un preacuerdo sobre los hechos imputados y sus consecuencias. Si hubiere un cambio favorable para el imputado con relación a la pena por imponer, esto constituirá la única rebaja compensatoria por el acuerdo. Para efectos de la acusación se procederá en la forma prevista en el inciso anterior.

En el evento que la Fiscalía, por causa de nuevos elementos cognosci-tivos, proyecte formular cargos distintos y más gravosos a los consignados en la formulación de la imputación, los preacuerdos deben referirse a esta nueva y posible imputación.

Los preacuerdos celebrados entre Fiscalía y acusado obligan al juez de conocimiento, salvo que ellos desconozcan o quebranten las garantías fundamentales.

Aprobados los preacuerdos por el juez, procederá a convocar la audien-cia para dictar la sentencia correspondiente.

Las reparaciones efectivas a la víctima que puedan resultar de los preacuerdos entre fiscal e imputado o acusado, pueden aceptarse por la víctima. En caso de rehusarlos, esta podrá acudir a las vías judiciales per-tinentes.

(CONDICIONALMENTE EXEQUIBLE SCC-516, 11-07-2007, M.P. Jaime Córdoba Triviño "(...) en el entendido que la víctima, también podrá in-tervenir en la celebración de acuerdos y preacuerdos entre la Fiscalía y el imputado o acusado, para lo cual deberá ser oída e informada de su cele-bración por el fiscal y el juez encargado de aprobar el acuerdo").

Véase Ley 1761 de 2015 art. 5. Véase Ley 1098 de 2006 art. 199 num. 7. Véase C.P.P. arts. 356 num. 5, 539.

Artículo 352: Preacuerdos posteriores a la presentación de la acusa-ción.

Presentada la acusación y hasta el momento en que sea interrogado el acusado al inicio del juicio oral sobre la aceptación de su responsabilidad, el fiscal y el acusado podrán realizar preacuerdos en los términos previstos en el artículo anterior.

Cuando los preacuerdos se realizaren en este ámbito procesal, la pena imponible se reducirá en una tercera parte.

(CONDICIONALMENTE EXEQUIBLE, SCC-516, 11-07-2007, M.P. Jaime Córdoba Triviño "(...) en el entendido que la víctima también podrá intervenir en la celebración de acuerdos y preacuerdo entre la Fiscalía y el imputado o acusado, para lo cual deberá ser oída e informada de su celebración por el fiscal y el juez encargado de aprobar el acuerdo").

Artículo 353: Aceptación total o parcial de los cargos.

El imputado o acusado podrá aceptar parcialmente los cargos. En estos eventos los beneficios de punibilidad sólo serán extensivos para efectos de lo aceptado.

Artículo 354: Reglas comunes.

Son inexistentes los acuerdos realizados sin la asistencia del defensor. Prevalecerá lo que decida el imputado o acusado en caso de discrepancia con su defensor, de lo cual quedará constancia.

Si la índole de los acuerdos permite la rápida adopción de la sentencia, se citará a audiencia para su proferimiento en la cual brevemente la Fiscalía y el imputado podrán hacer las manifestaciones que crean conveniente, de acuerdo con lo regulado en este código.

TÍTULO III. AUDIENCIA PREPARATORIA

CAPÍTULO I. TRÁMITE

Artículo 355: Instalación de la audiencia preparatoria.

El juez declarará abierta la audiencia con la presencia del fiscal, el defensor, el acusado, el Ministerio Público y la representación de las víctimas, si la hubiere.

Para la validez de esta audiencia será indispensable la presencia del juez, fiscal y defensor.

Artículo 356: Desarrollo de la audiencia preparatoria.

En desarrollo de la audiencia el juez dispondrá:

1. Que las partes manifiesten sus observaciones pertinentes al procedimiento de descubrimiento de elementos probatorios, en especial, si el

efectuado fuera de la sede de la audiencia de formulación de acusación ha quedado completo. Si no lo estuviere, el juez lo rechazará.

2. Que la defensa descubra sus elementos materiales probatorios y evidencia física.

3. Que la Fiscalía y la defensa enuncien la totalidad de las pruebas que harán valer en la audiencia del juicio oral y público.

4. Que las partes manifiesten si tienen interés en hacer estipulaciones probatorias. En este caso decretará un receso por el término de una (1) hora, al cabo de la cual se reanudará la audiencia para que la Fiscalía y la defensa se manifiesten al respecto.

Parágrafo. Se entiende por estipulaciones probatorias los acuerdos celebrados entre la Fiscalía y la defensa para aceptar como probados alguno o algunos de los hechos o sus circunstancias.

5. <u>Que el acusado manifieste si acepta o no los cargos</u>. En el primer caso se procederá a dictar sentencia reduciendo hasta en la tercera parte la pena a imponer, conforme lo previsto en el artículo 351. En el segundo caso se continuará con el trámite ordinario (subrayado del numeral 5 EXEQUIBLE SCC-303, 22-05-2013, M.P. Luis Guillermo Guerrero Pérez).

(CONDICIONALMENTE EXEQUIBLE, SCC-209, 21-03-2007, M.P. Manuel José Cepeda "(...) en el entendido de que la víctima puede hacer observaciones sobre el descubrimiento de elementos probatorios y de la totalidad de las pruebas que se harán valer en la audiencia del juicio oral").

Artículo 357: Solicitudes probatorias.

Durante la audiencia el juez dará la palabra a la Fiscalía y luego a la defensa para que soliciten las pruebas que requieran para sustentar su pretensión.

El juez decretará la práctica de las pruebas solicitadas cuando ellas se refieran a los hechos de la acusación que requieran prueba, de acuerdo con las reglas de pertinencia y admisibilidad previstas en este código. (Inc. EXEQUIBLE, SCC-144, 03-03-2010, M.P. Juan Carlos Henao Pérez).

Las partes pueden probar sus pretensiones a través de los medios lícitos que libremente decidan para que sean debidamente aducidos al proceso.

Excepcionalmente, agotadas las solicitudes probatorias de las partes, si el Ministerio Público tuviere conocimiento de la existencia de una prueba no pedida por estas que pudiere tener esencial influencia en los resultados del juicio, solicitará su práctica.

(EXEQUIBLE, SCC-454, 07-06-2006, M.P. Jaime Córdoba Triviño "(...) en el entendido que los representantes de las víctimas en el proceso penal, pueden realizar solicitudes probatorias en la audiencia preparatoria, en igualdad de condiciones que la defensa y la fiscalía").

Véase C.P.P. arts. 112, 374.

Artículo 358: Exhibición de los elementos materiales de prueba.

A solicitud de las partes, los elementos materiales probatorios y evidencia física podrán ser exhibidos durante la audiencia con el único fin de ser conocidos y estudiados.

(CONDICIONALMENTE EXEQUIBLE, SCC-209, 21-03-2007, M.P. Manuel José Cepeda "(...) en el entendido de que la víctima también puede hacer dicha solicitud").

Artículo 359: Exclusión, rechazo e inadmisibilidad de los medios de prueba.

Las partes y el Ministerio Público podrán solicitar al juez la exclusión, rechazo o inadmisibilidad de los medios de prueba que, de conformidad con las reglas establecidas en este código, resulten inadmisibles, impertinentes, inútiles, repetitivos o encaminados a probar hechos notorios o que por otro motivo no requieran prueba.

Igualmente inadmitirá los medios de prueba que se refieran a las conversaciones que haya tenido la Fiscalía con el imputado, acusado o su defensor en desarrollo de manifestaciones preacordadas, suspensiones condicionales y aplicación del principio de oportunidad, a menos que el imputado, acusado o su defensor consientan en ello.

Cuando el juez excluya, rechace o inadmita una prueba deberá motivar oralmente su decisión y contra ésta procederán los recursos ordinarios.

(CONDICIONALMENTE EXEQUIBLE, SCC-209, 21-03-2007, M.P. Manuel José Cepeda "(...) en el entendido de que la víctima también puede solicitar la exclusión, el rechazo o la inadmisibilidad de los medios de prueba").

Artículo 360: Prueba ilegal.

El juez excluirá la práctica o aducción de medios de prueba ilegales, incluyendo los que se han practicado, aducido o conseguido con violación de los requisitos formales previstos en este código.

Véase C.P.P. art. 23.

Artículo 361: Prohibición de pruebas de oficio.

En ningún caso el juez podrá decretar la práctica de pruebas de oficio. (EXEQUIBLE SCC-396, de 23-05-2007, M.P. Marco Gerardo Monroy Cabra).

Artículo 362: Decisión sobre el orden de la presentación de la prueba.

El juez decidirá el orden en que debe presentarse la prueba. En todo caso, la prueba de la Fiscalía tendrá lugar antes que la de la defensa, sin perjuicio de <u>la presentación de las respectivas pruebas de refutación en cuyo caso serán primero las ofrecidas por la defensa y luego las de la Fiscalía</u> (subrayado EXEQUIBLE, SCC-473, 31-08-2016, M.P. Luis Ernesto Vargas Silva).

CAPÍTULO II. CONCLUSIÓN DE LA AUDIENCIA PREPARATORIA

Artículo 363: Suspensión.

La audiencia preparatoria, además de lo previsto en este código, según proceda, solamente podrá suspenderse:

1. Por el trámite de la apelación de las decisiones relativas a las pruebas, la audiencia se suspenderá hasta que el superior jerárquico profiera su decisión.

2. Por circunstancias de fuerza mayor o caso fortuito debidamente acreditadas, siempre que no puedan remediarse sin suspender la audiencia.

Artículo 364: Reanudación de la audiencia.

El juez señalará el día, hora y sala para la reanudación de la audiencia suspendida en los casos del artículo anterior.

El juez podrá decretar recesos, máximo por dos (2) horas, cuando sean indispensables para el buen entendimiento de la audiencia.

Artículo 365: Fijación de la fecha de inicio del juicio oral.

Concluida la audiencia preparatoria, el juez fijará fecha, hora y sala para el inicio del juicio que deberá realizarse dentro de los treinta (30) días siguientes a la terminación de la audiencia preparatoria.

Véase C.P.P. art. 175.

TÍTULO IV. JUICIO ORAL

CAPÍTULO I. INSTALACIÓN

Artículo 366: Inicio del juicio oral.

El día y hora señalados en la audiencia preparatoria, el juez instalará el juicio oral, previa verificación de la presencia de las partes. Durante el transcurso del juicio, el juez velará porque las personas presentes en el mismo guarden silencio, si no tienen la palabra, y observen decoro y respeto. Igualmente, concederá turnos breves para las intervenciones de las partes con el fin de que se refieran al orden de la audiencia. El juez podrá ordenar el retiro del público asistente que perturbe el desarrollo de la audiencia.

Artículo 367: Alegación inicial.

Una vez instalado el juicio oral, el juez advertirá al acusado, si está presente, que le asiste el derecho a guardar silencio y a no autoincriminarse, y le concederá el uso de la palabra para que manifieste, <u>sin apremio ni juramento, si se declara inocente o culpable.</u> La declaración podrá ser mixta, o sea, de culpabilidad para alguno de los cargos y de inocencia para los otros (subrayado EXEQUIBLE SCC-303, 22-05-2013, M.P. Luis Guillermo Guerrero Pérez).

De declararse culpable tendrá derecho a la rebaja de una sexta parte de la pena imponible respecto de los cargos aceptados.

Si el acusado no hiciere manifestación, se entenderá que es de inocencia. Igual consideración se hará en los casos de contumacia o de persona ausente. Si el acusado se declara inocente se procederá a la presentación del caso.

Véase C.P.P. art. 8 Literal b.

Artículo 368: Condiciones de validez de la manifestación.

De reconocer el acusado su culpabilidad, el juez deberá verificar que actúa de manera libre, voluntaria, debidamente informado de las consecuencias de su decisión y asesorado por su defensor. Igualmente, preguntará al acusado o a su defensor si su aceptación de los cargos corresponde a un acuerdo celebrado con la Fiscalía.

De advertir el juez algún desconocimiento o quebrantamiento de garantías fundamentales, rechazará la alegación de culpabilidad y adelantará el procedimiento como si hubiese habido una alegación de no culpabilidad.

Artículo 369: Manifestaciones de culpabilidad preacordadas.

Si se hubieren realizado manifestaciones de culpabilidad preacordadas entre la defensa y la acusación en los términos previstos en este código, la Fiscalía deberá indicar al juez los términos de la misma, expresando la pretensión punitiva que tuviere.

Si la manifestación fuere aceptada por el juez, se incorporará en la sentencia. Si la rechazare, adelantará el juicio como si hubiese habido una manifestación inicial de inocencia. En este caso, no podrá mencionarse ni será objeto de prueba en el juicio el contenido de las conversaciones entre el fiscal y el defensor, tendientes a las manifestaciones preacordadas. Esta información tampoco podrá ser utilizada en ningún tipo de proceso judicial en contra del acusado.

Artículo 370: Decisión del juez.

Si el juez aceptare las manifestaciones preacordadas, no podrá imponer una pena superior a la que le ha solicitado la Fiscalía y dará aplicación a lo dispuesto en el artículo 447 de este código.

CAPÍTULO II. PRESENTACIÓN DEL CASO

Artículo 371: Declaración inicial.

Antes de proceder a la presentación y práctica de las pruebas, <u>la Fiscalía deberá presentar la teoría del caso</u>. La defensa, si lo desea, podrá hacer lo propio. (Aparte subrayado EXEQUIBLE SCC-209, 21-03-2007, M.P. Manuel José Cepeda. Aparte en cursivas EXEQUIBLE SCC-069, 12-02-2009, M.P. Clara Inés Vargas Hernández).

Al proceder a la práctica de las pruebas se observará el orden señalado en audiencia preparatoria y las reglas previstas en el capítulo siguiente de este código.

CAPÍTULO III. PRÁCTICA DE LA PRUEBA

PARTE I. DISPOSICIONES GENERALES

Artículo 372: Fines.

Las pruebas tienen por fin llevar al conocimiento del juez, más allá de duda razonable, los hechos y circunstancias materia del juicio y los de la responsabilidad penal del acusado, como autor o partícipe.

Véase C.P.P. arts. 5, 7.

Artículo 373: Libertad.

Los hechos y circunstancias de interés para la solución correcta del caso, se podrán probar por cualquiera de los medios establecidos en este código o por cualquier otro medio técnico o científico, que no viole los derechos humanos.

Artículo 374: Oportunidad de pruebas.

Toda prueba deberá ser solicitada o presentada en la audiencia preparatoria, <u>salvo lo dispuesto en el inciso final del artículo 357</u>, y se practicará en el momento correspondiente del juicio oral y público (subrayado EXEQUIBLE SCC-144, 03-03-2010, M.P. Juan Carlos Henao Pérez).

Véase C.P.P. arts. 154 num. 2, 274.

Artículo 375: Pertinencia.

El elemento material probatorio, la evidencia física y el medio de prueba deberán referirse, directa o indirectamente, a los hechos o circunstancias relativos a la comisión de la conducta delictiva y sus consecuencias, así como a la identidad o a la responsabilidad penal del acusado. También es pertinente cuando sólo sirve para hacer más probable o menos probable uno de los hechos o circunstancias mencionados, o se refiere a la credibilidad de un testigo o de un perito.

Artículo 376: Admisibilidad.

Toda prueba pertinente es admisible, salvo en alguno de los siguientes casos:

a) Que exista peligro de causar grave perjuicio indebido;

b) Probabilidad de que genere confusión en lugar de mayor claridad al asunto, o exhiba escaso valor probatorio, y.

c) Que sea injustamente dilatoria del procedimiento.

Artículo 377: Publicidad.

Toda prueba se practicará en la audiencia del juicio oral y público en presencia de las partes, intervinientes que hayan asistido y del público presente, con las limitaciones establecidas en este código.

Véase C.P.P. arts. 8, 10.

Artículo 378: Contradicción.

Las partes tienen la facultad de controvertir, tanto los medios de prueba como los elementos materiales probatorios y evidencia física presentados en el juicio, o aquellos que se practiquen por fuera de la audiencia pública (subrayado EXEQUIBLE SCC-209, 21-03-2007, M.P. Manuel José Cepeda).

Véase C.P.P. art. 15.

Artículo 379: Inmediación.

El juez deberá tener en cuenta como pruebas únicamente las que hayan sido practicadas y controvertidas en su presencia. La admisibilidad de la prueba de referencia es excepcional.

Véase C.P.P. art. 16.

Artículo 380: Criterios de valoración.

Los medios de prueba, los elementos materiales probatorios y la evidencia física, se apreciarán en conjunto. Los criterios para apreciar cada uno de ellos serán señalados en el respectivo capítulo.

Artículo 381: Conocimiento para condenar.

Para condenar se requiere el conocimiento más allá de toda duda, acerca del delito y de la responsabilidad penal del acusado, fundado en las pruebas debatidas en el juicio.

La sentencia condenatoria no podrá fundamentarse exclusivamente en pruebas de referencia.

Véase C.P.P. arts. 7, 437, 438.

Artículo 382: Medios de conocimiento.

Son medios de conocimiento la prueba testimonial, la prueba pericial, la prueba documental, la prueba de inspección, los elementos materiales probatorios, evidencia física, o cualquier otro medio técnico o científico, que no viole el ordenamiento jurídico.

PARTE II. REGLAS GENERALES PARA LA PRUEBA TESTIMONIAL

Artículo 383: Obligación de rendir testimonio.

Toda persona está obligada a rendir, bajo juramento, el testimonio que se le solicite en el juicio oral y público <u>o como prueba anticipada</u>, salvo las excepciones constitucionales y legales (subrayado EXEQUIBLE SCC-1154, 15-11-2005, M.P. Manuel José Cepeda Espinosa).

Al testigo menor de doce (12) años no se le recibirá juramento y en la diligencia deberá estar asistido, en lo posible, por su representante legal o por un pariente mayor de edad. El juez, con fundamento en motivos razonables, podrá practicar el testimonio del menor fuera de la sala de audiencia, de acuerdo con lo previsto en el numeral 5° del artículo 146 de este código, pero siempre en presencia de las partes, quienes harán el interrogatorio como si fuera en juicio público.

Véase Ley 1098 de 2006 art. 193. C.P.P. art. 206 A.

Artículo 384: Medidas especiales para asegurar la comparecencia de testigos.

Si el testigo debidamente citado se negare a comparecer, el juez expedirá a la Policía Nacional o cualquier otra autoridad, orden para su aprehensión y conducción a la sede de la audiencia. Su renuencia a declarar se castigará con arresto hasta por veinticuatro (24) horas, al cabo de las cuales, si persiste su negativa, se le procesará.

Las autoridades indicadas están obligadas a auxiliar oportuna y diligentemente al juez para garantizar la comparecencia obligatoria de los testigos, so pena de falta grave.

Artículo 385: Excepciones constitucionales.

Nadie podrá ser obligado a declarar contra sí mismo o contra su cónyuge, compañera o compañero permanente o parientes dentro del cuarto grado de consanguinidad o civil, o segundo de afinidad. (Subrayado CONDICIONALMENTE EXEQUIBLE SCC-029, 28-01-2009, M.P. Rodrigo Escobar Gil "(...) en el entendido de que las mismas incluyen, en igualdad de condiciones, a los integrantes de las parejas del mismo sexo").

El juez informará sobre estas excepciones a cualquier persona que vaya a rendir testimonio, quien podrá renunciar a ese derecho.

Son casos de excepción al deber de declarar, las relaciones de:

a) Abogado con su cliente;
b) Médico con paciente;
c) Psiquiatra, psicólogo o terapista con el paciente;
d) Trabajador social con el entrevistado;
e) Clérigo con el feligrés;
f) Contador público con el cliente;
g) Periodista con su fuente;
h) Investigador con el informante.

Artículo 386: Impedimento del testigo para concurrir.

Si el testigo estuviere físicamente impedido para concurrir a la audiencia pública donde se practicará la prueba, de no hallarse disponible el sistema de audio vídeo u otro sistema de reproducción a distancia, ésta se realizará en el lugar en que se encuentre, pero siempre en presencia del juez y de las partes que harán el interrogatorio.

El testigo que no permaneciere en el lugar antes mencionado, injustificadamente, incurrirá en arresto hasta por quince (15) días, previo trámite sumario y oral, o en multa entre diez (10) y cien (100) salarios mínimos legales mensuales vigentes.

Artículo 387: Testimonios especiales.

Cuando se requiera el testimonio del Presidente de la República o del Vicepresidente de la República, se informará previamente al declarante sobre la fecha y hora, para que permanezca en su despacho, a donde se trasladarán el juez, las partes y el personal de secretaría necesario para la práctica del medio de prueba. Se observarán en ello las reglas previstas en este capítulo.

Artículo 388: Testimonio de agente diplomático.

Cuando se requiera testimonio de un ministro o agente diplomático de nación extranjera acreditado en Colombia o de una persona de su comitiva o familia se le remitirá al embajador o agente respectivo, por conducto del Ministerio de Relaciones Exteriores, nota suplicatoria para que si lo tiene a bien concurra a declarar o permita que la persona solicitada lo haga, o acceda a rendirlo en sus dependencias.

Artículo 389: Juramento.

Toda autoridad a quien corresponda tomar juramento, amonestará previamente a quien debe prestarlo acerca de la importancia moral y legal del acto y las sanciones penales establecidas contra los que declaren falsamente o incumplan lo prometido, para lo cual se leerán las respectivas disposiciones. Acto seguido se tomará el juramento por medio del cual el testigo se compromete a decir toda la verdad de lo que conoce.

Artículo 390: Examen de los testigos.

Los testigos serán interrogados uno después del otro, en el orden establecido por la parte que los haya solicitado. Primero serán interrogados los testigos de la acusación y luego los de la defensa. Antes de iniciar el interrogatorio a un testigo, el juez le informará de los derechos previstos en la Constitución y la ley, y le exigirá el juramento en la forma señalada en el artículo anterior. Después pedirá que se identifique con sus nombres y apellidos y demás generales de ley.

(EXEQUIBLE SCC-343, 09-05-2007, M.P. Rodrigo Escobar Gil).

Artículo 391: Interrogatorio cruzado del testigo.

Todo declarante, luego de las formalidades indicadas en el artículo anterior, en primer término será interrogado por la parte que hubiere ofrecido su testimonio como prueba. Este interrogatorio, denominado directo, se limitará a los aspectos principales de la controversia, se referirá a los hechos objeto del juicio o relativos a la credibilidad de otro declarante. No se podrán formular preguntas sugestivas ni se insinuará el sentido de las respuestas.

En segundo lugar, si lo desea, la parte distinta a quien solicitó el testimonio, podrá formular preguntas al declarante en forma de contrainterrogatorio que se limitará a los temas abordados en el interrogatorio directo.

Quien hubiere intervenido en el interrogatorio directo podrá agotar un turno de preguntas dirigidas a la aclaración de los puntos debatidos en el contrainterrogatorio, el cual se denomina redirecto. En estos eventos deberán seguirse las mismas reglas del directo.

Finalmente, el declarante podrá ser nuevamente preguntado por la otra parte, si considera necesario hacer claridad sobre las respuestas dadas en el redirecto y sujeto a las pautas del contrainterrogatorio.

(Subrayado EXEQUIBLE SCC-209, 21-03-2007, M.P. Manuel José Cepeda).

Artículo 392: Reglas sobre el interrogatorio.

El interrogatorio se hará observando las siguientes instrucciones:

a) Toda pregunta versará sobre hechos específicos;

b) El juez prohibirá toda pregunta sugestiva, capciosa o confusa;

c) El juez prohibirá toda pregunta que tienda a ofender al testigo;

d) El juez podrá autorizar al testigo para consultar documentos necesarios que ayuden a su memoria. En este caso, durante el interrogatorio, se permitirá a las demás partes el examen de los mismos;

e) El juez excluirá toda pregunta que no sea pertinente.

El juez intervendrá con el fin de que el interrogatorio sea leal y que las respuestas sean claras y precisas.

Artículo 393: Reglas sobre el contrainterrogatorio.

El contrainterrogatorio se hará observando las siguientes instrucciones:

a) La finalidad del contrainterrogatorio es refutar, en todo o en parte, lo que el testigo ha contestado;

b) Para contrainterrogar se puede utilizar cualquier declaración que hubiese hecho el testigo sobre los hechos en entrevista, en declaración jurada durante la investigación o en la propia audiencia del juicio oral.

El testigo deberá permanecer a disposición del juez durante el término que éste determine, el cual no podrá exceder la duración de la práctica de las pruebas, quien podrá ser requerido por las partes para una aclaración o adición de su testimonio, de acuerdo con las reglas anteriores.

Artículo 394: Acusado y coacusado como testigo.

Si el acusado y el coacusado ofrecieren declarar en su propio juicio comparecerán como testigos y bajo la gravedad del juramento serán interrogados, de acuerdo con las reglas previstas en este código. (Subrayado CONDICIONALMENTE EXEQUIBLE, SCC-782, 28-07-2005, M.P. Alfredo Beltrán Sierra "(...) en el entendido que el juramento prestado por el acusado o coacusado declarante no tendrá efectos penales adversos respecto de la declaración sobre su propia conducta; y que, en todo caso, de ello se le informará previamente por el juez, así como del derecho que le asiste a guardar silencio y a no autoincriminarse. Ni del silencio, ni de la negativa a responder, pueden derivarse consecuencias penales adversas al declarante").

Artículo 395: Oposiciones durante el interrogatorio.

La parte que no está interrogando o el Ministerio Público, podrán oponerse a la pregunta del interrogador cuando viole alguna de las reglas anteriores o incurra en alguna de las prohibiciones. El juez decidirá inmediatamente si la oposición es fundada o infundada (subrayado EXEQUIBLE SCC-209, 21-03-2007, M.P. Manuel José Cepeda).

(EXEQUIBLE SCC-343, 09-05-2007, M.P. Rodrigo Escobar Gil).

Artículo 396: Examen separado de testigos.

Los testigos serán interrogados separadamente, de tal manera que no puedan escuchar las declaraciones de quienes les preceden.

Se exceptúa de lo anterior, además de la víctima y el acusado cuando decide declarar, aquellos testigos o peritos que debido al rol desempeñado en la preparación de la investigación se requiera de su presencia ininterrumpida en la sala de audiencias, bien sea apoyando a la Fiscalía o a la defensa.

Artículo 397: Interrogatorio por el juez.

Excepcionalmente el juez podrá intervenir en el interrogatorio o contrainterrogatorio, para conseguir que el testigo responda la pregunta que le han formulado o que lo haga de manera clara y precisa. Una vez terminados los interrogatorios de las partes, el juez y el Ministerio Público podrán hacer preguntas complementarias para el cabal entendimiento del caso. (Subrayado EXEQUIBLE SCC-260, 06-04-2011, M.P. Jorge Iván Palacio Palacio).

Artículo 398: Testigo privado de libertad.

La persona privada de libertad, que fuere citada como testigo a la audiencia del juicio oral y público, será trasladada con la debida antelación y las medidas de seguridad y protección al lugar del juicio. Terminado el interrogatorio y contrainterrogatorio, será devuelto en la forma antes indicada, sin dilación alguna, al sitio de reclusión.

Artículo 399: Testimonio de policía judicial.

El servidor público de policía judicial podrá ser citado al juicio oral y público a rendir testimonio con relación al caso. El juez podrá autorizarlo para consultar su informe y notas relativas al mismo, como recurso para recordar.

Artículo 400: Testigo sordomudo.

Cuando el testigo fuere sordomudo, el juez nombrará intérprete oficial. Si no lo hubiere, el nombramiento recaerá en persona reputada como conocedora del mencionado sistema. Lo anterior no obsta para que pueda estar acompañado por uno designado por él.

El testigo y el intérprete prestarán juramento.

Artículo 401: Testigo de lengua extranjera.

Cuando el testigo de lengua extranjera no comprendiere el idioma castellano, el juez nombrará traductor oficial. Si no lo hubiere, el nombramiento recaerá en persona reputada como idónea para hacer la traducción. Lo anterior no obsta para que pueda estar acompañado por uno designado por él.

El testigo y el traductor prestarán juramento.

Artículo 402: Conocimiento personal.

El testigo únicamente podrá declarar sobre aspectos que en forma directa y personal hubiese tenido la ocasión de observar o percibir. En caso de mediar controversia sobre el fundamento del conocimiento personal podrá objetarse la declaración mediante el procedimiento de impugnación de la credibilidad del testigo.

Artículo 403: Impugnación de la credibilidad del testigo.

La impugnación tiene como única finalidad cuestionar ante el juez la credibilidad del testimonio, con relación a los siguientes aspectos:

1. Naturaleza inverosímil o increíble del testimonio.

2. Capacidad del testigo para percibir, recordar o comunicar cualquier asunto sobre la declaración.

3. Existencia de cualquier tipo de prejuicio, interés u otro motivo de parcialidad por parte del testigo.

4. Manifestaciones anteriores del testigo, incluidas aquellas hechas a terceros, o en entrevistas, exposiciones, declaraciones juradas o interrogatorios en audiencias ante el juez de control de garantías.

5. Carácter o patrón de conducta del testigo en cuanto a la mendacidad.

6. Contradicciones en el contenido de la declaración.

Artículo 404: Apreciación del testimonio.

Para apreciar el testimonio, el juez tendrá en cuenta los principios técnico científicos sobre la percepción y la memoria y, especialmente, lo relativo a la naturaleza del objeto percibido, al estado de sanidad del sentido o sentidos por los cuales se tuvo la percepción, las circunstancias de lugar, tiempo y modo en que se percibió, los procesos de rememoración, el comportamiento del testigo durante el interrogatorio y el contrainterrogatorio, la forma de sus respuestas y su personalidad.

PARTE III. PRUEBA PERICIAL

Artículo 405: Procedencia.

La prueba pericial es procedente cuando sea necesario efectuar valoraciones que requieran conocimientos científicos, técnicos, artísticos o especializados.

Al perito le serán aplicables, en lo que corresponda, las reglas del testimonio.

Artículo 406: Prestación del servicio de peritos.

El servicio de peritos se prestará por los expertos de la policía judicial, del Instituto Nacional de Medicina Legal y Ciencias Forenses, entidades públicas o privadas, y particulares especializados en la materia de que se trate.

Las investigaciones o los análisis se realizarán por el perito o los peritos, según el caso. El informe será firmado por quienes hubieren intervenido en la parte que les corresponda.

Todos los peritos deberán rendir su dictamen bajo la gravedad del juramento.

Artículo 407: Número de peritos.

A menos que se trate de prueba impertinente, irrelevante o superflua, el juez no podrá limitar el número de peritos que sean llamados a declarar en la audiencia pública por las partes.

Artículo 408: Quiénes pueden ser peritos.

Podrán ser peritos, los siguientes:

1. Las personas con título legalmente reconocido en la respectiva ciencia, técnica o arte.

2. En circunstancias diferentes, podrán ser nombradas las personas de reconocido entendimiento en la respectiva ciencia, técnica, arte, oficio o afición aunque se carezca de título.

A los efectos de la cualificación podrán utilizarse todos los medios de prueba admisibles, incluido el propio testimonio del declarante que se presenta como perito.

Artículo 409: Quiénes no pueden ser nombrados.

No pueden ser nombrados, en ningún caso:

1. Los menores de dieciocho (18) años, los interdictos y los enfermos mentales.

2. Quienes hayan sido suspendidos en el ejercicio de la respectiva ciencia, técnica o arte, mientras dure la suspensión.

3. Los que hayan sido condenados por algún delito, a menos que se encuentren rehabilitados.

Artículo 410: Obligatoriedad del cargo de perito.

El nombramiento de perito, tratándose de servidor público, es de forzosa aceptación y ejercicio. Para el particular solo lo será ante falta absoluta de aquellos.

El nombrado sólo podrá excusarse por enfermedad que lo imposibilite para ejercerlo, por carencia de medios adecuados para cumplir el encargo, o por grave perjuicio a sus intereses.

El perito que injustificadamente, se negare a cumplir con su deber será sancionado con multa de diez (10) a cien (100) salarios mínimos legales mensuales vigentes, equivalente en moneda legal colombiana.

Artículo 411: Impedimentos y recusaciones.

Respecto de los peritos serán aplicables las mismas causales de impedimento y recusación señaladas para el juez. El perito cuyo impedimento o recusación haya sido aceptada, será excluido por el juez, en la audiencia preparatoria o, excepcionalmente, en la audiencia del juicio oral y público.

Véase C.P.P. art. 56.

Artículo 412: Comparecencia de los peritos a la audiencia.

Las partes solicitarán al juez que haga comparecer a los peritos al juicio oral y público, para ser interrogados y contrainterrogados en relación con los informes periciales que hubiesen rendido, o para que los rindan en la audiencia.

Artículo 413: Presentación de informes.

Las partes podrán presentar informes de peritos de su confianza y solicitar que éstos sean citados a interrogatorio en el juicio oral y público, acompañando certificación que acredite la idoneidad del perito.

Artículo 414: Admisibilidad del informe y citación del perito.

Si el juez admite el informe presentado por la parte, en la audiencia preparatoria, inmediatamente ordenará citar al perito o peritos que lo suscriben, para que concurran a la audiencia del juicio oral y público con el fin de ser interrogados y contrainterrogados.

Artículo 415: Base de la opinión pericial.

Toda declaración de perito deberá estar precedida de un informe resumido en donde se exprese la base de la opinión pedida por la parte que propuso la práctica de la prueba. Dicho informe deberá ser puesto en conocimiento de las demás partes al menos con cinco (5) días de anticipación a la celebración de la audiencia pública en donde se recepcionará la peritación, sin perjuicio de lo establecido en este código sobre el descubrimiento de la prueba.

En ningún caso, el informe de que trata este artículo será admisible como evidencia, si el perito no declara oralmente en el juicio.

Artículo 416: Acceso a los elementos materiales.

Los peritos, tanto los que hayan rendido informe, como los que sólo serán interrogados y contrainterrogados en la audiencia del juicio oral y público, tendrán acceso a los elementos materiales probatorios y evidencia física a que se refiere el informe pericial o a los que se hará referencia en el interrogatorio.

Artículo 417: Instrucciones para interrogar al perito.

El perito deberá ser interrogado en relación con los siguientes aspectos:

1. Sobre los antecedentes que acrediten su conocimiento teórico sobre la ciencia, técnica o arte en que es experto.

2. Sobre los antecedentes que acrediten su conocimiento en el uso de instrumentos o medios en los cuales es experto.

3. Sobre los antecedentes que acrediten su conocimiento práctico en la ciencia, técnica, arte, oficio o afición aplicables.

4. Sobre los principios científicos, técnicos o artísticos en los que fundamenta sus verificaciones o análisis y grado de aceptación.

5. Sobre los métodos empleados en las investigaciones y análisis relativos al caso.

6. Sobre si en sus exámenes o verificaciones utilizó técnicas de orientación, de probabilidad o de certeza.

7. La corroboración o ratificación de la opinión pericial por otros expertos que declaran también en el mismo juicio, y.

8. Sobre temas similares a los anteriores.

El perito responderá de forma clara y precisa las preguntas que le formulen las partes.

El perito tiene, en todo caso, derecho de consultar documentos, notas escritas y publicaciones con la finalidad de fundamentar y aclarar su respuesta.

Véase C.P.P. art. 125 num. 5.

Artículo 418: Instrucciones para contrainterrogar al perito.

El contrainterrogatorio del perito se cumplirá observando las siguientes instrucciones:

1. La finalidad del contrainterrogatorio es refutar, en todo o en parte, lo que el perito ha informado.

2. En el contrainterrogatorio se podrá utilizar cualquier argumento sustentado en principios, técnicas, métodos o recursos acreditados en divulgaciones técnico científicas calificadas, referentes a la materia de controversia.

Véase C.P.P. art. 125 num. 5.

Artículo 419: Perito impedido para concurrir.

Si el perito estuviera físicamente impedido para concurrir a la audiencia pública donde se practicará la prueba, de no hallarse disponible el sistema de audio vídeo u otro sistema de reproducción a distancia, ésta se cumplirá en el lugar en que se encuentre, en presencia del juez y de las partes que habrán de interrogarlo.

Artículo 420: Apreciación de la prueba pericial.

Para apreciar la prueba pericial, en el juicio oral y público, se tendrá en cuenta la idoneidad técnico científica y moral del perito, la claridad y exactitud de sus respuestas, su comportamiento al responder, el grado de aceptación de los principios científicos, técnicos o artísticos en que se apoya el perito, los instrumentos utilizados y la consistencia del conjunto de respuestas.

Véase C.P.P. art. 251.

Artículo 421: Limitación a las opiniones del perito sobre insanidad mental.

Las declaraciones de los peritos no podrán referirse a la inimputabilidad del acusado. En consecuencia, no se admitirán preguntas para establecer si, a su juicio, el acusado es imputable o inimputable.

Véase C.P. art. 33.

Artículo 422: Admisibilidad de publicaciones científicas y de prueba novel.

Para que una opinión pericial referida a aspectos noveles del conocimiento sea admisible en el juicio, se exigirá como requisito que la base científica o técnica satisfaga al menos uno de los siguientes criterios:

1. Que la teoría o técnica subyacente haya sido o pueda llegar a ser verificada.

2. Que la teoría o técnica subyacente haya sido publicada y haya recibido la crítica de la comunidad académica.

3. Que se haya acreditado el nivel de confiabilidad de la técnica científica utilizada en la base de la opinión pericial.

4. Que goce de aceptabilidad en la comunidad académica.

Artículo 423: Presentación de la evidencia demostrativa.

Será admisible la presentación de evidencias demostrativas siempre que resulten pertinentes y relevantes para el esclarecimiento de los hechos o para ilustrar el testimonio del experto.

PARTE IV. PRUEBA DOCUMENTAL

Artículo 424: Prueba documental.

Para los efectos de este código se entiende por documentos, los siguientes:

1. Los textos manuscritos, mecanografiados o impresos.

2. Las grabaciones magnetofónicas.

3. Discos de todas las especies que contengan grabaciones.

4. Grabaciones fonópticas o vídeos.

5. Películas cinematográficas.

6. Grabaciones computacionales.

7. Mensajes de datos.

8. El télex, telefax y similares.

9. Fotografías.

10. Radiografías.

11. Ecografías.

12. Tomografías.

13. Electroencefalogramas.

14. Electrocardiogramas.

15. Cualquier otro objeto similar o análogo a los anteriores.

Artículo 425: Documento auténtico.

Salvo prueba en contrario, se tendrá como auténtico el documento cuando se tiene conocimiento cierto sobre la persona que lo ha elaborado, manuscrito, mecanografiado, impreso, firmado o producido por algún otro procedimiento. También lo serán la moneda de curso legal, los sellos y efectos oficiales, los títulos valores, los documentos notarial o judicialmente reconocidos, los documentos o instrumentos públicos, aquellos provenientes del extranjero debidamente apostillados, los de origen privado sometidos al trámite de presentación personal o de simple autenticación, las copias de los certificados de registros públicos, las publicaciones oficiales, las publicaciones periódicas de prensa o revistas especializadas, las etiquetas comerciales, y, finalmente, todo documento de aceptación general en la comunidad.

Artículo 426: Métodos de autenticación e identificación.

La autenticidad e identificación del documento se probará por métodos como los siguientes:

1. Reconocimiento de la persona que lo ha elaborado, manuscrito, mecanografiado, impreso, firmado o producido.

2. Reconocimiento de la parte contra la cual se aduce.

3. Mediante certificación expedida por la entidad certificadora de firmas digitales de personas naturales o jurídicas.

4. Mediante informe de experto en la respectiva disciplina sugerida en el artículo 424.

Artículo 427 (mod. por el art. 62 de la Ley 1453 de 2011)**: Documentos procedentes del extranjero.**

Los documentos debidamente apostillados pueden ser ingresados por uno de los investigadores que participaron en el caso o por el investigador que recolectó o recibió el elemento material probatorio.

Artículo 428: Traducción de documentos.

El documento manuscrito, mecanografiado, impreso o producido en idioma distinto del castellano, será traducido por orden del juez y por traductores oficiales. El texto original y el de la traducción constituirán el medio de prueba.

Artículo 429 (mod. por el art. 63 de la Ley 1453 de 2011)**: Presentación de documentos.**

El documento podrá presentarse en original, o en copia autenticada, cuando lo primero no fuese posible o causare grave perjuicio a su poseedor.

El documento podrá ser ingresado por uno de los investigadores que participaron en el caso o por el investigador que recolectó o recibió el elemento material probatorio o evidencia física.

Artículo 429A (ad. por el art. 20 de la Ley 1908 de 2018)**: Cooperación interinstitucional en materia de investigación criminal.**

Los elementos materiales probatorios, evidencia física e información legalmente obtenida, recopilada o producida por las autoridades administrativas en desarrollo de sus competencias y con observancia de los procedimientos propios de las actuaciones disciplinarias, fiscales o sancionatorias, podrán ser utilizados e incorporados a las indagaciones o investigaciones penales correspondientes, sin menoscabar los derechos y procedimientos establecidos en la Constitución Política.

Los conceptos, informes, experticias y demás medios de conocimiento obtenidos, recolectados o producidos por las autoridades administrativas en desarrollo de sus competencias podrán ser ingresados al juicio por quien los suscribe, por cualquiera de los funcionarios que participó en la actuación administrativa correspondiente o por el investigador que recolectó o recibió el elemento material probatorio o evidencia física.

Artículo 430: Documentos anónimos.

Los documentos, cuya autenticación o identificación no sea posible establecer por alguno de los procedimientos previstos en este capítulo, se considerarán anónimos y no podrán admitirse como medio probatorio.

Artículo 431: Empleo de los documentos en el juicio.

Los documentos escritos serán leídos y exhibidos de modo que todos los intervinientes en la audiencia del juicio oral y público puedan conocer su forma y contenido.

Los demás documentos serán exhibidos y proyectados por cualquier medio, para que sean conocidos por los intervinientes mencionados. Cuando se requiera, el experto respectivo lo explicará. Este podrá ser interrogado y contrainterrogado como un perito.

Artículo 432: Apreciación de la prueba documental.
El juez apreciará el documento teniendo en cuenta los siguientes criterios:

1. Que no haya sido alterado en su forma ni en su contenido.
2. Que permita obtener un conocimiento claro y preciso del hecho, declaración o atestación de verdad, que constituye su contenido.
3. Que dicho contenido sea conforme con lo que ordinariamente ocurre.

Artículo 433: Criterio general.
Cuando se exhiba un documento con el propósito de ser valorado como prueba y resulte admisible, conforme con lo previsto en capítulo anterior deberá presentarse el original del mismo como mejor evidencia de su contenido.

Artículo 434: Excepciones a la regla de la mejor evidencia.
Se exceptúa de lo anterior los documentos públicos, o los duplicados auténticos, o aquellos cuyo original se hubiere extraviado o que se encuentran en poder de uno de los intervinientes, o se trata de documentos voluminosos y sólo se requiere una parte o fracción del mismo, o, finalmente, se estipule la innecesariedad de la presentación del original.

Parágrafo. Lo anterior no es óbice para que resulte indispensable la presentación del original del documento, cuando se requiera para la realización de estudios técnicos tales como los de grafología y documentología, o forme parte de la cadena de custodia.

PARTE V. REGLAS RELATIVAS A LA INSPECCIÓN

Artículo 435: Procedencia.
El juez, excepcionalmente, podrá ordenar la realización de una inspección judicial fuera del recinto de audiencia cuando, previa solicitud de la

Fiscalía o la defensa, estime necesaria su práctica dada la imposibilidad de exhibir y autenticar en la audiencia, los elementos materiales probatorios y evidencia física, o cualquier otra evidencia demostrativa de la manera como ocurrieron los hechos objeto de juzgamiento.

En ningún caso el juez podrá utilizar su conocimiento privado para la adopción de la sentencia a que hubiere lugar.

(EXEQUIBLE SCC-1154, 15-11-2005, M.P. Manuel José Cepeda Espinosa).

Artículo 436: Criterios para decretarla.

La inspección judicial únicamente podrá ser decretada, atendidos los siguientes criterios:

1. Que sea imposible realizar la exhibición de autenticación de la evidencia en audiencia.

2. Que resulte de vital importancia para la fundamentación de la sentencia.

3. Que no sea viable lograr el cometido mediante otros medios técnicos.

4. Que sea más económica y práctica la realización de la inspección que la utilización del medio técnico.

5. Que las condiciones del lugar a inspeccionar no hayan variado de manera significativa.

6. Que no se ponga en grave riesgo la seguridad de los intervinientes durante la práctica de la prueba.

El juez inspeccionará el objeto de prueba que le indiquen las partes. Si estas solicitan el concurso de testigos y peritos permitirá que declaren o rindan dictamen de acuerdo con las reglas previstas en este código.

(EXEQUIBLE SCC-1154, 15-11-2005, M.P. Manuel José Cepeda Espinosa).

PARTE VI. REGLAS RELATIVAS A LA PRUEBA DE REFERENCIA

Artículo 437: Noción.

Se considera como prueba de referencia toda declaración realizada fuera del juicio oral y que es utilizada para probar o excluir uno o varios elementos del delito, el grado de intervención en el mismo, las circunstancias de atenuación o de agravación punitivas, la naturaleza y extensión del daño irrogado, y cualquier otro aspecto sustancial objeto del debate, cuando no sea posible practicarla en el juicio.

Artículo 438: Admisión excepcional de la prueba de referencia.

Únicamente es admisible la prueba de referencia cuando el declarante:

a) Manifiesta bajo juramento que ha perdido la memoria sobre los hechos y es corroborada pericialmente dicha afirmación;

b) Es víctima de un delito de secuestro, desaparición forzada <u>o evento similar</u> (subrayado EXEQUIBLE SCC-144, 03-03-2010, M.P. Juan Carlos Henao Pérez).

c) Padece de una grave enfermedad que le impide declarar;

d) Ha fallecido.

e) Es menor de dieciocho (18) años y víctima de los delitos contra la libertad, integridad y formación sexuales tipificados en el Título IV del Código Penal, al igual que en los artículos 138, 139, 141, 188a, 188c, 188d, del mismo Código. (Lit. ad. por el art. 3 de la Ley 1562 de 2013. EXEQUIBLE SCC-177, de 26-03-2014, M.P. Nilson Pinilla Pinilla).

También se aceptará la prueba de referencia cuando las declaraciones se hallen registradas en escritos de pasada memoria o archivos históricos.

Véase C.P.P. art. 440.

Artículo 439: Prueba de referencia múltiple.

Cuando una declaración contenga apartes que constituya prueba de referencia admisible y no admisible, deberán suprimirse aquellos no cobijados por las excepciones previstas en los artículos anteriores, salvo que de proceder de esa manera la declaración se torne ininteligible, en cuyo caso se excluirá la declaración en su integridad.

Artículo 440: Utilización de la prueba de referencia para fines de impugnación.

Podrán utilizarse, con fines de impugnación de la credibilidad del testigo o perito, las declaraciones que no constituyan prueba de referencia inadmisible, de acuerdo con las causales previstas en el artículo 438.

Artículo 441: Impugnación de la credibilidad de la prueba de referencia.

Podrá cuestionarse la credibilidad de la prueba de referencia por cualquier medio probatorio, en los mismos términos que la prueba testimonial.

Lo anterior no obsta para que la prueba de referencia, en lo pertinente, se regule en su admisibilidad y apreciación por las reglas generales de la prueba y en especial por las relacionadas con el testimonio y lo documental.

CAPÍTULO IV. ALEGATOS DE LAS PARTES E INTERVINIENTES

Artículo 442: Petición de absolución perentoria.

Terminada la práctica de las pruebas, el fiscal o el defensor podrán solicitar al juez la absolución perentoria cuando resulten ostensiblemente atípicos los hechos en que se fundamentó la acusación, y el juez resolverá sin escuchar alegatos de las partes e intervinientes. (Subrayado EXEQUIBLE SCC-651, 07-09-2011, M.P. María Victoria Calle Correa).

Artículo 443: Turnos para alegar.

El fiscal expondrá oralmente los argumentos relativos al análisis de la prueba, tipificando de manera circunstanciada la conducta por la cual ha presentado la acusación.

A continuación se dará el uso de la palabra al representante legal de las víctimas, si lo hubiere, y al Ministerio Público, en este orden, quienes podrán presentar sus alegatos atinentes a la responsabilidad del acusado.

Finalmente, la defensa, si lo considera pertinente, expondrá sus argumentos los cuales podrán ser controvertidos exclusivamente por la Fiscalía. Si esto ocurriere la defensa tendrá derecho de réplica y, en todo caso, dispondrá del último turno de intervención argumentativa. Las réplicas se limitarán a los temas abordados (inc. 3 EXEQUIBLE SCC-616, 27-08-2014, M.P. Jorge Ignacio Pretelt Chaljub).

Artículo 444: Extensión de los alegatos.

El juez delimitará en cada caso la extensión máxima de los argumentos de conclusión, en atención al volumen de la prueba vista en la audiencia

493   CÓDIGO DE PROCEDIMIENTO PENAL - LIBRO III   **Art. 447**

pública y la complejidad de los cargos resultantes de los hechos contenidos en la acusación.

Artículo 445: Clausura del debate.
Una vez presentados los alegatos, el juez declarará que el debate ha
terminado y, de ser necesario, podrá decretar un receso hasta por dos (2)
horas para anunciar el sentido del fallo.

CAPÍTULO V. DECISIÓN O SENTIDO DEL FALLO

Artículo 446: Contenido.
La decisión será individualizada frente a cada uno de los enjuiciados
y cargos contenidos en la acusación, y deberá referirse a las solicitudes
hechas en los alegatos finales. El sentido del fallo se dará a conocer de
manera oral y pública inmediatamente después del receso previsto en el
artículo anterior, y deberá contener el delito por el cual se halla a la persona culpable o inocente.

Artículo 447 (mod. por el art. 100 de la Ley 1395 de 2010)**: Individualización de la pena y sentencia.**
Si el fallo fuere condenatorio, o si se aceptare el acuerdo celebrado
con la Fiscalía, el juez concederá brevemente y por una sola vez la palabra
al fiscal y luego a la defensa para que se refieran a las condiciones individuales, familiares, sociales, modo de vivir y antecedentes de todo orden
del culpable. Si lo consideraren conveniente, podrán referirse a la probable
determinación de pena aplicable y la concesión de algún subrogado.

Si el juez para individualizar la pena por imponer, estimare necesario
ampliar la información a que se refiere el inciso anterior, podrá solicitar a
cualquier institución pública o privada, la designación de un experto para
que este, en el término improrrogable de diez (10) días hábiles, responda
su petición.

Escuchados los intervinientes, el juez señalará el lugar, fecha y hora de
la audiencia para proferir sentencia, en un término que no podrá exceder
de quince (15) días contados a partir de la terminación del juicio oral.

Parágrafo. En el término indicado en el inciso anterior se emitirá la sentencia absolutoria.

(CONDICIONALMENTE EXEQUIBLE SCC-250, 06-04-2011, M.P. Mauricio González Cuervo "(...) en el entendido que las víctimas y/o sus representantes en el proceso penal, podrán ser oídos en la etapa de individualización de la pena y la sentencia").

Véase C.P.P. art. 370. C.P. art. 61.

Artículo 448: Congruencia.

El acusado no podrá ser declarado culpable por hechos que no consten en la acusación, ni por delitos por los cuales no se ha solicitado condena.

(EXEQUIBLE SCC-025, 27-01-2010, M.P. Humberto Antonio Sierra Porto).

Artículo 449: Libertad inmediata.

De ser absuelto de la totalidad de los cargos consignados en la acusación el juez dispondrá la inmediata libertad del acusado, si estuviere privado de ella, levantará todas las medidas cautelares impuestas y librará sin dilación las órdenes correspondientes.

~~Tratándose de delitos de competencia de los jueces penales de circuito especializados, la libertad se hará efectiva en firme la sentencia.~~ (Tacha INEXEQUIBLE, SCC-1260, 05-12-2005, M.P. Clara Inés Vargas Hernández).

Artículo 450: Acusado no privado de la libertad.

Si al momento de anunciar el sentido del fallo el acusado declarado culpable no se hallare detenido, el juez podrá disponer que continúe en libertad hasta el momento de dictar sentencia.

Si la detención es necesaria, de conformidad con las normas de este código, el juez la ordenará y librará inmediatamente la orden de encarcelamiento.

(EXEQUIBLE SCC-342, 24-05-2017, M.P. Alberto Rojas Ríos).

Artículo 451: Acusado privado de la libertad.

El juez podrá ordenar su excarcelación siempre y cuando los cargos por los cuales fue encontrado culpable fueren susceptibles, al momento de dictar sentencia, del otorgamiento de un subrogado penal.

Véase C.P.P. art. 317 num. 1.

Artículo 452: Situación de los inimputables.

Si la razón de la decisión fuera la inimputabilidad, el juez dispondrá provisionalmente la medida de seguridad apropiada mientras se profiere el fallo respectivo.

Véase C.P. arts. 33, 69.

Artículo 453: Requerimiento por otra autoridad.

En caso de que el acusado fuere requerido por otra autoridad judicial, emitido el fallo absolutorio, será puesto a disposición de quien corresponda.

Si el fallo fuere condenatorio, se dará cuenta de esta decisión a la autoridad que lo haya requerido.

TÍTULO V. SUSPENSIONES DE LA AUDIENCIA DEL JUICIO ORAL

Artículo 454: Principio de concentración.

La audiencia del juicio oral deberá ser continua salvo que se trate de situaciones sobrevinientes de manifiesta gravedad, y sin existir otra alternativa viable, en cuyo caso podrá suspenderse por el tiempo que dure el fenómeno que ha motivado la suspensión. (Subrayado EXEQUIBLE SCC-144, 03-03-2010, M.P. Juan Carlos Henao Pérez).

El juez podrá decretar recesos, máximo por dos (2) horas cuando no comparezca un testigo y deba hacérsele comparecer coactivamente.

Si el término de suspensión incide por el transcurso del tiempo en la memoria de lo sucedido en la audiencia y, sobre todo de los resultados de las pruebas practicadas, esta se repetirá. Igual procedimiento se realizará si en cualquier etapa del juicio oral se debe cambiar al juez. (Inc. 3 EXEQUIBLE SCC-059, 03-02-2010, M.P. Humberto Antonio Sierra Porto).

Véase C.P.P. art. 17.

TÍTULO VI. INEFICACIA DE LOS ACTOS PROCESALES

Artículo 455: Nulidad derivada de la prueba ilícita.

Para los efectos del artículo 23 se deben considerar, al respecto, los siguientes criterios: el vínculo atenuado, la fuente independiente, el descubrimiento inevitable y los demás que establezca la ley.

(EXEQUIBLE SCC-591, 09-06-2005, M.P. Clara Inés Vargas Hernández).

Artículo 456: Nulidad por incompetencia del juez.

Será motivo de nulidad el que la actuación se hubiere adelantado ante juez incompetente por razón del fuero, o porque su conocimiento esté asignado a los jueces penales de circuito especializados.

Artículo 457: Nulidad por violación a garantías fundamentales.

Es causal de nulidad la violación del derecho de defensa o del debido proceso en aspectos sustanciales.

Los recursos de apelación pendientes de definición al momento de iniciarse el juicio público oral, salvo lo relacionado con la negativa o admisión de pruebas, no invalidan el procedimiento. (Subrayado CONDICIONAL-MENTE EXEQUIBLE SCC-591, 09-06-2005, M.P. Clara Inés Vargas Hernández "(...) en el entendido de que se declarará la nulidad del proceso, cuando se haya presentado en el juicio la prueba ilícita, omitiéndose la regla de exclusión, y esta prueba ilícita haya sido el resultado de tortura, desaparición forzada o ejecución extrajudicial y se enviará a otro juez distinto").

Artículo 458: Principio de taxatividad.

No podrá decretarse ninguna nulidad por causal diferente a las señaladas en este título.

LIBRO IV
EJECUCIÓN DE SENTENCIAS

TÍTULO I. EJECUCIÓN DE PENAS Y MEDIDAS DE SEGURIDAD

CAPÍTULO I. EJECUCIÓN DE PENAS

Artículo 459: Ejecución de penas y medidas de seguridad.

La ejecución de la sanción penal impuesta mediante sentencia ejecutoriada, corresponde a las autoridades penitenciarias bajo la supervisión y control del Instituto Nacional Penitenciario y Carcelario, en coordinación con el juez de ejecución de penas y medidas de seguridad.

En todo lo relacionado con la ejecución de la pena, el Ministerio Público podrá intervenir e interponer los recursos que sean necesarios (inc. EXEQUIBLE SCC-233, 11-05-2016, M.P. Luis Ernesto Vargas Silva).

Véase C.P.P. art. 38.

Artículo 460: Acumulación jurídica.

Las normas que regulan la dosificación de la pena, en caso de concurso de conductas punibles, se aplicarán también cuando los delitos conexos se hubieren fallado independientemente. Igualmente, cuando se hubieren proferido varias sentencias en diferentes procesos. En estos casos la pena impuesta en la primera decisión se tendrá como parte de la sanción a imponer.

No podrán acumularse penas por delitos cometidos con posterioridad al proferimiento de sentencia de primera o única instancia en cualquiera de los procesos, <u>ni penas ya ejecutadas</u>, ni las impuestas por delitos cometidos durante el tiempo que la persona estuviere privada de la libertad (subrayado EXEQUIBLE SCC-1086, 05-12-2008, M.P. Jaime Córdoba Triviño).

Artículo 461: Sustitución de la ejecución de la pena.

El juez de ejecución de penas y medidas de seguridad podrá ordenar al Instituto Nacional Penitenciario y Carcelario la sustitución de la ejecución de la pena, previa caución, en los mismos casos de la sustitución de la detención preventiva.

Véase Ley 1098 de 2006 art. 199 num. 6. C.P. art. 36.

Artículo 462: Aplicación de las penas accesorias.

Cuando se trate de las penas accesorias establecidas en el Código Penal, se procederá de acuerdo con las siguientes normas:

1. Si se trata de la privación del derecho a residir en determinados lugares o de acudir a ellos, se enviará copia de la sentencia a la autoridad judicial y policiva del lugar en donde la residencia se prohíba o donde el sentenciado debe residir. También se oficiará al agente del Ministerio Público para su control.

2. Cuando se trate de inhabilidad para el ejercicio de derechos y funciones públicas, se remitirán copias de la sentencia ejecutoriada a la Registraduría Nacional del Estado Civil y a la Procuraduría General de la Nación.

3. Si se trata de la pérdida de empleo o cargo público, se comunicará a quien haya hecho el nombramiento, la elección o los cuerpos directivos de la respectiva entidad y a la Procuraduría General de la Nación.

4. Si se trata de la inhabilidad para ejercer industria, comercio, arte, profesión u oficio, se ordenará la cancelación del documento que lo autoriza para ejercerlo y se oficiará a la autoridad que lo expidió.

5. En caso de la expulsión del territorio nacional de extranjeros se procederá así:

a) El juez de ejecución de penas, una vez cumplida la pena privativa de la libertad, lo pondrá a disposición del Departamento Administrativo de Seguridad para que lo expulse del territorio nacional, y.

b) En el auto que decrete la libertad definitiva se ordenará poner a la persona a disposición del Departamento Administrativo de Seguridad para su expulsión del territorio nacional.

Cuando la pena fuere inferior a un (1) año de prisión, el juez, si lo considera conveniente, podrá anticipar la expulsión del territorio nacional.

El expulsado, en ningún caso, podrá reingresar al territorio nacional.

6. Si se tratare de la prohibición de consumir bebidas alcohólicas, sustancias estupefacientes o psicotrópicas, se comunicará a las autoridades

policivas del lugar de residencia del sentenciado para que tomen las medidas necesarias para el cumplimiento de esta sanción, oficiando al agente del Ministerio Público para su control.

7. Si se tratare de la inhabilidad especial para el ejercicio de la patria potestad, se oficiará al Ministerio Público, al Instituto Colombiano de Bienestar Familiar, y a la Superintendencia de Notariado y Registro para que haga las anotaciones correspondientes.

En los casos de privación del derecho de conducir vehículos y la inhabilitación especial para la tenencia y porte de armas, se oficiará a las autoridades encargadas de expedir las respectivas autorizaciones, para que las cancelen o las nieguen.

Véase C.P. arts. 42, 52.

Artículo 463: Informes.

La autoridad encargada de cumplir o vigilar el cumplimiento de estas sanciones informará lo pertinente al juez de ejecución de penas y medidas de seguridad.

Artículo 464: Remisión.

Los aspectos relacionados con la ejecución de la pena no regulados en este código se regirán por lo dispuesto en el Código Penal y el Código Penitenciario y Carcelario.

Véase Ley 63 de 1993.

CAPÍTULO II. EJECUCIÓN DE MEDIDAS DE SEGURIDAD

Artículo 465: Entidad competente.

El tratamiento de los inimputables por trastorno mental estará a cargo del Sistema General de Seguridad Social en Salud, a quien corresponderá la ejecución de las medidas de protección y seguridad.

Véase C.P. art. 33.

Artículo 466: Internación de inimputables.

El juez de Ejecución de Penas y Medidas de Seguridad ordenará la internación del inimputable comunicando su decisión a la entidad competente del Sistema General de Seguridad Social en Salud, con el fin de que se asigne el centro de Rehabilitación. El Instituto Nacional Penitenciario y Carcelario, Inpec, pondrá a disposición del Centro de Rehabilitación el inimputable.

Cuando el inimputable no esté a disposición del Inpec, el despacho judicial debe coordinar con la autoridad de policía y la respectiva Dirección Territorial de Salud su traslado al Centro de Rehabilitación en Salud Mental autorizado por el Sistema General de Seguridad Social en Salud.

Si el inimputable queda a disposición de los parientes, estos se comprometerán a ejercer la vigilancia correspondiente y rendir los informes que se soliciten; su traslado se hará previo el otorgamiento de caución y la suscripción de la respectiva diligencia de compromiso.

La autoridad o el particular, a quienes se haya encomendado el inimputable, trimestralmente rendirán los informes al juez de ejecución de penas y medidas de seguridad.

Véase Ley 65 de 1993 art. 24. C.P. arts. 70. 71, 75. Ley 1709 de 2014 art. 16.

Artículo 467: Libertad vigilada.

Impuesta la libertad vigilada, el juez de ejecución de penas y medidas de seguridad comunicará tal medida a las autoridades policivas del lugar, para el cumplimiento de lo dispuesto en el Código Penal, y señalará los controles respectivos.

Véase C.P. art. 74.

Artículo 468: Suspensión, sustitución o cesación de la medida de seguridad.

El juez de ejecución de penas y medidas de seguridad, de oficio o a solicitud de parte y previo concepto de perito oficial y de conformidad con lo dispuesto en el Código Penal, podrá:

1. Suspender condicionalmente la medida de seguridad.

2. Sustituirla por otra más adecuada si así lo estimare conveniente.

3. Ordenar la cesación de tal medida.

En caso de internación en casa de estudio o trabajo el dictamen se sustituirá por concepto escrito y motivado de la junta o consejo directivo del establecimiento en donde se hubiere cumplido esta medida, o de su director a falta de tales organismos.

El beneficiario de la suspensión condicional, o del cambio de la medida de seguridad por una de libertad vigilada, deberá constituir caución, personalmente o por intermedio de su representante legal, en la forma prevista en este código.

Véase Ley 270 de 1996 art. 203. Ley 1285 de 2009 art. 20. C.P. art. 79.

Artículo 469: Revocatoria de la suspensión condicional.

En cualquier momento podrá el juez de ejecución de penas y medidas de seguridad revocar la suspensión condicional de la medida de seguridad o de la medida sustitutiva, cuando se incumplan las obligaciones fijadas en la diligencia de compromiso, o cuando los peritos conceptúen que es necesario la continuación de la medida originaria.

Véase C.P. art. 78.

Artículo 470: Medidas de seguridad para indígenas.

Corresponde a los jueces de ejecución de penas y medidas de seguridad disponer lo necesario para la ejecución de las medidas de seguridad aplicables a los inimputables por diversidad sociocultural, en coordinación con la máxima autoridad indígena de la comunidad respectiva.

(CONDICIONALMENTE EXEQUIBLE SCC-591, 09-06-2005, M.P. Clara Inés Vargas Hernández "(...) en el entendido de que esta norma será aplicable cuando el legislador establezca la medida, respetando lo establecido en la sentencia C-370 de 2002").

Véase C.P. arts. 33, 69.

CAPÍTULO III. LIBERTAD CONDICIONAL

Artículo 471: Solicitud.

El condenado que se hallare en las circunstancias previstas en el Código Penal podrá solicitar al juez de ejecución de penas y medidas de seguridad la libertad condicional, acompañando la resolución favorable del consejo de disciplina, o en su defecto del director del respectivo establecimiento carcelario, copia de la cartilla biográfica y los demás documentos que prueben los requisitos exigidos en el Código Penal, los que deberán ser entregados a más tardar dentro de los tres (3) días siguientes.

Si se ha impuesto pena accesoria de multa, <u>su pago es requisito imprescindible para poder otorgar la libertad condicional</u> (subrayado EXEQUIBLE SCC-665, 28-06-2005, M.P. Rodrigo Escobar Gil).

Véase C.P. art. 64.

Artículo 472: Decisión.

Recibida la solicitud, el juez de ejecución de penas y medidas de seguridad resolverá dentro de los ocho (8) días siguientes, mediante providencia motivada en la cual se impondrán las obligaciones a que se refiere el Código Penal, cuyo cumplimiento se garantizará mediante caución (inc. 1 EXEQUIBLE SCC-233, 11-05-2016, M.P. Luis Ernesto Vargas Silva).

El tiempo necesario para otorgar la libertad condicional se determinará con base en la pena impuesta en la sentencia.

La reducción de las penas por trabajo y estudio, al igual que cualquier otra rebaja de pena que establezca la ley, se tendrá en cuenta como parte cumplida de la pena impuesta o que pudiere imponerse.

Artículo 473: Condición para la revocatoria.

La revocatoria se decretará por el juez de ejecución de penas y medidas de seguridad de oficio o a petición de los encargados de la vigilancia, cuando aparezca demostrado que se han violado las obligaciones contraídas.

CAPÍTULO IV. SUSPENSIÓN CONDICIONAL DE LA EJECUCIÓN DE LA PENA PRIVATIVA DE LA LIBERTAD

Artículo 474: Procedencia.

Para conceder la suspensión condicional de la ejecución de la pena, se dará cumplimiento a lo dispuesto en el Código Penal y se fijará el término dentro del cual el beneficiado debe reparar los daños ocasionados con el delito, salvo que haya bienes secuestrados, decomisados o embargados, que garanticen íntegramente la indemnización.

Si se ha impuesto pena accesoria de multa, su pago es requisito imprescindible para poder otorgar la condena de ejecución condicional, salvo las excepciones de ley (subrayado EXEQUIBLE SCC-665, 28-06-2005, M.P. Rodrigo Escobar Gil).

Véase C.P. art. 63. Ley 975 de 2005 arts. 18B, 61. Ley 1424 de 2010 arts. 7, 8, 9. Ley 1592 de 2012 art. 20.

Artículo 475: Ejecución de la pena por no reparación de los daños.

Si el beneficiado con la suspensión condicional de la ejecución de la pena, sin justa causa, no reparare los daños dentro del término que le ha fijado el juez, se ordenará inmediatamente el cumplimiento de la pena respectiva y se procederá como si la sentencia no se hubiere suspendido.

Artículo 476: Extinción de la condena y devolución de la caución.

Cuando se declare la extinción de la condena conforme al Código Penal, se devolverá la caución y se comunicará a las mismas entidades a quienes se comunicó la sentencia o la suspensión condicional de la ejecución de la pena.

Véase Ley 1424 de 2010 art. 7. par. 2. C.P. art. 67.

CAPÍTULO V. DISPOSICIONES COMUNES A LOS DOS CAPÍTULOS ANTERIORES

Artículo 477: Negación o revocatoria de los mecanismos sustitutivos de la pena privativa de la libertad.

De existir motivos para negar o revocar los mecanismos sustitutivos de la pena privativa de la libertad, el juez de ejecución de penas y medidas de seguridad los pondrá en conocimiento del condenado para dentro del término de tres (3) días presente las explicaciones pertinentes. La decisión se adoptará por auto motivado en los diez (10) días siguientes.

Véase C.P. arts. 65, 66.

Artículo 478: Decisiones.

Las decisiones que adopte el juez de ejecución de penas y medidas de seguridad en relación con mecanismos sustitutivos de la pena privativa de la libertad y la rehabilitación, <u>son apelables ante el juez que profirió la condena en primera o única instancia.</u> (Subrayado EXEQUIBLE SCC-233, 11-05-2016, M.P. Luis Ernesto Vargas Silva).

Artículo 479: Prórroga para el pago de perjuicios.

Cuando el beneficiado con la condena de ejecución condicional no hubiere cumplido la obligación de indemnizar los perjuicios dentro del término señalado, el juez de ejecución de penas y medidas de seguridad, a petición justificada, podrá prorrogar el plazo por una sola vez. Excepcionalmente podrá conceder un segundo plazo. Si no cumpliere se ejecutará la condena.

CAPÍTULO VI. DE LA REHABILITACIÓN

Artículo 480: Concesión.

La rehabilitación de derechos y funciones públicas la concederá el juez de ejecución de penas y medidas de seguridad, previa solicitud del condenado de acuerdo con las normas del presente capítulo y dentro de los plazos determinados por el Código Penal.

La providencia que concede la rehabilitación será publicada en la Gaceta Oficial del respectivo departamento.

Artículo 481: Anexos a la solicitud de rehabilitación.

Con la solicitud de rehabilitación se presentarán:

1. Copias de las sentencias de primera, de segunda instancia y de casación si fuere el caso (num. 1 INCONSTITUCIONAL con efectos diferidos, en cuanto omite la posibilidad de impugnar todas las sentencias condenatorias; y EXEQUIBLE el contenido positivo de la misma disposición. EXHORTA al Congreso de la República para que, en el término de un año contado a partir de la notificación por edicto de esta sentencia, regule integralmente el derecho a impugnar todas las sentencias condenatorias. De no hacerlo, a partir del vencimiento de este término (Notificada Edicto No. 49 de 24-04-15) se entenderá que procede la impugnación de todas las sentencias condenatorias ante el superior de quien impuso la condena' SCC-792, 29-10-2014, M.P. Luis Guillermo Guerrero Pérez).

2. Copia de la cartilla biográfica.

3. Dos declaraciones, por lo menos, de personas de reconocida honorabilidad, sobre la conducta observada después de la condena.

4. Certificado de la entidad bajo cuya vigilancia hubiere estado el peticionario en el período de prueba de la libertad condicional o vigilada, si fuere el caso.

5. Comprobación del pago de los perjuicios civiles cuando fuere posible.

6. Certificado del Departamento Administrativo de Seguridad y de la Procuraduría General de la Nación.

Artículo 482: Comunicaciones.

La providencia que concede la rehabilitación de derechos y funciones públicas, se comunicará a las mismas entidades a quienes se comunicó la sentencia y a la Registraduría Nacional del Estado Civil, para que hagan las anotaciones del caso. En los demás eventos se procederá conforme a la naturaleza del derecho restringido.

Artículo 483: Ampliación de pruebas.

El juez de ejecución de penas y medidas de seguridad que deba resolver la solicitud de rehabilitación puede pedir ampliación o ratificación de las pruebas acompañadas al memorial respectivo y practicar de oficio las pruebas que estime pertinentes, dentro de un plazo no mayor de diez (10) días.

LIBRO V
COOPERACIÓN INTERNACIONAL

CAPÍTULO I. EN MATERIA PROBATORIA

Artículo 484 (mod. por el art. 64 Ley 1453 de 2011)**: Principio general.**
Las autoridades investigativas y judiciales dispondrán lo pertinente para cumplir con los requerimientos de cooperación internacional, por conducto del Ministerio de Relaciones Exteriores, que les sean solicitados de conformidad con la Constitución Política, los instrumentos internacionales y leyes que regulen la materia.

Parágrafo. El requerimiento de una persona, mediante notificación roja, a través de los canales de la Organización Internacional de Policía Criminal, Interpol, tendrá eficacia en el territorio colombiano. En tales eventos la persona retenida será puesta a disposición del despacho del Fiscal General de la Nación, en forma inmediata.

Artículo 485: Solicitudes de cooperación judicial a las autoridades extranjeras.
Los jueces, fiscales y jefes de unidades de policía judicial podrán solicitar a autoridades extranjeras y organismos internacionales, directamente o por los conductos establecidos, cualquier tipo de elemento material probatorio o la práctica de diligencias que resulten necesarias, dentro del ámbito de sus competencias, para un caso que esté siendo investigado o juzgado en Colombia. Las autoridades concernidas podrán comunicarse directamente a fin de determinar la procedencia de las actuaciones relacionadas en la solicitud.

En la solicitud de asistencia se informará a la autoridad requerida los datos necesarios para su desarrollo, se precisarán los hechos que motivan la actuación, el objeto, elementos materiales probatorios, normas presuntamente violadas, identidad y ubicación de personas o bienes cuando ello sea necesario, así como las instrucciones que conviene observar por la autoridad extranjera y el término concedido para el diligenciamiento de la petición.

Artículo 486: Traslado de testigos y peritos.

Una vez agotados los medios técnicos posibles tales como el dispositivo de audiovideo u otro similar, la autoridad competente solicitará la asistencia de los testigos o peritos que sean relevantes y necesarios para la investigación y el juzgamiento, pero la parte interesada correrá con los gastos.

Los testigos y peritos declararán en el juicio oral, con sujeción a las disposiciones de este código.

Parágrafo. Los fiscales o jueces, conforme a las reglas del presente código y con observancia de los conductos legalmente establecidos, podrán solicitar el traslado a territorio extranjero para la práctica de actuaciones de su competencia. Para tal efecto se procederá una vez agotados los medios técnicos posibles previstos en el inciso anterior. En todos los casos deberá solicitarse el traslado, previa autorización de las autoridades extranjeras legitimadas para otorgarla.

Igualmente los jueces y fiscales, en la investigación y juzgamiento y dentro del ámbito de su competencia, podrán requerir directamente a los funcionarios diplomáticos y consulares de Colombia en el exterior para la obtención de elementos materiales probatorios o realizar diligencias que no resulten incompatibles con los principios expresados en este código.

El Fiscal General de la Nación podrá autorizar la presencia de funcionarios judiciales extranjeros para la práctica de diligencias en el territorio nacional, con la dirección y coordinación de un fiscal delegado y la asistencia de un representante del Ministerio Público.

Artículo 487: Delitos transnacionales.

Cuando se trate de delitos que revistan una dimensión internacional, la Fiscalía General de la Nación podrá hacer parte de una comisión internacional e interinstitucional destinada a colaborar en la indagación o investigación.

El Fiscal General de la Nación podrá celebrar con sus homólogos de otras naciones actos dirigidos a fortalecer la cooperación judicial, así como intercambiar tecnología, experiencia, capacitación o cualquier otra actividad que tenga propósitos similares.

Artículo 488: Facultades para evitar dilaciones injustificadas.

Las autoridades encargadas de la investigación y el juzgamiento, tendrán amplias facultades para evitar dilaciones durante el trámite de las solicitudes de asistencia judicial, tomando las decisiones que sean necesarias.

Artículo 489: Límite de la asistencia.

Se podrá prestar asistencia judicial penal, incluso si la conducta por la cual se solicita no se encuentra tipificada por el derecho interno, salvo que resulte contraria a los valores y principios consagrados en la Constitución Política de Colombia.

Parágrafo. La extinción del derecho de dominio o cualquier otra medida que implique la pérdida o suspensión del poder dispositivo sobre bienes, declarada por orden de autoridad extranjera competente, podrá ejecutarse en Colombia.

La decisión que ordena la extinción del derecho de dominio, comiso o cualquier medida definitiva, será puesta en conocimiento de la Fiscalía General de la Nación. Esta determinará si procede la medida solicitada, caso en el cual la enviará al juez competente para que decida mediante sentencia.

El Fiscal General de la Nación podrá crear un fondo de asistencia judicial internacional al que se lleven estos recursos, sin perjuicio de lo que corresponda al Fondo para la inversión social y lucha contra el crimen organizado.

CAPÍTULO II. LA EXTRADICIÓN

Artículo 490: La extradición.

La extradición se podrá solicitar, conceder u ofrecer de acuerdo con los tratados públicos y, en su defecto con la ley.

Además, la extradición de los colombianos por nacimiento se concederá por los delitos cometidos en el exterior, considerados como tales en la legislación penal colombiana.

La extradición no procederá por delitos políticos.

No procederá la extradición de colombianos por nacimiento cuando se trate de hechos cometidos con anterioridad al 17 de diciembre de 1997.

Véase Ley 837 de 2003 art. 9. Ley 876 de 2004. Ley 1108 de 2006. Ley 1278 de 2009. Ley 1663 de 2013. C.N. art. 35, C.P. art. 18.

Artículo 491: Concesión u ofrecimiento de la extradición.

Corresponde al gobierno por medio del Ministerio del Interior y de Justicia, ofrecer o conceder la extradición de una persona condenada o procesada en el exterior, salvo en los casos contemplados en el artículo anterior.

Artículo 492: Extradición facultativa.

La oferta o concesión de la extradición es facultativa del gobierno; pero requiere concepto previo y favorable de la Corte Suprema de Justicia.

Artículo 493: Requisitos para concederla u ofrecerla.

Para que pueda ofrecerse o concederse la extradición se requiere, además:

1. Que el hecho que la motiva también esté previsto como delito en Colombia y reprimido con una sanción privativa de la libertad cuyo mínimo no sea inferior a cuatro (4) años.

2. Que por lo menos se haya dictado en el exterior resolución de acusación o su equivalente.

Artículo 494: Condiciones para el ofrecimiento o concesión.

El gobierno podrá subordinar el ofrecimiento o la concesión de la extradición a las condiciones que considere oportunas. En todo caso deberá exigir que el solicitado no vaya a ser juzgado por un hecho anterior diverso del que motiva la extradición, ni sometido a sanciones distintas de las que se le hubieren impuesto en la condena.

Si según la legislación del Estado requirente, al delito que motiva la extradición corresponde la pena de muerte, la entrega sólo se hará bajo la condición de la conmutación de tal pena, e igualmente, a condición de que al extraditado no se le someta a desaparición forzada, a torturas ni a tratos o penas crueles, inhumanos o degradantes, ni a las penas de destierro, prisión perpetua o confiscación.

Artículo 495: Documentos anexos para la solicitud u ofrecimiento.

La solicitud para que se ofrezca o se conceda la extradición de persona a quien se haya formulado resolución de acusación o su equivalente o condenado en el exterior, deberá hacerse por la vía diplomática, y en casos excepcionales por la consular, o de gobierno a gobierno, con los siguientes documentos:

1. Copia o trascripción auténtica de la sentencia, de la resolución de acusación o su equivalente.

2. Indicación exacta de los actos que determinaron la solicitud de extradición y del lugar y la fecha en que fueron ejecutados.

3. Todos los datos que se posean y que sirvan para establecer la plena identidad de la persona reclamada.

4. Copia auténtica de las disposiciones penales aplicables para el caso.

Los documentos mencionados serán expedidos en la forma prescrita por la legislación del Estado requirente y deberán ser traducidos al castellano, si fuere el caso.

(EXEQUIBLE SCC-460, 14-05-2008, M.P. Nilson Pinilla Pinilla).

Artículo 496: Concepto del Ministerio de Relaciones Exteriores.

Recibida la documentación, el Ministerio de Relaciones Exteriores ordenará que pasen las diligencias al Ministerio del Interior y de Justicia junto con el concepto que exprese si es del caso proceder con sujeción a convenciones o usos internacionales o si se debe obrar de acuerdo con las normas de este código.

Artículo 497: Estudio de la documentación.

El Ministerio del Interior y de Justicia examinará la documentación en un término improrrogable de cinco (5) días y si encuentra que faltan piezas sustanciales en el expediente, lo devolverá al Ministerio de Relaciones Exteriores, con indicación detallada de los nuevos elementos de juicio que sean indispensables.

Artículo 498: Perfeccionamiento de la documentación.

El Ministerio de Relaciones Exteriores adelantará las gestiones que fueren necesarias ante el gobierno extranjero, a fin de que la documentación se complete con los elementos a que se refiere el artículo anterior.

Artículo 499: Envío del expediente a la Corte Suprema de Justicia.

Una vez perfeccionado el expediente, el Ministerio del Interior y de Justicia lo remitirá a la Corte Suprema de Justicia, Sala de Casación Penal, para que esta Corporación emita concepto.

Artículo 500: Trámite.

Recibido el expediente por la Corte, se dará traslado a la persona requerida o a su defensor por el término de diez (10) días para que soliciten las pruebas que consideren necesarias.

Vencido el término de traslado, se abrirá a pruebas la actuación por el término de diez (10) días, más el de distancia, dentro del cual se practicarán las solicitadas y las que a juicio de la Corte Suprema de Justicia sean indispensables para emitir concepto.

Practicadas las pruebas, el proceso se dejará en secretaría por cinco (5) días para alegar.

Parágrafo 1º. Extradición Simplificada (ad. por el art. 70 de la Ley 1453 de 2011). La persona requerida en extradición, con la coadyuvancia de su defensor y del Ministerio Público podrá renunciar al procedimiento previsto en este artículo y solicitar a la Sala de Casación Penal de la Corte Suprema de Justicia de plano el correspondiente concepto, a lo cual procederá dentro de los veinte (20) días siguientes si se cumplen los presupuestos para hacerlo.

Parágrafo 2º (ad. por el art. 70 de la Ley 1453 de 2011). Esta misma facultad opera respecto al trámite de extradición previsto en la Ley 600 de 2000.

Artículo 501: Concepto de la Corte Suprema de Justicia.

Vencido el término anterior, la Corte Suprema de Justicia emitirá concepto.

El concepto negativo de la Corte Suprema de Justicia obligará al gobierno; pero si fuere favorable a la extradición, lo dejará en libertad de obrar según las conveniencias nacionales.

Artículo 502: Fundamentos de la resolución que concede o niega la extradición.

La Corte Suprema de Justicia, fundamentará su concepto en la validez formal de la documentación presentada, en la demostración plena de la identidad del solicitado, en el principio de la doble incriminación, en la equivalencia de la providencia proferida en el extranjero y, cuando fuere el caso, en el cumplimiento de lo previsto en los tratados públicos.

(EXEQUIBLE SCC-460, 14-05-2008, M.P. Nilson Pinilla Pinilla).

Artículo 503: Resolución que niega o concede la extradición.

Recibido el expediente con el concepto de la Corte Suprema de Justicia, habrá un término de quince (15) días para dictar la resolución en que se conceda o se niegue la extradición solicitada.

Artículo 504: Entrega diferida.

Cuando con anterioridad al recibo del requerimiento la persona solicitada hubiere delinquido en Colombia, en la resolución ejecutiva que conceda la extradición, podrá diferir la entrega hasta cuando se le juzgue y cumpla pena, o hasta que por preclusión de la instrucción o sentencia absolutoria haya terminado el proceso.

En el caso previsto en este artículo, el funcionario judicial de conocimiento o el director del establecimiento donde estuviere recluido el interno, pondrá a órdenes del gobierno al solicitado en extradición, tan pronto como cese el motivo para la reclusión en Colombia.

Artículo 505: Prelación en la concesión.

Si una misma persona fuere objeto de solicitudes de extradición por parte de dos (2) o más Estados, será preferida, tratándose de un mismo hecho, la solicitud del país en cuyo territorio fue cometida la infracción; y si se tratare de hechos diversos la solicitud que versare la infracción más grave. En caso de igual gravedad, será preferido el Estado que presentó la primera solicitud de extradición.

Corresponde al gobierno establecer el orden de precedencia cuando hubiere varias demandas de extradición.

Artículo 506: Entrega del extraditado.

Si la extradición fuere concedida, el Fiscal General de la Nación ordenará la captura del procesado si no estuviere privado de la libertad, y lo entregará a los agentes del país que lo hubieren solicitado.

Si fuere rechazada la petición, el Fiscal General de la Nación ordenará poner en libertad al detenido.

Artículo 507: Entrega de objetos.

Junto con la persona reclamada, o posteriormente, se entregarán todos los objetos encontrados en su poder, depositados o escondidos en el país y que estén relacionados con la perpetración de la conducta punible, así como aquellos que puedan servir como elemento de prueba.

Artículo 508: Gastos.

Los gastos de extradición serán sufragados por cada Estado dentro de los límites de su territorio.

Artículo 509: Captura.

El Fiscal General de la Nación decretará la captura de la persona requerida tan pronto conozca la solicitud formal de extradición, o antes, si así lo pide el Estado requirente, mediante nota en que exprese la plena identidad de la persona, la circunstancia de haberse proferido en su contra sentencia condenatoria, acusación o su equivalente y la urgencia de tal medida.

(EXEQUIBLE SCC-243, 01-04-2009, M.P. Jorge Iván Palacio Palacio).

Artículo 510: Derecho de defensa.

Desde el momento en que se inicie el trámite de extradición la persona tendrá derecho a designar un defensor y de no hacerlo se le nombrará de oficio.

Véase C.P.P. art. 8.

Artículo 511: Causales de libertad.

La persona reclamada será puesta en libertad incondicional por el Fiscal General de la Nación, si dentro de los sesenta (60) días siguientes a la fecha de su captura no se hubiere formalizado la petición de extradición, o si transcurrido el término de treinta (30) días desde cuando fuere puesta a disposición del Estado requirente, este no procedió a su traslado.

En los casos aquí previstos, la persona podrá ser capturada nuevamente por el mismo motivo, cuando el Estado requirente formalice la petición de extradición u otorgue las condiciones para el traslado.

(EXEQUIBLE SCC-243, 01-04-2009, M.P. Jorge Iván Palacio Palacio).

Artículo 512: Requisitos para solicitarla.

Sin perjuicio de lo previsto en tratados públicos, cuando contra una persona que se encuentre en el exterior se haya proferido en Colombia resolución que resuelva la situación jurídica, imponiendo medida de aseguramiento, resolución de acusación en firme o sentencia condenatoria por delito que tuviere pena privativa de la libertad no inferior a dos (2) años de prisión, el funcionario que conociere del proceso en primera o única instancia, pedirá al Ministerio del Interior y de Justicia que se solicite la extradición del procesado o condenado, para lo cual remitirá copia de la providencia respectiva y demás documentos que considere conducentes.

La solicitud podrá elevarla el funcionario de segunda instancia cuando sea él quien ha formulado la medida.

Artículo 513: Examen de la documentación.

El Ministerio del Interior y de Justicia examinará la documentación presentada, y si advirtiere que faltan en ella algunos documentos importantes, la devolverá al funcionario judicial con una nota en que se indiquen los nuevos elementos de juicio que deban allegarse al expediente.

Artículo 514: Gestiones diplomáticas para obtener la extradición.

Una vez perfeccionado el expediente, el Ministerio del Interior y de Justicia lo remitirá al de Relaciones Exteriores para que este, sujetándose a los convenios o usos internacionales, adelante las gestiones diplomáticas necesarias para obtener del gobierno extranjero la extradición.

CAPÍTULO III. SENTENCIAS EXTRANJERAS

Artículo 515: Ejecución en Colombia.

Las sentencias penales proferidas por autoridades de otros países contra extranjeros o nacionales colombianos podrán ejecutarse en Colombia a petición formal de las respectivas autoridades extranjeras, formulada por la vía diplomática.

Véase C.P. art. 17.

Artículo 516: Requisitos.

Para que la sentencia extranjera pueda ser ejecutada en nuestro país deben cumplirse como mínimo los siguientes requisitos:

1. Que no se oponga a los Tratados Internacionales suscritos por Colombia, o a la Constitución Política o a las leyes de la República.

2. Que la sentencia se encuentre en firme de conformidad con las disposiciones del país extranjero.

3. Que en Colombia no se haya formulado acusación, ni sentencia ejecutoriada de los jueces nacionales, sobre los mismos hechos, salvo lo previsto en el numeral 1 del artículo 16 del Código Penal.

4. Que a falta de tratados públicos, el Estado requirente ofrezca reciprocidad en casos análogos.

Artículo 517: Trámite.

La solicitud deberá ser tramitada ante el Ministerio de Relaciones Exteriores. Este remitirá el asunto a la Sala Penal de la Corte Suprema de Justicia, la que decidirá sobre la ejecución de la sentencia extranjera.

No se hará nuevo juzgamiento en Colombia, excepto lo dispuesto en el artículo 16 del Código Penal.

LIBRO VI
JUSTICIA RESTAURATIVA

CAPÍTULO I. DISPOSICIONES GENERALES

Artículo 518: Definiciones.

Se entenderá por programa de justicia restaurativa todo proceso en el que la víctima y el imputado, acusado o sentenciado participan conjuntamente de forma activa en la resolución de cuestiones derivadas del delito en busca de un resultado restaurativo, con o sin la participación de un facilitador.

Se entiende por resultado restaurativo, el acuerdo encaminado a atender las necesidades y responsabilidades individuales y colectivas de las partes y a lograr la reintegración de la víctima y del infractor en la comunidad en busca de la reparación, la restitución y el servicio a la comunidad.

Artículo 519: Reglas Generales.

Los procesos de justicia restaurativa se regirán por los principios generales establecidos en el presente código y en particular por las siguientes reglas:

1. Consentimiento libre y voluntario de la víctima y el imputado, acusado o sentenciado de someter el conflicto a un proceso restaurativo. Tanto la víctima como el imputado, acusado o sentenciado podrán retirar este consentimiento en cualquier momento de la actuación.

2. Los acuerdos que se alcancen deberán contener obligaciones razonables y proporcionadas con el daño ocasionado con el delito.

3. La participación del imputado, acusado o sentenciado no se utilizará como prueba de admisión de culpabilidad en procedimientos jurídicos ulteriores.

4. El incumplimiento de un acuerdo no deberá utilizarse como fundamento para una condena o para la agravación de la pena.

5. Los facilitadores deben desempeñar sus funciones de manera imparcial y velarán porque la víctima y el imputado, acusado o sentenciado actúen con mutuo respeto.

6. La víctima y el imputado, acusado o sentenciado tendrán derecho a consultar a un abogado.

Artículo 520: Condiciones para la remisión a los programas de justicia Restaurativa.

El fiscal o el juez, para remitir un caso a los programas de justicia restaurativa, deberá:

1. Informar plenamente a las partes de sus derechos, de la naturaleza del proceso y de las posibles consecuencias de su decisión.

2. Cerciorarse que no se haya coaccionado a la víctima ni al infractor para que participen en procesos restaurativos o acepten resultados restaurativos, ni se los haya inducido a hacerlo por medios desleales.

Artículo 521: Mecanismos.

Son mecanismos de justicia restaurativa la conciliación preprocesal, la conciliación en el incidente de reparación integral y la mediación.

CAPÍTULO II. CONCILIACIÓN PREPROCESAL

Artículo 522: La conciliación en los delitos querellables.

La conciliación se surtirá obligatoriamente y como requisito de procedibilidad para el ejercicio de la acción penal, cuando se trate de delitos querellables, ante el fiscal que corresponda, o en un centro de conciliación o ante un conciliador reconocido como tal.

En el primer evento, el fiscal citará a querellante y querellado a diligencia de conciliación. Si hubiere acuerdo procederá a archivar las diligencias. En caso contrario, ejercitará la acción penal correspondiente, sin perjuicio de que las partes acudan al mecanismo de la mediación.

Si la audiencia de conciliación se realizare ante un centro o conciliador reconocidos como tales, el conciliador enviará copia del acta que así lo constate al fiscal quien procederá al archivo de las diligencias si fue exitosa o, en caso contrario, iniciará la acción penal correspondiente, si fuere procedente, sin perjuicio de que las partes acudan al mecanismo de la mediación.

La inasistencia injustificada del querellante se entenderá como desistimiento de su pretensión. La del querellado motivará el ejercicio de la acción penal, si fuere procedente.

En cualquier caso, si alguno de los citados fuere incapaz, concurrirá su representante legal.

La conciliación se ceñirá, en lo pertinente, a lo establecido en la Ley 640 de 2001.

Véase C.P.P. art. 74.

CAPÍTULO III. MEDIACIÓN

Artículo 523: Concepto.

Mediación es un mecanismo por medio del cual un tercero neutral, particular o servidor público designado por el Fiscal General de la Nación o su delegado, conforme con el manual que se expida para la materia, trata de permitir el intercambio de opiniones entre víctima y el imputado o acusado para que confronten sus puntos de vista y, con su ayuda, logren solucionar el conflicto que les enfrenta.

La mediación podrá referirse a la reparación, restitución o resarcimiento de los perjuicios causados; realización o abstención de determinada conducta; prestación de servicios a la comunidad; o pedimento de disculpas o perdón.

Artículo 524: Procedencia.

La mediación procede desde la formulación de la imputación y hasta antes del inicio del juicio oral para los delitos perseguibles de oficio cuyo mínimo de pena no exceda de cinco (5) años de prisión, siempre y cuando el bien jurídico protegido no sobrepase la órbita personal del perjudicado, y víctima, imputado o acusado acepten expresa y voluntariamente someter su caso a una solución de justicia restaurativa.

En los delitos con pena superior a cinco (5) años la mediación será considerada para otorgar algunos beneficios durante el trámite de la actuación, o relacionados con la dosificación de la pena, o el purgamiento de la sanción.

Artículo 525: Solicitud.

La mediación podrá solicitarse por la víctima o por el imputado o acusado ante el fiscal, juez de control de garantías o juez de conocimiento, según el caso, para que el Fiscal General de la Nación, o su delegado para esos efectos, proceda a designar el mediador.

En los casos de menores, inimputables y víctimas incapaces, sus representantes legales deberán participar en la mediación.

Artículo 526: Efectos de la mediación.

La decisión de víctima y victimario de acudir a la mediación tiene efectos vinculantes, en consecuencia, excluye el ejercicio de la acción civil derivada del delito y el incidente de reparación integral.

El mediador expedirá un informe de sus resultados y lo remitirá al fiscal o al juez, según el caso, para que lo valore y determine sus efectos en la actuación.

Los resultados de la mediación serán valorados para el ejercicio de la acción penal; la selección de la coerción personal, y la individualización de la pena al momento de dictarse sentencia.

Artículo 527: Directrices.

El Fiscal General de la Nación elaborará un manual que fije las directrices del funcionamiento de la mediación, particularmente en la capacitación y evaluación de los mediadores y las reglas de conducta que regirán el funcionamiento de la mediación y, en general, los programas de justicia restaurativa.

(EXEQUIBLE SCC-979, 26-09-2005, M.P. Jaime Córdoba Triviño).

LIBRO VII
RÉGIMEN DE IMPLEMENTACIÓN

CAPÍTULO I. DISPOSICIONES GENERALES

Artículo 528: Proceso de implementación.

El Consejo Superior de la Judicatura y el Fiscal General de la Nación ordenarán los estudios necesarios y tomarán las decisiones correspondientes para la implantación gradual y sucesiva del sistema contemplado en este código.

En desarrollo de los artículos 4° y 5° del Acto legislativo 03 de 2002, la Comisión allí creada adelantará el seguimiento de la implementación gradual.

Artículo 529: Criterios para la implementación.

Se tendrán en cuenta los siguientes factores para el cumplimiento de sus funciones:

1. Número de despachos y procesos en la Fiscalía y en los juzgados penales.

2. Registro de servidores capacitados en oralidad y previsión de demanda de capacitación.

3. Proyección sobre el número de salas de audiencia requeridas.

4. Demanda en justicia penal y requerimiento de defensoría pública.

5. Nivel de congestión.

6. Las reglas de la gradualidad fijadas por esta ley.

Artículo 530: Selección de distritos judiciales.

Con base en el análisis de los criterios anteriores, el sistema se aplicará a partir del 1° de enero de 2005 en los distritos judiciales de Armenia, Bogotá, Manizales y Pereira. Una segunda etapa a partir del 1° de enero de 2006 incluirá a los distritos judiciales de Bucaramanga, Buga, Cali, Medellín, San Gil, Santa Rosa de Viterbo, Tunja y Yopal.

En enero 1° de 2007 entrarán al nuevo sistema los distritos judiciales de Antioquia, Cundinamarca, Florencia, Ibagué, Neiva, Pasto, Popayán y Villavicencio.

Los distritos judiciales de Barranquilla, Cartagena, Cúcuta, Montería, Quibdó, Pamplona, Riohacha, Santa Marta, Sincelejo y Valledupar, y aquellos que llegaren a crearse, entrarán a aplicar el sistema a partir del primero (1°) de enero de 2008.

(EXEQUIBLE SCC-801, 02-08-2005, M.P. Jaime Córdoba Triviño).

CAPÍTULO II. RÉGIMEN DE TRANSICIÓN

Artículo 531: ~~Proceso de descongestión, depuración y liquidación de procesos.~~

~~Los términos de prescripción y caducidad de las acciones que hubiesen tenido ocurrencia antes de la entrada en vigencia de este código, serán reducidos en una cuarta parte que se restará de los términos fijados en la ley. En ningún caso el término prescriptivo podrá ser inferior a tres (3) años.~~

~~En las investigaciones previas a cargo de la Fiscalía y en las cuales hayan transcurrido cuatro (4) años desde la comisión de la conducta, salvo las exceptuadas en el siguiente inciso por su naturaleza, se aplicará la prescripción.~~

~~Estarán por fuera del proceso de descongestión, depuración y liquidación de procesos, las investigaciones por delitos de competencia de los jueces penales de circuito especializados y, además, los delitos de falsedad en documentos que afecten directa o indirectamente los intereses patrimoniales del Estado; peculado por apropiación; peculado culposo en cuantía que sea o exceda de cien (100) salarios mínimos, legales, mensuales, vigentes; concusión; cohecho propio; cohecho impropio; enriquecimiento ilícito de servidor público; contrato sin cumplimiento de requisitos legales; interés indebido en la celebración de contratos; violación del régimen legal o constitucional de inhabilidades e incompatibilidades en la contratación; prevaricato; fraude procesal; hurto y estafa en cuantía que sea o exceda de cincuenta (50) salarios mínimos, mensuales, legales y vigentes cuando se afecte el patrimonio económico del Estado; homicidio agravado y delitos conexos con todos los anteriores. También se exceptúan todos aquellos delitos sexuales en los que el sujeto pasivo sea menor de edad y~~

~~las actuaciones en las que se haya emitido resolución de cierre de investigación.~~

~~Los fiscales y jueces, en los casos previstos en los incisos anteriores, procederán de inmediato a su revisión para tomar las determinaciones. En una sola decisión se podrán agrupar todos los casos susceptibles de este efecto.~~

~~Los términos contemplados en el presente artículo se aplicarán en todos los distritos judiciales a partir de la promulgación del código.~~

(INEXEQUIBLE a partir de la fecha de publicación de la Ley 906 de 2004, SCC-1033, 05-12-2006, M.P. Alvaro Tafur Galvis).

Artículo 532: Ajustes en plantas de personal en Fiscalía General de la Nación, Rama Judicial, Defensoría del Pueblo y entidades que cumplen funciones de Policía Judicial.

Con el fin de conseguir la transición hacia el sistema acusatorio previsto en el Acto Legislativo 03 de 2002, se garantiza la presencia de los servidores públicos necesarios para el adecuado funcionamiento del nuevo sistema, en particular el traslado de cargos entre la Fiscalía General de la Nación, la Rama Judicial, la Defensoría del Pueblo y los organismos que cumplen funciones de policía judicial.

Al efecto, el Consejo Superior de la Judicatura podrá, dentro de los límites de la respectiva apropiación presupuestal, transformar juzgados penales municipales y promiscuos municipales en juzgados penales de circuito y juzgados y tribunales especializados.

~~El término para la reubicación de los servidores cuyos cargos se supriman, será de dos (2) años contados a partir de la supresión.~~ Los nombramientos en estos cargos se harán con servidores de carrera judicial, o que estén en provisionalidad, que se encuentren en registro de elegibles, o por concurso abierto. (Inc. EXEQUIBLE, salvo el aparte con tacha INEXEQUIBLE, SCC-777, 26-07-2005, M.P. Manuel José Cepeda Espinosa).

CAPÍTULO III. DISPOSICIONES FINALES

Artículo 533: Derogatoria y vigencia.

El presente código regirá para los delitos cometidos con posterioridad al 1° de enero del año 2005. *Los casos de que trata el numeral 3 del artículo 235 de la Constitución Política continuarán su trámite por la Ley 600 de 2000.* (Aparte subrayado EXEQUIBLE SCC-708, 06-07-2005, M.P. Manuel José Cepeda Espinosa).

Los artículos 531 y 532 del presente código, entrarán en vigencia a partir de su publicación.

LIBRO VIII (ad. por el art. 8 de la Ley 1826 de 2017, 'por medio de la cual se establece un procedimiento penal especial abreviado y se regula la figura del acusador privado')
PROCEDIMIENTO ESPECIAL ABREVIADO Y ACUSACIÓN PRIVADA

TÍTULO I. DEL PROCEDIMIENTO ESPECIAL ABREVIADO

CAPÍTULO I. DEFINICIONES Y REGLAS GENERALES

Artículo 534 (ad. por el art. 10 de la Ley 1826 de 2017): **Ámbito de aplicación.**

El procedimiento especial abreviado de que trata el presente título se aplicará a las siguientes conductas punibles:

1. Las que requieren querella para el inicio de la acción penal.

2. Lesiones personales a las que hacen referencia los artículos 111, 112, 113, 114, 115, 116, 118 y 120 del Código Penal; Actos de Discriminación (C.P. Artículo 134A), Hostigamiento (C.P. Artículo 134B), Actos de Discriminación u Hostigamiento Agravados (C.P. Artículo 134C), inasistencia alimentaria (C.P. artículo 233) hurto (C.P. artículo 239); hurto calificado (C.P. artículo 240); hurto agravado (C.P. artículo 241), numerales del 1 al 10; estafa (C.P. artículo 246); abuso de confianza (C.P. artículo 249); corrupción privada (C.P. artículo 250A); administración desleal (C.P. artículo 250B); abuso de condiciones de inferioridad (C.P. artículo 251); utilización indebida de información privilegiada en particulares (C.P. artículo 258); los delitos contenidos en el Título VII Bis, para la protección de la información y los datos, excepto los casos en los que la conducta recaiga sobre bienes o entidades del Estado; violación de derechos morales de autor (C.P. artículo 270); violación de derechos patrimoniales de autor y derechos conexos (C.P. artículo 271); violación a los mecanismos de protección de derechos de autor (C.P. artículo 272); falsedad en documento privado (C.P. artículos 289 y 290); usurpación de derechos de propiedad industrial y de derechos de obtentores de variedades vegetales (C.P. artículo 306); uso ilegítimo de patentes (C.P. artículo 307); violación de reserva industrial y

comercial (C.P. artículo 308); ejercicio ilícito de actividad monopolística de arbitrio rentístico (C.P. artículo 312).

En caso de concurso entre las conductas punibles referidas en los numerales anteriores y aquellas a las que se les aplica el procedimiento ordinario, la actuación se regirá por este último.

Parágrafo. Este procedimiento aplicará también para todos los casos de flagrancia de los delitos contemplados en el presente artículo.

Véase C.P.P. art. 72.

Artículo 535 (ad. por el art. 11 de la Ley 1826 de 2017): **Integración.**

En todo aquello que no haya sido previsto de forma especial por el procedimiento descrito en este título, se aplicará lo dispuesto por este código y el Código Penal.

CAPÍTULO II (ad. por el art. 12 de la Ley 1826 de 2017). DE LA ACUSACIÓN

Artículo 536 (ad. por el art. 13 de la Ley 1826 de 2017): **Traslado de la acusación.**

La comunicación de los cargos se surtirá con el traslado del escrito de acusación, tras lo cual el indiciado adquiere la condición de parte.

Para ello, el fiscal citará al indiciado para que comparezca en compañía de su defensor, así como a la víctima, con el fin de hacer entrega del escrito de acusación y realizar el descubrimiento probatorio, cuando de los elementos materiales probatorios, evidencia física o información legalmente obtenida, se pueda afirmar, con probabilidad de verdad, que la conducta delictiva existió y que el indiciado fue autor o partícipe. El descubrimiento probatorio que haga la Fiscalía deberá ser total, incluirá los elementos materiales probatorios, evidencia física e información legalmente obtenida aportada por la víctima, y del mismo deberá quedar constancia.

En los eventos contemplados por los artículos 127 y 291 de este código el traslado de la acusación se realizará con el defensor.

Parágrafo 1°. El traslado del escrito de acusación interrumpe la prescripción de la acción penal. Producida la interrupción del término prescriptivo, este comenzará a correr de nuevo por un término igual a la mitad del señalado en el artículo 83 del Código Penal. En este evento no podrá ser inferior a tres (3) años.

Parágrafo 2°. Cuando se trate de delitos querellables, concluido el traslado de la acusación, el Fiscal indagará si las partes tienen ánimo conciliatorio y procederá conforme lo dispuesto en el artículo 522.

Parágrafo 3°. A partir del traslado del escrito de acusación el fiscal, el acusador privado o la víctima podrán solicitar cualquiera de las medidas cautelares previstas en este código, sin perjuicio de las medidas de restablecimiento del derecho las cuales podrán solicitarse en cualquier momento.

Parágrafo 4°. Para todos los efectos procesales el traslado de la acusación equivaldrá a la formulación de imputación de la que trata la Ley 906 de 2004.

Artículo 537 (ad. por el art. 14 de la Ley 1826 de 2017)**: Traslado de la acusación en audiencia de solicitud de medida de aseguramiento.**

En los eventos en los que resulte procedente la imposición de una medida de aseguramiento, el Fiscal dará traslado del escrito de acusación al inicio de la audiencia, acto seguido se procederá de conformidad con lo previsto en los artículos 306 y siguientes de este código.

Artículo 538 (ad. por el art. 15 de la Ley 1826 de 2017)**: Contenido de la acusación y documentos anexos.**

El escrito de acusación deberá cumplir con los requisitos del artículo 337 del Código de Procedimiento Penal. Además deberá contener:

1. La indicación del juzgado competente para conocer la acción.

2. Prueba sumaria que acredite la calidad de la víctima y su identificación.

3. Indicación de la posibilidad de allanarse a los cargos.

4. La orden de conversión de la acción penal de pública a privada, de ser el caso.

Artículo 539 (ad. por el art. 16 de la Ley 1826 de 2017)**: Aceptación de cargos en el procedimiento abreviado.**

Si el indiciado manifiesta su intención de aceptar los cargos, podrá acercarse al fiscal del caso, en cualquier momento previo a la audiencia concentrada.

La aceptación de cargos en esta etapa dará lugar a un beneficio punitivo de hasta la mitad de la pena. En ese caso, la Fiscalía, el indiciado y su defensor suscribirán un acta en la que conste la manifestación de aceptación de responsabilidad de manera libre, voluntaria e informada, la cual deberá anexarse al escrito de acusación. Estos documentos serán presentados ante el juez de conocimiento para que verifique la validez de la aceptación de los cargos y siga el trámite del artículo 447.

El beneficio punitivo será de hasta una tercera parte si la aceptación se hace una vez instalada la audiencia concentrada y de una sexta parte de la pena si ocurre una vez instalada la audiencia de juicio oral.

Parágrafo. Las rebajas contempladas en este artículo también se aplicarán en los casos de flagrancia, salvo las prohibiciones previstas en la ley, referidas a la naturaleza del delito.

Artículo 540 (ad. por el art. 17 de la Ley 1826 de 2017)**: Presentación de la acusación.**

Surtido su traslado, el fiscal deberá presentar dentro de los cinco días siguientes el escrito de acusación ante el juez competente para adelantar el juicio. El incumplimiento de esta disposición dará lugar a las sanciones disciplinarias, procesales y penales correspondientes.

Para su presentación, el fiscal deberá anexar la siguiente información:

1. La constancia de la comunicación del escrito de acusación al indiciado.

2. La constancia de la realización del descubrimiento probatorio.

3. La declaratoria de persona ausente o contumacia cuando hubiere lugar.

Artículo 541 (ad. por el art. 18 de la Ley 1826 de 2017): **Término para la audiencia concentrada.**

A partir del traslado del escrito de acusación el indiciado tendrá un término de sesenta (60) días para la preparación de su defensa. Vencido este término, el juez de conocimiento citará inmediatamente a las partes e intervinientes a audiencia concentrada, que se llevará a cabo dentro de los diez (10) días siguientes.

Para la realización de la audiencia será necesaria la presencia del fiscal y el defensor.

Artículo 542 (ad. por el art. 19 de la Ley 1826 de 2017): **Audiencia concentrada.**

Una vez instalada la audiencia y corroborada la presencia de las partes, el juez procederá a:

1. Interrogar al indiciado sobre su voluntad de aceptar los cargos formulados y verificará que su contestación sea libre, voluntaria e informada, advirtiéndole que de allanarse en dicha etapa sería acreedor de un beneficio punitivo de hasta la tercera parte de la pena. En caso de aceptación, se procederá a lo dispuesto en el artículo 447.

2. Se hará el reconocimiento de la calidad de víctima. En los eventos en que la acción penal la ejerza el acusador privado, la víctima será reconocida preliminarmente en la orden de conversión y definitivamente en esta audiencia.

3. Procederá a darle la palabra a las partes e intervinientes para que expresen oralmente las causales de incompetencia, impedimentos y recusaciones.

4. Acto seguido, interrogará al fiscal sobre si existen modificaciones a la acusación plasmada en el escrito de que habla el artículo 538, las cuales no podrán afectar el núcleo fáctico señalado en tal escrito.

5. Dará el uso de la palabra a la defensa y a la víctima para que presenten sus observaciones al escrito de acusación y sus modificaciones con respecto a los requisitos establecidos en los artículos 337 y 538.

De ser procedente ordenará al fiscal que lo aclare, adicione o corrija de inmediato.

6. Que las partes e intervinientes manifiesten sus observaciones pertinentes al procedimiento de descubrimiento de elementos probatorios. Si el descubrimiento no estuviere completo, el juez lo rechazará conforme al artículo 346 de este Código.

7. Que la defensa descubra sus elementos materiales probatorios y evidencia física.

8. Que la Fiscalía y la defensa enuncien la totalidad de las pruebas que harán valer en la audiencia del juicio oral y público. Lo anterior constará en un listado, el cual se entregará al juez y a las partes e intervinientes al inicio de la audiencia.

9. Que las partes e intervinientes manifiesten si tienen interés en hacer estipulaciones probatorias. En este evento, podrán reunirse previamente a la realización de la audiencia para acordar las estipulaciones probatorias que serán presentadas al juez para su aprobación. Si lo anterior no se realiza, el juez podrá durante la audiencia ordenar un receso hasta de una (1) hora a fin de que las partes puedan acordar las estipulaciones.

10. Que la Fiscalía, las víctimas y la defensa realicen sus solicitudes probatorias, de lo cual se correrá traslado a las partes e intervinientes para que se pronuncien sobre su exclusión, rechazo e inadmisibilidad.

11. Otorgar la palabra a las partes para que propongan las nulidades que consideren pertinentes.

12. El Juez se pronunciará sobre las solicitudes probatorias y las nulidades propuestas en una única providencia.

13. Se correrá traslado conjunto a las partes para que interpongan los recursos a que haya lugar sobre las decisiones de reconocimiento de víctima, resolución de nulidades, solicitudes probatorias y todas las demás que se adopten en esta audiencia y sean susceptibles de recurso.

Parágrafo. Si durante el juicio alguna de las partes encuentra un elemento material probatorio y evidencia física significativo que debería ser descubierto, lo pondrá en conocimiento del juez quien, oídas a las partes y en consideración al perjuicio que podría producirse al derecho de defensa y la integridad del juicio, decidirá si es excepcionalmente admisible o si debe excluirse esa prueba.

Artículo 543 (ad. por el art. 20 de la Ley 1826 de 2017)**: Fijación de la audiencia de juicio oral.**

Concluida la audiencia concentrada, el juez fijará fecha y hora para el inicio del juicio que deberá realizarse dentro de los treinta (30) días siguientes a la terminación de la audiencia concentrada.

Artículo 544 (ad. por el art. 21 de la Ley 1826 de 2017)**: Trámite del juicio oral.**

El trámite del juicio oral, seguirá las reglas establecidas en el Título IV del Libro III de este Código, exceptuando lo previsto en el artículo 447 respecto de la audiencia para proferir sentencia, ante lo cual seguirá lo dispuesto por el artículo siguiente.

Artículo 545 (ad. por el art. 22 de la Ley 1826 de 2017)**: Traslado de la sentencia e interposición de recursos.**

Anunciado el sentido del fallo el juez dará traslado inmediato para cumplir con el trámite previsto en el artículo 447 de este código. El juez contará con diez (10) días para proferir la sentencia y correr traslado escrito de la misma a las partes.

La sentencia se entenderá notificada con el traslado, para lo cual el juez citará a las partes a su despacho y hará entrega de la providencia.

En caso de no comparecer a pesar de haberse hecho la citación oportunamente, se entenderá surtida la notificación salvo que la ausencia se justifique por fuerza mayor o caso fortuito.

Surtidas las notificaciones las partes contarán con cinco (5) días para la presentación de los recursos que procedan contra la decisión de primera instancia. Estos se presentarán por escrito y se tramitarán conforme a lo dispuesto por el procedimiento ordinario.

Artículo 546 (ad. por el art. 23 de la Ley 1826 de 2017)**: Notificaciones.**

Las notificaciones del procedimiento abreviado se surtirán de conformidad con lo previsto en el Capítulo VI del Título VI de este Código. En todo caso, las partes e intervinientes deberán suministrar al juez y al fiscal su dirección de correo electrónico con el propósito de surtir la notificación de las decisiones correspondientes.

Artículo 547 (ad. por el art. 24 de la Ley 1826 de 2017)**: Justicia restaurativa en el procedimiento especial abreviado.**

Los mecanismos de justicia restaurativa podrán aplicarse en cualquier momento del procedimiento abreviado en los términos y condiciones establecidos en el Libro VI hasta antes de que se emita fallo de primera instancia y darán lugar a la extinción de la acción penal de conformidad con lo previsto en los términos de los artículos 77 de este Código y 82 del Código Penal.

Artículo 548 (ad. por el art. 25 de la Ley 1826 de 2017)**: Causales de libertad en el procedimiento penal abreviado.**

El término de las medidas de aseguramiento privativas de la libertad en el procedimiento abreviado no podrá exceder de ciento ochenta (180) días. La libertad del indiciado o acusado se cumplirá de inmediato y procederá en los siguientes eventos:

1. Cuando se haya cumplido la pena según la determinación anticipada que para este efecto se haga.

2. Cuando se haya decretado la preclusión.

3. Cuando se haya absuelto al acusado.

4. Como consecuencia de la aplicación del principio de oportunidad.

5. Como consecuencia de las cláusulas del acuerdo cuando haya sido aceptado por el Juez de Conocimiento.

6. Cuando transcurridos setenta (70) días desde el traslado de la acusación no se haya iniciado la audiencia concentrada.

7. Cuando transcurridos treinta (30) días desde la terminación de la audiencia concentrada no se haya iniciado la audiencia de juicio oral.

8. Cuando transcurridos setenta y cinco (75) días desde el inicio del juicio oral no se haya corrido traslado de la sentencia.

Parágrafo 1º. En los numerales 4 y 5 se restablecerán los términos cuando hubiere improbación de la aceptación de cargos, de los preacuerdos o de la aplicación del principio de oportunidad.

Parágrafo 2º. Cuando la audiencia no se haya podido iniciar o terminar por maniobras dilatorias del acusado o su defensor, no se contabilizarán dentro de los términos contenidos en este artículo, los días empleados en ellas.

Parágrafo 3°. Cuando la audiencia no se hubiere podido iniciar o terminar por causa razonable fundada en hechos externos y objetivos de fuerza mayor, ajenos al juez o a la administración de justicia, la audiencia se iniciará o reanudará cuando haya desaparecido dicha causa.

Parágrafo 4°. Los términos dispuestos en este artículo se incrementarán por el mismo término inicial cuando el proceso se surta ante la justicia penal especializada, o sean dos o más procesados, o se trate de la investigación o juicio de actos de corrupción de los que trata la Ley 1474 de 2011.

TÍTULO II (ad. por el art. 26 de la Ley 1826 de 2017). **DE LA ACCIÓN PENAL PRIVADA**

CAPÍTULO ÚNICO

Artículo 549 (ad. por el art. 27 de la Ley 1826 de 2017)**: Acusador privado.**

El acusador privado es aquella persona que al ser víctima de la conducta punible está facultada legalmente para ejercer la acción penal representada por su abogado.

El acusador privado deberá reunir las mismas calidades que el querellante legítimo para ejercer la acción penal.

En ningún caso se podrá ejercer la acción penal privada sin la representación de un abogado de confianza. Los estudiantes de consultorio jurídico de las universidades debidamente acreditadas podrán fungir como abogados de confianza del acusador privado en los términos de ley.

También podrán ejercer la acusación las autoridades que la ley expresamente faculte para ello y solo con respecto a las conductas específicamente habilitadas.

Artículo 550 (ad. por el art. 28 de la Ley 1826 de 2017)**: Conductas punibles susceptibles de conversión de la acción penal.**

La conversión de la acción penal de pública a privada podrá autorizarse para las conductas que se tramiten por el procedimiento especial abreviado, a excepción de aquellas que atenten contra bienes del Estado.

Artículo 551 (ad. por el art. 29 de la Ley 1826 de 2017)**: Titulares de la acción penal privada.**

Podrán solicitar la conversión de la acción pública en acción privada las mismas personas que en los términos del artículo 71 de este código se entienden como querellantes legítimos y las demás autoridades que expresamente la ley faculta para ello.

Cuando se trate de múltiples víctimas, deberá existir acuerdo entre todas ellas sobre la conversión de la acción penal. En caso de desacuerdo, el ejercicio de la acción penal le corresponderá a la Fiscalía. Si una vez iniciado el trámite de conversión aparece un nuevo afectado, este podrá adherir al trámite de acción privada.

El acusador privado hará las veces de fiscal y se seguirán las mismas reglas previstas para el procedimiento abreviado establecido en este libro. En todo aquello que no haya sido previsto de forma especial por este título respecto de las facultades y deberes del acusador privado, se aplicará lo dispuesto por este código en relación con el fiscal.

El desarrollo de la acción penal por parte del acusador privado implica el ejercicio de función pública transitoria, y estará sometido al mismo régimen disciplinario y de responsabilidad penal que se aplica para los fiscales.

Artículo 552 (ad. por el art. 30 de la Ley 1826 de 2017)**: Procedencia de la conversión.**

La conversión de la acción penal pública en acción penal privada podrá solicitarse ante el fiscal del caso hasta antes del traslado del escrito de acusación.

Artículo 553 (ad. por el art. 31 de la Ley 1826 de 2017)**: Solicitud de conversión.**

Quien según lo establecido por este título pueda actuar como acusador privado, a través de su apoderado, podrá solicitar al fiscal de conocimiento la conversión de la acción penal de pública a privada. La solicitud deberá hacerse de forma escrita y acreditar sumariamente la condición de víctima de la conducta punible.

El fiscal tendrá un (1) mes desde la fecha de su recibo para resolver de fondo sobre la conversión de la acción penal.

En caso de pluralidad de víctimas, la solicitud deberá contener la manifestación expresa de cada una coadyuvando la solicitud.

Artículo 554 (ad. por el art. 32 de la Ley 1826 de 2017)**: Decisión sobre la conversión.**

El fiscal decidirá de plano sobre la conversión o no de la acción penal teniendo en cuenta lo previsto en el inciso siguiente.

En caso de aceptar la solicitud de conversión, señalará la identidad e individualización del indiciado o indiciados, los hechos que serán objeto de la acción privada y su calificación jurídica provisional.

No se podrá autorizar la conversión de la acción penal pública en privada cuando se presente alguna de las siguientes circunstancias:

a) Cuando no se acredite sumariamente la condición de víctima de la conducta punible;

b) Cuando no esté plenamente identificado o individualizado el sujeto investigado;

c) Cuando el indiciado pertenezca a una organización criminal y el hecho esté directamente relacionado con su pertenencia a esta;

d) Cuando el indiciado sea inimputable;

e) Cuando los hechos guarden conexidad o estén en concurso con delitos frente a los que no procede la conversión de la acción penal pública a acción privada;

f) Cuando la conversión de la acción penal implique riesgo para la seguridad de la víctima;

g) Cuando no haya acuerdo entre todas las víctimas de la conducta punible;

h) Cuando existan razones de política criminal, investigaciones en contexto o interés del Estado que indiquen la existencia de un interés colectivo sobre la investigación;

i) Cuando se trate de procesos adelantados por el sistema de responsabilidad penal para adolescentes;

j) Cuando la conducta sea objetivamente atípica, caso en el cual el Fiscal procederá al archivo de la investigación.

Si el acusador privado o su representante tuvieron conocimiento de alguna de las anteriores causales y omitieron ponerla de manifiesto, se compulsarán copias para las correspondientes investigaciones disciplinarias y penales.

El Fiscal General de la Nación ejerce de forma preferente la acción penal y en virtud de ello en cualquier momento podrá revertir la acción penal a través de decisión motivada con base en las anteriores causales.

Parágrafo. El Fiscal General de la Nación deberá expedir, en un término no mayor a 6 meses a partir de la entrada en vigencia de la presente ley, un reglamento en el que se determine el procedimiento interno de la entidad para garantizar un control efectivo en la conversión y reversión de la acción penal.

Artículo 555 (ad. por el art. 33 de la Ley 1826 de 2017)**: Representación del acusador privado.**

El acusador privado deberá actuar por intermedio de abogado en ejercicio.

Solamente podrá ser nombrado un (1) acusador privado por cada proceso.

Cuando se ordene la reversión de la acción, el acusador privado pierde su calidad de tal y solo mantendrá sus facultades como interviniente en el proceso en calidad de víctima, caso en el cual se le garantizará la asistencia jurídica de un abogado en los términos que establece el código.

Artículo 556 (ad. por el art. 34 de la Ley 1826 de 2017)**: Actos de investigación.**

El titular de la acción privada tendrá las mismas facultades de investigación que la defensa.

El acusador privado no podrá ejecutar directamente los siguientes actos complejos de investigación: interceptación de comunicaciones, inspecciones corporales, registros y allanamientos, vigilancia y seguimiento de personas, vigilancia de cosas, entregas vigiladas, diligencias de agente encubierto, retención de correspondencia y recuperación de información producto de la transmisión de datos a través de las redes de comunicaciones.

Artículo 557 (ad. por el art. 35 de la Ley 1826 de 2017): **Apoyo investigativo.**

Cuando se autorice la conversión de la acción penal, la investigación y la acusación corresponden al acusador privado. Excepcionalmente, el acusador privado podrá solicitar autorización para la realización de actos complejos de investigación ante el juez de control de garantías, en este evento, el juez además de verificar el cumplimiento de los requisitos legales, valorará la urgencia y proporcionalidad del acto investigativo. De encontrarlo procedente, el juez ordenará al fiscal que autorizó la conversión de la acción penal o al que para el efecto se designe, que coordine su realización.

La ejecución del acto complejo de investigación estará a cargo exclusivamente de la Fiscalía General de la Nación y deberá realizarse en los términos establecidos en la ley para cada caso.

Culminada la labor el fiscal acudirá ante juez de garantías, en los términos de este código, para realizar el control posterior correspondiente.

Legalizado el acto, la evidencia recaudada y la información legalmente obtenida en la diligencia serán puestas a disposición del acusador privado respetando los protocolos de cadena de custodia.

Parágrafo 1°. La información recaudada en el marco de los actos de investigación aquí descritos gozará de reserva. En consecuencia, el acusador privado no podrá divulgar la información a terceros ni utilizarla para fines diferentes al ejercicio de la acción penal, so pena de incurrir en alguna de las conductas previstas en el Código Penal.

Parágrafo 2°. Si el acusador privado es sorprendido en actos de desviación de poder por el ejercicio de los actos de investigación se revertirá inmediatamente el ejercicio de la acción. Asimismo, se compulsarán las copias penales y disciplinarias correspondientes.

Artículo 558 (ad. por el art. 36 de la Ley 1826 de 2017): **Solicitud de medida de aseguramiento.**

Cuando la acción penal sea ejercida por el acusador privado, este podrá acudir directamente ante el juez de control de garantías para solicitar la medida de aseguramiento privativa o no privativa de la libertad.

Artículo 559 (ad. por el art. 37 de la Ley 1826 de 2017): **Traslado de la custodia de los elementos materiales probatorios, evidencia física e información legalmente obtenida.**

Una vez ordenada la conversión de la acción pública a privada, el fiscal de conocimiento entregará los elementos materiales probatorios, evidencia física e información legalmente obtenida al apoderado del acusador privado, respetando la cadena de custodia. De este acto, se dejará un acta detallada.

Realizado el traslado del artículo anterior, la custodia de los elementos materiales probatorios, evidencia física y la información legalmente obtenida corresponderá exclusivamente al acusador privado. Es deber del Fiscal del caso, guardar una copia de los elementos materiales probatorios, evidencia física e información legalmente obtenida que haya sido entregada al acusador privado, cuando ello fuere posible. El Fiscal podrá utilizar para ello cualquier medio que garantice la fidelidad y autenticidad de la información entregada.

Parágrafo. De la misma manera se procederá cuando la Fiscalía ordene la reversión de la acción penal.

Artículo 560 (ad. por el art. 38 de la Ley 1826 de 2017): **Reversión.**

En cualquier momento de la actuación, de oficio o por solicitud de parte, el fiscal que autorizó la conversión podrá ordenar que la acción privada vuelva a ser pública y desplazar en el ejercicio de la acción penal al acusador privado cuando sobrevenga alguna de las circunstancias descritas en el artículo 554. En este evento, el fiscal retomará la actuación en la etapa procesal en que se encuentre.

Además de las causales previstas en el artículo 554, el Fiscal ordenará la reversión de la acción penal cuando se verifique la ocurrencia del supuesto de hecho contemplado por el parágrafo 2o del artículo 557 o una ausencia permanente del abogado de confianza del acusador privado.

Artículo 561 (ad. por el art. 39 de la Ley 1826 de 2017)**: Traslado y presentación de la acusación privada.**

Además de lo dispuesto para la acusación en el procedimiento abreviado, el escrito de acusación deberá tener como anexo la orden emitida por el fiscal que autoriza la conversión de la acción pública a privada.

Artículo 562 (ad. por el art. 40 de la Ley 1826 de 2017)**: Preclusión por atipicidad absoluta.**

Además de lo previsto por el parágrafo del artículo 332 de este código, la defensa podrá solicitar al juez de conocimiento la preclusión cuando al acusado se le atribuya una conducta que no esté tipificada en la ley penal.

Artículo 563 (ad. por el art. 41 de la Ley 1826 de 2017)**: Destrucción del objeto material del delito.**

En las actuaciones por conductas punibles en las que se empleen como medios o instrumentos para su comisión, armas de fuego o armas blancas, una vez cumplidas las previsiones de este código relativas a la cadena de custodia y después de ser examinadas por peritos para los fines investigativos pertinentes, se procederá a su destrucción previa orden del fiscal de conocimiento, siempre que no sean requeridas en la actuación a su cargo.

Parágrafo. La Fiscalía General de la Nación aplicará el procedimiento previsto en este artículo para las armas de fuego o armas blancas que actualmente se encuentran a su disposición.

Artículo 564 (ad. por el art. 42 de la Ley 1826 de 2017)**: De la reparación integral al acusador privado.**

El acusador privado podrá formular su pretensión de reparación dentro del procedimiento especial abreviado, para tal efecto deberá incorporarla en el traslado y en la presentación del escrito de acusación.

Igualmente, deberá descubrir, enunciar y solicitar las pruebas que pretenda hacer valer para demostrar su pretensión en los mismos términos y oportunidades procesales previstos en el procedimiento especial abreviado.

Parágrafo 1°. En la sentencia el juez condenará al penalmente responsable al pago de los daños causados con la conducta punible de acuerdo a lo acreditado en el juicio.

Parágrafo 2°. En el evento en que el acusador privado previamente haya acudido a la jurisdicción civil para obtener reparación económica, la pretensión de reparación integral no podrá incluir tales aspectos.

Parágrafo 3°. Cuando el acusador privado no formule una pretensión de reparación dentro del procedimiento especial abreviado podrá acudir ante la jurisdicción civil para tal efecto.

El Presidente del honorable Senado de la República,
LUIS HUMBERTO GÓMEZ GALLO
El Secretario General del honorable Senado de la República,
EMILIO RAMÓN OTERO DAJUD
La Presidenta de la honorable Cámara de Representantes,
ZULEMA DEL CARMEN JATTIN CORRALES
El Secretario General de la honorable Cámara de Representantes,
ANGELINO LIZCANO RIVERA
REPÚBLICA DE COLOMBIA-GOBIERNO NACIONAL.
Publíquese y ejecútese.
Dada en Bogotá, D. C., a 31 de agosto de 2004.
ÁLVARO URIBE VÉLEZ
El Ministro del Interior y de Justicia,
SABAS PRETELT DE LA VEGA.

ÍNDICES ANALÍTICOS

CÓDIGO PENAL
LEY 599 DE 2000

A

Abandono
Abandono de hijo fruto de acceso carnal violento, abusivo, o de inseminación artificial o transferencia de óvulo fecundado no consentidas, 128
Abandono de menor de edad o persona en incapacidad de valerse por sí misma, 127 inc. 1
Circunstancias de agravación, 130
Eximente de responsabilidad y atenuante punitivo, 129

Aborto
Definición, 122 inc. 1
Por un tercero y con consentimiento de la mujer, 122 inc. 2
Preterintencional, 118
Sin consentimiento, 123
Abuso
Circunstancias de mayor punibilidad, 58 num. 5
De autoridad por acto arbitrario e injusto, 416
De autoridad por omisión de denuncia, 417
De condiciones de inferioridad, 251
De confianza Calificado, 250
De confianza, 68A, 249
De función pública, 428
De funciones públicas con fines terroristas, 38G, 64 par., 427
En la administración desleal, 250-B
Uso indebido de la cosa con perjuicio de tercero, 249 inc. 3
Violencia, 212A

Acaparamiento
Definición, 297

Acceso
Abandono de hijo fruto de acceso carnal violento abusivo, 128
Abusivo a un sistema informático, 269A
Carnal abusivo con incapaz de resistir, 210
Carnal abusivo con menor de catorce años, 208
Carnal abusivo en persona protegida menor de catorce años, 138A
Carnal en persona puesta en incapacidad de resistir, en estado de inconsciencia o en condiciones de inferioridad síquica, 207
Carnal violento en persona protegida, 138
Carnal violento, 205, 212
Circunstancias de agravación punitiva, 140
Demanda de acceso carnal de persona menor de 18 años de edad, 217A
Embarazo forzado en persona protegida, 139C
Ilegal de los servicios de telecomunicaciones, 257
Incesto, 237
Mecanismos de protección de derechos de autor y derechos conexos y otras defraudaciones, 272 num. 1
Muerte de hijo fruto de acceso carnal violento abusivo, 108
Obstaculización ilegítima de sistema informático o red de telecomunicación, 268A

Acción
Acción civil, 95, 98, 99
Acción y omisión, 25
Concurso, 31
Extinción, 82, 225 inc. 2, 248 incs. 2, 3, 4, 434A par
Legalización de mercancías 319 par., 319-1 par
Prescripción, 83, 84, 85, 86
Territorialidad por extensión, 15
Territorialidad, 14
Tiempo, 26

Accionista
Operaciones no autorizadas, 315
Pánico económico, 302

Acoso
Sexual, 210A

Activo
Lavado de activos 38A num. 2, 65, 68A, 323, 324, 415, 441, 449 inc. 2, 450, 499
Transferencia no consentida de activos, 269J
Concierto para delinquir, 340 inc. 2
Omisión de activos, 434A

Acto(s)
Abandono de hijo fruto de acceso carnal violento, abusivo, o de inseminación artificial o transferencia de óvulo fecundado no consentidas, 128
Abuso de autoridad por acto arbitrario e injusto, 416
Actos de hostilidades a personas o bienes protegidos, 158
Asonada, 469
Captación masiva y habitual de dinero, 316
Cohecho impropio, 406
Cohecho propio, 405
Con incapaz de resistir, 210

Contrarios a la defensa de la nación, 460
De barbarie, 145
De discriminación racial en conflicto armado, 147
De discriminación, 134A
De hostilidad militar, 456
De terrorismo, 144
Demanda de explotación sexual comercial de persona menor de 18 años de edad, 217A
Desplazamiento forzado, 180
Empleo ilegal de la fuerza pública, 423
Esclavitud sexual en persona protegida, 141A
Estímulo a la Prostitución de Menores, 217
Financiación del terrorismo y de grupos de delincuencia organizada, 345
Fraude procesal, 453
Genocidio, 101
Hostigamiento, 134B,
Incesto, 237
Instigación a la guerra, 458
Irrespeto a cadáveres, 204
Médicos en experimentos biológicos en persona protegida, 146
Menoscabo de la integridad nacional, 455
Muerte de hijo fruto de acceso carnal violento, abusivo, o de inseminación artificial o transferencia de óvulo fecundado no consentidas, 108
Perturbación de actos oficiales, 430
Prevaricato por omisión, 414
Receptación, 447
Sexual con menor de catorce años, 209
Sexual con persona protegida menor de catorce años, 139A
Sexual en persona puesta en incapacidad de resistir, en estado de inconsciencia o en condiciones de inferioridad síquica, 207

Sexual violento en persona protegida, 139
Sexual violento, 206
Soborno transnacional, 433
Tentativa, 27
Terrorismo, 343
Tortura, 178
Tráfico de niñas, niños y adolescentes, 188C
Violación a la libertad religiosa, 201
Violencia contra servidor público, 429

Actuación(es),
Asesoramiento y otras actuaciones ilegales, 421
Circunstancias de agravación punitiva en actuaciones judiciales o administrativas, 415
Falso testimonio, 442
Impedimento o perturbación de la celebración de audiencias públicas, 454C
Soborno en la actuación penal, 444A

Administración
Aplicación extraterritorial de la ley, 16 num. 1
Asociación para la comisión de un delito contra la administración pública, 434
De recursos relacionados con actividades terroristas, 16 num. 1, 38A num. 1, 64 par., 323, 340, 345, 441
Delitos contra la administración pública 68A, 397-434A
Desleal, 250B
Ejercicio ilícito de actividad monopolística de arbitrio rentístico, 312 inc. 2
Enriquecimiento ilícito, 412
Peculado culposo, 400
Peculado por aplicación oficial diferente, 399
Peculado por apropiación, 397
Peculado por uso, 398

Utilización indebida de información oficial privilegiada, 420
Utilización indebida de información privilegiada, 258

Adopción
Adopción irregular, 232
Omisión de medidas de protección a la población civil, 161

Aduana
Contrabando, 319
Contrabando de hidrocarburos y sus derivados, 319-1
Favorecimiento y facilitación del contrabando, 320, 320-1
Fraude Aduanero, 321, 323, 340 inc. 5
Favorecimiento por servidor público, 322, 322-1

Aeronave
Apoderamiento de aeronaves, naves, o medios de transporte colectivo, 173
Comiso, 100 inc. 3
Existencia, construcción y utilización ilegal de pistas de aterrizaje, 385
Perturbación en servicio de transporte público, colectivo u oficial, 353
Siniestro o daño de nave, 3, 54
Territorialidad por extensión, 15

Agente(s)
Agente diplomático, 104 num. 9, 170 num. 16, 245 num. 11, 344 num. 5
Experimentación ilegal con especies, agentes biológicos o bioquímicos, 334
Lesiones causadas con agentes químicos, ácido y/o sustancias similares 68A, 116A
Ofensa a diplomáticos, 466
Omisión de apoyo, 424
Omisión del agente retenedor o recaudador, 83 inc. 6, 402
Soborno transnacional, 433 par

Agiotaje
Definición, 301

Agua(s)
Contaminación ambiental, 332, 332A, 333
Contaminación de aguas, 371
Daño en obras de utilidad social, 351
Defraudación de fluidos, 256
Uso, construcción, comercialización y/o tenencia de semisumergibles o sumergibles, 377A
Usurpación de aguas, 262

Alimento(s)
Corrupción de Alimentos, Productos Médicos o Material Profiláctico, 372
Imitación o Simulación de Alimentos, Productos o Sustancias, 373
Inasistencia alimentaria, 233
Incendio, 350 inc. 3

Amenaza
Actos de terrorismo, 144
Amenazas a testigo, 454A
Amenazas contra defensores de Derechos Humanos y servidores públicos, 188E
Amenazas, 347
Apoderamiento de aeronaves, naves, o medios de transporte colectivo, 173
Circunstancias de agravación de la extorsión, 245 nums. 3, 4, 5
Feminicidio, 104A lit. e
Fraude al sufragante, 388 inc. 4
Ilícito aprovechamiento de los recursos naturales renovables, 328 inc. 3
Secuestro extorsivo, 169 inc. 2, 170 num. 6
Violación de los derechos de reunión y asociación, 200 num. 3
Violencia, 212A

Antijuridicidad
Ausencia de responsabilidad, 32 num. 11

Conducta punible, 9
Inimputabilidad, 33
Norma rectora de antijuridicidad, 11

Apoderamiento
Apoderamiento o alteración de sistemas de identificación, 327B
De aeronaves, naves, o medios de transporte colectivo, 173
De hidrocarburos, sus derivados, biocombustibles o mezclas que los contengan, 327A

Arbitrio
Ejercicio ilícito de actividad monopolística de arbitrio rentístico, 312

Arma(s)
Disparo de arma de fuego contra vehículo, 356
Disparo de arma de fuego sin justificación, 356A
Empleo o lanzamiento de sustancias u objetos peligrosos, 359 inc. 5
Fabricación, importación, tráfico, posesión o uso de armas químicas, biológicas y nucleares, 68A, 367
Fabricación, tráfico y porte de armas y municiones de uso restringido, uso privativo de las fuerzas armadas o explosivos 38G, 323, 366
Fabricación, tráfico, porte o tenencia de armas de fuego, accesorios, partes o municiones, 365
Homicidio culposo, 109 inc. 2
Hurto agravado, 241 num. 12
Lesiones culposas, 120 inc. 2
Penas privativas de otros derechos, 43 num. 6
Privación del derecho a la tenencia y porte de arma, 49, 51 inc. 7

Armisticio
Violación de tregua o armisticio, 464

Arresto
Conversión de la multa en arrestos progresivos, 40
Interrupción del término de prescripción de la multa, 91
Penas sustitutivas, 36

Asesor
Administración desleal, 250B
Asesoramiento a Grupos Delictivos Organizados y Grupos Armados Organizados, 340A
Asesoramiento y otras actuaciones ilegales, 421
Corrupción privada, 250A
Utilización indebida de información privilegiada, 258

Asistencia
Delitos contra la asistencia alimentaria, 233-236
Destrucción de bienes e instalaciones de carácter sanitario, 155
Obstrucción de obras de defensa o de asistencia, 364
Omisión de medidas de socorro y asistencia humanitaria, 152

Asociación
Corrupción privada, 250A
De los delitos contra la libertad de trabajo y asociación, 198-200
Para la comisión de un delito contra la administración pública, 434

Asociado
Operaciones no autorizadas con accionistas o asociados, 315

Asonada
Definición, 469

Ataque(s)
Actos de terrorismo, 144
Atentados a la subsistencia y devastación, 160

Contra obras e instalaciones que contienen fuerzas peligrosas, 157
Destrucción de bienes e instalaciones de carácter sanitario, 155
Destrucción o utilización ilícita de bienes culturales y de lugares de culto, 156

Atentando(s)
Atentados a la subsistencia y devastación, 160
Atentados contra hitos fronterizos, 459
De los atentados contra la confidencialidad, la integridad y la disponibilidad de los datos y de los sistemas informáticos, 269A-269H
De los atentados informáticos y otras infracciones 269I-268J

Ausencia
Conducta punible, 9 inc. 2
De responsabilidad, 32

Autoacusación
Falsa autoacusación, 437

Autonomía
De los delitos contra la autonomía personal, 178-188E

Autor
Autores, 29
Circunstancias de mayor punibilidad, 58 num. 5
Comunicabilidad de circunstancias, 62
Concurso de personas en la conducta punible, 28
De los delitos contra los derechos de autor, 270-272
Falsa autoacusación, 437
Falsa denuncia contra persona determinada, 436
Feminicidio, 104A lit. e, 104B lit. a
Retractación, 225

B

Barbarie
  Actos de barbarie, 145

Beneficio(s)
  Acoso sexual, 210A
  Acuerdos restrictivos de la competencia, 410A par
  Administración desleal, 250B
  Constreñimiento al sufragante, 387 inc. 3
  Contaminación ambiental por explotación de yacimiento minero o hidrocarburo, 333
  Corrupción de sufragante, 390
  Corrupción privada, 250A
  Destino de recursos del tesoro para el estímulo o beneficio indebido de explotadores y comerciantes de metales preciosos, 403
  Estafa, 247 num. 3
  Exclusión de los beneficios y subrogados penales, 68A
  Extorsión, 244
  Fraude al sufragante, 388 inc. 4
  Incitación a la comisión de delitos militares, 349
  Invasión de áreas de especial importancia ecológica, 337 inc. 3
  Prisión, 37
  Reclusión domiciliaria u hospitalaria por enfermedad muy grave, 68
  Rehabilitación, 92 num. 3
  Revocación de la suspensión de la ejecución condicional de la pena y de la libertad condicional, 66 inc. 2
  Sustracción de cosa propia al cumplimiento de deberes constitucionales o legales, 309
  Tráfico de influencias de particular, 411A
  Tráfico de influencias de servidor público, 411

  Trata de personas en persona protegida con fines de explotación sexual, 141B
  Trata de personas, 188A
  Violación a los derechos patrimoniales de autor y derechos conexos, 271 num. 7, par. 2

Bienes
  Agiotaje, 301
  Alzamiento de bienes, 253
  Circunstancias de mayor punibilidad, 58
  Comiso, 100
  Contrabando, 319
  Delitos contra el Patrimonio Cultural Sumergido, 269-1
  Delitos contra personas y bienes protegidos por el derecho internacional humanitario, 68A, 135-164
  Estafa y abuso de confianza que recaigan sobre los bienes del Estado, 68A
  Financiación de campañas electorales con fuentes prohibidas, 396A
  Financiación de campañas electorales con fuentes prohibidas, 397
  Financiación del terrorismo y de grupos de delincuencia organizada y administración de recursos relacionados con actividades terroristas y de la delincuencia organizada, 345
  Hostilidad militar, 456
  Hurto agravado, 241 num. 13
  Ilícita explotación comercial, 303
  Lavado de activos, 323
  Malversación y dilapidación de bienes de familiares, 236
  Malversación y dilapidación de bienes, 259
  Ofrecimiento engañoso de productos y servicios, 300
  Peculado culposo, 400
  Peculado por aplicación oficial diferente, 399
  Peculado por uso, 398

Perturbación de la posesión sobre inmueble, 264
Receptación, 327C
Receptación, 447
Testaferrato, 326
Usura, 305
Usurpación de derechos de propiedad industrial y derechos de obtentores de variedades vegetales, 306 inc. 2

C

Cadáver(es)
Circunstancia de agravación punitiva en la Desaparición forzada, 166 num. 9
Circunstancias de atenuación punitiva en la Desaparición forzada, 167 num. 3
Despojo en el campo de batalla, 151
Irrespeto a cadáveres, 204

Calumnia
Definición, 221
Injuria y calumnia indirectas, 222
Injurias o calumnias recíprocas, 227

Cédula
Fraude en inscripción de cédulas, 389
Ocultamiento, retención y posesión ilícita de cédula, 395
Valores equiparados a moneda, 278

Ceremonia
Impedimento y perturbación de ceremonia religiosa, 202
Violación a la libertad religiosa, 201

Certamen
Perturbación de certamen democrático, 386

Circulación
Circulación ilegal de monedas, 277
Circulación y uso de efecto oficial o sello falsificado, 281

Perturbación en servicio de transporte público, colectivo u oficial, 353
Uso y circulación de efecto oficial anulado, 284

Circunstancia(s)
Comunicabilidad de circunstancias, 62
De agravación punitiva, 104, 104B, 110, 119, 121, 130, 134C, 140, 166, 170, 179, 181, 183, 185, 188B, 211, 216, 234, 241, 245, 247, 266, 267, 269H, 290, 319 inc. 4, 324, 327E, 339B, 342, 344, 377B, 384, 415, 438, 470, 473
De atenuación punitiva, 32 num. 12, 134D, 167, 171, 242, 268, 401, 440, 443, 451,
De mayor punibilidad, 58
De menor punibilidad, 55
Fundamentos para la individualización de la pena, 61
Parámetros para la determinación de los mínimos y máximos aplicables, 60
Tentativa, 27

Cohecho
Impropio, 406
Por dar u ofrecer, 407
Propio, 405,

Combustible
Apoderamiento de hidrocarburos, sus derivados, biocombustibles o mezclas que los contengan, 68A, 327A
Apoderamiento o alteración de sistemas de identificación, 327B
Daño en obras o elementos de los servicios de comunicaciones, energía y combustibles, 357
Destinación ilegal de combustibles, 327D
Hurto calificado, 240 num. 4
Receptación, 327C
Receptación, 447 inc. 2

Comiso
Definición, 100

Concierto
Favorecimiento de la fuga, 449
Favorecimiento, 446
Para delinquir, Para delinquir, 38G, 68A, 323, 340
Partícipes, 30 inc. 3

Concurso
De personas en la conducta punible, 28
De conductas punibles, 31
Pena de prisión, 37 num.
Circunstancias de agravación punitiva del feminicidio, 104B lit. c
Acuerdos restrictivos de la competencia, 410A

Concusión
Definición, 404

Conducción
Circunstancias de agravación punitiva para el homicidio culposo, 110 num. 3
Daño en obras de utilidad social, 351
Daño en obras o elementos de los servicios de comunicaciones, energía y combustibles, 357
Favorecimiento de la fuga, 449
Terrorismo, 343

Conducta punible
Acción y omisión, 25
Antijuridicidad, 11
Ausencia de responsabilidad, 32
Concurso de conductas punibles, 31
Culpabilidad, 12
Legalidad, 6
Modalidades de la conducta punible, 22, 23, 24
Tiempo de la conducta punible, 26
Tipicidad, 10

Confianza
Abuso de confianza calificado, 250

Abuso de confianza, 249
Agravación punitiva por la confianza, 170 num. 4, 211 nums. 2 y 5, 216 num. 3, 241, nums. 2 y 7, 245 num. 1, 269H
Estafa y abuso de confianza que recaigan sobre los bienes del Estado, 68A
Pánico económico, 302
Suplantación de sitios web para capturar datos personales, 269G inc. 2

Conflicto
Armado, 135, 136, 137, 138, 138A, 139, 139A, 139B, 139C, 139D, 139E, 141, 141A, 141B, 142, 143, 144, 145, 146, 147, 148, 149, 150, 151, 152, 153, 154, 155, 156, 157, 158, 159, 160, 161, 162, 163, 164, 456, 460, 462
Constreñimiento ilegal por parte de miembros de Grupos Delictivos Organizados y Grupos Armados Organizados, 182A

Consecuencias
De la conducta punible, 34-81
Igualdad, 7
Parto o aborto preterintencional, 118

Consentimiento
Abandono de hijo fruto de acceso carnal violento, abusivo, o de inseminación artificial o transferencia de óvulo fecundado no consentidas, 128
Aborto forzado en persona protegida, 139E
Aborto sin consentimiento, 133
Aborto, 122 inc. 2
Acceso carnal o acto sexual en persona puesta en incapacidad de resistir, 207
Ausencia de responsabilidad, 32 num. 2
Demanda de explotación sexual comercial de persona menor de 18 años de edad, 217A par
Inseminación artificial o transferencia de óvulo fecundado no consentidas, 187

Manipulación genética 132, inc. 2
Muerte de hijo fruto de acceso carnal violento, abusivo, o de inseminación artificial o transferencia de óvulo fecundado no consentidas, 108
Tráfico de niñas, niños y adolescentes, 188C
Trata de personas, 188A inc. 4
Uso de menores de edad la comisión de delitos, 188D inc. 2
Violencia, 212A

Conservación
Conservación o financiación de plantaciones, 375

Conspiración
Definición, 471

Constreñimiento
A apoyo bélico, 150
A la prostitución, 214
Al sufragante, 387
Extorsión agravada, 245 num. 3
Ilegal por parte de miembros de Grupos Delictivos Organizados y Grupos Armados Organizados, 182A
Ilegal, 182
Para delinquir, 184
Uso de menores de edad la comisión de delitos, 188D

Contaminación
Ambiental, 332, 332A, 333, 340 inc. 2
De aguas, 371
De enfermedad de transmisión sexual, 211 num. 3
Urbanización ilegal, 318 inc. 3

Contrabando
Contrabando de hidrocarburos y sus derivados, 68A, 319A, 323, 340 inc. 4
Definición, 68A, 319, 323, 340 inc. 4
Favorecimiento y facilitación del contrabando, 320, 323, 340 inc. 4

Favorecimiento de contrabando de hidrocarburos o sus derivados. 320-1, 323, 340 inc. 4
Favorecimiento por servidor público de contrabando de hidrocarburos o sus derivados, 322-1

Contratos
Contrato sin cumplimiento de requisitos legales, 410
Corrupción de sufragante, 390
De la prestación, acceso o uso ilegales de los servicios de telecomunicaciones, 257 par
Ejercicio ilícito de actividad monopolística de arbitrio rentístico, 312
Estafa agravada, 247 num. 4
Interés indebido en la celebración de contratos, 409
Violación del régimen legal o constitucional de inhabilidades e incompatibilidades, 408

Contravención
Favorecimiento, 446 inc. 3
Reducción cualitativa de pena en caso de contravención, 439

Corrupción
De alimentos, productos médicos o material profiláctico, 372
De sufragante, 390
Omisión de control en el sector de la salud, 325B
Privada, 250A

Crédito
Aplicación fraudulenta de crédito oficialmente regulado, 311
Operaciones no autorizadas con accionistas o asociados, 315
Omisión de control, 325

Culpa
Definición, 23

Fundamentos para la individualización de la pena, 61 inc. 3
Homicidio culposo, 109
Lesiones culposas al feto, 126
Lesiones culposas, 120
Modalidad culposa, 360, 450
Modalidades de la conducta punible, 21
Peculado culposo, 400
Peculado culposo frente a recursos de la seguridad social integral, 400A

Culpabilidad
Igualdad, 7
Norma rectora de culpabilidad, 12
Multa, 39 num. 3

Culto
Destrucción y apropiación de bienes protegidos, 154 num. 2
Destrucción o utilización ilícita de bienes culturales y de lugares de culto, 156
Impedimento y perturbación de ceremonia religiosa, 202
Daños o agravios a personas o a cosas destinadas al culto, 203

Curaduría
Penas privativas de otros derechos, 43 num. 4
inhabilitación para el ejercicio de la patria potestad, tutela y curaduría, 47
Duración de las penas privativas de otros derechos, 51 num. 4

D

Daño(s)
A personas o a cosas destinadas al culto, 203
Amenazas contra defensores de Derechos Humanos y servidores públicos, 188E

Ataque contra obras e instalaciones que contienen fuerzas peligrosas, 157 inc. 2
Ataque contra obras e instalaciones que contienen fuerzas peligrosas, 157 inc. 2
Circunstancia de agravación punitiva en el Tráfico de migrantes y la Trata de personas, 189B num. 2
Circunstancia de agravación punitiva en la Desaparición forzada, 166 num. 9
Circunstancias de agravación en el daño ajeno, 267 num. 1
Circunstancias de atenuación en el daño en bien ajeno, 268
Circunstancias de atenuación punitiva, 241 num. 1
Circunstancias de mayor punibilidad, 58 num. 14
Circunstancias de menor punibilidad, 55 num. 6
Daño Informático, 269D
Destrucción del medio ambiente, 164
Destrucción del medio ambiente, 164
En bien ajeno, 265
En los recursos naturales, 331
En materia prima, producto agropecuario o industrial, 304
Explotación ilícita de yacimiento minero y otros materiales, 338
Falsedad personal, 296
Fundamentos para la individualización de la pena, 61 inc. 3
Hostigamiento, 134B
Indemnización por daños, 97
Lesiones al feto, 125
Lesiones en persona protegida, 136
Lesiones personales, 111, 112, 113, 114, 115, 116A
Obligaciones para el otorgamiento de libertad condicional, 66 num. 3
Obligados a indemnizar, 9, 46
Reparación del daño, 94

Requisitos para conceder la prisión domiciliaria, 38B, num. 4 lit. b
Violación de los derechos de reunión y asociación, 200 num. 3

Debido Proceso
Detención ilegal y privación del debido proceso, 149

Defensa
Actos contrarios a la defensa de la nación, 460
Amenazas contra defensores de Derechos Humanos y servidores públicos, 188E
Asesoramiento a Grupos Delictivos Organizados y Grupos Armados Organizados, 340A inc. 2
Ausencia de responsabilidad, 36 num. 6
Circunstancias de mayor punibilidad, 58 num. 5
Fabricación, tráfico, porte o tenencia de armas de fuego, accesorios, partes o municiones, 365
Fundamentos para la individualización de la pena, 61 inc. 5
Hurto agravado, 241 num. 12
Obstrucción de obras de defensa o de asistencia, 364
Toma de rehenes, 148

Deformidad
Definición, 113
Lesiones con agentes químicos, ácido y/o sustancias similares, 116A

Defraudación
De fluidos, 256

Demanda
De explotación sexual comercial de persona menor de 18 años de edad, 216A

Denuncia
Abuso de autoridad por omisión de denuncia, 417
Circunstancia de atenuación en la Falsa denuncia, 440
Falsa denuncia contra persona determinada, 436
Falsa denuncia, 435
Feminicidio, 104 lit. e
Omisión de denuncia de particular, 441
Omisión de denuncia, 219B
Retractación, 225 inc. 2

Deportación
Deportación, expulsión, traslado o desplazamiento forzado de población civil, 159

Derecho(s)
Acceso abusivo a un sistema informático, 369A
Actos de discriminación, 134A
Administración desleal, 250B
Amenazas contra defensores de Derechos Humanos y servidores públicos, 188E
Ausencia de responsabilidad, 32 nums. 5, 6, 7
Circunstancia de agravación punitiva del Hostigamiento, 134C num. 6
Constreñimiento al sufragante, 387
De las penas, 34
Delitos contra los derechos de autor, 270-272
Disparo de arma de fuego sin justificación, 356A
Ejercicio arbitrario de la custodia de hijo menor de edad, 230A
Extinción de la sanción penal, 88 num. 5
Favorecimiento de voto fraudulento, 392
Fraude Aduanero, 321

Lavado de activos, 323
Lugar de cumplimiento de la ejecución de la pena privativa de la libertad, 38G
Norma rectora de la Dignidad humana, 1
Norma rectora de la Integración, 2
Obstrucción a vías públicas que afecten el orden público, 353A
Ocultamiento, retención y posesión ilícita de cédula, 395
Penas accesorias, 52, 53
Penas principales, 35
Penas privativas de otros derechos, 43, 44, 45, 46, 47, 48, 49, 50, 51
Rehabilitación, 92
Restricción de otros derechos a los inimputables, 81
Término de prescripción de la acción penal, 83
Titulares de la acción civil, 95
Uso ilegítimo de patentes, 307
Usurpación de derechos de propiedad industrial y derechos de obtentores de variedades vegetales, 306
Violación de los derechos de reunión y asociación, 200
Voto fraudulento, 391

Derrumbe
Provocación de inundación o derrumbe, 352

Desaparición
Forzada, 32 num. 4, inc. 2, 38G, 83 inc. 2, 165, 166, 340 inc. 2, 348 inc. 2, 415, 441, 446 inc. 2, 449, 450 inc. 2

Desecho(s)
Introducción de residuos nucleares y de desechos tóxicos, 361
Tenencia, fabricación y tráfico de sustancias u objetos peligrosos, 358
Tráfico, transporte y posesión de materiales radiactivos o sustancias nucleares, 363

Desplazamiento
Control de la medida de prisión domiciliaria, 38C par
Forzado, 38G, 68A, 83 inc. 2, 104B lit. d, 180, 181, 340 inc. 2, 415, 441, 446 inc. 2, 449 inc. 2, 450 inc. 2
Deportación, expulsión, traslado o desplazamiento forzado de población civil, 159

Despojo
En el campo de batalla, 151

Destrucción
Comiso, 100 inc. 1
Destrucción de bienes e instalaciones de carácter sanitario, 155
Destrucción del medio ambiente, 164
Destrucción o utilización ilícita de bienes culturales y de lugares de culto, 156
Destrucción y apropiación de bienes protegidos, 154
Destrucción, supresión u ocultamiento de documento público, 292
Destrucción, supresión y ocultamiento de documento privado, 293
Empleo, producción, comercialización y almacenamiento de minas antipersonal, 367A
Genocidio, 101 num. 3
Lesiones con agentes químicos, ácido y/o sustancias similares, 116A
Ocultamiento, alteración o destrucción de elemento material probatorio, 454B
Tenencia, fabricación y tráfico de sustancias u objetos peligrosos, 358

Detención
Arbitraria, 174-177
Cómputo de la internación preventiva, 80
Exclusión de los beneficios y subrogados penales, 68A inc. 3
Extorsión agravada, 245 num. 8

Ilegal y privación del debido proceso, 149

Prisión domiciliaria como sustitutiva de la prisión, 38 par

Preventiva, 37 num. 3

Secuestro extorsivo agravado, 170 num. 12

Violencia, 212A

Dignidad

Actos de discriminación racial, 147

Del penado, 39 inc. 4 num. 2

La inhabilitación para el ejercicio de derechos y funciones públicas, 44

Norma rectora Dignidad Humana, 1

Ofensa a diplomáticos, 466

Documento(s)

Alteración de resultados electorales, 394

Circunstancia de agravación punitiva, 290

Definición, 294

Destrucción, supresión u ocultamiento de documento público, 292

Destrucción, supresión y ocultamiento de documento privado, 293

Divulgación y empleo de documentos reservados, 194

Falsedad en documento privado, 289

Falsedad ideológica en documento público, 286

Falsedad material en documento público, 287

Favorecimiento y facilitación del contrabando, 320 inc. 4

Fraude en inscripción de cédulas, 389

Mora en la entrega de documentos relacionados con una votación, 393

Obtención de documento público falso, 288

Ocultamiento, retención y posesión ilícita de cédula, 395

Revelación de secreto, 418

Uso de documento falso, 291

Violación a los mecanismos de protección de derecho de autor y derechos conexos, y otras defraudaciones, 272 num. 10

Dolo

Comiso, 100 inc. 2

Definición 22

Exclusión de los beneficios y subrogados penales, 68A

Fundamentos para la individualización de la pena, 61 inc. 3

Modalidades de la conducta punible, 21

Suspensión de la ejecución de la pena, 63 num. 3

E

Ejecución

Arresto de fin de semana, 40

Asonada, 469

Circunstancias de marginalidad, ignorancia o pobreza extremas, 56

Circunstancias de mayor punibilidad, 58

Circunstancias de menor punibilidad, 55

Coactiva, 41

Comiso, 100

De la medida de prisión domiciliaria, 38D

Exclusión de los beneficios y subrogados penales, 68A

Fraude al sufragante, 388 inc. 4

Funciones de la medida de seguridad, 5

Funciones de la pena, 4

Iniciación del término de prescripción de la acción, 84

Interrupción del término de prescripción de la multa, 91

Libertad condicional, 64, 65

Libertad vigilada, 74
Lugar de cumplimiento de la ejecución de la pena privativa de la libertad, 38G
Multa, 39
Receptación, 327C, 447
Reclusión domiciliaria u hospitalaria por enfermedad muy grave, 68
Rehabilitación, 92
Restricción de otros derechos a los inimputables, 81
Revocación de la suspensión de la ejecución condicional de la pena y de la libertad condicional, 66
Suspensión de la ejecución de la pena, 63
Tentativa, 27
Término de prescripción de la acción penal, 83
Tiempo de la conducta punible, 26
Urbanización ilegal, 318 par
Violación a los derechos patrimoniales de autor y derechos conexos, 271 num. 5
Violación a los mecanismos de protección de derecho de autor y derechos conexos, y otras defraudaciones, 272 num. 1

Ejercicio
Ausencia de responsabilidad, 32 num. 5
Inhabilitación para el ejercicio de derechos y funciones públicas, 44
Inhabilitación para el ejercicio de profesión, arte, oficio, industria o comercio, 46
Inhabilitación para el ejercicio de la patria potestad, tutela y curaduría, 47
Privación del derecho a conducir vehículos automotores y motocicletas, 48
Privación del derecho a la tenencia y porte de arma, 49
Duración de las penas privativas de otros derechos, 51

Penas accesorias, 52 inc. 3
Circunstancias de mayor punibilidad, 58 num. 12
Término de prescripción de la acción penal, 83 inc. 6
Violación de la libertad de trabajo, 198
Violación de los derechos de reunión y asociación, 200
Malversación y dilapidación de bienes de familiares, 236
Malversación y dilapidación de bienes, 259
Circulación ilegal de monedas, 277 inc. 2
Falsedad ideológica en documento público, 286
Falsedad material en documento público, 287
Obtención de documento público falso, 288
Destrucción, supresión u ocultamiento de documento público, 292 inc. 2
Ilícito de actividad monopolística de arbitrio rentístico, 312
Evasión fiscal, 313 inc. 2
Suministro o formulación ilegal, 379
Violación al ejercicio de mecanismos de participación democrática, 386-396C
Violación del régimen legal o constitucional de inhabilidades e incompatibilidades, 408
Contrato sin cumplimiento de requisitos legales, 410
Tráfico de influencias de servidor público, 411
Abuso de autoridad por acto arbitrario e injusto, 416
Perturbación de actos oficiales, 430
Utilización indebida de información y de influencias derivadas del ejercicio de función pública, 431-434
Actos de discriminación, 134A

Arbitrario de la custodia de hijo menor de edad, 230A

Penas privativas de otros derechos, 43 nums. 1, 3, 4

Embriones

Fecundación y tráfico de embriones humanos, 134

Emisión(es)

Emisión y transferencia ilegal de cheque, 248

Interceptación de datos informáticos, 269C

Violación a los derechos, patrimoniales de autor y derechos conexos, 271 nums. 6 y 7

Ilegales, 276

De efectos oficiales, 282

Contaminación ambiental, 332

Empleo

Penas privativas de otros derechos, 43 num. 2, 45, 175, 176, 177, 190, 232 num. 2, 416, 417, 418, 419, 420, 421, 422, 450 inc. 1

Empleo o lanzamiento de sustancias u objetos peligrosos, 68A, 359

Ayuda e instigación al empleo, producción y transferencia de minas antipersonal, 68A, 367B

Divulgación y empleo de documentos reservados, 194, 219B inc. 2

Empleo, producción, comercialización y almacenamiento de minas antipersonal, 367A

Empleo ilegal de la fuerza pública, 423

Rebelión, 467,

Sedición, 468

Encubrimiento

Favorecimiento, 446

Receptación, 447

Energía

Ataque contra obras e instalaciones que contienen fuerzas peligrosas, 157

Hurto calificado, 240 num. 4 inc. 5

Defraudación de fluidos, 256

Daño en obras o elementos, de los servicios de comunicaciones, energía y combustibles, 357

Tenencia, fabricación y tráfico de sustancias u objetos peligrosos, 358 inc. 2

Tráfico, transporte y posesión de materiales radiactivos o sustancias nucleares, 363 inc. 2

Receptación, 447 inc. 2

Enfermedad

Circunstancias de agravación punitiva en el Secuestro extorsivo, 170 num. 1

Circunstancias de agravación punitiva, 170, 211 num. 3, 339B par. 2

Circunstancias de mayor punibilidad, 58 num. 3

Enajenación ilegal de medicamentos, 374A inc. 2

Homicidio por piedad, 106

Incapacidad para trabajar o enfermedad, 112

Inducción o ayuda al suicidio, 107 inc. 2

Manejo y uso ilícito de organismos, microorganismos y elementos genéticamente modificados, 330 inc. 3

Manipulación genética, 132 inc. 2

Reclusión domiciliaria u hospitalaria por enfermedad muy grave, 68

Violación de los derechos de reunión y asociación, 200 num. 2

Enriquecimiento

Ilícito de particulares, 68A, 327

Ilícito, 323, 340, 412, 415, 441, 446, 449, 450 inc. 2

Entrenamiento
Para actividades ilícitas, 341

Epidemia
Violación de medidas sanitarias, 368
Propagación de epidemia, 369

Equipo
Apoderamiento o alteración de sistemas de identificación, 327B
Circunstancias de agravación punitiva, 269H, num. 8
De la prestación, acceso o uso ilegales de los servicios de telecomunicaciones, 257
Sabotaje, 199
Utilización ilícita de redes de comunicaciones, 197

Error
Ausencia de responsabilidad, 32 nums. 10, 11, 12

Esclavitud
Esclavitud sexual en persona protegida, 141A
Trata de personas en persona protegida con fines de explotación sexual, 141B inc. 2
Trata de personas, 188A

Escopolamina
Porte de sustancias, 383

Especies
Experimentación ilegal con especies, agentes biológicos o bioquímicos, 334
Ilícita actividad de pesca, 335
Ilícito aprovechamiento de los recursos naturales renovables, 328 inc. 2
Manejo ilícito de especies exóticas, 330A
Manejo y uso ilícito de organismos, microorganismos y elementos genéticamente modificados, 330

Manipulación fraudulenta de especies inscritas en el Registro Nacional de Valores y Emisores, 317

Estado
Abuso de confianza calificado, 250 num. 3
Circunstancia de agravación punitiva, 166 num, 6, 170 num. 5, 179 num. 5, 181 num. 4, 185 num. 2, 245 num. 2, 247 num. 5, 267 num. 2
De ira o intenso dolor, 57
Estafa y abuso de confianza que recaigan sobre los bienes del Estado, 68A
Extraterritorialidad, 16
Servidores públicos, 20
Supresión, alteración o suposición del estado civil, 238
Territorialidad por extensión, 15

Estampilla
Circulación y uso de efecto oficial o sello falsificado, 281
Falsificación de efecto oficial timbrado, 280
Supresión de signo de anulación de efecto oficial, 283

Estímulo
Estímulo a la Prostitución de Menores, 217
Estímulo al uso ilícito, 378

Estupefaciente
Circunstancia de agravación punitiva, 377B, 384
Conservación o financiación de plantaciones, 375
Destinación ilícita de muebles o inmuebles, 377
Estímulo al uso ilícito, 378
Porte de sustancias, 383
Suministro a menor, 381
Suministro o formulación ilegal a deportistas, 380

Suministro o formulación ilegal, 379
Tráfico de drogas tóxicas, estupefacientes o sustancias sicotrópicas, 38G, 68A, 323, 340, 441, 446 inc. 2,
Tráfico de sustancias para el procesamiento de narcóticos, 382
Tráfico, fabricación o porte de estupefacientes, 376

Evasión
Fiscal, 68A, 313

Exacción
Exacción o contribuciones arbitrarias, 163

Experimento(s)
Experimentación ilegal con especies, agentes biológicos o bioquímicos, 334
Manejo ilícito de especies exóticas, 330A
Manejo y uso ilícito de organismos, microorganismos y elementos genéticamente modificados, 330
Tratos inhumanos y degradantes y experimentos biológicos en persona protegida, 146

Explotación
Contaminación ambiental por explotación de yacimiento minero o hidrocarburo, 333
Ejercicio ilícito de actividad monopolística de arbitrio rentístico, 312
Evasión fiscal, 313
Explotación ilícita de yacimiento minero y otros materiales, 338, 340
Ilícita explotación comercial, 303
Proxenetismo con menor de edad, 213A
Proxenetismo con menor de edad, 217A
Trata de personas en persona protegida con fines de explotación sexual, 141B
Trata de personas, 188A

Violación de fronteras para la explotación o aprovechamiento de los recursos naturales, 329

Exportación
Exportación o importación ficticia, 68A

Expulsión
Deportación, expulsión, traslado o desplazamiento forzado de población civil, 159
Penas privativas de otros derechos, 43 num. 9

Extinción
De la acción civil, 99
De la acción penal, 82
De la sanción penal, 88
Extinción y liberación, 67
Ilícito aprovechamiento de los recursos naturales renovables, 328
La inhabilitación para el ejercicio de la patria potestad, tutela y curaduría, 47
Lavado de activo, 323 inc. 2
Revocación de la suspensión condicional, 78 inc. 2

Extorsión
Circunstancias de agravación 170, 247 num. 2, 415
Circunstancias de atenuación 171
Extorsión, 38G, 68A, 244, 245, 323, 326 inc. 2, 340 inc. 2, 441, 446 inc. 2, 449 inc. 2, 450 inc. 2
Secuestro extorsivo, 169, 323, 326 inc. 2, 340 inc. 2, 348 inc. 2, 441, 446 inc. 2, 449 inc. 2, 450 inc. 2

Extradición
Extraterritorialidad, 16 lit. d
Extradición, 18

Extraterritorialidad
Definición, 16

F

Fabricación

Fabricación y comercialización de sustancias nocivas para la salud, 374

Fabricación, importación, tráfico, posesión o uso de armas químicas, biológicas y nucleares, 68A, 367

Fabricación, tráfico y porte de armas y municiones de uso restringido, uso privativo de las fuerzas armadas o explosivos, 38G, 366

Tenencia, fabricación y tráfico de sustancias u objetos peligrosos, 358

Tenencia, fabricación y tráfico de sustancias u objetos peligrosos, 365

Tráfico, fabricación o porte de estupefacientes, 340

Tráfico, fabricación o porte de estupefacientes, 376

Falsedad

Circulación y uso de efecto oficial o sello falsificado, 281

Circunstancia de agravación punitiva, 290

En documento privado, 289

Falsa autoacusación, 437

Falsa denuncia contra persona determinada, 436

Falsa denuncia, 435

Falsificación de efecto oficial timbrado, 280

Falsificación de moneda nacional o extranjera, 68A, 273

Falsificación o uso fraudulento de sello oficial, 279

Falso testimonio, 442

Fraude Aduanero, 321

Hurto agravado, 241 num. 4

Hurto calificado, 240 num. 4

Ideológica en documento público, 286

Marcaria, 285

Material en documento público, 287

Obtención de documento público falso, 288

Pánico económico, 302

Para obtener prueba de hecho verdadero, 295

Personal

Perturbación de actos oficiales, 430

Tráfico de moneda falsificada, 274

Tráfico, elaboración y tenencia de elementos destinados a la falsificación de moneda, 275

Uso de documento falso, 291

Violación a los derechos morales de autor, 270 num, 2

Violación a los mecanismos de protección de derecho de autor y derechos conexos, y otras defraudaciones, 272 nums. 8, 9, 10

Familia

Acoso sexual, 210A

Amenazas contra defensores de Derechos Humanos y servidores públicos, 188E

Amenazas, 347

Circunstancias de agravación punitiva, 104 num. 1, 179 num. 1, 183 num, 2

Circunstancias de menor punibilidad, 55 num. 4

Demanda de explotación sexual comercial de persona menor de 18 años de edad, 217A num. 5

Duración de las penas privativas de otros derechos, 51 num. 8

Ejecución de la medida de prisión domiciliaria, 38D inc. 1

Estímulo a la Prostitución de Menores, 217 inc. 2

Feminicidio, 104A lit. a, e

Fraudulenta internación en asilo, clínica o establecimiento similar, 186 inc. 2

Libertad condicional, 64 num. 3

Maltrato mediante restricción a la libertad física, 230

Malversación y dilapidación de bienes de familiares, 236
Penas privativas de otros derechos, 43 nums. 10, 11
Pornografía con personas menores de 18 años, 218 inc. 3
privación del derecho a residir o de acudir a determinados lugares, 50
Rehabilitación, 92 num. 2
Requisitos para conceder la prisión domiciliaria, 38B num. 3
Suspensión de la ejecución de la pena, 63 num. 3
Víctima, 38G
Violencia intrafamiliar, 68A, 229

Favorecimiento
De contrabando de hidrocarburos o sus derivados, 320-1, 323, 340
De la fuga, 449
De voto fraudulento, 392
Definición, 446
Favorecimiento y facilitación del contrabando, 320
Por servidor público de contrabando de hidrocarburos o sus derivados, 322-1, 323, 340
Por servidor público, 322
Usurpación de inmuebles, 261 inc. 2

Fecundación
Fecundación y tráfico de embriones humanos, 134

Feto
Lesiones al feto, 125
Lesiones culposas al feto, 126

Fraude
A resolución judicial o administrativa de policía, 454
Administración desleal, 250B
Aduanero, 321, 323, 340 inc. 4
Agiotaje, 301
Al sufragante, 388

Alzamiento de bienes, 253
Aplicación fraudulenta de crédito oficialmente regulado, 311
Circunstancias de agravación punitiva, 234, 247 num. 1
Emisión y transferencia ilegal de cheque, 248
En inscripción de cédulas, 389
Estafa, 246 inc. 2
Falsificación o uso fraudulento de sello oficial, 279
Favorecimiento de voto fraudulento, 392
Fraudulenta internación en asilo, clínica o establecimiento similar, 186
Infidelidad a los deberes profesionales, 445
Manipulación fraudulenta de especies inscritas en el Registro Nacional de Valores y Emisores, 317
Omisión de control en el sector de la salud, 325B
Procesal, 453
Usurpación de derechos de propiedad industrial y derechos de obtentores de variedades vegetales, 306
Voto fraudulento, 391

Fuerza
Ataque contra obras e instalaciones que contienen fuerzas peligrosas, 157
Ausencia de responsabilidad, 32 num. 1
Destrucción y apropiación de bienes protegidos, 154 num, 5
Empleo ilegal de la fuerza pública, 423
Genocidio, 101 num. 5
Maltrato mediante restricción a la libertad física, 230
Normas rectoras y fuerza normativa, 13
Terrorismo, 343
Violencia, 212A

Fuga
    Circunstancias de atenuación, 451
    Eximente de responsabilidad, 452
    Favorecimiento de la fuga, 449
    Fuga de presos, 448
    Modalidad culposa, 450

Fundamento(s)
    Para la individualización de la pena, 61

G

Genocidio
    Ausencia de responsabilidad, 32 num,
    4 inc. 2
    Apología del genocidio, 102
    Genocidio, 38G, 68A, 83 inc. 2, 101,
    340 inc. 2, 348 inc. 2, 415, 441, 446
    inc. 2, 450

Gestión
    Indebida de recursos sociales, 260
    Infidelidad a los deberes profesionales,
    445
    Violación a los mecanismos de protec-
    ción de derecho de autor y derechos
    conexos, y otras defraudaciones, 272
    nums. 3, 4, 5

Grupo
    Asesoramiento a Grupos Delictivos
    Organizados y Grupos Armados Orga-
    nizados, 340A
    Circunstancias de agravación, 185,
    327E
    Concierto para delinquir, 340 inc. 2
    Constreñimiento ilegal por parte de
    miembros de Grupos Delictivos Orga-
    nizados y Grupos Armados Organiza-
    dos, 182A
    Demanda de explotación sexual co-
    mercial de persona menor de 18 años
    de edad, 217A num. 3

    Entrenamiento para actividades ilíci-
    tas, 341
    Financiación del terrorismo y de gru-
    pos de delincuencia organizada y ad-
    ministración de recursos relacionados
    con actividades terroristas y de la de-
    lincuencia organizada, 345
    Genocidio, 101
    Hostigamiento, 134B
    Tráfico de niñas, niños y adolescentes,
    188C

H

Habeas
    Desconocimiento de Habeas corpus,
    177

Habitación
    Ausencia de responsabilidad, 32 num.
    7
    Incendio, 350 inc. 3
    Violación de habitación ajena por ser-
    vidor público, 190
    Violación de habitación ajena, 189

Hidrocarburo
    Apoderamiento de hidrocarburos, sus
    derivados, 68A, 327A
    Apoderamiento o alteración de siste-
    mas de identificación, 327B
    Contaminación ambiental por explota-
    ción de yacimiento minero o hidrocar-
    buro, 333, 340 inc. 2
    Contrabando de hidrocarburos y sus
    derivados, 68A, 391A, 323, 340 inc. 4
    Favorecimiento de contrabando de
    hidrocarburos o sus derivados, 320-1,
    340 inc. 4
    Favorecimiento por servidor público
    de contrabando de hidrocarburos o sus
    derivados, 322-1
    Receptación, 327C

Hijo

Abandono de hijo fruto de acceso carnal violento, abusivo, o de inseminación artificial o transferencia de óvulo fecundado no consentidas, 128

Circunstancias de agravación, 104 num. 1

Ejercicio arbitrario de la custodia de hijo menor de edad, 230A

Maltrato mediante restricción a la libertad física, 230 par.

Muerte de hijo fruto de acceso carnal violento, abusivo, o de inseminación artificial o transferencia de óvulo fecundado no consentidas, 108

Penas privativas de otros derechos, 43 par. num. 3

Supresión, alteración o suposición del estado civil, 238

Hitos fronterizos

Atentados contra Hitos fronterizos, 459

Homicidio

Agravado, 104

Culposo, 109, 110

En persona protegida, 135

Homicidio, 103, 340 inc. 2, 348, 415, 441, 446, 449, 450 inc. 2

Por piedad, 106

Preterintencional, 105

Honores

Aceptación indebida de honores, 426

Inhabilitación para el ejercicio de derechos y funciones públicas, 44

Hostilidad

Aceptación indebida de honores, 462

Actos contrarios a la defensa de la nación, 460

Homicidio en persona protegida, 135 par. nums. 2, 7

Instigación a la guerra, 458

Militar, 456

Reclutamiento ilícito, 162

Represalias, 158

Hurto

Agravado, 242

Calificado, 68A, 240

Por medios informáticos y semejantes, 269I

Simple, 239

I

Identificación

Apoderamiento o alteración de sistemas de identificación, 327B

Utilización ilegal de uniformes e insignias, 346

Ignorancia

Circunstancias de marginalidad, ignorancia o pobreza extremas, 56

Igualdad

Norma rectora de Igualdad, 7

Ilícito(s)

Abuso de condiciones de inferioridad, 251

Asesoramiento a Grupos Delictivos Organizados y Grupos Armados Organizados, 340A

Circunstancias de agravación, 247 num. 2, 415

Ejercicio ilícito de actividad monopolística de arbitrio rentístico, 312

Enriquecimiento ilícito, 323, 327, 340 inc. 2, 412

Estafa, 246

Estímulo al uso ilícito, 378

Exportación o importación ficticia, 310

Extorsión, 244

Fraude en inscripción de cédulas, 389 inc. 2

Ilícito aprovechamiento de los recursos naturales renovables, 328

Invasión de tierras o edificaciones, 263

Manejo ilícito de especies exóticas, 330A

Manejo y uso ilícito de organismos, microorganismos y elementos genéticamente modificados, 330

Obstrucción a vías públicas que afecten el orden público, 353A

Omisión de control, 325

Perturbación en servicio de transporte público, colectivo u oficial, 353

Reclutamiento ilícito, 162

Suplantación de sitios web para capturar datos personales, 269G

Usurpación de aguas, 262

Utilización de medios y métodos de guerra ilícitos, 142

Utilización ilícita de redes de comunicaciones, 197

Imitación
Imitación o Simulación de Alimentos, Productos o Sustancias, 373

Impedimento
Impedimento y perturbación de ceremonia religiosa, 202

Impedimento o perturbación de la celebración de audiencias públicas, 454C

Importación
Fabricación, importación, tráfico, posesión y uso de armas químicas, biológicas y nucleares, 68A, 367

Exportación o importación ficticia, 310

Inasistencia
Alimentaria, 233

Reiteración, 235

Incapacidad
Para trabajar o enfermedad, 112

Abandono, 127

Embarazo forzado en persona protegida, 139C

Acceso carnal o acto sexual en persona puesta en incapacidad de resistir, 207

Acceso carnal o acto sexual abusivos con incapaz de resistir, 210

Violencia intrafamiliar, 229

Incendio
Definición, 350

Siniestro o daño de nave, 354

Incesto
Definición, 237

Incitación
Incitación a la comisión de delitos militares, 349

Indemnización
Extinción de la acción penal, 82 num. 7

Libertad condicional, 64 nim. 3 inc. 3

Oblación, 87

Por daños, 97

Requisitos para conceder la prisión domiciliaria, 38B, num. 4 lit. b

Individualización
Fundamentos para la individualización de la pena, 61

Motivación del proceso de individualización de la pena, 59

Parámetros para la determinación de los mínimos y máximos aplicables, 60

Inducción
A la prostitución, 213

Ayuda e inducción al empleo, producción y transferencia de minas antipersonal, 367B

Inducción o ayuda al suicidio, 107

Uso de menores de edad la comisión de delitos, 188D

Industrial
Daño en materia prima, producto agropecuario o industrial, 304
Usurpación de derechos de propiedad industrial y derechos de obtentores de variedades vegetales, 306
Violación de reserva industrial o comercial, 308

Infidelidad
A los deberes profesionales, 445

Influencia
Tráfico de influencias de particular, 411A
Tráfico de influencias de servidor público, 411
Utilización indebida de influencias derivadas del ejercicio de función pública, 432

Información
Circunstancias de atenuación, 167, 269H
Daño Informático, 269D
Desaparición forzada, 165
Fraude Aduanero, 321
Omisión de activos o inclusión de pasivos inexistentes, 434
Omisión de información del aportante, 396C
Pánico económico, 302
Tortura en persona protegida, 137
Tortura, 178
Utilización de asunto sometido a secreto o reserva, 419
Utilización indebida de información obtenida en el ejercicio de función pública, 431
Utilización indebida de información oficial privilegiada, 420
Utilización indebida de información privilegiada, 258
Utilización indebida de información privilegiada, 68A

Utilización o facilitación de medios de comunicación para ofrecer servicios sexuales de menores, 219A
Violación a los mecanismos de protección de derecho de autor y derechos conexos, y otras defraudaciones, 272 nums. 3, 4, 5

Inimputabilidad
Circunstancias de agravación, 104 num. 5, 241 num. 3, 339-B lit. c
Circunstancias de mayor punibilidad, 58 num. 11
Conducta punible, 9 inc. 2
Definición, 33
Internación en casa de estudio o de trabajo, 72
Internación para inimputable por trastorno mental permanente, 70
Internación para inimputable por trastorno mental transitorio con base patológica, 71
Restricción de otros derechos a los inimputables, 81
Trastorno mental transitorio sin base patológica, 75

Injuria
Definición, 220
Imputaciones de litigantes, 228
Imputaciones de litigantes, 228
Injuria y calumnia indirectas, 222
Injurias o calumnias recíprocas, 227
Por vías de hecho, 226

Inmunidad
Extraterritorialidad, 16 nums. 2, 3
Violación de inmunidad diplomática, 465

Inseminación
Abandono de hijo fruto de acceso carnal violento, abusivo, o de inseminación artificial o transferencia de óvulo fecundado no consentidas, 128

Inseminación artificial o transferencia de óvulo fecundado no consentidas, 187
Muerte de hijo fruto de acceso carnal violento, abusivo, o de inseminación artificial o transferencia de óvulo fecundado no consentidas, 108

Insignias
Utilización ilegal de uniformes e insignias, 346

Instalación
Perturbación de instalación nuclear o radiactiva, 362

Instigación
A delinquir, 348
A la guerra, 458

Integración
Norma rectora de integración, 2

Interceptación
Interceptación de datos informáticos, 269C

Internación
Cómputo de la internación preventiva, 80
En casa de estudio o de trabajo, 72
Fraudulenta internación en asilo, clínica o establecimiento similar, 186
Libertad vigilada, 74
Medidas de seguridad, 69
Para inimputable por trastorno mental permanente, 70
Para inimputable por trastorno mental transitorio con base patológica, 71

Interrupción
Interrupción del término de prescripción de la multa, 91
Interrupción del término de prescripción de la sanción privativa de la libertad, 90

Interrupción y suspensión del término prescriptivo de la acción, 86

Inundación
Provocación de inundación o derrumbe, 352

Invasión
De tierras o edificaciones, 263
De áreas de especial importancia ecológica, 337

Investidura
Adopción irregular, 232 num. 2
Circunstancia de agravación, 245 num. 8
Daños o agravios a personas o a cosas destinadas al culto, 203
Simulación de investidura o cargo, 426

Ira
Ira o intenso dolor, 57

Irrespeto
A cadáveres, 204

J

Justicia
Entrenamiento para actividades ilícitas, 341
Delitos contra la eficaz y recta impartición de justicia, 435-454C

L

Legalidad
Norma rectora de la Legalidad, 6

Lesión(es)
Circunstancias de agravación, 121, 130, 166 num. 8, 170 nums. 6, 10, 188B num. 2, 245 num. 3
Definición, 111, 112-116

Delitos contra la vida, integridad física y emocional de los animales, 339A
Genocidio, 101 num. 1
Lesiones al feto, 125
Lesiones causadas con agentes químicos, ácido y/o sustancias similares, 68A
Lesiones culposas al feto, 126
Lesiones culposas, 120
Lesiones en persona protegida, 136
Lesiones personales por pérdida anatómica o funcional de un órgano o miembro, 68A, 116A
Parto o aborto preterintencional, 118
Violación de los derechos de reunión y asociación, 200 num. 3

Libertad
Circunstancias de mayor punibilidad, 58 num. 13
Conversión de la multa en arrestos progresivos, 40
Cumplimiento de las penas accesorias, 53
Delitos contra la libertad individual y otras garantías, 165-204
Delitos contra la libertad, integridad y formación sexual, 68A
Delitos contra la libertad, integridad y formación sexuales, 205-219C
Detención ilegal y privación del debido proceso, 149
Ejecución coactiva, 41
Ejecución de la medida de prisión domiciliaria, 38D
Fuga de presos, 448
Interrupción del término de prescripción de la sanción privativa de la libertad, 90
Libertad condicional, 64, 65
Libertad vigilada, 74
Lugar de cumplimiento de la ejecución de la pena privativa de la libertad, 38G
Maltrato mediante restricción a la libertad física, 230

Medidas de seguridad, 69 num. 3
Modalidad culposa, 450
Penas principales, 35
Prisión domiciliaria como sustitutiva de la prisión, 38
Reclusión domiciliaria u hospitalaria por enfermedad muy grave, 68
Redención de pena durante la prisión domiciliaria, 38E
Rehabilitación, 92
Suspensión de la ejecución de la pena, 63
Término de la prescripción de la sanción penal, 89
Término de prescripción de la acción penal, 83
Terrorismo, 343
Toma de rehenes, 148

M

Maltrato
Maltrato mediante restricción a la libertad física, 230

Malversación
Malversación y dilapidación de bienes, 259
Malversación y dilapidación de bienes de familiares, 236

Manejo
Manejo y uso ilícito de organismos, microorganismos y elementos genéticamente modificados, 330
Manejo ilícito de especies exóticas, 330A

Manipulación
Genética, 132
Transferencia no consentida de activos, 269J

Fraudulenta de especies inscritas en el Registro Nacional de Valores y Emisores, 317

Marginalidad
Circunstancias de marginalidad, ignorancia o pobreza extremas, 56

Mecanismo(s)
Apoderamiento o alteración de sistemas de identificación, 327B
Defraudación de fluidos, 256
Delitos contra mecanismos de participación democrática, 386-396B
Omisión de control en el sector de la salud, 325B
Omisión de control, 325
Sustitutivos de la pena privativa de la libertad, 63-68A
Violación a los mecanismos de protección de derecho de autor y derechos conexos, y otras defraudaciones, 272

Medida(s)
Control de la medida de prisión domiciliaria, 38C
De seguridad, 69-81
Destrucción de bienes e instalaciones de carácter sanitario, 155
Destrucción o utilización ilícita de bienes culturales y de lugares de culto, 156
Extensión, 93
Hurto por medios informáticos y semejantes, 269I
Omisión de medidas de protección a la población civil, 161
Omisión de medidas de socorro y asistencia humanitaria, 152
Violación a los mecanismos de protección de derecho de autor y derechos conexos, y otras defraudaciones, 272 num. 1
Violación de medidas sanitarias, 368

Menor(es)
Abandono, 127
Acceso carnal abusivo con menor de catorce años, 208
Acceso carnal abusivo en persona protegida menor de catorce años, 138A
Actos sexuales con menor de catorce años, 209
Actos sexuales con persona protegida menor de catorce años, 139A
Adopción irregular, 232
Circunstancias de agravación, 104B, 119 inc. 2, 166 num. 3, 170 num. 1, 179 num. 3, 181 num. 2, 185 num. 2, 188B num. 1 y par., 211 num. 4, 216 num. 1, 339B lit. c, 344 num. 1, 384 lit. A
Demanda de explotación sexual comercial de persona menor de 18 años de edad, 217A
Ejercicio arbitrario de la custodia de hijo menor de edad, 230A
Estímulo a la Prostitución de Menores, 217
Inasistencia alimentaria, 233 inc, 2
Inhabilidades por delitos sexuales cometidos contra menores, 219C
Inimputabilidad, 33 inc. 3
Inseminación artificial o transferencia de óvulo fecundado no consentidas, 187 inc. 3
Maltrato mediante restricción a la libertad física, 230
Omisión de denuncia de particular, 441
Omisión de denuncia, 219B
Pornografía con personas menores de 18 años, 218
Proxenetismo con menor de edad, 213A
Reclutamiento ilícito, 162
Suministro a menor, 381
Tráfico de menores, 68A, 323
Turismo sexual, 219

Uso de menores de edad para la comisión de delitos, 68A, 188D
Utilización o facilitación de medios de comunicación para ofrecer servicios sexuales de menores, 219A
Violencia intrafamiliar, 229 inc. 2

Menoscabo
De la integridad nacional, 455

Migrantes
Tráfico de migrantes, 38B, 68A, 188, 323, 340 inc. 2

Moneda
Circulación ilegal de monedas, 277
Emisiones ilegales, 276
Extraterritorialidad, 16
Falsificación de moneda nacional o extranjera, 68A, 273
Indemnización por daños, 97
Tráfico de moneda falsificada, 274
Tráfico, elaboración y tenencia de elementos destinados a la falsificación de moneda, 275
Valores equiparados a moneda, 278

Muerte
Circunstancias de agravación, 130 num. 2, 166 num. 8, 170 nums. 6, 10, 185 num. 1, 245 num. 3
Delitos contra la vida, integridad física y emocional de los animales, 339A
Entrenamiento para actividades ilícitas, 341
Extinción de la acción civil, 99
Extinción de la acción penal, 82 num. 1
Extinción de la sanción penal, 88 num. 1
Feminicidio, 104A
Genocidio, 101
Homicidio en persona protegida, 135
Muerte de hijo fruto de acceso carnal violento, abusivo, o de inseminación artificial o transferencia de óvulo fecundado no consentidas, 108
Violación de los derechos de reunión y asociación, 200 num. 3

Multa
Conversión de la multa en arrestos progresivos, 40
Definición, 39
Destinación, 42
Ejecución coactiva, 41
Interrupción del término de prescripción de la multa, 91
Oblación, 87
Penas principales, 35
Penas sustitutivas, 36

N

Narcotráfico
Circunstancias de agravación, 415
Favorecimiento de la fuga, 449 inc. 2
Modalidad culposa, 450 inc. 2
Omisión de denuncia de particular, 441
Testaferrato, 326

Normas rectoras
Antijuridicidad, 11
Conducta punible, 9
Culpabilidad, 12
Dignidad humana, 1
Funciones de la medida de seguridad, 5
Funciones de la pena, 4
Igualdad, 7
Integración, 2
Legalidad, 6
Normas rectoras y fuerza normativa, 13
Principios de las sanciones penales, 3
Prohibición de doble incriminación, 8
Tipicidad, 10

O

Oblación
Definición, 87
Extinción de la acción penal, 82 num. 5

Obligación(es)
Control judicial de las medidas, 77
Extinción de la acción civil, 99
Libertad condicional, 64
Libertad vigilada, 74
Multa, 39
Obligados a indemnizar, 96
Reparación del daño, 94
Requisitos para conceder la prisión domiciliaria, 38B
Revocación de la suspensión de la ejecución condicional de la pena y de la libertad condicional, 61

Obras
Ataque contra obras e instalaciones que contienen fuerzas peligrosas, 157
Daño en obras de utilidad social, 351
Daño en obras o elementos de los servicios de comunicaciones, energía y combustibles, 357
Destrucción o utilización, ilícita de bienes culturales y de lugares de culto, 156
Destrucción y apropiación de bienes protegidos, 154 num. 5
Ilícita actividad de pesca, num. 4
Manipulación fraudulenta de especies inscritas en el Registro Nacional de Valores y Emisores, 317
Obstrucción de obras de defensa o de asistencia, 364
Urbanización ilegal, 318
Violación a los derechos patrimoniales de autor y derechos conexos, 271

Obstaculización
Constreñimiento ilegal por parte de miembros de Grupos Delictivos Organizados y Grupos Armados Organizados, 182A
De tareas sanitarias y humanitarias, 153
Denegación de inscripción, 396
Desconocimiento de habeas corpus, 177
Ilegítima de sistema informático o red de telecomunicación, 269B
Obstrucción a vías públicas que afecten el orden público, 353A
Obstrucción de obras de defensa o de asistencia, 364

Obtención
De documento público falso, 288

Ofensa
A diplomáticos, 466

Omisión
Abuso de autoridad por omisión de denuncia, 417
Acción y omisión, 25
Concurso de conductas punibles, 31
Daños en los recursos naturales, 331 inc. 4
De activos o inclusión de pasivos inexistentes, 434A
De apoyo, 424
De control en el sector de la salud, 325B
De control, 325
De denuncia de particular, 441
De denuncia, 219C
De información del aportante, 396C
De medidas de protección a la población civil, 161
De medidas de socorro y asistencia humanitaria, 152
De Reportes Sobre Transacciones en efectivo, Movilización o Almacenamiento de Dinero en Efectivo, 325A
De socorro, 131

Del agente retenedor o recaudador, 402

Inasistencia alimentaria, 233

Norma rectora de Conducta punible, 9

Norma rectora de Tipicidad, 10 inc. 2

Prevaricato por omisión, 414

Urbanización ilegal, 318 par.

Operación(es)

Interés indebido en la celebración de contratos, 409

Lavado de activos, 323 inc. 4

No autorizadas con accionistas o asociados, 315

Usura, 305

Utilización indebida de fondos captados del público, 314

Órgano(s)

Autores, 29 inc. 3

Intervención en política, 422

Lesiones personales por pérdida anatómica o funcional de un órgano o miembro, 68A

Pérdida anatómica o funcional de un órgano o miembro, 116

Perturbación funcional, 114

Propagación del virus de inmunodeficiencia humana o de la hepatitis B, 370

Trata de personas, 188A inc. 2

Utilización indebida de información oficial privilegiada, 420

Utilización indebida de información privilegiada, 258

P

Pago

Requisitos para conceder la prisión domiciliaria, 38B num. 4 lit. b

Multa, 39

Conversión de la multa en arrestos progresivos, 40

Libertad condicional, 64

Extinción de la acción penal, 82 num. 6

Rehabilitación, 92 num. 2

Comiso, 100

Demanda de explotación sexual comercial de persona menor de 18 años de edad, 217A

Emisión y transferencia ilegal de cheque, 248

Violación a los mecanismos de protección de derecho de autor y derechos conexos, y otras defraudaciones, 272 num. 8

Fraude Aduanero, 321

Corrupción de sufragante, 390 inc. 5

Omisión del agente retenedor o recaudador, 402

Omisión de activos o inclusión de pasivos inexistentes, 434A par. 1

Pago del mecanismo de vigilancia electrónica, 38F

Pánico

Definición, 355

Económico, 302

Partícipe(s)

Circunstancias de agravación, 104 num. 2, 167, 170 nums. 4, 8, 188B num. 4, 188C nums. 3 y 4, 211, num. 5, 126 num. 3, 290 in, 1, 344 nums. 1 y 4

Circunstancias de atenuación, 451 inc. 2

Circunstancias de mayor punibilidad, 58 num. 5

Comunicabilidad de circunstancias, 62

Concurso de personas en la conducta punible, 28

Definición, 30

Falsa autoacusación, 437

Falsa denuncia contra persona determinada, 436

Retractación, 225

Tentativa, 27 inc. 2

Parto
   Parto o aborto pretintencional, 118

Patente
   De invención, 306
   Uso legítimo de patente, 307

Patria
   Delitos de traición a la patria, 455-462
   Duración de las penas privativas de otros derechos, 51 inc. 4
   Ejercicio arbitrario de la custodia de hijo menor de edad, 230A
   Inhabilitación para el ejercicio de la patria potestad, tutela y curaduría, 47
   Malversación y dilapidación de bienes de familiares, 236
   Penas privativas de otros derechos, 43 num. 4

Peculado
   Por apropiación, 397
   por uso, 398
   por aplicación oficial diferente, 399
   Culposo, 400
   Por aplicación oficial diferente frente a recursos de la seguridad social, 399A
   Culposo frente a recursos de la seguridad social integral, 400A

Pena(s)
   Accesoria, 52, 53
   De las penas, 34
   Fundamentos para la individualización de la pena, 61
   Mecanismos sustitutivos de la pena privativa de la libertad, 63-68A
   Motivación del proceso de individualización de la pena, 59
   Multa, 39, 40, 41, 42
   Norma rectora de la Culpabilidad, 12
   Norma rectora Funciones de la pena, 4
   Parámetros para la determinación de los mínimos y máximos aplicables, 60
   Principales, 35

   Principios de las sanciones penales, 3
   Prisión domiciliaria como sustitutiva de la prisión, 38, 38B, 38C, 38D, 38E, 38F, 38G
   Prisión, 37
   Privativas de otros derechos, 43-51
   Rehabilitación, 92
   Sustitutivas, 36

Pérdida
   Anatómica o funcional de un órgano o miembro, 116
   Ataque contra obras e instalaciones que contienen fuerzas peligrosas, 157 inc. 2
   Fraude al sufragante, 388 inc. 4
   Lesiones con agentes químicos, ácido y/o sustancias similares, 116A inc. 2
   Utilización de medios y métodos de guerra ilícitos, 142

Perturbación
   De actos oficiales, 430
   De certamen democrático, 386
   De instalación nuclear o radiactiva, 362
   De la posesión sobre inmueble, 264
   En servicio de transporte público, colectivo u oficial, 353
   Funcional, 114
   Impedimento o perturbación de la celebración de audiencias públicas, 454C
   Impedimento y perturbación de ceremonia religiosa, 202
   Psíquica, 115

Pesca
   Ilícita actividad de pesca, 335

Piedad
   Homicidio por piedad, 106

Pistas
   Existencia, construcción y utilización ilegal de pistas de aterrizaje, 385

Población
Actos de terrorismo, 144
Amenazas, 347
Ataque contra obras e instalaciones que contienen fuerzas peligrosas, 157 inc. 2
Atentados a la subsistencia y devastación, 160
Deportación, expulsión, traslado o desplazamiento forzado de población civil, 159
Desplazamiento forzado, 180
Destrucción y apropiación de bienes protegidos, 154 num. 3
Empleo, producción, comercialización y almacenamiento de minas antipersonal, 367 inc. 3
Homicidio en persona protegida, par. num. 1
Instigación a delinquir, 348 inc. 2
Manipulación genética, 132 inc. 2
Obstaculización de tareas sanitarias y humanitarias, 153
Omisión de medidas de protección a la población civil, 161
Terrorismo, 343

Pobreza
Circunstancias de marginalidad, ignorancia o pobreza extremas, 56

Pornografía
Con personas menores de 18 años, 218

Porte
Disparo de arma de fuego sin justificación, 356A
Empleo o lanzamiento de sustancias u objetos peligrosos, 359 inc. 5
Fabricación, importación, tráfico, posesión y uso de armas químicas, biológicas y nucleares, 367
Fabricación, tráfico y porte de armas y municiones de uso restringido, uso privativo de las fuerzas armadas o explosivos, 38G, 366
Fabricación, tráfico, porte o tenencia de armas de fuego, accesorios, partes o municiones, 365
Homicidio culposo, 109 inc. 2
Lesiones culposas, 120 inc. 2
Penas privativas de otros derechos, 43 num. 6
Porte de sustancias, 383
Privación del derecho a la tenencia y porte de arma, 49, 51 inc. 6
Simulación de investidura o cargo, 426
Tráfico, fabricación o porte de estupefacientes, 376
Tráfico, fabricación o porte de estupefacientes, drogas tóxicas o sustancias sicotrópicas, 340 inc. 2
Utilización ilegal de uniformes e insignias, 346

Prescripción
Extinción de la acción penal, 82 num. 4
Extinción de la sanción penal. Son causas de extinción de la sanción penal, 88 num. 4
Iniciación del término de prescripción de la acción, 84
Interrupción del término de prescripción de la multa, 91
Interrupción del término de prescripción de la sanción privativa de la libertad, 90
Interrupción y suspensión del término prescriptivo de la acción, 86
Prescripción de la acción civil, 98
Renuncia a la prescripción, 85
Término de la prescripción de la sanción penal, 89
Término de prescripción de la acción penal, 83

Preterintención
Modalidades de la conducta punible, 21

Definición, 24
Homicidio preterintencional, 105
Parto o aborto preterintencional, 118

Prevaricato
Prevaricato por acción, 413
Prevaricato por omisión, 414
Circunstancias de agravación, 415

Prisión
Domiciliaria como sustitutiva de la
prisión, 38, 38A 38B, 38C, 38D, 38E,
38F, 38G
Exclusión de los beneficios y subroga-
dos penales, 68A
Inhabilitación para el ejercicio de pro-
fesión, arte, oficio, industria o comer-
cio, 40
La prisión, 37
Penas accesorias, 52 inc. 3
Penas principales, 35
Suspensión de la ejecución de la pena,
63 inc. 1

Proceso
Acuerdos restrictivos de la competen-
cia, 410A
Detención ilegal y privación del debido
proceso, 149
Indemnización por daños, 97 inc. 3
Motivación del proceso de individuali-
zación de la pena, 59
Oblación, 87
Reiteración, 235
Uso ilegítimo de patentes, 307
Violación de reserva industrial o co-
mercial, 308

Producto
Acaparamiento, 297
Agiotaje, 301
Alteración y modificación de calidad,
cantidad, peso o medida, 299
Corrupción de alimentos, productos
médicos o material profiláctico, 372

Daño en materia prima, producto
agropecuario o industrial, 304
Especulación, 298
Fabricación y comercialización de sus-
tancias nocivas para la salud, 374
Ilícita actividad de pesca, 335
Ilícita explotación comercial, 303 inc.
2
Ilícito aprovechamiento de los recursos
naturales renovables, 328
Imitación o Simulación de Alimentos,
Productos o Sustancias, 373
Ofrecimiento engañoso de productos y
servicios, 300
Uso ilegítimo de patentes, 307
Violación a los mecanismos de protec-
ción de derecho de autor y derechos
conexos, y otras defraudaciones, 272
num. 2

Profesión
Duración de las penas privativas de
otros derechos, 55 inc. 1
La inhabilitación para el ejercicio de
profesión, arte, oficio, industria o comercio, 46
Penas privativas de otros derechos, 43
num. 3

Prolongación
Ilícita de privación de la libertad, 175

Prostitución
Constreñimiento a la prostitución, 214
Estímulo a la Prostitución de Menores,
217
Forzada en persona protegida, 141
Inducción a la prostitución, 213
Trata de personas en persona prote-
gida con fines de explotación sexual,
141B inc. 2
Trata de personas, 188A inc. 2

Proxenetismo
Delitos 213-219C

Punibilidad
Criterios y reglas para la determinación de la punibilidad, 54-62

R

Radiactivo
Circunstancias de agravación punitiva, 241 num. 15,
Perturbación de instalación nuclear o radiactiva, 362
Tenencia, fabricación y tráfico de sustancias u objetos peligrosos, 358
Tráfico, transporte y posesión de materiales radiactivos o sustancias nucleares, 363

Rebelión
Definición, 467

Receptación
Definición, 327C, 447

Reclutamiento
Ilícito, 162

Recurso(s)
Delitos contra los recursos naturales y medio ambiente, 328-339, 340 inc. 2, 350 inc. 2
Destino de recursos del tesoro para el estímulo o beneficio indebido de explotadores y comerciantes de metales preciosos, 403
Financiación de campañas electorales con fuentes prohibidas, 369A
Fraude de subvenciones, 403A
Gestión indebida de recursos sociales, 260
Peculado culposo frente a recursos de la seguridad social integral, 400A

Peculado por aplicación oficial diferente frente a recursos de la seguridad social, 339A
Sanción por la captación, 316A
Violación de los topes o límites de gastos en las campañas electorales, 396B

Rehabilitación
Definición, 92

Rehenes
Toma de rehenes, 148

Reparación
Del daño, 94
Libertad condicional, 64 num. 3 inc. 3
Reparación, 269

Residuo
Contaminación ambiental por residuos sólidos peligrosos, 332A
Introducción de residuos nucleares y de desechos tóxicos, 361
Tenencia, fabricación y tráfico de sustancias u objetos peligrosos, 358

Responsabilidad
Ausencia de responsabilidad, 32
Conducta punible, 9 inc. 2
Culpabilidad, 12
Inimputabilidad, 33 inc. 3
Civil, 94-100
Eximente de responsabilidad, 129, 224, 225, 227, 452

Retractación
Extinción de la acción penal, 82 num. 8
Definición, 225

Reunión
Violación de los derechos de reunión y asociación, 200
Circunstancias especiales de graduación de la pena, 223
Perturbación de actos oficiales, 430

S

Sabotaje
Definición, 199

Salud
Circunstancias de agravación. 170 num. 6, 188B num. 2
Contaminación ambiental por residuos sólidos peligrosos, 332A inc. 2
Contaminación ambiental, 332
Delitos contra la salud pública, 368-385
Delitos contra la vida, integridad física y emocional de los animales, 339A
Evasión fiscal, 313
Experimentación ilegal con especies, agentes biológicos o bioquímicos, 334
Hostigamiento, 134B par.
Lesiones al feto, 125
Lesiones con agentes químicos, ácido y/o sustancias similares, 116A
Lesiones en persona protegida, 136
Lesiones, 111
Maltratado por descuido, negligencia o abandono en persona mayor de 60 años, 229A
Manejo ilícito de especies exóticas, 330A
Manejo y uso ilícito de organismos, microorganismos y elementos genéticamente modificados, 330
Obstrucción a vías públicas que afecten el orden público, 353A
Omisión de control en el sector de la salud, 325B
Omisión de socorro, 131
Parto o aborto preterintencional, 118
Reclusión domiciliaria u hospitalaria por enfermedad muy grave, 68
Tenencia, fabricación y tráfico de sustancias u objetos peligrosos, 358 inc. 2
Tráfico, transporte y posesión de materiales radiactivos o sustancias nucleares, 363 inc. 2

Sanción
Extinción de la sanción penal, 88
Interrupción del término de prescripción de la sanción privativa de la libertad, 90
Término de la prescripción de la sanción penal, 89

Secreto
Espionaje, 463
Revelación de secreto, 418
Utilización de asunto sometido a secreto o reserva, 419
Violación de reserva industrial o comercial, 308 inc. 2

Secuestro
Extorsivo, 38G, 169, 323, 326 inc. 2, 340 inc. 2, 348 inc. 2
Simple, 168, 340 inc. 2
Circunstancias de agravación punitiva, 170, 245 num. 3, 247 num. 2, 415, 441, 446 inc. 2
Circunstancias de atenuación punitiva, 171, 450 num. 2

Sedición
Definición, 466

Seguridad
Acceso abusivo a un sistema informático, 269A
Circunstancias de agravación, 185 num. 2, 241 num. 12, 247 num. 6, 269-H num. 6
Delitos contra la existencia y seguridad del estado, 455-466
Delitos contra la seguridad pública, 340-367B
Detención arbitraria especial, 176
Extensión de disposiciones, 93
Extraterritorialidad, 16 num. 1
Funciones de la medida de seguridad, 5
Hurto por medios informáticos y semejantes, 269I

Medidas de seguridad, 69-81, 116A, par
Peculado culposo frente a recursos de la seguridad social integral, 400A
Peculado por aplicación oficial diferente frente a recursos de la seguridad social, 399A
Violación ilícita de comunicaciones o correspondencia de carácter oficial, 196 inc. 2

Sello
Circulación y uso de efecto oficial o sello falsificado, 281
Falsificación o uso fraudulento de sello oficial, 279
Mora en la entrega de documentos relacionados con una votación, 393
Supresión de signo de anulación de efecto oficial, 283

Sentencia
Extranjera, 17

Servidor(es)
Servidor público, art. 20, 340 inc. 3
Duración de las penas privativas de otros derechos, 51 inc. 2
Circunstancias de agravación cuando se trata de servidor público, 166 num. 4, 179 num. 4,
Amenazas contra defensores de Derechos Humanos y servidores públicos, 188E
Delitos contra los servidores públicos, 429, 430

Siniestro
Siniestro o daño de nave, 354

Soborno
Definición, 444
Transnacional, 433
Soborno en la actuación penal, 444A

Sufragante
Constreñimiento al sufragante, 387
Corrupción de sufragante, 390
Fraude al sufragante, 388

Sumergible
Uso, construcción, comercialización y/o tenencia de semisumergibles o sumergibles, 377A
Circunstancia de agravación punitiva, 377B

Suplantación
De sitios web para capturar datos personales, 269G

Supresión
Supresión, alteración o suposición del estado civil, 238
Violación a los derechos morales de autor, 270 par
De signo de anulación de efecto oficial, 283
Destrucción, supresión u ocultamiento de documento público, 292
Destrucción, supresión y ocultamiento de documento privado, 293

Suspensión
De la ejecución de la pena, 63
Exclusión de los beneficios y subrogados penales, 68A
Internación para inimputable por trastorno mental permanente., 70 incs. 3 y 4
Interrupción y suspensión del término prescriptivo de la acción, 86
La internación en casa de estudio o de trabajo, 72 incs. 3 y 4
Obligaciones, 65
Revocación de la suspensión condicional, 78
Revocación de la suspensión de la ejecución condicional de la pena y de la libertad condicional, 66

Suspensión o cesación de las medidas de seguridad, 79

Sustancias
Lesiones causadas con agentes químicos, ácido y/o sustancias similares, 68A, 116A
Empleo o lanzamiento de sustancias u objetos peligrosos, 68A, 359
Circunstancias de agravación, 266 num. 2
Tráfico de drogas tóxicas, estupefacientes o sustancias sicotrópicas, 323, 340 inc. 2, 441, 446 inc. 2
Apoderamiento o alteración de sistemas de identificación, 327B
Manejo y uso ilícito de organismos, microorganismos y elementos genéticamente modificados, 330
Tenencia, fabricación y tráfico de sustancias u objetos peligrosos, 358
Tráfico, transporte y posesión de materiales radiactivos o sustancias nucleares, 363
Imitación o Simulación de Alimentos, Productos o Sustancias, 373
Fabricación y comercialización de sustancias nocivas para la salud, 374
Tráfico, fabricación o porte de estupefacientes, 376
Tráfico de sustancias para el procesamiento de narcóticos, 382

Sustracción
De bien propio, 254
De cosa propia al cumplimiento de deberes constitucionales o legales, 309
Favorecimiento por servidor público, 322
Favorecimiento por servidor público de contrabando de hidrocarburos o sus derivados, 322-1

T

Telecomunicaciones
Defraudación de fluidos, 256
De la prestación, acceso o uso ilegales de los servicios de telecomunicaciones, 257
Obstaculización ilegítima de sistema informático o red de telecomunicación, 269B

Tenencia
Disparo de arma de fuego sin justificación, 356A
Disposición de bien propio gravado con prenda, 255
Duración de las penas privativas de otros derechos, 51 inc. 6
Fabricación, tráfico, porte o tenencia de armas de fuego, accesorios, partes o municiones, 365
Homicidio culposo, 109 inc. 2
La privación del derecho a la tenencia y porte de arma, 49
Lesiones culposas, 120 inc. 2
Peculado culposo, 400
Peculado por aplicación oficial diferente, 399
Peculado por apropiación, 397
Peculado por uso, 398
Penas privativas de otros derechos, 43 num. 6
Tenencia, fabricación y tráfico de sustancias u objetos peligrosos, 358
Tráfico, elaboración y tenencia de elementos destinados a la falsificación de moneda, 275
Uso, construcción, comercialización y/o tenencia de semisumergibles o sumergibles, 377A

Tentativa
Definición, 27

Territorialidad
De la ley penal colombiana, 14
Extraterritorialidad, 16
Por extensión, 15

Terrorismo
Terrorismo, 38G, 344, 343, 415, 441, 449 inc. 2, 450 inc. 2
Financiación del terrorismo y de actividades de delincuencia organizada, 38G, 344
Financiación del terrorismo y administración de recursos relacionados con actividades terroristas, 38G, 323, 345, 441
Actos de terrorismo, 144

Testaferrato
Testaferrato, 68A, 326, 340 inc. 2, 441

Tipicidad
Norma rectora de Tipicidad, 10

Tortura
Ausencia de responsabilidad, 32 num. 4 inc. 2
Circunstancias de agravación punitiva, 170 num. 2, 415
En persona protegida, 137
Tortura, 68A, 83 inc. 2, 178, 340, 348 inc. 2, 441, 446 inc. 2, 449 inc. 2, 450 inc. 2

Tráfico
De influencias, 411-411A
De menores, 38G, 323
De migrantes, 38G, 68A, 188, 323
De moneda falsificada, 274
De niñas, niños y adolescentes, 188C
De votos, 390A
Delitos relacionados con el tráfico de estupefacientes, 38G, 68A, 323, 376-385
Fabricación, tráfico y porte de armas y municiones de uso restringido, uso privativo de las fuerzas armadas o explosivos, 38G, 366
Fabricación, tráfico, porte o tenencia de armas de fuego, accesorios, partes o municiones, 365
Fecundación y tráfico de embriones humanos, 134
Tenencia, fabricación y tráfico de sustancias u objetos peligrosos, 358
Tráfico de armas, 323
Tráfico, elaboración y tenencia de elementos destinados a la falsificación de moneda, 275
Tráfico, posesión o uso de armas químicas, biológicas y nucleares, 68A, 367
Tráfico, transporte y posesión de materiales radiactivos o sustancias nucleares, 363

Traición
Delitos de Traición a la Patria, 455-462

Transporte
Apoderamiento de aeronaves, naves, o medios de transporte colectivo, 173
Circunstancias de agravación punitiva, 241 nums. 5 y 11
Contaminación ambiental por explotación de yacimiento minero o hidrocarburo, 333A
Contaminación ambiental por residuos sólidos peligrosos, 332A
Destinación ilegal de combustibles, 327D inc. 2
Destinación ilícita de muebles o inmuebles, 377
Destrucción de bienes e instalaciones de carácter sanitario, 155
Fabricación, tráfico y porte de armas, municiones de uso restringido, de uso privativo de las Fuerzas Armadas o explosivos, 366
Fabricación, tráfico, porte o tenencia de armas de fuego, accesorios, partes o municiones, 365

Favorecimiento de contrabando de hidrocarburos o sus derivados, 320-1
Favorecimiento por servidor público de contrabando de hidrocarburos o sus derivados, 322-1
Favorecimiento por servidor público, 322
Favorecimiento y facilitación del contrabando, 320
Ilícita actividad de pesca, 335
Ilícito aprovechamiento de los recursos naturales renovables, 328
Incendio, 350 inc. 2
Lavado de activos, 323
Obstrucción a vías públicas que afecten el orden público, 353A
Pánico
Perturbación en servicio de transporte público, colectivo u oficial, 353
Receptación, 327, 355
Tenencia, fabricación y tráfico de sustancias u objetos peligrosos, 358
Terrorismo, 343
Tráfico de sustancias para el procesamiento de narcóticos, 382
Tráfico, fabricación o porte de estupefacientes, 376
Tráfico, transporte y posesión de materiales radiactivos o sustancias nucleares, 363
Uso ilegítimo de patentes, 307 inc. 2
Uso, construcción, comercialización y/o tenencia de semisumergibles o sumergibles, 377A
Usurpación de derechos de propiedad industrial y derechos de obtentores de variedades vegetales, 306 inc. 2
Utilización ilegal de uniformes e insignias, 346
Violación a los derechos patrimoniales de autor y derechos conexos, 271 num. 1

Traslado
Deportación, expulsión, traslado o desplazamiento forzado de población civil, 159, 348 inc. 2

Trata
De personas, 188A, 215

Tregua
Violación de tregua o armisticio, 464

Turismo
Sexual, 219

U

Uniformes
Utilización ilegal de uniformes e insignias, 346
Simulación de investidura o cargo, 426

Urbanización
Ilegal, 318

Uso
Circulación y uso de efecto oficial o sello falsificado, 281
De documento falso, 291
De la prestación, acceso o uso ilegales de los servicios de telecomunicaciones, 257
De menores de edad la comisión de delitos, 68A, 188D
De software malicioso, 269E
Estímulo al uso ilícito, 378
Fabricación, importación, tráfico, posesión y uso de armas químicas, biológicas y nucleares, 367
Falsificación o uso fraudulento de sello oficial, 279
Ilegítimo de patentes, 307
Manejo y uso ilícito de organismos, microorganismos y elementos genéticamente modificados, 330
Peculado por uso, 398

Uso y circulación de efecto oficial anulado, 284
Uso, construcción, comercialización y/o tenencia de semisumergibles o sumergibles, 377

Usura
Definición, 305

Usurpación
De aguas, 262
De derechos de propiedad industrial y derechos de obtentores de variedades vegetales, 306
De funciones públicas, 425
De inmuebles, 261
Seducción, usurpación y retención ilegal de mando, 472
Usurpación y abuso de funciones públicas con fines terroristas, 427

Utilidad
Daño en obras de utilidad social, 351

V

Valores
Equiparados a moneda, 278
Pánico económico, 302

Vigilancia
Utilización indebida de fondos captados del público, 314
Operaciones no autorizadas con accionistas o asociados, 315

Violación
A la libertad religiosa, 201
A los derechos morales de autor, 270
A los derechos patrimoniales de autor y derechos conexos, 271
A los mecanismos de protección de derecho de autor y derechos conexos, y otras defraudaciones, 272

Al ejercicio de mecanismos de participación democrática, 386-396C
De datos personales, 269F
De fronteras para la explotación o aprovechamiento de los recursos naturales, 329
De habitación ajena por servidor público, 190
De habitación ajena, 189
De la libertad de trabajo, 198
De los derechos de reunión y asociación, 200
De medidas sanitarias, 368
De reserva industrial o comercial, 308
En lugar de trabajo, 191
Ilícita de comunicaciones o correspondencia de carácter oficial, 68A, 196
Ilícita de comunicaciones, 68A, 192

Violencia
Contra servidor público, 429
Feminicidio, 104A
Intrafamiliar, 68A, 229

Virus
Propagación del virus de inmunodeficiencia humana o de la hepatitis B, 370

Voto
Constreñimiento al sufragante, 387
Favorecimiento de voto fraudulento, 392
Fraudulento, 391
Tráfico de votos, 390A

Y

Yacimiento
Contaminación ambiental por explotación de yacimiento minero o hidrocarburo, 333, 340 inc. 2
Explotación ilícita de yacimiento minero y otros materiales, 338, 340 inc. 2

CÓDIGO DE PROCEDIMIENTO PENAL
LEY 906 DE 2004

A

Abogado
Deberes y atribuciones especiales, 125
Derechos y facultades, 124
Dirección de la defensa, 121
Incompatibilidad de la defensa, 122
Integración y designación, 118
Reconocimiento, 120
Sustitución del abogado, 123

Absolución
Condena o, 111 num. 2 lit. a
Perentoria, petición de 442
Preclusión, 313 num. 4

Acceso
A los elementos materiales, 416
De las víctimas, 11
Identificación, 128
Ilimitado y en tiempo real, 212
Información confidencial, 244
Información genética, 245
Juez de control de garantías, 300
Libre, 14 inc. 3
Publicidad, 18
Publicidad de los procedimientos, 149
Restricciones, 150, 151, 152

Accesoria
Aplicación de las penas, 462
Procedencia, 474
Solicitud, 471

Acción
Atribuciones especiales del Fiscal General de la Nación, 114
Causales, 332 num. 1
Civil, 89A
Composición, 113
Condiciones de procesabilidad, 70

De revisión, 32, 33, 34, 114 num. 15; 125 num. 7; 161, 162, 193, 194
Delitos que requieren petición especial, 75
Delitos que requieren querella, 74
Desistimiento, 199
Disposiciones comunes a la casación y acción de revisión Lib. I, Tit. VI. Cap. XI
Efectos de la aplicación del principio de oportunidad, 329
Efectos de la mediación, 526
Extinción 77, 78, 79, 80
Extinción de dominio, 88
Impedimento Especial, 197
Interrupción de la prescripción, 292
La conciliación en los delitos querellables, 522
Penal, 66, 111
Penal, ejercicio, 142
Prescripción, 62, 78 par
Suspensión del procedimiento a prueba, 325 par
Trámite extinción, 78

Aceptación
Apreciación de la prueba pericial, 420
Condiciones de validez de la manifestación, 368
Criterios de valoración, 273C
De cargos, 317 par
De la imputación, procedimiento en caso de, 293
Documento auténtico, 425
Informe de investigador de laboratorio, 210
Instrucciones para interrogar al perito, 417 num. 4
Modalidades, 351
Obligatoriedad del cargo de perito, 410

Por el imputado, 283
Preacuerdos posteriores a la presentación de la acusación, 352
Total o parcial de los cargos, 353

Acta
De diligencia, 227
Inspección del lugar del hecho, 213
La conciliación en los delitos querellables, 522
Reconocimiento en fila de personas, 253 num. 7
Reconocimiento por medio de fotografías o videos, 252
Registro de la actuación, 146
Reglas para diligenciamiento de orden de registro y allanamiento, 225
Sustitución de la detención preventiva, 314

Actividad
Actuación de agentes encubiertos, 242
Búsqueda selectiva en bases de datos, 244
Condiciones a cumplir durante periodo de prueba, 326 lit. h
De los jueces penales del circuito especializado, 35
De policía, 208
De policía judicial en indagación e investigación, 205, 212
Derecho de defensa, 290
Elementos materiales probatorios y evidencia física, 275
Entrega vigilada, 243
Entrevista, 206
Informe de investigador de laboratorio, 210
Órganos de indagación e investigación, 200
Probatoria, 112
Regla general, 246
Suspensión y cancelación de la personería jurídica, 91

Acto
Actuación procesal, 10 inc. 5
Audiencia de control de legalidad posterior, 237 par
Concepto, 286
Contumacia, 291
De la función de control de garantías, 39 inc. 2
Deberes, 140 num. 1
Deberes específicos de los jueces, 139 nums. 1, 3
Entrevista, 206
Ineficacia de los actos procesales, Lib. III Tit. VI
Juramento, 389
Modalidades, 154 num. 1
Poderes y medidas correccionales 143 num. 5
Programa metodológico 207
Prueba anticipada 284 par 2
Retención de correspondencia 233
Sustitución de la detención preventiva 314 par,
Termino para adoptar decisiones 160

Actuación
Análisis e infiltración de organización criminal, 241
Archivo de las diligencias, 79
Atribuciones, 130
Ausencia de imputado, 127
Calificación, 126
Causales de impedimento, 56 nums. 1, 12
Causales de libertad, 317
Citaciones procedencia, 171
Clases, 161 num. 3
Cláusula de exclusión, 23
Cláusula exclusión en registros y allanamientos, 232
Competencia excepcional, 44
Comunicación de las peticiones escritas a demás partes e intervinientes 174
Concentración, 17

Contenido, 173
De los tribunales superiores de distrito, 34
Deberes, 140
Defensa, 8
Del perito 260, 270
Derecho a recibir información, 136
Desistimiento de la querella, 76
Destrucción objeto material del delito, 87
Duración, Lib. I Tit. VI, Cap. VII
Facultades de quien no es imputado, 267
Finalidad restricción de la libertad, 296
Gratuidad, 13
Idioma, 144
Igualdad, 4
Impedimento de magistrado, 58A
Impedimento del Fiscal General de la Nación, 58
Impedimentos y recusación de otros funcionarios y empleados, 63
Inicio de la cadena de custodia, 257
Instauración, 194
Interceptación de comunicaciones, 235
Intimidad, 14
La participación de las víctimas, 328
Lealtad, 12
Legalidad, 6
Legitimación, 193
Nulidad por incompetencia del juez, 456
Obstrucción de la justicia, 309
Oportunidad, 159
Oralidad, 9
Poderes y medidas correccionales, 143
Prohibición de transcripciones, 163
Publicidad, 18
Que no requieren autorización judicial previa para su realización, Lib. II Tit. I Cap. II
Que requieren autorización judicial previa para su realización, Lib. II Tit. I Cap. III

Revisión de la sentencia, 196
Ruptura de la unidad procesal, 53
Suspensión de la actuación procesal, 62
Trámite de impugnación competencia, 341
Trámite recurso de apelación contra autos, 178
Unidad procesal, 50

Acumulación
De fallos, 186
Jurídica, 460

Acusación
Atribuciones, 114 num. 9
Contradicción, 15
Calificación, 126
Captura, 509
Causales de impedimento, 56 num. 8
Causales de libertad, 317 nums. 4, 5
Citación, 338
Competencia, 43
Conexidad, 51
Congruencia, 448
Contenido, 446
Contenido y Documentos Anexos, 337
Devolución de bienes, 88
Restricciones al descubrimiento de prueba, 345 num. 2
Vencimiento del término, 294

Acusado
Aceptación total o parcial de los cargos, 353
Afectación de bienes en delitos culposos, 100 inc. 3
Calificación, 126
Contenido de la acusación y documentos anexos, 337
Improcedencia de acuerdos o negociaciones con el imputado, 349
Medidas cautelares sobre bienes, 92
Preacuerdos posteriores a la presentación de la acusación, 352

Termino para adoptar decisiones, 160
Trámite, 339

Administración
Bienes o recursos no reclamados, 89
De los bienes, 86

Admisión
Excepcional de la prueba de referencia, 438

Afectación
De bienes en delitos culposos, 100

Afirmación
De la libertad 295

Agente
Actuación de agente encubierto, 242
Elemento material probatorio y evidencia física recogidos por agente encubierto o infiltrado, 279

Alegato
Clausura del debate, 445
Contenido, 446
Extensión de los alegados, 444
Turnos para alegar, 443

Allanamiento
Acta de diligencia, 227
Alcance de la orden de registro y allanamiento, 222
Atribuciones, 114 num. 3
Audiencia de control de legalidad posterior, 237
Especiales, 226
Excepción al requisito de orden escrita para el allanamiento, 230
Fundamento para la orden de registro y allanamiento, 220
Interés para reclamar violación de expectativa razonable con relación al registro y allanamiento, 231
Plazo para la orden de registro y allanamiento, 224

Procedencia de los registros y allanamientos, 219
Reglas particulares para la orden de registro y allanamiento, 225

Ámbito
De la jurisdicción penal, 24
Medidas de aseguramiento, 307 lit. b num. 5

Análisis
Cruzado, 244
De la prueba, 443
De laboratorio, 307
E infiltración de organización criminal, 241
Elemento material probatorio, 260

Anexos
Contenido de la acusación y documentos, 337

Apelación
De la Corte Suprema de Justicia, 32 num. 3
De los jueces penales del circuito. 36 num. 1
De los tribunales superiores de Distrito, 34 nums. 1, 6
De los tribunales superiores de distrito respecto de los jueces penales de circuito especializados, 33 nums. 1, 6
Decisión del recurso, 179E
Doble instancia, 20
Efectos, 177
Interposición, 179C
Nulidad por violación de garantías fundamentales, 457
Procedencia del recurso de queja, 179B
Recurso desierto, 179A
Recursos ordinarios, 176
Trámite del recurso, contra autos, 178
Trámite del recurso, contra sentencias, 179

Aplicación
De las penas accesorias, 462
De los mecanismos de justicia Restaurativa o del principio de oportunidad, 53 num. 4
Del principio de favorabilidad, 38 num. 7
Del principio de oportunidad, 77, 111 num. 2, lit. d, 136 num. 11, 154 num. 7, 177 num. 5, 317, 322, 323, 324 nums. 5, 6 y par. 2, 359
Indebida de una norma, 181 num. 1

Apreciación
De la prueba documental, 432
De la prueba pericial, 420
Del testimonio, 404
Impugnación de la credibilidad de la prueba de referencia, 441

Archivos
De la actuación, 78, 326 par
De la indagación, 175 par
De la investigación, 78 par
De la solicitud, 104 par
De las diligencias, 79
De los registros, 146, par

Asegurador
Citación del, 108

Aseguramiento
Causales de libertad, 317
De detención preventiva, 219
De la caución, 319
Formalización de la reclusión, 304
Incumplimiento, 316
Informe sobre medidas de, 320
Medida de aseguramiento 127, 154 num. 4, 177 inc. 2 num. 1 287, 288, 289 par. 1, 307, 512
Medidas de aseguramiento no preventivas de la libertad, 315
Obstrucción de la justicia, 309
Peligro para la comunidad, 310 num. 3

Requisitos, 308
Solicitud de imposición de medida, 306
Solicitud de revocatoria, 318
Sustitución de la detención preventiva, 314 num. 1
Y custodia, 216

Atención
A la vida personal, laboral, familiar o social del imputado, 314
Del indiciado o imputado, 234

Atribuciones
De policía judicial. 142 num. 4, 305
Deberes y atribuciones especiales. 125
Especiales del Fiscal General de la Nación. 116

Audiencias
Cerradas al público, 149 par
De control de legalidad, 155, 237 par., 297, 298 par., 300
De control de legalidad posterior, 237
De control judicial de la preclusión, 111 num. 2, lit. a)
de dosificación de la pena y sentencia, 136
De formulación de acusación, 43, 153, 175, 343, 344, 356 num. 1
De formulación de acusación, 338
De formulación de imputación, 92, 351
De imposición, 314 num. 1
De juzgamiento, 317 num. 5, 323, 324, 325, 326
De lectura de fallo, 179
De lectura de providencia, 178
De pruebas y alegaciones, 104
De revisión de la legalidad sobre lo actuado, 84, 237, 239, 249
De sustentación, 184, 185
De sustentación y decisión, 195
Del juicio oral, 47, 175, 284, 317 par
Del juicio oral y público, 356 num. 3, 377, 398

Formulación de imputación, preacuerdos desde la, 350
Preliminar, 85, 97, 302
Preliminares o de juicio, 114 par
Preparatoria, 76, 175
Preparatoria o de juicio oral, 55
Preparatoria, conclusión, Lib. III, Tit. III, Cap. II
Preparatoria, desarrollo, 356
Preparatoria, instalación, 355
Pública. 102, 284, num. 4

Ausencia
De intervención del imputado, 332 num. 5
De la Procuraduría General de la Nación, 225 par
Del imputado, 127
Injustificada, 104 par

Autenticación
Criterios para decretarlo, 436 num. 1
Documento auténtico, 425
Documentos anónimos, 430
Métodos de autenticación e identificación, 426

Autenticidad
Criterios de valoración, 273
De los elementos materiales probatorios, 254
Elemento material probatorio y evidencia física recogidos en desarrollo de entrega vigilada, 280
Elemento material probatorio y evidencia física recogidos por agente encubierto o por agente infiltrado, 279

Auto
Admisión, 184
Clases, 161 num. 2
Criterio general, 168
Efectos, 177

Autor
Captura excepcional por orden de la Fiscalía, 300
Desistimiento de la querella, 76
Flagrancia, 301
Interrogatorio indiciado, 282
Querellante legítimo, 71
Requisitos de la denuncia o la querella o de la petición, 69
Ruptura de la unidad procesal, 53 num. 5
Situaciones que determinan la formulación de la imputación, 267
Vigilancia y seguimiento de personas 239

Autorización
Actuación de agentes encubiertos, 242
Búsqueda selectiva en base de datos, 244
Del director Nacional o Seccional de Fiscalías, 243
Del Juez de Control de Garantías, 239
Órganos que ejercen transitoriamente funciones de policía Judicial, 203
Prohibición de enajenar, 97

B

Bases
Búsqueda selectiva en base de datos, 244
Mecánicas, magnéticas u otras similares, 244
Bien
Administración de los bienes, 66
Afectación de bienes en delitos culposos, 100
Alcance de la orden de registro y allanamiento de bienes, 222
Allanamientos especiales, 226
Bienes de ilícita procedencia, 82

Bienes del Estado 175 par. 2, 284 par. 4, 317 par. 3
Bienes del penalmente responsable, 82
Bienes o recursos no reclamados, 89
Desembargo de bienes, 96
Destino de macroelementos, 266
Destrucción del objeto material del delito, 87
Devolución de bienes, 88
Fondo espacial para la administración de bienes, 82
Medidas cautelares sobre bienes, 92
Medidas cautelares sobre bienes susceptibles de comiso, 83, 94
Omisión de pronunciamiento sobre los bienes, 90
Producto directo o indirecto del delito, 82
Prohibición de enajenar, 97
Secuestro de los bienes, 92 par
Sujetos a registro, 97
Suspensión del poder dispositivo, 85
Suspensión y cancelación de registros obtenidos fraudulentamente, 101
Trámite en la incautación u ocupación, con fines de comiso, 84

Búsqueda
Búsqueda selectiva en bases de datos, 244
Mecanismos de búsqueda, 127
Obtención de información relevante, 242
Ubicación de imputados, 235

C

Cadáver
Exhumación, 217
Inspección de cadáver, 214

Cadena
De custodia, Lib. II Tit. I Cap. V
Destrucción del objeto material del delito, 87
Inicio de la cadena de custodia, 257
Responsabilidad, 255
Traslado de contenedor, 258
Traspaso de contenedor, 259

Caducidad
De la querella, 73, 77, 196

Captura
Derechos del capturado, 303
En flagrancia, 297, 302
Excepcional por la Fiscalía General de la Nación, 297, 300
Legalización de la captura, 177 num. 3, 289 par. 2
Orden de captura, 298
Registro Nacional de órdenes de captura, 305A
Requisitos generales, 297
Tramite de la orden de captura, 299

Cargos
Aceptación de cargos, 317 par. 1, 351
Aceptación total o parcial de los cargos, 353
Procedimiento en caso de aceptación de la imputación, 293 par

Casación
Lib. I Tit. VI, Cap. IX
Corte Suprema de Justicia, Sala de Casación Penal, 499, 500 par. 1
Desistimiento, 199
Legitimación, 182
Procedencia, 181 num. 4
Recurso extraordinario de casación, 190

Caución
En dinero efectivo o mediante póliza, 96
Extinción de la condena y devolución de la caución, 476
Prendaria, 307

Real, 307 num. 8

Causales
Admisión, 184
De agravación punitiva, 350 num. 1
De extinción, 81
De extinción de dominio, 85
De impedimento, 39, 56, 411
De incompetencia, 55
De libertad, 317, 511
De mala conducta, 117
De recusación, 411

Cautelares
Criterios para decretar medidas cautelares, 93
Cumplimiento de las medidas cautelares, 95
Medidas cautelares sobre bienes, 92
Medidas cautelares sobre bienes susceptibles de comiso, 83

Celeridad
Principio, 147

Certificación
En cadena de custodia, 265

Citaciones
Contenido de la acusación y documentos anexos, 337
Del asegurador, 108
Formas, 169, 172
Procedencia, 171

Cláusula
De exclusión, 23
De exclusión en materia de registros y allanamientos 232

Clausura
Del debate procesal, 445

Coacusado
Como testigo, 394

Comiso
Administración de bienes, 86
Destino de macroelementos, 266
Devolución de bienes, 88
Medidas cautelares sobre bienes susceptibles de comiso, 83
Procedencia, 82
Tramite de incautación u ocupación de bienes con fines de comiso, 84

Comparecencia
De los peritos a la audiencia, 412
Defensa, 8 lit. k
Del imputado, 296, 304
Del procesado, 127
Obligatoria de los testigos, 384

Competencia
Asignación especial de competencia, 36 num. 2
De la Corte suprema de Justicia, 32 num. 4
De la Fiscalía General de la Nación, Lib. I, Tit. I, Cap. V
De la función de control de garantías, 39
De los Jueces del Circuito, 34 un. 4
De los jueces penales del circuito especializado, 33 un. 6, 52, 175, 284, 294, 313 num. 1, 324 par; 317 par. 3
De los tribunales superiores de distrito respecto de los jueces penales de circuito especializados 33 num. 3
Del Juez de primera instancia, 190
Del Tribunal Superior, 179
Funciones del ministerio público 111Lit. e
Para ejecutar, 41
Para imponer las penas y las medidas de seguridad, 40
Para la ejecución de las sanciones 38 par
Territorial, Lib. I, Tit. I, Cap, III

Comunicación
Al funcionario judicial, 304
De la sentencia, 166
De las peticiones escritas a las demás partes e intervinientes, 174

Comunidad
Peligro para la comunidad, 310
Seguridad de la comunidad 300, 310

Concentración
Principio de concentración, 17

Concepto
De la Corte Suprema de Justicia, 501
Del perito oficial, 468
Del ministerio de Relaciones Exteriores, 496
Del ministerio público, 324

Conciliación
Citación del asegurador, 108
En el incidente de reparación integral, 521
En los delitos querellables, 522
Mediación, 521
Preprocesal, 521

Condena
Cumplimiento de la condena, 38 num. 5
De ejecución condicional, 474, 479
En primera o única instancia, 478

Condenatoria
Condenatoria o absolutoria, 176, 177
Individualización de la pena y sentencia, 447

Condiciones
A cumplir durante el periodo de prueba, 326
De privación de la libertad, 111 num. 1 Lit. d
De procesabilidad, 70

De validez de la manifestación, 368
Para la remisión a los programas de justicia restaurativa, 520

Condicional
Libertad condicional, 38, Lib. IV, Tit.I, Cap. III, 471, 472, 481 num. 4
Procedencia, 474

Conexidad
Competencia por conexidad, 52

Contradicción
Derecho de contradicción, 184
Principio de contradicción, 15, 149

Contrainterrogatorio
Instrucciones para contrainterrogar al perito, 418
Reglas sobre el contrainterrogatorio, 393

Contumacia
Contumacia, 291
Trámite, 195

Cooperación
Internacional, Lib. V, Cap. I

Copia
Acta de diligencia, 227
De la fotocédula, 128
Derecho a la expedición de copias, 146 par
Expedición de copias, 165

Culpabilidad
Manifestaciones de culpabilidad preacordada, 369

Cumplimiento
Condiciones a cumplir durante el periodo de prueba, 326 par
De la condena, 38
Ejecución de la pena por no reparación de daños, 475

Custodia
Cadena de custodia, Lib. II; Tit. I, Cap. V
Destrucción objeto material del delito, 87
Devolución de la orden y cadena de custodia, 228

D

Deber
De declarar, 385
De denunciar, 67

Declaración
Conocimiento personal, 402
Inicial, 371
Jurada de testigo o informante, 221
Juramentada, 146

Decreto
Desembargo de bienes, 96
Extinción de la sanción penal, 38
Medidas cautelares sobre bienes, 92
Solicitudes probatorias, 357

Defensor
Deberes y atribuciones, 125
Defensor suplente, 121
Derechos y facultades, 124
Dirección de la defensa, 121
Incompatibilidad de la defensa, 122
Integración y designación, 118

Delito
Acumulación jurídica, 460
Deber de denunciar, 67
Que requieren petición especial, 75
Que requieren querella, 74

Denuncia
Deber de denunciar, 67
Exoneración del deber de denunciar, 68
Requisitos de la denuncia, 69

Derechos
A la verdad, justicia y reparación, 137
A un juicio justo, 18
De defensa y la integridad del juicio, 344
De los intervinientes a la expedición de copias y registros de la actuación, 146
De las víctimas, 11
Del capturado, 303
Intimidad, 14
Libertad, 12
Restablecimiento del derecho, 22

Desarrollo
De la audiencia preparatoria, 356

Descubrimiento
De las pruebas, 337, 344, 415
De los elementos materiales probatorios, 207, 288, 344, 356 num. 1
Restricciones al descubrimiento de prueba, 345
Sanciones por incumplimiento del deber de revelación durante el descubrimiento 346

Desistimiento
De la querella, 76
De los recursos, 179F

Destrucción
De los materiales explosivos, 256
Del objeto material del delito, 87

Detención
Acusado no privado de la libertad, 450
Domiciliaria, 314, 316
Preventiva, 175, 219, 284, 300, 302, 304, 307, 310, 314, 317
Procedencia de la detención, 313
Sustitución de la detención, 314

Devolución
De bienes o recursos no reclamados, 89, 89A
De bienes, 88

Dignidad
  Dignidad Humana, principio, 1
  Limite a la inspección corporal, 247
  Limite al registro persona, 248

Diligencia
  Archivo de las diligencias, 79
  De compromiso, 466, 469
  De conciliación, 522

División
  Territorial para efecto del juzgamiento, 42

Doble
  Incriminación, 502
  Instancia, 29

Documentos
  Anónimos, 430
  Apreciación de la prueba documental, 432
  Autentico, 425
  De identidad, 128
  Digitales, 223 num. 3
  Manuscritos, 262
  Métodos de autenticación e identificación, 426
  Presentación de documentos, 429
  Procedentes del extranjero, 427
  Regla de mejor evidencia, 433
  Traducción de documentos, 428

Duración
  De la práctica de pruebas, 393
  De los procedimientos, 175

E

Efectos
  Efectos de los recursos, 177
  Devolutivo, 177
  Suspensivo, 177

Ejecución
  Condicional, 479
  De la pena por no reparación de los daños, 475
  De la vigilancia, 239, 240
  De las sanciones penales 38
  De las penas y medidas de seguridad, 31 num. 7; 34, 459, 483
  Sustitución de la ejecución de la pena, 461

Elementos
  Acceso a los elementos materiales probatorios, 416
  Autenticidad del elemento material probatorio, 277
  Exhibición de los elementos materiales de prueba, 358
  Legalidad del elemento material probatorio, 276

Empleo
  De los documentos en el juicio, 431

Entrevista, 206
  Facultad de entrevistar, 271

Establecimiento
  Carcelario, 304, 313, 314, 316, 471
  De reclusión, 169, 202 num, 5, 304, 307

Evidencia
  Evidencia física, 275
  Evidencia física recogidos en desarrollo de entrega vigilada, 280
  Evidencia física recogidos por agente encubierto o infiltrado, 279
  Evidencia física remitidos del extranjero, 281
  Excepciones a la regla de mejor evidencia, 434
  Presentación de la evidencia demostrativa, 423

Exámenes
  De ADN que involucren al indiciado o imputado, 245
  De los testigos, 390
  De sangre o de Semen, 251
  Físicos de las víctimas, 250
  Grafo técnico, 249
  Médico-Legal, 205
  Periciales, 344
  Separado de testigos, 396

Exclusión
  Cláusula de exclusión, 23
  Cláusula de exclusión en materia de registros y allanamientos, 232
  De la evidencia ilegalmente obtenida, 231
  De una prueba del juicio oral, 177 num. 5

Exhumación, 217

Exoneración
  Del deber de denunciar, 68

Extensión
  De los alegatos, 444

Extinción, 77
  Causales de extinción, 81
  Extinción de dominio, 85, 88
  De la condena y devolución de la caución, 476
  De la sanción penal, 38
  Del derecho de dominio, 489 par
  Efectos de la extinción, 80
  Tramite de la extinción, 78

Extradición, 490
  Concepto de la Corte Suprema de Justicia, 501
  Concesión u ofrecimiento de la extradición, 491
  Condiciones para el ofrecimiento o concesión, 494

  Documentos anexos para solicitud u ofrecimiento, 495
  Entrega del extraditado, 506
  Fundamentos de la resolución que concede o niega la extradición, 502
  Gestiones diplomáticas para obtener la extradición, 514
  Prelación en la concesión, 505
  Requisitos para concederla u ofrecerla, 493
  Requisitos para solicitarla, 512
  Simplificada, 500 par. 1

F

Fallo
  Acumulación de Fallos, 186
  Anticipado, 191
  Individualización de la pena y sentencia, 447
  Sentido del Fallo, 40, 146, 299, 445, 446, 450

Fe
  Buena fe, 140
  Temeridad o mala fe, 141

Fijación
  De la fecha de inicio del juicio oral, 365
  Del sitio para continuar el proceso, 49

Fila
  Reconocimiento en fila, 252, 253

Fines, 372
  Constitucionales de la detención preventiva, 310

Fiscalía
  Atribuciones, 114
  Atribuciones especiales, 116
  Competencia territorial, 45
  Deberes de la Fiscalía, Lib. I Tit. V Cap. III

Delegados ante la Corte Suprema de Justicia, 118
Fiscalía General de la Nación, 45

Flagrancia
Concepto, 301
Procedimiento en caso de flagrancia, 302

Formulación
De la acusación, Lib. III, Tit. I, Cap. II
De la imputación, Lib. I, Tit. III

G

Garantía
Constitucionales, 50

Grupo
De tareas especiales, 211

I

Identificación, 264
Documentos anónimos, 430
Métodos de identificación técnica, 249
Reconocimiento por medio de fotografías y videos, 252

Idioma, 144
Testigo de la lengua extranjera, 401

Igualdad, 4

Imparcialidad, 5

Impedimento
Causales, 56
De magistrado, 58A
Del Fiscal General de la Nación, 58
Del funcionario judicial, 62
Del testigo para concurrir, 386
Trámite para el impedimento, 57

Imposición
De la medida de aseguramiento, 287, 288, 289
Solicitud de imposición de medida de aseguramiento, 306

Improcedencia
Del impedimento y la recusación, 61
De la impugnación, 65
De acuerdos o negociaciones con el imputado o acusado, 349

Impugnación
De la credibilidad de la prueba de referencia, 441
De la credibilidad del testigo, 348
Utilización de la prueba de referencia para fines de impugnación, 440

Imputado
Aceptación total o parcial de los cargos, 353
Ausencia del imputado, 127
Atribuciones del imputado, 130
Identificación o individualización del imputado, 128
Muerte del imputado, 77

In Dubio ProReo
Principio, 7

Incidente
De reparación integral, 11 lit. h, 15, 96, 135, 136 num. 13, 137 num. 7, 521, 526,

Indagación
Actividad de policía judicial en la indagación e investigación, 205
Análisis de la actividad de policía judicial en la indagación e investigación, 212
Protección de testigos en la etapa de indagación e investigación, 212A

Indígena
Excepciones a la jurisdicción penal ordinaria, 30

Individualización
De la pena y la sentencia, 447
Identificación o individualización, 128

Ineficacia
De la sentencia condenatoria, 38 num. 9
De los actos procesales, Lib. III Tit. VI

Informes, 463
Admisibilidad del informe y citación del perito, 414
De investigador de campo, 209
De investigador de laboratorio, 210

Inimputable
Internación de Inimputable, 465
Situación de los inimputables, 452

Inocencia
Principio, 7

Inspección
Corporal, 155, 208, 247, 275Lit. d)
De cadáver, 205, 214
Del lugar del hecho, 213
Inspecciones en lugares distintos al hecho, 215
Judicial, 436

Instancia
Doble instancia, principio, 20

Instrucciones
Para contrainterrogar al perito, 418
Para interrogar al perito, 417

Interceptación
De comunicaciones, 235

Interrogatorio
Cruzado de testigo, 391
Indiciado, 282

Oposiciones durante el interrogatorio, 395
Por el juez, 397
Reglas sobre el interrogatorio, 392

Interrupción
De la prescripción, 292

Intervención
De las víctimas en la actuación penal, 137

Interviniente(s)
Alegatos de las partes e intervinientes, Lib III, Tit. IV, Cap. IV
De los deberes de las partes e intervinientes, Lib. I, Tit. V, Cap. II

Investigación
Actividad de la policía judicial en la indagación e investigación, 205
Análisis de la actividad de la policía judicial en la indagación e investigación, 212
Medios cognoscitivos en la indagación e investigación, Lib. II, Tit. I, Cap. I
Técnicas de Indagación e Investigación de la prueba y sistema probatorio, Lib. II

J

Judicial
Actuaciones que no requieren autorización judicial previa para su realización, Lib. II Tit. I, Cap. II
Actuaciones que requieren autorización judicial previa para su realización, Lib. II Tit. I, Cap. III
Control judicial en la aplicación del principio de oportunidad, 327
Órganos de policía judicial permanente, 201

Órganos que ejercen transitoriamente funciones de policía judicial, 203

Jueces
De los jueces de ejecución de penas y medidas de seguridad, 38
De los jueces penales del circuito especializado, 35
De los jueces penales del circuito, 36
De los jueces penales municipales, 37

Juicio, Lib. III
Fijación de la fecha de inicio del juicio oral, 365

Juramento, 389

Jurisdicción
Ámbito de la jurisdicción penal, 24
Excepciones a la jurisdicción penal ordinaria, 30
Objeto de la jurisdicción penal ordinaria, 29
Órganos de la jurisdicción, 31

Justicia
Restaurativa, Lib. VI

L

Lealtad
Principio, 12

Legalidad
Principio, 6

Libertad
Acusado no privado de la libertad, 450
Acusado privado de la libertad, 451
Afirmación de la libertad, 295
Causales de libertad, 317
Finalidad de la restricción de la libertad, 296
Inmediata, 449

Medidas de aseguramiento no privativas de la libertad, 315
Principio 2
Vigilada, 467

M

Mediación, Lib. VI, Cap. III
Efectos de la mediación, 526

Medida
Cautelares sobre los bienes, 92
Cautelares sobre los bienes susceptibles de comiso, 83
Criterios para decretar medidas cautelares, 93
De aseguramiento, 307
De aseguramiento no privativa de la libertad, 315
De atención y protección a las víctimas, 134
Especiales para asegurar la comparecencia de los testigos, 384
Patrimoniales a favor de las víctimas, 99
Poderes y medidas correccionales, 143
Solicitud de imposición de medida de aseguramiento, 306
Suspensión, sustitución o cesación de la medida de seguridad, 468

Medios
De conocimiento, 382

Ministerio
Funciones del Ministerio Público, 111

N

Notificaciones
De las providencias, citaciones y comunicaciones entre los intervinientes en el proceso penal, Lib. I, Tit. VI, Cap. VI

Nulidad
Derivada de la prueba ilícita, 455
Por incompetencia del Juez, 456
Por violación de garantías fundamentales, 457

O

Obligación
De rendir testimonio, 383

Obligatoriedad
Del cargo de perito, 410

Obstrucción
De la justicia, 309

Opinión
Base de la opinión pericial, 415

Oportunidad, 119, 157, 183
Aplicación del principio de oportunidad, 323
Control judicial en la aplicación del principio de oportunidad, 327
Efectos de la aplicación del principio de oportunidad, 329
Principio de oportunidad y política criminal, 321

Oralidad
Principio, 9

P

Pago
Prórroga para el pago de perjuicios, 479

Participación
De las victimas, 328

Peligro
Para la comunidad, 310

Para la víctima, 311

Penas
Aplicación de las penas accesorias, 462
Competencia para imponer las penas y medidas de seguridad, 40
Ejecución de penas y medidas de seguridad por no reparar los daños, 475
Individualización de la pena y sentencia, 447
Sustitución de la ejecución de la pena, 461

Peritos
Actuación del perito, 260, 270
Admisibilidad del informe y citación del perito, 414
Base de la opinión pericial, 415
Comparecencia de los peritos a la audiencia, 412
Credibilidad del testigo o perito, 440
Impedimentos y recusaciones, 411
Instrucciones para contrainterrogar al perito, 418
Instrucciones para interrogar al perito, 417
Limitación a las opiniones del perito sobre insanidad mental, 421
Número de peritos, 407
Obligatoriedad del cargo de perito, 410
Quienes no pueden ser nombrados, 409
Quienes pueden ser nombrados, 408
Traslado de testigos y peritos, 486

Personería
Suspensión y cancelación de la personería jurídica, 91

Pertinencia, 375
Reglas de pertinencia, 357

Petición
De absolución perentoria, 442

Delitos que requieren petición especial, 75

Requisitos de la denuncia, la querella o de la petición, 69

Policía
Actividad de policía judicial en la indagación e investigación, 205
Análisis de la actividad de policía judicial en la indagación e investigación, 212
Órganos de policía judicial permanente 201
Órganos que ejercen funciones permanentes de policía judicial de manera permanente dentro de su competencia, 202
Órganos que ejercen transitoriamente funciones de policía judicial, 203
Testimonio de policía judicial, 399

Preacuerdo
Desde la audiencia de formulación de imputación, 350
Posteriores a la presentación de la acusación, 352

Preclusión, 331
Efectos de la decisión de preclusión, 334
Rechazo a la solicitud de preclusión, 335

Prescripción
Especial, 89A
Interrupción de la prescripción, 292
Suspensión de la prescripción, 180

Presentación
De la evidencia demostrativa, 423
Decisión sobre el orden de presentación de la prueba, 362

Principio
Rectores y garantías procesales, Tit. Preliminar

Procedencia
De la detención preventiva, 313
De los registros y allanamientos, 219
Del recurso de queja, 179B

Procedimiento
Duración de los procedimientos, 175
En caso de aceptación de la imputación, 293
En caso de flagrancia, 229, 302
En caso de lesionados o de víctimas de agresiones sexuales, 250
Para exposiciones, 347

Programa
Metodológico, 207

Prohibición
De enajenar, 97
De pruebas de oficio, 361
De transcripciones, 163

Protección
De testigos en la etapa de indagación e investigación, 212A
Medidas de protección, 342
Medidas de atención y protección a las victimas, 134

Providencias
Clases, 161
De jueces colegiados o plurales, 164

Prueba
Admisibilidad, 376
Admisibilidad de publicaciones científicas y prueba novel, 422
Admisión excepcional de la prueba de referencia, 438
Anticipada, 284
Apreciación de la prueba documental, 432
Apreciación de la prueba pericial, 420
Audiencia de prueba y alegaciones, 104

Condiciones a cumplir durante el periodo de prueba, 326
Conservación de la prueba anticipada, 285
Criterios de valoración de la prueba, 380
Decisión sobre el orden de presentación de la prueba, 362
Documental, 424
Exclusión, rechazo e inadmisibilidad de los medios de prueba, 359
Exhibición de los elementos materiales de prueba, 358
Ilegal, 360
Impugnación de la credibilidad de la prueba de referencia, 441
Nulidad derivada de la prueba ilícita, 455
Oportunidad de la prueba, 374
Prohibición de la prueba de oficio, 361
Restricciones al descubrimiento de prueba, 345
Solicitud de prueba anticipada, 274
Suspensión del procedimiento a prueba, 325
Utilización de la prueba de referencia para fines de impugnación, 440

Publicidad
Principio, 18
Restricciones a la publicidad por motivos de interés de la justicia, 152
Restricciones a la publicidad por motivos de orden público, seguridad nacional o moral pública, 150
Restricciones a la publicidad por motivos de seguridad o respeto a las victimas menores de edad, 151

Q

Querella
Caducidad de la querella, 73

Condiciones de procesabilidad, 70
Delitos que requieren querella, 74
Desistimiento de la querella, 76
Extensión de la querella, 72
Querellantes legítimos, 71
Requisitos de la querella, la denuncia o la petición, 69

R

Radicación
Cambio de Radicación, Lib. I, Tit. I, Cap. IV

Reanudación
De la audiencia, 364

Rechazo
De la solicitud de preclusión, 335

Reconocimiento
En fila de personas, 253
Por medio de fotografías o videos, 252

Recuperación
De información producto de la trasmisión de datos a través de las redes de comunicaciones, 236

Recursos
De queja, 179B
De Apelación contra autos, 178
De Apelación contra sentencias, 179
Desierto, 179A
Desistimiento de los recursos, 179F
Ordinarios, 176

Recusación
Requisitos y formas, 60
Suspensión de la actuación procesal, 62

Registro
De personas capturadas y detenidas, 305

De personas vinculadas, 129
Nacional de órdenes de captura, 305A
Personal, 248

Requerimiento
Por otra autoridad, 453

Responsable
Tercero civilmente responsable, 107

Retención
De correspondencia, 233

Revisión
Acción de revisión, Lib. I, Tit. VI, Cap. X
De la sentencia, 196

Revocatoria
De la suspensión condicional, 469
Solicitud de revocatoria, 318

Ruptura
De la unidad procesal, 53

S

Seguimiento
Vigilancia y Seguimiento de personas, 239

Sentencia
Comunicación de la sentencia, 166
Ejecución de la sentencia, Lib. IV
Extranjeras, Lib. V
Individualización de la pena y sentencia, 447
Información acerca de ejecución de la sentencia, 167
Revisión de la sentencia, 196

Servidor
De los deberes de los servidores judiciales, Lib. I, Tit. V, Cap. I

Sordo
Testigo, 400

Sustitución
Del defensor, 123
De la detención preventiva, 314
De la ejecución de la pena, 461
Suspensión, sustitución o cesación de la medida de seguridad, 468

T

Taxatividad
Principio sobre las nulidades, 458

Testigo
Acusado y coacusado como testigo, 394
Examen de los testigos, 390
Examen separado de testigos, 396
Impedimento del testigo para concurrir, 386
Impugnación de credibilidad del testigo, 403
Interrogatorio cruzado del testigo, 391
Medidas especiales para asegurar la comparecencia del testigo, 384
Privado de la libertad, 398
Protección de la imagen de los testigos, 152A
Sordo, 400
Traslado de testigos y peritos, 486

Testimonio
Apreciación del testimonio, 404
De agente diplomático, 388
De policía judicial, 399
Especiales, 387
Obligación de rendir testimonio, 383

Toga, 148

Traducción
De documentos, 428

Turno
    Para alegar, 443

U

Unidad
    Procesal, 50
    Ruptura de la unidad procesal, 53

Utilización
    De la prueba de referencia para fines de
    impugnación, 440

√

Vencimiento
    Del término, 294

Víctimas, 132, 340
    Atención y protección inmediata a las
    víctimas, 133
    Derechos de las víctimas, 11
    Intervención de las víctimas en la ac-
    tuación penal, 137
    Medidas de atención y protección a las
    víctimas, 134
    Medidas patrimoniales a favor de las
    víctimas, 99

Video
    Reconocimiento por medio de fotogra-
    fías o video, 252

Vigilancia
    De cosas, 240
    Y seguimiento de personas, 239.